KB196652

마이클 포터의
**경쟁전략**
COMPETITIVE
STRATEGY

**COMPETITIVE STRATEGY :**

Techniques for Analyzing Industries and Competitors

by Michael E. Porter

Copyright © 1980 by The Free Press

New Introduction Copyright © 1998 by The Free Press

All rights reserved.

Korean Translation Copyright © 2008 by Book21 Publishing Group

This Korean edition was published by arrangement with The Free Press,

A Division of Simon & Schuster, Inc., New York,

through KCC(Korea Copyright Center, Inc.), Seoul.

이 책의 한국어판 저작권은 (주)한국저작권센터(KCC)를 통한
저작권자와의 독점계약으로 (주)북이십일이 소유합니다.
저작권법에 의해 한국 내에서 보호받는 저작물이므로 무단전재와 무단복제를 금합니다.

# 마이클 포터의
# 경쟁전략
# COMPETITIVE
# STRATEGY

## 경쟁우위에 서기 위한 분석과 전략법

마이클 포터 지음
조동성 옮김

21세기북스
www.book21.com

KI신서 1486

마이클 포터의
# 경쟁전략

**1판 1쇄 발행** 2008년 10월 10일
**1판 7쇄 발행** 2012년 1월 15일

**지은이** 마이클 포터 **옮긴이** 조동성
**펴낸이** 김영곤 **펴낸곳** (주)북이십일 21세기북스
**부사장** 임병주 **PB사업부문장** 정성진
**기획** 윤영림 **편집** 이용우 **디자인** 박선향 (주)네오북
**마케팅·영업본부장** 최창규 **영업** 이경희 정병철 **마케팅** 김현섭 김현유 강서영
**출판등록** 2000년 5월 6일 제10-1965호
**주소** (우413-756) 경기도 파주시 문발동 파주출판단지 518-3
**대표전화** 031-955-2100 **팩스** 031-955-2151 **이메일** book21@book21.co.kr
**홈페이지** www.book21.com **21세기북스 트위터** @21cbook **블로그** b.book21.com

책값은 뒤표지에 있습니다
ISBN 978-89-509-1545-2 03320

＊이 책 내용의 일부 또는 전부를 재사용하려면 반드시 (주)북이십일의 동의를 얻어야 합니다.
＊잘못 만들어진 책은 구입하신 서점에서 교환해 드립니다.

옮긴이의 글

# 경쟁에서 이기기 위한 변치 않는 원칙

28년 전 이 책의 원서인 『경쟁전략(Competitive Strategy)』의 초판이 출간되었을 때 이 책은 학계와 산업계 모두에 큰 반향을 불러일으켰다. 5년 후인 1985년 역자는 이 책을 국내에 최초로 소개하여 당시 학문적 기반이 취약하던 경영전략 분야를 개척했다. 그 후 역자는 서울대학교 경영대학에서 경영전략 과목을 강의해오면서 『경영정책과 장기전략 계획』, 『21세기를 위한 전략경영』 등 역자의 저서를 주 교재로, 이 책을 부교재로 활용해왔다. 하지만 한자어 표현이 많고, 더욱이 시중에 번역판이 절판된 지 오래되어 아쉬워하다 이번에 2차 번역판을 내게 되었다.

오늘날 우리는 전대미문의 초경쟁 시대를 살아가고 있다. 기업 외에도 정부, 학교, 병원 등 모든 조직을 운영함에 있어 더 이상 경쟁을 피하기 어려워졌다. 그렇다면 경쟁에서 이기는 길은 무엇일까? 저자인 마이클 포터(Michael Porter) 하버드경영대학원 교수는 이 책에서 우선 어떤 도구로 경쟁을 할 것인지 결정할 수 있어야 한다고 말한다. 기업은 경쟁자를 상대로 수많은 강점과 약점을 가지고 경쟁을 하지만, 거기에는 2가지 기본적인 유형의 경쟁우위가 있다. 원가우위와 차별화 우위가 바로 그것인데, 기업이 가진 강점과 약점 역시 상대적 원가 및 차별화와 밀접한 관련이 있다. 기업은 원가우위 또는 차별화 우위를 토대로 효과적인 경쟁전략을 수립해 실행해나감으로써 다른 경쟁자들보다 한발 앞서나갈 수 있을 것이다. 다음으로 이 책은 경쟁 포지셔닝의 중요성에 대해 언급한다. 마이클 포터 교수는 경쟁전략의 핵심을, 기업이 시장상황과 경쟁상황을 분석해 나름대로의 방향을 설정하고 핵심역량을 구축하는 것이 아닌 장기적인 측면에서 경쟁 포지셔닝을 획득하기 위한 기업의 총체적인 활동으로 보고 있다. 이는 다시 말해 단기적인 모방이나 근시안적인 대응으로는 결코 경쟁자를 이길 수 없다는 의미이다. 이는 세월을 뛰어넘어 오늘날의 기업 경영에 있어서도 충분히 적용되는 원칙이다.

경영학, 특히 경영전략은 다른 학문에 비해 그 역사가 짧은 편에 속한다. 그럼에도 불구하고 헤아릴 수 없이 많은 경영전략 관련 서적들이 출간되었다. 전사적 품질관리, 리스트럭처링, 리엔지니어링, 벤치마킹 등 수많은 아이디어가 책으로 출간되어 유행처럼 빠르게 번졌다가 오래지 않아 역사의 뒤안길로 사라졌다.

한때 『경쟁전략』이 유행이 지난 구시대적 사고로 치부되었던 적도 있었다. 하지만 이 책은 경영 관련 서적의 극심한 부침에도 불구하고 꿋꿋이 그 명맥을 유지해온 몇 안 되는 책들 중 하나이다. 그렇다면 이 책이 지속적인 인기를 누릴 수 있었던 비결은 무엇일까? 역자는 그 이유를 고전에서 찾고자 한다. 수천 년이 지난 오늘날에도 여전히 우리는 고전을 읽고 새로운 의미를 발견하며 또 교훈을 얻는다. 고전이 만들어진 시대와 지금의 환경이 명백하게 다름에도 불구하고 고전은 현대를 살아가는 사람들에게 유효한 지혜를 제공해준다. 같은 맥락에서 환경 변화가 매우 빠른 경영학 분야에서도 고전의 역할을 하는 책이 있다. 일시적인 기교나 유행을 따르지 않고, 근본적인 원칙을 제시해주는 책이 바로 고전의 반열에 오를 수 있는 책일 것이다. 환경이 아무리 바뀌어도 원칙은 존재하게 마련이다. 중요한 것은 이러한 원칙을 자신의 상황에 맞게 바꿔 적용하는 일일 것이다.

저자의 훌륭한 아이디어를 제대로 전달하기 위해 노력했지만 번역이라는 원천적인 한계가 있었음을 인정한다. 특히 마이클 포터 교수의 특이한 문체와 미국 내에서만 통용되는 관용적 표현을 옮기는 과정에서 적절한 대응문장을 만드는 데 많은 애로점이 있었다. 하지만 원전에 충실해야 한다는 번역의 엄정함을 유지하느라 독자들에게는 다소 생소한 표현이 있을 수 있음을 미리 알려둔다. 앞으로도 독자들의 의견을 충분히 수렴하여 계속 고쳐나갈 것이다.

이 책의 1차 번역판은 1985년 정몽준 현대중공업 회장과 함께 작업하여 경문사에서 출간하였고, 이번 2차 번역판은 역자의 제자인 박재찬 박사와 석사과정의 이윤하 조교와 함께 작업하였다. 그리고 번역작업 중 많은 의견을 교환하고 출판사와의 연락을 맡아준 한재훈 박사, 그리고 여러 궂은일을 마다하지 않고 도와준 서울대학교 문화산업연구회(ENS)에도 지면을 빌어 감사의 뜻을 전한다. 하지만 본서의 내용과 관련된 모든 책임은 역자에게 있음을 밝혀둔다. 23년의 세월을 뛰어넘어 『경쟁전략』이 다시 태어날 수 있었던 것은 21세기북스의 김영곤 사장이 선뜻 2차 번역판의 출간을 허락해주었기 때문이다. 『경쟁전략』이 모쪼록 독자들에게 유익한 책이 되었으면 하는 바람이 간절하다.

2008년 10월

조동성

# 차례

# 지금, 경쟁전략이 여전히 중요한 이유

18년 전 『경쟁전략』을 펴냈을 때, 나는 이 책이 독자들에게 강한 시사점을 주기를 바랐다. 이러한 기대에는 나름의 이유가 있었다. 『경쟁전략』은 MBA과정 학생들과 최고경영자과정 학생들의 치열한 토론을 거쳐 결국 살아남은 결과물이었기 때문이다.

이 책에 쏟아진 찬사는 당초 기대했던 것 이상이었으며, 덕분에 새로운 영역을 개척하게 되었다. 대부분의 경영대학 학생들이 이 책의 내용을 공부하게 되었으며, 경쟁전략은 정책과 전략의 필수과정으로 자리매김하게 되었다. 뿐만 아니라 이 책은 경제학, 마케팅, 기술경영, 정보시스템 영역에 이르기까지 널리 소개되었다. 『경쟁전략』은 책의 내용을 숙지하여 현장에 접목한 대기업 또는 중소기업 경영자들로부터도 많은 사랑을 받았다. 편지나 이메일, 인터뷰 등을 통해 사람들로부터 귀중한 의견을 수렴하기도 했다. 또한 경영 컨설턴트들에게도 이 책은 많은 인기를 구가했다. 실제로 이 책에 나온 아이디어를 응용해 컨설팅 사업을 시작하는 회사가 많이 생겨나기도 했다. 아울러 주식분석가들조차 기업 진단 및 평가에 앞서 이 책의 내용을 정독하는 것이 필수과정이 되었다.

산업구조 분석, 경쟁자 분석, 전략적 포지셔닝과 같은 개념을 중심으로 하는 경쟁전략은 이제 기업 경영의 일부분으로 받아들여지고 있다. 많은 사람들이 이 책의 내용을 직접 현장에 접목하면서 본서를 강력한 산업구조 분석도구의 반열에 올려놓았다.

한편 『경쟁전략』은 그 자체로도 학문적 영역을 개척하였다. 수많은 다른 개념과 더불어 경쟁전략이 연구자들에게 인기 있는 분야로 자리 잡게 된 것이다. 또한 경쟁전략은 경제학자들 사이에서 괄목할 만한 연구주제로 부상했다. 긍정적이든 부정적이든 간에 이 책의 내용에 대한 활발한 논의는 본서에 생기를 불어넣어주었을 뿐만 아니라 외연을 확장시켰으며, 이는 아주 만족스러운 결과로 이어졌다. 나와 함께 가르치거나 조언을 해주고 공동저술에 참여하기도 한 뛰어난 학자들의 노력 덕분에 이 같은 지적 욕구를 충족시킬 수 있었다.

나는 『경쟁전략』의 개정판 발간에 즈음하여 이 책의 영향력에 대해 다시금 숙고하게 되었다. 시간이 지나면서 『경쟁전략』의 파급효과가 더욱 분명해진 것 같다. 경쟁은 예나 지금이나 기업 경영의 핵심주제임에도 불구하고 이 책이 출간되기 전까지 수많은 기업들이 어떻게 경쟁할 것인지를 놓고 곤경에 빠져 있었던 것이 사실이다. 사실상 경쟁은 영원불멸의 주제라 해야 할 것이다. 오늘날 경쟁의 강도는 점점 더 커지고 있으며 더 많은 국가로 확산되고 있다. 한 예로 이 책이 처음 출간된 1980년 당시에는 경쟁과 거리가 멀었던 중국, 체코, 슬로바키아, 헝가리, 폴란드, 우크라이나에 이르기까지 현재에는 본서가 번역되어 출간되었다.

이 책은 경영사고의 체계화 정립을 목표로 한다. 그 덕분에 수십 년간의 논의를 거쳐 일반 관리자와 전문가의 역할이 보다 명확해졌으며, 장기전략 계획은 기업의 향후 방향을 가늠하는 지표가 되었다. 초판에서 언급했던 것과 같이 경영전략의 개념은 케네스 앤드루스나 C. 롤랜드 크리스텐슨과 같은 저명한 학자들에 의해 그 기초가 다져졌다. 하지만 아직도 기업을 둘러싼 산업에 대한 평가, 경쟁자에 대한 이해, 전략적 위치 설정 등과 같은 경영전략의 핵심질문에 명쾌한 답을 제시할 수 있는 체계적인 틀이 존재하지 않는다. 경험곡선을 비롯하여 경영컨설팅 회사들에 의해 발전된 몇몇 분석도구가 이러한 간격을 메우려 노력해왔지만, 너무 앞서나가거나 특정 상황에 국한된 경우가 대부분이었다.

『경쟁전략』은 산업 내에서 경쟁을 유발하는 '5가지 요인'에 대해 체계적으로 다룸으로써 풍부한 분석틀을 제공한다. 이러한 분석틀을 통해 기업은 산업별 차이점과 산업이 진화해나가는 모습, 그리고 자사의 위치 설정 등에 대해 보다 명확하게 이해하게 될 것이다. 『경쟁전략』은 구체적으로 유망한 산업과 그렇지 않은 산업을 구별하고, 산업 간 이질성을 파악하는 구조화된 분석도구를 제공할 것이다. 또한 기업의 수익성과 직결되는 경쟁우위(차별화와 원가우위) 개념에 대해서도 다룰 것이다. 이 책의 내용을 따라가다 보면 전략적으로 중요한 질문에 대한 해답을 경영자 스스로 손쉽게 찾을 수 있으리라 믿는다.

이 책은 또한 경제적 사고의 새로운 지평을 열었다. 경제학적인 관점에서 경쟁은 지극히 고정적인 개념이었다. 경제학자들은 오로지 산업에만 초점을 맞추었고, 경쟁의 개념은 효율성이나 규모 면에서 다소 차이가 있을 뿐 근본적으로 똑같은 것으로 간주되었다. 그들의 관심은 주로 판매자에 집중되어 있었으며 진입장벽에 대해 약간 주목할 따름이었다. 이로 인해 경영자들에게는 경쟁의 결과에 영향을 미칠 만한 요소에 대한 시뮬레이션을 해볼 수 있는 경제학적 틀이 없었다. 아울러 경제학자들은 경쟁 패턴과 산업구조의 사회적·공익적 측면에만 주로 관심을 기울였다. 그 주된 목적은 '초과이윤'을 감소시키는 것이었다. 경쟁의 본질과 그것이 기업에 시사하는 바, 그리고 수익을 창출하는 방법에 대해 심도 있는 분석을 시도한 경제학자는 없었다. 또한 경제학자들은 주로 거시적 분석에 치우친 나머지 개별 기업들의 경쟁과 그들의 상호작용을 면밀히 분석하는 데에는 서투른 게 사실이다. 이에 『경쟁전략』은 그동안 경제학자들이 수학적으로 게임이론에 근거해 해석해보려 했던 경쟁의 장에 관한 내용을 명확히 제시한 책이라 할 수 있겠다.

내가 가르친 학생들과 그들이 수행한 과제(MBA과정 학생들, 경제학과 박사과정 학생들을 비롯한 하버드 경영대학원생들의 수많은 분석사례)를 통해 실제 경쟁과 경제학적인 정형적 모형 사이의 간격이 메워지게 되었다. 이러한 분석사례는 구체적으로 현장에서 벌어지는 문제들을 해결하기 위한 실전감각과 분석틀을 개발하는 데 많은 도움을 주었다. 수많은 산업과 기업의 사례 분석을 통해 나는 산업에서 발생하는 경쟁에 대한 매우 정교한 시각을 가지게 되었을 뿐만 아니라 경쟁사를 능가하는 방법도 터득하게 되었다. 또한 산업구조는 종래 알고 있었던 자사와 경쟁사의 2개 구조가 아니라 5개 구조로 구성된다는 것도 알게 되었다. 경쟁 포지셔닝은 원가, 차별화 그리고 범위에 의해 결정된다. 경쟁 포지셔닝에 대한 경영자의 판단에 따라 산업구조의 영향도와 상대적인 자사 위치가 결정된다.

시장신호·교체비용·진입장벽·원가우위 또는 차별화·광범위·집중화 전략 등의 개념이 이 책의 여러 장을 통해 깊이 있게 다뤄질 것이다. 현재 소개되어 있는 표준적인 경제학 개념이나 모형과는 다른 어떠한 논의도 환영한다. 비록 『경쟁전략』이 강의교재로 널리 쓰이고 있지는 않지만, 실행 중심의 경제학적 사고의 필요성을 일깨우는 중요한 자극제가 되고 있다고 확신한다.[1]

그러면 이 책이 출판된 시점 이후 산업사회에 어떠한 변화가 생겼는가? 몇 가지 점에 있어서는 모든 것이 변했다고 할 수 있다. 새로운 기술, 신경영기법, 급속하게 성장하는 산업, 새로운 정부정책이 부침을 반복했다. 하지만 다른 시각에서 보면 전혀 변하지 않은 것도 있다. 이 책은 이러한 점에서 산업과 특정 기술, 경영기법을 초월한 경쟁의 본질을 파헤치는 근본적인 분석틀을 제공하고 있다. 이러한 분석틀은 첨단기술 산업은 물론 전통 산업, 서비스 산업에까지 적용될 수 있다. 인터넷의 출현으로 인해 진입장벽에 변화가 오고 구매자의 교섭력이 재구성되는 등 대체패턴이 바뀔 수도 있겠지만, 산업의 경쟁을 구성하는 근본적인 힘은 변함없다. 오히려 오늘날의 산업구조 재편에 따라 이 책의 중요성이 더욱 부각되었다고 할 수 있다. 1990년대 기업들은 1980년대 또는 1970년대 기업들과 많이 다른 것처럼 보이지만, 여전히 기업의 수익성을 결정짓는 요인은 원가우위와 차별화 둘 중 하나다. 혹자는 빠른 수명주기와 종합품질 관리가 오늘날 경쟁의 핵심이라 주장한다. 그러나 이러한 주장이 설득력을 얻기 위해서는 산업 내 경쟁과 상대적인 원가 포지셔닝, 그리고 차별화 가능성과 가격정책 등의 보다 근본적인 요소에 미치는 영향을 면밀히 따져봐야 할 것이다.

이 책에서 설명하는 많은 개념은 특정 회사의 경쟁방식을 다룬 것이 아니라 경쟁의 본질을 언급한 것이다. 경쟁을 다룬 대다수의 책들이 단지 특정 사례나 특정 경쟁전략에 국한된 내용만을 다룬 탓에 시장에 나왔다 금방 사라지곤 했다. '경쟁전략'은 단순히 기업이나 산업에 국한된 것이 아니라 그 자체로도 하나의 주제가 된다. 최근의 새로운 지식과 많은 내용이 이 주제에 포함될 수 있을 것이다. 하지만 '경쟁전략'은 산업경쟁과 산업 내 포지셔닝과 같이 세월이 흘러도 변함없이 중요한 개념을 담고 있는 기준점의 역할을 하고 있다.

그렇다면 과연 무엇을 바꿔야 할 것인가? 이것은 모든 책의 저자가 객관적으로 답할 수 있어야 하는 질문이다. 『경쟁전략』에는 신구 산업을 막론한 새로운 사례가 보강될 수 있을 것이다. 이 책에서 다루는 개념이 오늘날 제조업 못지않게 서비스 산업에서도 중요해졌으니 서비스 산업과 관련된 사례도 추가될 수 있을 것이다. 아울러 이 개념이 수많은 국가들의 경우에도 광범위하게 적용된 만큼 글로벌 사례 또한 더해질 수 있겠다. 하지만 이러한 변화에도 불구하고 이 책의 기본개념이 가지는 설명력은 여전히 유효하다.

솔직히 기본적인 개념 수준에 관해서는 그 어떤 책도 이 책에 나와 있는 것보다 더 설득력 있어 보이지 않는다. 물론 더 이상 새로운 것을 받아들이지 않겠다는 의미는 아니다. 하지만 이 책에 나오는 수많은 개념은 이미 실제 경영현장에 적용되어 평가받고 도전받았으며, 이로 인해 한층 깊이 있는 내용으로 발전했다. 『경쟁전략』의 이러한 위치야말로 자랑스러움의 원천인 동시에 다른 책의 저자들로부터 부러움과 질시를 받는 요인이라 할 수 있다. 오히려 기존의 개념들이 워낙 탄탄하기에 급하게 새로운 내용을 보강한다는 것 자체가 불가능하게 여겨질 정도이다. 예컨대 공급자 측면에서는 진입장벽에 관한 이론적 내용을 보강하면서 그 내용이 한층 두터워졌다. 또한 기업은 필연적으로 공급자 및 구매자와 구매력을 형성하는 한편, 구매자 및 공급자 그리고 보완적 제품 생산자와의 협업을 통해 전체 가치를 높일 수 있다. 이러한 개념은 나중에 출간된 『경쟁우위(Competitive Advantage)』에 보다 자세하게 소개되어 있다.[2] 끝으로 『경쟁전략』에 포함된 많은 제안을 통해 다양한 실증 분석이 제시되었다.

확실히 『경쟁전략』은 수많은 논란에 불을 지폈다. 어떤 내용은 오해에서 비롯된 것이고, 또 어떤 내용은 발표를 하면서 제기된 것도 있다. 예를 들어 이 책이 급변하는 환경에 적합하지 않은 정태적 분석틀을 담고 있다고 비판받았다고 하자. 하지만 유감스럽게도 이 책의 그 어떤 내용도 처음부터 정태적으로 가정한 바가 없다. 다만 산업 분석, 경쟁자 분석, 경쟁 포지셔닝 등 수많은 개념이 끊임없이 변화하는 여러 조건을 강조할 뿐이다. 실제로 각 분석기법에서는 변화의 축이 가장 중요한 것으로 나타난다. 이 책은 그러한 변화를 어떻게 이용하고 대처할 것인지에 관한 내용[산업 진화(8장), 신생 산업(10장), 사양 산업에 대한 대응책(12장), 글로벌화(13장)]을 다루고 있다. 기업은 자사가 속한 산업과 경쟁기업, 그리고 자사의 경쟁 포지셔닝에 대한 공부를 멈춰서는 안 될 것이다.

이 책에 대한 또 하나의 오해는 저원가와 차별화 전략에 관한 내용이다. 그러나 저원가를 추구하는 전략과 가격 프리미엄을 원하는 차별화 전략은 거의 양립하기 어렵다. 성공적인 전략에는 반드시 선택이 요구된다. 그렇지 않으면 다른 경쟁기업에 의해 쉽게 모방되고 만다. '어중간한 상태(이 책에서 최초로 제시된 개념)'는 재앙으로 가는 지름길이다. 종종 마이크로소프트와 같은 기업은 당초 선택한 전략 이상의 것을 추구하려 하는 경향이 있는데, 이는 자사를 극단적인 무방비 상태로 몰아넣기 쉽다.

그렇다고 해서 기업이 차별화를 추구하기 위해 원가를 무시하거나, 원가우위를 위해 차별화를 포기해도 좋다는 뜻은 아니다. 다른 부분의 희생 없이 어느 한쪽 측면만 과도하게 의존해서는 안 된다. 저원가우위든 차별화든 끊임없는 발전이 뒤따라야만 그 위치를 고수할 수 있다. 전략적 포지셔닝은 어떤 한 경로이지 고정된 위치가 아니라는 점을 명심할 필요가 있다. 운영 효율성과 전략적 포지셔닝에 관한 논의가 이러한 혼동을 막는 데 도움이 될 것이다.[3]

이 책으로 인한 논쟁 덕분에 진정 의견의 차별화가 더욱 극명해졌다. 경쟁전략에 있어 더 이상 산업이 중요하지 않다고 주장하는 학파도 등장했다. 그들은 산업이 단지 경계에 지나지 않고 빠르게 변화하며, 수익성을 결정하는 궁극적인 요인은 기업의 내재적인 위치라고 주장한다. 그러나 산업과 경쟁 포지셔닝 중 어느 한쪽만을 중요시할 경우 기업을 위험으로 몰아넣을 수 있다. 산업이 저마다 수익률이 다르다는 것은 이미 주지의 사실이 된 지 오래다. 과거 실증연구 사례를 보더라도 산업은 개별 기업의 수익성과 주가 모두에 유의미한 영향을 미치는 것으로 나타났으며, 심지어 이러한 산업별 차이는 1990년대에 들어서도 공고한 것으로 드러났다.[4] 또한 산업의 특성에 따라 산업 내 기업들의 수익률도 다양하게 분포하는 것으로 조사됐다.[5] 따라서 기업성과에 있어 기업 자체만 중요하다는 논리를 펼치기는 어렵다.

경쟁을 유발하는 5가지 요인을 통해 산업구조를 잘 분석해보면, 기존 산업 내 기업 또는 잠재적인 진입기업이 가치를 어떤 방식으로 창출할 수 있을 것인지에 대한 방법을 찾을 수 있다. 특히 경쟁은 기존 산업 내 라이벌 관계 이상의 것이다. 산업의 경계를 명확히 획정하는 것에는 다소 모호함이 있을 수 있지만, 경쟁을 유발하는 5가지 요인은 언제나 가치 창출의 측면을 포착해낸다. 보는 이에 따라서 기술과 정부 등의 여섯 번째 요소를 추가해야 한다고 할 수도 있다. 하지만 이와 같은 요소 모두를 따로 떼어내서 분석할 게 아니라 5가지 요소의 범주 안에서 통합적으로 살펴봐야 할 것이다.

어떤 부류의 경제학자들은 기업의 수익률이 산업의 요소시장 조건에 의해 결정된다고 본다. 그러나 이 의견은 산업의 역할과 공급자의 조건이 산업구조의 일부분이라는 설득력 있는 실증연구가 뒷받침되지 않는다. 기업의 자원과 역량 또는 다른 요소시장을 통해 본 경쟁은 한계가 있으며, 이를 산업 간 경쟁과 분리해 생각할 경우 자칫 기업을 위험에 처하게 할 가능성이 높다. 기업의 자원과 역량은 결코 전략과 분리될 수 없으며 전략의 범주 안에서만 유의미하다. 아무리 기업 내부적인 요소에 대해 많이 파악하고 있다 하더라도 산업과 경쟁기업에 대한 이해 없이는 기업이 목적한 바를 달성하기 어렵다.

마지막으로 경쟁 포지셔닝 무용론에 대해 설명하겠다. 경영환경이 급속하게 변화함에 따라 경쟁 포지셔닝을 정하는 것은 더 이상 의미가 없으며, 새로운 아이디어를 모으고 핵심역량을 구축하며 유연성을 기르는 편이 훨씬 합당하다는 주장이 제기되고 있다. 그러나 나는 이러한 주장에 결코 동의할 수 없다. 이런 식으로 유연한 상태만 강조하다가는 결코 경쟁우위를 획득할 수 없을 것이다. 또한 한 전략을 택해 꾸준히 적용하지 못하고 이 전략 저 전략으로 옮겨 다니다 보면 기업의 전략 실행력은 엉망이 될 가능성이 높다. 지속적으로 새로운 아이디어를 모으는 일은 운영 효율성 향상을 위해 필수적이다. 하지만 이러한 것이 전반적인 경쟁 포지셔닝을 유지하는 데 반드시 필요한 요소라고 말하기는 어렵다.

경쟁 포지셔닝을 무시한 채 기업의 자원과 역량만 과도하게 강조하게 되면 자칫 내부 지향적 오류에 빠질 위험이 있다. 자원과 역량은 특정 경쟁 포지셔닝을 유지하는 데 도움이 될 때 비로소 그 가치를 인정받을 수 있다. 자원이나 역량을 중시하는 관점이 유용한 것이기는 하지만, 그렇다고 해서 산업구조나 경쟁 포지셔닝을 무시해도 되는 것은 아니다. 다시금 목적(시장에서의 상대적인 위치)과 수단(이러한 위치를 달성하기 위해 사용되는 요소)은 둘 다 중요할 뿐만 아니라 상호 필수적이라는 점을 강조해둔다.

『경쟁전략』은 예전에 집필되었지만, 시대적으로 뒤처지지 않는 수많은 개념과 관점을 탄생시켰다. 흥미롭게도 이 책에서 그토록 강조한 경쟁전략의 중요성은 오늘날 더욱 부각되고 있다. 지난 10년간 지배했던 내부 지향적인 관점은 이제 그 한계를 드러내고 있다. 다시금 경쟁전략의 중요성을 재조명할 때가 온 것이다. 점점 더해가는 통찰력과 줄어드는 열정 속에서 나는 소망한다. 경영이라는 팔레트에서 경쟁전략의 영역이 더 넓어지기를, 경쟁에 관한 통합된 관점이 재인식되고 보다 향상되기를.

1998년 1월

매사추세츠, 브루클린에서

마이클 포터

# 보다 진일보한 경영전략을 위하여

이 책은 산업조직 경제학과 경쟁전략을 연구·강의하는 과정에서 모은 여러 가지 자료를 바탕으로 집필한 것이다. 경쟁전략은 주로 경영관리자들의 관심영역으로서, 이는 여러 사업과 경쟁자에 대한 치밀한 파악과 이해에 따라 결정적으로 좌우된다. 그러나 경쟁전략 분야는 아직까지 이러한 파악의 수단이 되는 분석방법을 거의 제시하지 못하고 있으며, 그나마 지금까지 제시된 분석방법 또한 그 범위나 포괄성이 한정되어 있다. 경제학자들이 경영관리자의 관심영역을 제대로 다루지 못한 이유는 그들이 오랫동안 산업구조 연구, 그것도 주로 공공정책적인 시각에 착안한 산업구조 연구에 주력해왔기 때문이다.

나는 지난 10여 년간 하버드경영대학원에서 경영정책과 산업경제학을 강의하고 또 연구논문을 집필하면서 이러한 차이를 극복하는 데 도움이 될 수 있는 방법을 모색해왔다. 이 책은 오랜 연구대상인 산업경제학에 근원을 두고 있는데, 나는 박사학위 논문에서 이 주제를 다룬 이후 연구를 계속해왔다. 이 책의 구체적인 내용은 1975년 경영정책 강좌에 이용할 자료를 준비하고, 또 산업 및 경쟁 분석이라는 새로운 강좌를 개

설해 지난 수년간 MBA(경영학 석사)과정 학생들과 연구생(현역 경영관리자)들에게 강의하면서 시작된 것이다. 이 책을 집필하면서 통계수치를 바탕으로 하는 전통적인 의미의 학구적 조사연구를 진행했을 뿐만 아니라 오랫동안 준비해온 강의자료와 조사연구 자료를 활용하기도 했다. 또한 MBA과정 학생 팀의 수십 건에 달하는 산업연구 지도, 그리고 미국 및 국제 기업과의 협동연구 등에서 얻어진 수백 건의 산업연구를 통해서도 큰 도움을 받았다.

이 책은 특정 사업의 경쟁전략을 개발해야 하는 경영관리자와 경쟁개념 및 실태를 보다 명확하게 파악하고자 하는 연구원들을 위해 집필되었다. 그 밖에 산업 부문과 경쟁자들을 제대로 파악하고자 하는 사람들에게도 도움이 되도록 구성했다. 경쟁상황 분석은 경영전략 수립뿐만 아니라 재무관리, 마케팅, 증권 분석, 그 밖의 경영활동 분야에서도 중요한 역할을 한다. 여러 가지 다양한 직무와 직급의 위치에서 일하는 경영관리층이 이 책을 통해 값진 통찰력을 얻을 수 있기를 희망한다.

아울러 이 책이 기업으로 하여금 경쟁에 대한 건실한 정책을 개발해내도록 하는 데 도움이 되기를 바란다. 기업은 시장에서 차지하고 있는 자사의 위치를 강화하기 위해 '경쟁전략'을 통해 보다 효율적으로 경쟁할 수 있는 방법을 조사하고 점검한다. 이러한 전략은 어떠한 것이든 간에 윤리규범과 기업의 공공정책을 바탕으로 수립된, 사회적으로 바람직한 경쟁규칙과 연관된 형태로 나타나야 한다. 이러한 경쟁방식이 소기의 성과를 이루려면 기업이 경쟁적인 위협요인이나 호기(好機)에 전략적으로 대응하는 방법을 정확하게 예측해야만 한다.

이 책을 집필함에 있어 많은 사람들에게서 적지 않은 지원과 도움을 받았다. 하버드경영대학원은 이 연구를 진행하는 데 다른 곳에서는 찾아볼 수 없는 특별한 여건을 제공해주었다. 또 로렌스 포레이커 전 대학원장과 존 맥아더 현 대학원장은 처음부터 이 책의 집필을 권유하고 격려해주었을 뿐만 아니라 유익한 의견과 제도적인 뒷받침으로도 많은 도움을 베풀어주었다. 제너럴일렉트릭 재단의 지원을 받았음에도 불구하고 하버드경영대학원 연구부서는 이 연구를 뒷받침해주기 위해 별도의 재정지원을 제공했다. 리처드 로젠블룸 연구부장은 재정 지원에 열의를 보여준 것 외에도 귀중한 의견과 조언을 아끼지 않았다.

이 연구는 지난 5년간 함께 산업 조사연구 및 사례별 자료준비 작업을 진행해온 유능하고 헌신적인 연구진의 노고가 없었다면 도저히 완성될 수 없었을 것이다. 제시 부르네프, 스티븐 J. 로스, 마가렛 로렌스, 닐 바드캄카르 등 하버드 MBA과정 학생들이 최소한 일 년 이상의 많은 시간을 이 연구에 바쳤다.

또한 내 지도 아래 경쟁전략 분야를 연구하는 많은 박사과정 학생들의 연구결과에도 큰 도움을 받았다. 사양 산업에 대한 캐스린 해리건의 연구성과는 12장의 내용에 크게 기여했고 조셉 드크루즈, 니틴 메타, 피터 패치, 조지 이프의 연구결과도 이 책의 주요 논제에 대한 이해를 한층 깊게 해주었다.

학교의 동료 교수들과 기업체의 동료들은 이 책을 구상하고 집필해나가는 과정에서 핵심적인 역할을 했다. 소중한 친구이자 동료교수인 리처드 케이브스와 함께 공동집필한 연구논문은 이 책의 구상에 큰 도움을 주었다. 그는 원고 전체를 검토해주고, 깊이 있는 논평과 의견을 제시해주었다. 경영대학원 경영정책 분야 교수들도 내 생각과 이해를 보다 명확하게 다져나가게 하는 데 도움을 주었고 아울러 귀중한 후원도 아끼지 않았다. 스트러티직 플래닝 어소시에이츠(Strategic Planning Associates)의 캐서린 헤이든 부사장은 새로운 아이디어를 계속 제공해주었을 뿐만 아니라 원고를 검토해주었다. 마이클 스펜스 교수는 공동조사 활동과 수많은 의견 교환을 통해 경쟁전략 문제 일반에 대한 이해를 더욱 깊게 해주었다. 리처드 마이어 교수는 산업 및 경쟁 분석 강의를 함께 맡으면서 여러 분야에서 이해와 판단을 자극하고 북돋아주었다. 마크 풀러 교수는 사례작성 및 산업연구를 공동으로 진행하면서 도움을 주었고 토머스 휴트, 아일린 루덴, 에릭 보그트 등 보스턴 컨설팅 그룹(Boston Consulting Group)의 간부 3명은 13장의 집필에 도움이 되었다. 그 밖에 존 린트너, C. 롤랜드 크리스텐슨, 케네스 앤드루스, 로버트 버젤, 노먼 버그 등 5명의 교수와 닐스 핸슨(Gould Corporation), 존 포버스(Mckinsey and Company), 편집 담당 로버트 윌리스도 집필과정에서 많은 격려와 의견 제시로써 도움을 주었다.

또 에밀리 포이드와 특히 쉴라 베리에게 큰 신세를 졌다. 이 두 사람은 집필과정에서 원고작성을 도와주었을 뿐만 아니라 안정된 분위기 속에서 능률적으로 연구를 진행해나가도록 조력해주었다. 끝으로 산업 및 경쟁 분석, 경영정책, 산업 분석에 대한 실습조사 등 내 강좌를 듣는 학생들이 이 책에서 활용된 여러 개념의 인식형태를 실험하는 과정에서 끈기 있게 실험대상으로 응해준 점, 또 이러한 개념을 함께 연구하면서 나의 이해를 명확하게 하는 데 열성적으로 도와준 점에 사의를 표하고 싶다.

들어가며

# 산업과 경쟁기업을 포괄적으로 분석하는 법

특정 산업에서 경쟁을 벌이는 개별 기업들은 명시적인 형태이건 묵시적인 형태이건 간에 모두 경쟁전략을 가지고 있다. 이러한 전략은 기획 과정에서 구체적인 형태로 나타날 수도 있고, 또 기업의 여러 부서의 활동 속에 잠재된 형태로 전개될 수도 있다. 기업의 각 부서가 자체적인 경쟁전략을 수립하고 이를 실행에 옮길 때는, 고유의 기능과 상황에 따라 다른 접근법을 추구한다. 그러나 각 부서의 이 같은 접근방법들을 합친다고 해서 그것이 그대로 최선의 경쟁전략이 되는 경우는 거의 찾아볼 수 없다.

오늘날 선진 글로벌 기업들이 전략기획을 중요시하는 배경에는 실제 활동 하나하나를 모두 통일하지 않더라도, 일련의 공동목표를 달성하기 위해 명시적인 형태의 구체적인 전략수립 과정을 거쳐야만 큰 이득을 얻을 수 있다는 전제가 깔려 있다. 구체적인 형태의 공식적 전략기획에 대한 관심이 높아지면서 경영자들이 오랫동안 관심을 기울여왔던 문제들이 발생하기 시작했다. 이는 구체적으로 다음과 같다. '자사가 활동하고 있는 산업이나 진입을 검토하고 있는 산업에서 경쟁을 유발하는 요인은 무엇인가?' '경쟁기업들이 취할 수 있는 행동은 어떤 것이며, 또 이에 대응하는 최선의 방법은 무엇인가?' '자사가 활동하고 있는 산업은 앞으로 어떠한 형태로 변해갈 것인가?' '어떻게 하면 장기적으로 자사에 가장 유리한 경쟁위치를 확보할 수 있을 것인가?'

그러나 공식적인 전략기획 과정에서는 아직도 이러한 의문들에 해답을 제시하기보다는 주로 문제제기에 초점을 맞춰온 것이 사실이다. 많은 컨설팅 회사들이 문제의 해답을 찾아내기 위한 기술과 방법을 모색·발전시켜왔지만, 그러한 기술이나 방법은 특정한 산업 전반에 대한 것이라기보다 특정 산업의 일부 기업을 대상으로 한 것이거나 원가의 움직임과 같은 산업의 어느 한 측면만을 다룬 것이다. 따라서 산업 내부에서 다양하고 복잡하게 전개되는 경쟁상황을 제대로 포착해내기 어렵다.

이 책은 기업이 활동하는 기반인 산업을 전체적으로 분석하고, 그 산업이 앞으로 어떻게 전개될 것인지 예측하며, 경쟁기업과 자사의 위치를 파악하고, 이러한 분석결과를 특정 사업의 경쟁전략으로 전환하는 데 도움이 되는 포괄적인 분석체계를 제시하고자 한다. 이 책은 크게 3부로 구성되어 있다. 1부에서는 산업구조 분석과 산업 내에서 경쟁을 벌이는 기업들을 분석하는 일반적인 틀을 제시하고 있다. 이 틀은 산업의 경쟁을 유발하는 5가지 요인과 이 요인들의 전략적 관련성을 분석한 내용으로 이루어져 있다. 아울러 1부에서는 이런 체계를 바탕으로 경쟁기업, 구매자, 공급자 등을 분석하는 방법과 시장의 여러 가지 신호를 판단하는 방법, 대응조치를 취하고 이에 대처하는 게임이론의 개념 등이 다뤄진다. 또한 특정 산업 내의 전략집단을 그려보고 이 집단들이 달성한 경영성과의 차이를 밝혀내는 방법, 그리고 산업의 발전형태를 예측하는 데 사용되는 구조 등이 설명된다.

2부에서는 1부에서 설명한 분석체계가 주요한 특정 형태의 산업환경 속에서 구체적으로 어떠한 경쟁전략으로 나타나는지 살펴볼 것이다. 산업환경이 다르다는 것은 그 산업의 집중성과 성숙상태, 그리고 글로벌 경쟁에 노출된 정도 등에 근본적인 차이가 있음을 의미한다. 이처럼 상이한 산업환경은 기업이 경쟁을 벌이는 전략적 배경이나 활용할 수 있는 전략대안, 그리고 일반적인 전략적 오류 등을 결정하는 중요한 역할을 담당한다. 또한 산업의 여러 양상, 즉 세분화된 산업, 성장 산업, 도약 단계로 이행하는 산업, 사양 산업, 글로벌 산업 등에 대해서도 검토할 것이다.

3부에서는 단일 산업 내에서 서로 경쟁을 벌이는 기업들이 당면하게 되는 주요 전략적 의사 결정의 유형, 즉 수직적 통합, 대규모 시설 확장, 그리고 새로운 산업 진입 등을 체계적으로 검토하는 형태로 분석체계를 완결하고자 한다(특정 산업에서 철수하는 문제에 대해서는 2부 12장에서 다루겠다). 개별 전략적 의사 결정을 분석하려면 1부에서 다루게 될 일반적인 분석틀을 활용해야 함은 물론이고, 그 밖의 다른 경제이론과 관리상의 요인도 감안해야 한다. 3부에서는 기업이 핵심적인 결정을 내리는 데 실질적인 도움이 되는 내용을 구체적인 이슈를 통해 살펴볼 것이다. 아울러 경쟁기업과 구매자, 공급자, 그리고 그 산업에 뛰어들지 모르는 잠재적인 경쟁자들이 어떤 형태로 그런 결정을 내리는지 종합적으로 이해하는 데 도움을 줄 것이다.

독자들은 특정 사업부의 경쟁전략을 분석하는 데 이 책을 여러 형태로 활용할 수 있다. 첫째, 1부에서 다룰 일반적인 분석도구를 통해 전반적인 산업구조를 체계적으로 분석할 수 있을 것이다. 둘째, 산업의 핵심적인 전략 차원을 구분하고, 이에 대해 설명한 2부의 내용을 통해 특수한 산업환경에 적합한 전략을 구체적으로 수립하는 데 보다 실질적인 지침을 얻을 수 있을 것이다. 끝으로 사업부 단위의 전략적 의사 결정을 검토하고 있다면 3부에서 해당되는 장을 찾아 참조하면 도움을 받을 수 있을 것이다. 아울러 3부의 내용은 이미 내려진 의사 결정을 재검토하거나 경쟁대상의 과거 및 현재의 결정을 면밀하게 분석하는 데 활용할 수 있을 것이다.

이 책은 전체적으로 '경쟁전략'이라는 주제를 일관성 있게 또 개별적으로도 독립 가능하게 다루고 있다. 또한 이론과 실무를 겸비하고 있어 경쟁전략의 이론적인 개념에서부터 실질적인 경쟁전략 수립에 이르기까지 광범위하게 도움을 받을 수 있도록 구성되어 있다. 경쟁전략의 전체적인 흐름을 파악하고자 하는 독자들은 물론, 특정 이슈에 집중하여 접근하고자 하는 독자들에 이르기까지 다양한 독자층을 흡수하기에 알맞은 내용과 구조를 가지고 있다고 하겠다.

자사나 동종업계에 종사하고 있는 기업들의 경쟁전략을 파악하기 위해서는 보다 많은 정보와 자료가 필요하다. 그러나 그러한 자료나 정보 중에는 입수하기 어려운 것들도 일부 포함되어 있다. 이 책은 독자들에게 중요한 데이터가 어떤 것이며, 또 그러한 데이터를 어떤 방법으로 분석할 수 있는지에 대해 체계적으로 제시하고자 한다. 이러한 배경에서 부록 B에서는 현장 탐방조사의 지침은 물론, 현장정보 및 이미 공개된 자료를 입수하는 자료원을 포함해 실제적인 특정 산업 조사연구의 실행에 대한 조직적인 접근방식을 제시하였다.

이 책은 기업 경영 관련 종사자, 즉 기업 경영의 성과를 향상시키려는 경영관리자나 그들을 돕는 컨설턴트, 경영교육 관련 종사자, 기업의 성패요인을 파악하고 예측하는 증권분석가나 그 밖의 관찰자, 또 공공정책을 수립하기 위해 경쟁의 실제와 이론을 이해하고자 하는 공무원들을 위한 것이다. 또한 이 책은 산업경제학 및 기업전략에 관한 연구와 하버드경영대학원 MBA과정 및 경영자 교육과정에서 강의한 경험을 토대로 집필되었다. 이 책은 저마다 구조가 다르고, 또 성숙상태에 큰 차이를 보이는 수백 개 산업을 면밀히 조사 연구한 결과를 바탕으로 저술되었다. 비록 학문적인 목적으로 집필된 것은 아니지만, 학자들 또한 이 책에서 다루고 있는 개념적인 접근방식이나 산업조직 이론의 적용, 그 밖의 수많은 사례연구를 통해 교훈을 얻을 수 있을 것이라고 믿는다.

## 전통적인 전략수립 방식의 재검토

본질적으로 경쟁전략을 개발한다는 것은 기업이 앞으로 어떤 방법으로 경쟁을 전개해나갈 것인지, 그리고 이와 관련하여 구체적으로 어떤 목표를 지녀야 하며, 이러한 목표를 실행·추구해가는 데 어떤 정책들이 필요한지에 대한 다양한 원칙을 개발한다는 것을 뜻한다. 독자들을 이 책의 분석체계로 이끌어가기에 앞서, 우선 일반적인 출발점으로서 지금까지 표준화된 전략수립[1]에 대한 전통적 접근방식을 검토해보겠다. 〈그림 1〉과 〈그림 2〉는 이와 같은 접근방식을 잘 보여주고 있다.

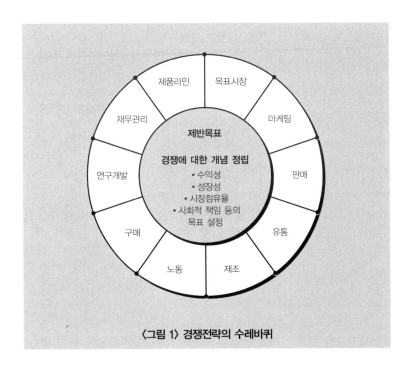

제품라인 / 목표시장 / 재무관리 / 마케팅 / 연구개발 / 판매 / 구매 / 유통 / 노동 / 제조

제반목표

경쟁에 대한 개념 정립
• 수익성
• 성장성
• 시장점유율
• 사회적 책임 등의
 목표 설정

〈그림 1〉 경쟁전략의 수레바퀴

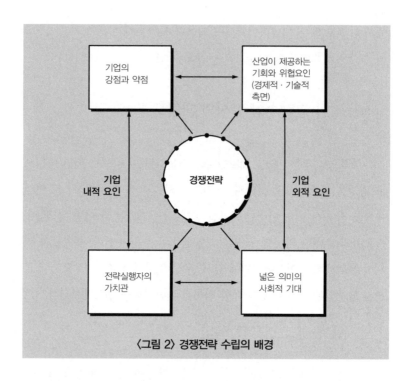

<그림 2> 경쟁전략 수립의 배경

〈그림 1〉을 보면 경쟁전략은 기업이 달성하고자 하는 목적(목표)과 또 이를 달성하고자 노력하는 과정에서 의존해야 할 수단(방법)이 결합된 것임을 알 수 있다. 기업에 따라 이 그림에서 나타난 개념을 표현하는 용어들은 다를 수 있다. 예를 들어 일부 기업은 '제반목표'라는 말 대신 '사명(mission)'이나 '목적(objectives)'이라는 표현을 쓰고, '영업정책 (operating policies)'이나 '기능정책(functional policies)' 대신 '전술 (tactics)'이라는 표현을 사용한다. 그러나 전략의 본질적 개념은 목적과 수단의 구별을 통해 충분히 포착되고 있다고 하겠다.

'경쟁전략의 수레바퀴'를 나타내는 〈그림 1〉은 기업의 경쟁전략의 핵심적 요소를 한눈에 파악할 수 있다. 바퀴의 중심에는 기업의 제반목표가 있는데, 이 제반목표 속에는 앞으로 추진해나가고자 하는 경쟁방법의 개략적인 원칙과 이와 관련된 경제적·비경제적 목표가 담겨 있다.

**내부적인 일관성**

- 제반목표는 상호관련 속에 공통적으로 성취될 수 있는가?
- 기본적 영업정책은 같은 목표를 달성할 수 있도록 구성되어 있는가?
- 기본적 영업정책은 상호 보완적인 역할을 하는가?

**환경적인 적합성**

- 제반목표와 영업정책은 산업이 제공하는 갖가지 호기를 이용하고 있는가?
- 제반목표와 영업정책은 산업에 내포된 위협요인(경쟁적 대응에 따른 위험부담을 포함한)에 가용적인 수단으로 대응할 수 있는가?
- 제반목표와 영업정책을 수립하는 시의성(時宜性)은 그러한 조치를 흡수할 만한 주변 여건 상의 능력을 감안하고 있는가?
- 제반목표와 영업정책은 보다 넓은 사회적 관심영역에 감응하고 있는가?

**자원상의 적합성**

- 제반목표와 영업정책은 경쟁기업들과 비교해볼 때 그 기업의 가용자원에 합당한 것인가?
- 제반목표와 영업정책의 시의성은 그 조직의 변화대응 능력을 반영하고 있는가?

**의사소통과 실행성**

- 핵심적인 전략실행자는 제반목표를 충분히 파악하고 있는가?
- 제반목표 및 영업정책과 핵심적인 전략실행자의 가치체계가 이들의 전력투구를 유도할 만큼 상호조화를 이루고 있는가?
- 효율적인 실행을 가능하게 할 만한 경영 관리상의 능력을 충분히 갖추고 있는가?

〈표 1〉 일관성의 점검[2]

수레바퀴의 살 부분에는 이러한 제반목표를 성취하는 데 활용되는 핵심적인 영업정책이 나타나 있다. 이 같은 핵심적인 기능별 영업정책은 기업이 경영활동을 통해 추출해내야 한다. 핵심적인 영업정책은 사업의 성격에 따라 제각각 다르기 때문에 이를 표현하는 방법에도 차이가 있을 수 있다. 일단 영업정책이 정해지면 이를 바탕으로 한 전략의 개념은 기업의 전반적인 활동을 이끌어나가는 지침으로 활용될 수 있다. 수레바퀴 구조의 특성처럼 바퀴살(영업정책)은 바퀴 중심(제반목표)에서 뻗어나가 그 중심에 따라 움직여야 한다. 만일 바퀴살이 바퀴 중심과 서로

## A. 현재 실행하고 있는 것은 무엇인가?

- 명시적이든 묵시적이든, 현재 활용하고 있는 전략은 어떤 것인가?
- 묵시적 가정[3]

  기업의 상대적인 입장과 강점·약점, 경쟁기업, 그리고 기업이 활동하고 있는 산업의 일반적인 추세 등에 대한 가정은 현행전략이 상황에 대응하도록 하기 위해 어떤 형태로 이루어져야 하는가?

## B. 주변 환경에서는 어떤 일이 벌어지고 있는가?

- 산업 분석

  경쟁에서 성공을 거두게 하는 주요 요인과 또 산업에서의 호기나 위협요인은 어떤 것인가?

- 경쟁기업 분석

  기존 및 잠재적 경쟁기업들의 능력과 한계는 어떤 것이며, 그들은 앞으로 어떤 조치를 취할 것인가?

- 사회적 여건 분석

  정부나 사회적·정치적 요소 중 어떤 것들이 호기나 위협요인으로 작용할 것인가?

- 강점과 약점

  산업과 경쟁기업들의 분석결과를 바탕으로 할 때, 그 기업은 현재와 미래의 경쟁기업들과 대비해 어떤 강점과 약점을 가지고 있는가?

## C. 어떠한 것을 실행해야 할 것인가?

- 가정과 전략의 검증

  현행전략의 저변에 있는 가정을 위 B의 분석결과와 비교해볼 때 어떤 결과가 나타나는가? 또 현행전략은 〈표 1〉에서 제기된 질문들에 어떤 해답을 주는가?

- 전략상의 대안

  위 분석결과를 토대로 할 때 실현 가능한 전략적 대안에는 어떤 것들이 있는가? 현행전략이 그 대안 중의 하나가 될 것인가?

- 전략적 선택

  어느 전략대안이 외부에서 나타나는 호기와 위협요인에 가장 적절하게 기업의 상황을 대응하도록 하는가?

〈표 2〉 경쟁전략 수립 절차

연결되어 있지 않으면 그 바퀴는 굴러갈 수 없을 것이다.

〈그림 2〉는 가장 넓은 의미의 경쟁전략 수립에 있어서 기업이 성공적으로 성취할 수 있는 한계를 결정짓는 4가지의 주요 요인을 보여주고 있

다. 기업의 강점과 약점은 기술이나 브랜드 등 경쟁사들과 대비되는 자원과 역량을 그대로 반영한다. 전략실행자의 가치관이란 수립된 전략을 실행해야 하는 핵심적인 위치에 있는 경영자가 가지고 있는 동기(motivation)와 욕구(needs)를 의미한다. 이러한 가치관과 결합된 기업의 강점과 약점은 결국 기업이 성공을 기대하면서 채택할 수 있는 경쟁전략의 내적(그 기업에 미치는) 요인을 설정한다.

외적 요인은 기업이 활동하고 있는 산업과 또 그보다 더 넓은 주변 환경에 의해 결정된다. 산업이 제공하는 기회와 내부에 도사리고 있는 위협은 곧 경쟁환경의 구성요소로, 그 속에는 수익 창출 가능성과 실패의 위험 모두가 존재한다. 한편 사회적 기대는 정부정책이나 사회적 관심사, 사회 변화, 그 밖에 기업에 영향을 미치는 많은 외부요인을 의미한다. 4가지 주요 요인은 기업이 현실적이고 실행 가능한 일련의 목표와 정책을 모색하기 전에 반드시 고려해야 할 것들이다.

기업의 경쟁전략이 얼마나 적절하게 구성되어 있는지에 대해 알기 위해서는 〈표 1〉에 제시된 것처럼 제반목표 및 정책대안의 일관성을 검토해봐야 한다.

〈표 2〉에 제시된 질문은 직관적으로 명확하더라도, 이와 같은 질문의 해답을 찾는 것은 엄청난 심층분석 작업을 요구한다. 이와 같은 질문의 해답을 찾는 것은 본 저서의 목적이기도 하다.

# 01
# 일반적 분석기법
General Analytical Techniques

1부에서는 산업구조 및 경쟁기업 분석을 바탕으로 경쟁전략을 수립하기 위한 기초를 제공한다. 1장에서는 특정 산업의 경쟁을 유발하는 5가지 요인을 파악하기 위한 분석의 틀인 산업구조 분석의 개념을 소개한다. 이 개념은 뒤의 여러 장에서도 계속해서 언급될 것이다. 2장에서는 산업구조 분석을 통해 기업이 장기적으로 존속될 수 있는, 가장 넓은 의미의 본원적 경쟁전략 3가지를 규명한다.

3, 4, 5장에서는 경쟁전략 수립에서 빼놓을 수 없는 부분인 경쟁기업 분석을 다룬다. 3장에서는 경쟁기업 분석의 틀을 제시하는데, 이 분석틀은 앞으로 경쟁기업이 취할 가능성이 있는 조치와 이에 대한 자사의 대응능력을 진단하는 데 도움이 될 것이다. 또 경쟁사 분석담당자들이 특정 경쟁사를 평가하는 데 도움이 될 수 있는 세부적인 이슈를 제시한다. 4장에서는 개별 기업의 행위가 어떤 형태의 시장신호(market signal)로 변환되는지에 대해 설명한다. 이러한 신호를 통해 경쟁기업에 대한 보다 정밀한 분석이 가능하며, 이는 또한 자사의 전략적 행동을 결정하는 기초가 된다. 5장에서는 경쟁기업에 대한 대응행동의 수립 및 영향을 미치는 요소 파악, 그리고 반응 등에 대한 기본적인 내용을 다룬다. 6장에서는 구매자와 공급자에 대한 대응전략 개발에 필요한 산업구조 분석의 개념에 대해 상세히 설명한다.

1부의 마지막 두 장인 7장과 8장에서는 산업 분석과 경쟁기업 분석 결과에 대해 다룬다. 구체적으로 7장에서는 기존 산업 내 경쟁과 전략집단 및 전략적 위상 변화를 방해하는 요소인 이동장벽의 개념에 대해 다루고, 8장에서는 산업 진화를 분석하기 위한 기법과 산업 진화의 경쟁전략에 대한 시사점을 도출한다.

# 산업구조 분석

경쟁전략은 기업을 그 자체로만 판단하는 것이 아니라 환경과 연관 지어 해석하는 데 그 의의가 있다. 기업의 주변 환경이란 경제적 요인뿐만 아니라 사회적 제반요인까지 광범위하게 포괄하지만, 기업경영에 직접적인 영향을 미치는 주요한 환경은 산업 내지는 산업군이라 할 수 있다. 산업구조는 그 산업에 속한 기업이 잠재적으로 활용할 수 있는 여러 가지 형태의 전략대안뿐만 아니라 경쟁규칙에도 큰 영향을 미친다. 이와 같은 측면에서 산업을 제외한 나머지 요인들은 주로 상대적인 의미의 중요성을 지닌다고 볼 수 있다. 보통 산업 외적 요인들은 특정 산업에서 경영활동을 벌이는 모든 기업에 영향을 미치므로 이에 어떻게 대처하는지에 따라 개별 기업의 차별성이 드러난다.

특정 산업의 경쟁강도는 우연의 산물이 아니다. 오히려 산업의 경쟁은 현재 그 산업에서 경쟁을 벌이고 있는 기업의 행위보다 근원적인 경제적 구조에 의해 더 많은 영향을 받는다. 특정 산업의 경쟁은 〈그림 1-1〉에 예시된 것과 같이 5가지 기본적인 요인에 의해 좌우된다. 이러한

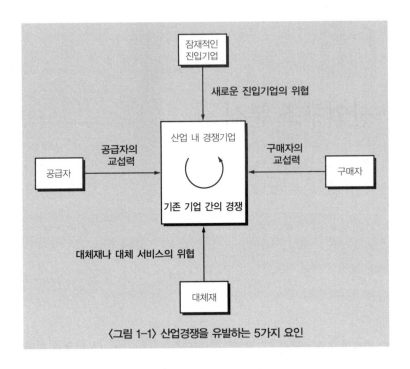

〈그림 1-1〉 산업경쟁을 유발하는 5가지 요인

요인들이 모여서 그 산업의 잠재적인 수익성을 결정하며, 이는 구체적으로 장기 투하자본수익률(ROI)로 측정된다. 모든 산업의 잠재수익률이 동일한 것은 아니다. 산업의 잠재수익률은 각 산업에 따라 근본적으로 다르며, 산업의 경쟁을 유발하는 요인들의 차이에 따라서도 다르게 나타난다. 예컨대 타이어, 제지, 철강 부문처럼 경쟁강도가 치열하게 작용하는 산업(이런 부문에서는 어느 기업도 괄목할 만한 수익을 창출하기 어렵다)부터 유전설비 및 서비스, 화장품, 화장 도구류처럼 비교적 경쟁강도가 약한 부문(이런 부문에서는 일반적으로 높은 이윤을 얻는다)에 이르기까지 각 산업마다 경쟁유발 요인들의 강도에 차이가 난다.

본 장에서는 산업의 경쟁강도와 수익성을 결정짓는 구조적 특성을 파악하는 데 중점을 두기로 하겠다. 사업부 단위에서의 경쟁전략 수립의 목표는 산업의 경쟁을 유발하는 여러 요인들로부터 스스로를 가장 잘 방어하거나, 그러한 요인들을 유리한 형태로 움직여나갈 수 있는 위치를 확보하는 것이라 하겠다. 경쟁요인들의 영향력이 모든 경쟁사에 미치게 될 것이 분명하기에, 경쟁전략의 개발은 현상적이 아닌 심층적으로 파고들어가 개별 요인의 근원을 분석하는 것이 보다 관건이 된다. 경쟁 압박요인의 심층적인 근원을 파악하면 기업의 강점과 치명적인 약점이 분명하게 드러난다. 따라서 자사가 추구해야 할 위치를 명확히 찾아낼 수 있으며, 향후 전개될 산업의 흐름에서 자사의 기회와 위험요인을 판단할 수 있게 된다. 비록 이 책의 초점은 경쟁전략에 맞춰져 있지만, 산업의 경쟁을 유발하는 요인들을 심층적으로 검토하다 보면 다각화와 같은 기업의 여러 활동을 결정하는 데 도움을 줄 수 있다. 산업구조 분석은 경쟁전략을 수립하는 데 없어서는 안 될 기본적인 도구이자, 이 책에서 다루는 개념의 대부분을 지탱하는 주요한 받침대이기도 하다.

불필요하게 반복되는 표현을 피하기 위해 어느 산업의 산출을 의미하는 표현으로는 '제품 및 서비스'라는 어휘 대신 '제품'으로 통일하도록 하겠다. 그러나 물론 여기서 제시하는 산업구조 분석의 원리는 제조 기업과 서비스 기업에 다 같이 적용된다. 일부 제도적인 여건이 다르기는 하지만[1], 산업구조 분석은 특정 국가의 산업뿐만 아니라 국가 간 경계를 넘어선 글로벌 산업의 경쟁상황을 진단하는 데 적용될 수도 있다.

# 경쟁강도의 구조적 결정요인

산업을 서로 유사한 대체재(substitutes)를 생산하는 기업군으로 정의하기로 하자. 현실적으로 산업을 어떻게 정의하는 것이 적절한 것인지를 둘러싸고 논란을 빚을 때가 많다. 즉 제품이나 공정, 또는 판매시장의 지리적 경계라는 관점에서 어느 정도의 대체성을 요구하는지에 대해 논란의 초점이 모아지고 있다. 일단 산업구조 분석의 기본개념을 소개하고 나면 이 문제를 다루기가 더 쉬워질 것이기에 산업의 범위나 영역이 이미 확정되어 있다고 가정하자.

산업에서 경쟁이 증가하면 투자수익률이 계속 낮아져 최저경쟁수익률(competitive floor rate of return), 또는 경제학자들이 말하는 완전경쟁 상태의 수익률에 가까워진다. 최저경쟁수익률 또는 자유경쟁수익률은 자본손실의 위험을 감안, 조정된 정부발행 장기공채의 수익률과 비슷한 수준이다. 투자자들은 일시적이라면 몰라도 이러한 상태가 지속되는 것은 꺼릴 것이다. 보다 수익률이 높은 다른 투자대안이 존재하기 때문이다. 따라서 수준 이하의 수익률이 지속되는 기업은 결국 도산하고 말 것이다. 한편 자유경쟁 상태에서 평균수익률보다 높은 수익률을 거두고 있는 기업이 있다면, 신규 진입 혹은 기존 기업에 대한 투자증대를 막론하고 새로운 자본이 그 기업으로 흘러들게 될 것이다. 결국 산업의 경쟁요인 강도에 따라 새로운 투자가 발생할 것인지, 또는 자유경쟁시장 수준으로 수익률이 감소할 것인지 결정되며, 이를 통해 평균 이상의 수익률 달성이 가능한지도 파악할 수 있다.

5가지 경쟁유발 요인(새로운 진입기업의 위협, 대체재의 위협, 구매자의 교섭력, 공급자의 교섭력, 기존 기업 간의 경쟁)을 살펴보면 특정 산업에서의 경쟁이 기존 기업들 사이의 경쟁범위를 훨씬 벗어나 있음을 알 수 있다. 따라서 지금까지 전혀 경쟁자라고 생각하지 않았던 고객과 공급자, 대체재, 잠재적인 진입기업들도 모두 그 산업에서 활동하는 기업들에는 엄연한 '경쟁자들'이며, 상황에 따라 5가지 경쟁유발 요인이 두드러지게 나타날 수도 또 잠재적인 형태로 나타날 수도 있다. 이 같은 넓은 의미의 경쟁을 '확대경쟁'이라 부른다.

5가지 경쟁유발 요인 모두 산업의 경쟁강도와 수익성에 영향을 주지만 그중에서도 가장 유력한 요인이 존재한다. 예를 들어 잠재적 진입기업이 별다른 위협이 안 될 만큼 시장에서 매우 확고한 기반을 갖춘 기업이라고 하더라도, 품질이 보다 우수하고 값이 싼 대체재가 등장하면 수익률은 떨어지게 된다. 설사 대체재가 없고 신규 진입기업의 접근이 제한되었다 하더라도, 기존 기업들 간의 경쟁이 치열하다면 잠재적인 수익률은 제약을 받게 될 것이다. 경쟁강도가 가장 격심한 경우가 경제학자들이 말하는 완전경쟁 상태이다. 완전경쟁 상태의 산업에서는 신규 진입에 아무런 제약을 받지 않고, 기존 기업들은 고객과 공급자들에게 대항할 만한 아무런 교섭력을 지니지 못한다. 또한 수많은 기업과 제품이 자유롭게 경쟁을 벌이기 때문에 경쟁상황은 고삐 풀린 말처럼 제멋대로 전개될 것이다.

물론 산업에 따라 경쟁상황을 결정하는 주도적 요인이 다르게 마련이다. 유조선 산업에서는 주요 경쟁요인이 아마도 구매자들(대규모 석유회사들)일 것이고, 타이어 산업에서는 그들 간에도 치열한 경쟁을 벌이는 자동차 회사들이 지배적인 경쟁요인으로 작용할 것이다. 또 철강 산업에서는 외국 경쟁기업들과 대체재가 핵심적인 경쟁요인이 될 가능성이 높다.

경쟁요인들이 모여서 총체적으로 나타나는 산업의 기본구조는 일시적인 형태로 경쟁상황과 수익성에 영향을 미치는 단기적인 요인들과는 구별해서 봐야 한다. 예를 들어 경기순환 과정에서 나타나는 단기적인 경기변동은, 수많은 산업에서 활동하는 거의 모든 기업의 단기적인 수익성에 영향을 미친다. 단기적인 경기변동 외에 자재난이나 파업, 수요의 급증과 같은 상황도 단기적인 수익성에 영향을 미칠 수 있다. 이러한 요인들도 전술적으로 중요하지만, 여기서 말하는 산업구조 분석이나 구조적 분석의 초점은 어디까지나 산업의 근본적인 특성을 규명하는 데 있다. 그리고 이러한 특성을 바탕으로 전략이 수립되어야 한다. 기업들은 자사가 속한 산업구조에 대응해나가는 과정에서 저마다 강점과 약점을 지니게 된다. 산업구조는 늘 고정되어 있는 것이 아니라 시간을 두고 점진적으로 변화한다. 이러한 변동성에도 불구하고 산업구조의 파악은 전략분석의 시발점으로서 반드시 이루어져야 한다.

어느 산업에나 중요시되는 경제적·기술적 특성이 있다. 이러한 특성은 5가지 경쟁유발 요인의 강도에 중대한 영향을 미친다. 이에 대해 구체적으로 살펴보면 다음과 같다.

## 신규 진입에 대한 위협

어느 산업에 새로운 기업이 진입할 때 이 기업은 기존 기업들과는 다른 새로운 능력과 시장을 확보하려는 강한 의욕, 그리고 때로는 상당한 자원을 가지고 뛰어든다. 그럴 경우 가격이 떨어지거나 부대비용이 상승해서 결국 전반적인 수익성 저하를 가져올 가능성이 높다. 기업들이 기존의 시장에서 눈을 돌려 주식취득과 같은 방법을 통해 새로운 산업에 뛰어들어 경영활동의 다각화를 모색하게 되면, 필립모리스가 맥주회사인 밀러에 가했던 것처럼 시장판도에 큰 변화를 야기하는 경우가 종종 있다.

따라서 새로운 회사를 만들어 진입하지 않고 기존 회사의 인수합병을 통해 특정 산업에 진입하는 경우도 시장점유율 확대라는 의도를 가지고 있다면 일단 신규 진입으로 봐야 할 것이다.

산업에 새로운 기업이 진입할 때는 그 산업에 존재하고 있는 진입장벽과 신규 기업의 진입에 대한 기존 경쟁기업들의 대응 정도에 따라 신규 진입기업이 줄 수 있는 위협의 폭이 결정된다. 즉 진입장벽이 높고 예상되는 신규 진입기업에 대한 기존 경쟁기업들의 보복적 대응이 강할 경우에는, 새롭게 진입한 기업의 위협이 그만큼 줄어든다.

## 진입장벽

신규 진입에 따른 주요한 장애요인은 다음 6가지가 있다.

• 규모의 경제 | 규모의 경제란 시간에 따른 절대생산량이 늘어남에 따라 제품(또는 제품을 생산하도록 만드는 작용이나 기능)의 단가가 떨어지는 것을 의미한다. 규모의 경제가 특정 산업에서 새로운 기업의 진입을 막는 원리는 양자택일을 강요하는 형태로 나타난다. 즉 신규 진입기업이 기존 경쟁기업들의 강력한 반발을 무릅쓰더라도 대규모 시설투자를 통해 공격적으로 진입하거나, 아니면 작은 규모로 시작해 원가 절감상의 불이익을 감수하는 식이다. 그러나 그 어느 쪽도 바람직한 선택이 되기는 어렵다. 규모의 경제가 신규 진입에 대한 억제요인으로 작용하기 때문이다. 규모의 경제는 경영의 거의 모든 활동에서 나타난다. 즉 생산, 구매, 연구개발, 마케팅, 서비스, 영업, 유통 등을 포함한 대부분의 경영활동에 존재한다. 예컨대 전통적인 컴퓨터 산업에서 생산, 연구개발, 마케팅 및 서비스 부문의 규모의 경제가 지나칠 정도로 커서 제록스나 GE(General Electric)와 같은 업체들은 컴퓨터 산업에 대한 신규 진입을 포기할 수밖에 없을 정도였다.

규모의 경제는 영업력과 같이 총괄적으로 나타나기도 하고, 특정 기능을 담당하는 개별 활동에서 나타나기도 한다. 예를 들어 컬러TV 생산공정의 경우 컬러 브라운관 제조공정에서는 규모의 경제가 두드러지게 나타나는 반면, 케이스 제작이나 조립 부문에서는 거의 나타나지 않는다. 생산단가와 규모의 경제의 상관관계를 파악하기 위해서는 총원가를 구성하는 개별 요소를 면밀하게 검토해봐야 한다.

다품종 생산기업들이 생산활동과 기능을 여러 제품에 연계해 활용할 수 있다면, 비록 개별 제품 차원은 아니더라도 기업 전체로서는 규모의 경제와 비슷한 효과를 누릴 수 있을 것이다. 예를 들어 어느 기업이 생산한 여러 종류의 소형 전기모터가 선풍기나 헤어드라이어기, 또는 전자기기의 냉각장치에 활용된다면 회사 전체적으로 모터 생산에 따른 규모의 경제효과를 거둘 수 있게 된다. 다시 말해 이와 같은 형태로 생산활동을 다각화한 기업은, 가령 헤어드라이어기에만 사용되는 소형 전기모터를 생산할 때보다 더 큰 경제성을 도모할 수 있는 것이다. 이로 인해 공동의 작업이나 기능을 활용하는 제품의 대상이 다양화되어 있을 때는 어느 한 제품의 수요가 적다고 하더라도 회사 전체적인 매출은 상대적으로 타격을 덜 입게 된다.[2] 따라서 특정 산업에 진입하고자 하는 기업은 이러한 이유로 제품을 다양화하지 않을 수 없으며, 그렇지 못할 경우에는 결국 생산비용이 불리하게 상승하는 압박을 받게 된다. 여러 가지 활동과 기능의 공유를 통해 규모의 경제를 누릴 수 있는 대상 영역에는 영업조직, 유통경로, 구매 등이 포함된다.

공동활용에 따른 이익은 특히 공통비용(joint cost)의 여지가 있을 경우에 크게 나타난다. 공통비용은 A라는 제품(또는 A라는 제품이 생산 과정의 일부가 되는 작용이나 기능)을 생산하는 기업이 본래부터 B라는 제품을 생산할 능력을 지니고 있을 때 나타나는 것이다. 항공회사의 여객수송과 화물수송의 경우가 그 예이다. 단순한 기술적 제약 때문에 항공기는 기내의 넓은 공간을 승객들로만 채우려 하고, 화물을 실을 수 있는 공간은 비워놓는 경우가 많다. 그러나 비행기를 한 번 띄우는 데 소요되는 여러 가지 많은 비용은 승객이 많이 타건, 적게 타건 크게 영향을 받지 않는다. 이런 점에 비추어볼 때 승객과 화물을 동시에 취급하는 기업은 승객이나 화물 어느 한쪽에서만 경쟁을 벌이는 기업보다 훨씬 유리할 가능성이 높다. 생산공정에서 부산물이 발생하는 기업도 이와 비슷한 효과를 거둘 수 있다. 만약 기존 산업의 기업들이 생산공정에서 부산물을 얻고 있다고 가정해볼 때, 새로이 진입하는 기업이 부산물을 통해 이익을 거두지 못한다면 원가 경쟁력에 심각한 타격을 입을 것이다.

진입기업의 새로운 제품이 그 기업의 기존 브랜드나 노하우와 같은 무형자산을 활용할 때에도 공통비용 활용에 따른 이익이 발생한다. 이 경우 무형자산의 형성비용은 최소화하면서 최대한 효율적으로 활용하는 방안을 모색할 필요가 있다. 새로운 사업을 시작할 때마다 새롭게 무형자산을 만들어나간다면 원가상승 압력을 견디기 어려울 뿐만 아니라 비효율이 발생하기 때문이다. 이와는 대조적으로 이미 형성된 무형자산을 조금 변형해 계속해서 활용한다면 규모의 경제효과를 십분 누릴 수 있을 것이다.

제품의 생산과 유통을 연속적으로 처리하는 수직적 통합을 통해 규모의 경제를 실현할 수도 있다. 만약 기존 경쟁기업이 수직적 통합을 통해 계열화되어 있는 상황이라면 신규 진입기업의 원료 구매와 제품의 판매 자체가 원천 봉쇄될 가능성이 높다. 산업에 새롭게 진입한 기업의 원료 구매와 제품 판매가 봉쇄된다는 의미는 대부분의 고객들이 이미 형성된 틀 속에서 제품 혹은 서비스를 구매하고 있고, 공급자 또한 이러한 틀을 철저히 준수하고 있어서 신규 진입의 여지가 낮은 상태를 의미한다. 따라서 신규 진입기업은 기존 경쟁기업들과 비슷한 가격으로 제품을 판매하는 데 어려움을 겪게 되고, 더구나 기존 경쟁기업들이 소비자들에게 더욱 유리한 판매조건을 제시할 경우 '가운데 끼어 꼼짝도 하지 못하는' 곤경에 빠지게 된다. 수직적 통합구조가 공고한 기존 산업에 진입하려 할 경우 기존 경쟁기업들의 보복과 다음에 제시된 진입장벽에 가로막힐 가능성이 높아진다.

• **제품 차별화** | 제품 차별화(product differentiation)란 기존 기업들이 브랜드 인지도가 높고 고객들로부터 이미 신뢰를 확보하고 있다는 의미이다. 브랜드 인지도와 고객 신뢰는 지속적인 광고와 고객에 대한 서비스, 제품의 차이 등에서 비롯되는 것이다. 이러한 차별화는 기존 경쟁기

업에는 강력한 경쟁무기가 되는 동시에 새롭게 진입을 모색하고 있는 기업 입장에서는 따라잡기 어려운 진입장벽으로 작용한다. 기존 경쟁기업의 제품에 대한 고객의 신뢰를 무너뜨리려면 신규 진입기업 입장에서는 초기에 상당한 손실을 각오하지 않으면 안 된다. 아울러 단기적인 노력으로 별다른 성과가 없을 경우에는 장기적으로 꾸준히 노력해야 할 것이다. 신규 진입기업이 자사의 브랜드를 고객들에게 인식시키는 데 투입되는 비용은, 일단 실패할 경우에는 회수할 수 없다는 점에서 특히 위험부담이 많은 투자라 하겠다.

예컨대 제품 차별화는 유아용품, 의사의 처방이 필요하지 않은 간단한 약품, 화장품, 투자금융업, 공인회계 사업 등에서 그 어느 요인보다도 큰 진입장벽으로 작용할 것이다. 양조업에서도 제품의 차별화는 제조, 판매 및 유통 분야에서의 규모의 경제와 결부되어 신규 진입기업에 대한 높은 진입장벽으로 작용한다.

• 소요자본 | 기존 경쟁기업들과 경쟁을 벌이기 위해서는 많은 투자가 필요한데, 이러한 점은 신규 진입의 장애요인으로 작용한다. 특히 위험부담이 많고 회수가 불가능한 대규모 광고활동이나 연구개발 활동에 많은 투자가 소요된다. 이 밖에 생산설비는 물론이고 고객에 대한 신용판매나 재고품, 초기 활동의 결손보전과 같은 부분에도 많은 자본이 필요하게 될 것이다. 예를 들어 제록스는 보급률 확대를 목적으로 복사기를 직접 판매하는 대신 임대하기로 결정을 내렸는데, 이러한 결정으로 인해 필요한 운영자금이 엄청나게 늘어났다. 이처럼 복사기 제조 산업의 운영자금이 엄청나게 소요된다는 것은 결국 복사기 제조 산업 진출을 고려 중인 기업에는 큰 장애요인이 된다. 오늘날 대기업들은 막대한 재력을 쌓아 거의 모든 산업에 뛰어들 능력이 있지만, 그래도 컴퓨터나 광물채취와 같은 산업은 엄청난 초기 투자가 필요하기 때문에 선뜻 진

출하기가 망설여지는 산업이다. 설령 자본시장에서 소요자금을 조달할 수 있다 하더라도 신규 진입기업은 위험 프리미엄을 추가로 부담해야 하기 때문에, 기존 경쟁기업보다 자본조달비용이 상승하여 실패했을 경우 져야 할 위험이 그만큼 커지는 것이다. 따라서 기존 경쟁기업은 신규 진입기업보다 더욱 유리한 입장에 놓이게 된다.[3]

• 교체비용 | 교체비용(switching costs)을 통해 진입장벽을 쌓을 수도 있다. 교체비용이란 구매자가 기존 제품에서 다른 공급자의 제품으로 바꿀 때의 과정에서 부담하게 되는 비용을 말한다. 구체적으로 종업원 재교육비, 새로운 보조설비 도입비, 새로운 제품의 검사나 적합화에 따른 시간 및 경비, 새로운 장비에 대한 기술적 지원 의존으로 발생하는 추가적 비용, 제품의 디자인 변경, 그 밖의 새로운 관계 유지에 필요한 심리적 부담에 이르기까지 여러 형태의 비용이 포함된다.[4] 교체비용이 많이 소요되면 신규 진입기업은 가격이나 성능 면에서 획기적인 개선점이 없는 한 기존 공급자의 고객들을 빼오기 어렵다. 예를 들어 병원에서 사용하는 정맥주사 용액과 도구를 보면, 환자에게 용액을 주사하는 과정과 도구가 경쟁제품별로 모두 달라 서로 호환이 되지 않는다. 이런 경우에 주사용액을 바꾸게 되면 주사과정에 필요한 부수자재까지 모두 바꿔야 하므로 일선 간호사들의 심한 반발을 불러올 가능성이 높다.

• 유통경로에 대한 접근성 | 신규 진입기업은 생산된 제품의 유통경로를 확보해야 하는데, 유통경로 확보의 필요성도 진입장벽으로 작용할 수 있다. 기존 경쟁기업들이 이미 제품에 대한 순조로운 유통경로를 차지하고 있는 만큼, 신규 진입기업은 가격인하와 같은 판촉 활동을 통해 기존 유통경로에 진입해야 한다. 이러한 과정에서 신규 진입기업은 이윤의 손해를 보게 되고, 이는 이익이 줄어드는 결과를 초래한다. 예를 들어

새로운 식료품을 만드는 기업은 판매촉진 활동이나 집중적인 영업활동, 그리고 그 밖의 다른 수단을 동원하겠다는 약속을 내세워, 치열한 경쟁을 벌이는 소매상들의 슈퍼마켓에 그들의 식료품을 진열할 수 있도록 소매상을 설득해야 한다.

제품의 도매 및 소매 경로가 한정되어 있거나 기존 경쟁기업들이 이러한 판매경로를 장악하고 있다면 그 산업에 진출하기는 더욱 어려워질 것이다. 기존 경쟁기업들은 오랜 거래관계나 양질의 서비스 등을 토대로 이미 유통경로가 안정화되어 있는 경우가 많으며, 심지어 어느 판매경로를 보면 특정 기업의 제품을 연상할 만큼 배타적인 유대관계로 밀착되어 있는 경우도 있다. 때로는 이러한 장벽을 극복하기가 어려워 새로이 진입하는 기업이 아예 새로운 유통경로를 개척해야 하는 경우도 있다. 시계 산업을 장악하고 있는 티맥스(Timex)의 유통경로 장악이 바로 유통경로 접근을 활용한 진입장벽 설치의 전형적인 예이다.[5]

• 원가우위 | 잠재적인 진입기업들이 아무리 사업규모를 늘리고 또 규모의 경제를 이룩한다 하더라도, 기존 경쟁기업들은 신규 진입기업이 따라잡기 어려운 비용구조의 유리한 점을 가지고 있다. 가장 두드러진 점들을 살펴보면 다음과 같다.

· 독점적인 생산기술: 제품생산의 노하우 또는 설계상의 특징은 특허 출원이나 기밀유지로 독점적인 사용이 가능하다.
· 유리한 조건의 원자재 확보: 기존 경쟁기업들은 가장 우수한 자원을 확보하거나, 현재보다 수요가 적고 가격이 쌀 때 예상되는 필요량을 미리 확보해놓는 경우가 많다. 예를 들면 텍사스 걸프 설퍼 (Texas Gulf Sulfur)와 같은 유황회사들은 수요가 급팽창하기 몇 년 전에 이미 양질의 유황매장지 중 일부를 확보해놓은 반면, 다른 광

물 채굴권자들은 프라쉬(frash) 채굴방식이 개발되기 전까지는 매장된 광물의 가치를 제대로 인식하지 못했다. 유황매장지를 발견한 채굴권자들은 석유참사에 나섰다가 실망한 석유회사들이 많아 유황매장지의 가치를 소홀하게 생각하는 경향이 많았다.

· 유리한 입지조건: 기존 경쟁기업들은 수요 증대로 땅값이 오르기 전에 이미 좋은 부지를 확보하고 있다.

· 정부의 보조: 일부 사업 부문에서 정부의 특혜적인 보조를 받는 기존 경쟁기업들은 보조가 계속되는 한 유리한 위치를 지속할 수 있다.

· 학습과 경험곡선 효과: 일부 산업에서는 기업이 제품생산의 경험을 축적할수록 단위당 생산비용이 하락하는 뚜렷한 경향을 보인다. 이때 생산비용의 절감은 근로자들의 생산방법 개선과 능률 향상, 설계 및 구조의 개선, 특수한 설비 및 생산공정 개발, 설비의 생산성 증대, 제품의 디자인 변경에 따른 제조상 용이성, 계측기술과 작업관리의 개선 등으로부터 비롯된 것이다. 경험이란 일종의 기술적 변환을 의미하는 것이므로 생산은 물론 유통이나 물류, 그 밖의 기능에도 적용된다. 규모의 경제와 마찬가지로 경험의 축적에 의한 비용절감도 기업 전체 차원이 아닌 개별적인 경영활동이나 기능을 통해 이루어지는 것이다. 축적된 경험을 활용하면 마케팅과 유통 부문의 비용뿐만 아니라 생산이나 생산공정 내부 운영비용도 절감할 수 있다. 따라서 경험의 축적에 따른 제조비용의 하락현상을 보다 심도 있게 분석해야 한다.

경험의 축적에 따른 원가절감은 정교한 작업이나 복잡한 조립공정처럼 노동 투입도가 높은 산업 부문(항공기 제작이나 조선 산업)에서 가장 두드러지게 나타나는 현상을 보인다. 원가절감은 항상 제품개발의 초기나 성장단계에서 뚜렷하게 나타나다가 시간이 흐를수록 그 정도가 감소하게 된다. 규모의 경제가 경험의 축적에 따른 원가절감의 결과라고 보는 시각도 있다. 그러나 규모의 경제는 단위기간에 따른 산출량을 뜻하는 것일 뿐, 누적된 산출량을 의미하는 것이 아니므로 비록 동시에 나타난다 하더라도 이를 구분해서 살펴봐야 할 것이다. 규모와 경험을 동일시하는 데서 비롯되는 위험은 뒤에서 자세히 언급하겠다.

특정 산업에서 경험의 축적을 통해 원가가 절감되고 이 같은 효과가 기존 기업들에 의해 독점될 수 있다면, 이러한 결과는 새로이 진입하려는 기업들에 진입장벽으로 작용한다. 아무래도 경험이 없는 신규 진입기업은 기존 기업들보다 더 높은 원가를 부담할 수밖에 없으며, 비용이 높기 때문에 가격 또한 비용과 비슷한 수준으로 책정할 수밖에 없다. 따라서 신규 진입기업은 경험을 쌓을 때까지 초기에 상당한 결손을 각오해야 한다. 기존 기업들, 특히 시장점유율이 높고 경험의 축적이 가장 급속히 이루어진 기업들은 원가절감에 따른 여유자금이 많아 새로운 설비나 기술 도입에 투자할 여유를 갖게 된다. 그러나 경험곡선 효과와 규모의 경제를 위해서는 초기의 대규모 설비투자와 결손을 가져오게 된다는 점을 인식해야 한다. 누적산출량이 엄청나게 늘어나는 가운데 산출량에 대비해 원가가 계속 하락한다면 신규 진입기업은 이를 도저히 따라잡을 수 없을 것이다. 텍사스 인스트루먼츠(Texas Instruments), 블랙 앤 데커(Black & Decker), 에머슨 일렉트릭(Emerson Electric)과 같은 기업들은 누적산출량 증대에 따른 경험곡선 효과를 꾀하기 위해 산업 진출 초기 과감한 대규모 투자를 선택해 성공을 거두었다.

경험 축적을 통한 원가절감은 특정 제품에서 원가를 절감한 경험이 있는 기능을 다각화해 다른 제품에 공동으로 활용하거나 또는 기업 내에 축적된 경험을 연관된 다른 활동에 유용하게 활용할 수 있을 때 그 효과가 더욱 커진다. 원료생산과 같이 활동이 다른 사업 부문에서도 공동으로 활용될 수 있다면, 경험의 축적은 한 산업에서만 이루어질 때보다 훨씬 빨리 진행될 것이다. 또 기업 내의 여러 부문에서 함께 연관된 활동을 벌이고 있을 때에는, 공동으로 이룩한 경험의 축적을 기업의 자매부문이 거의 비용을 들이지 않고 활용할 수 있다. 이때는 공동의 경험 축적이 추가적인 비용의 소요 없이 가능하며, 이때의 공동경험 축적은 무형의 자산이 될 것이다. 이처럼 공유된 학습은 다른 여건들이 충족될 경우, 경험곡선이 쌓아놓은 진입장벽을 한층 두텁게 만든다.

경험의 축적은 이처럼 전략수립에 널리 활용되는 개념이다(이와 관련된 전략적 의미는 추후 보다 자세하게 다루겠다).

• **정부정책** | 진입장벽으로 작용하는 7번째 요인은 정부정책이다. 정부는 산업에 대한 기본적인 허가 및 제한과 같은 통제(예를 들어 석탄매장지에 스키장을 건립하는 경우)를 통해 특정 산업의 진출을 제약하거나 심지어는 봉쇄할 수 있다. 트럭운송이나 철도, 주류소매, 화물운송과 같은 산업은 이 같은 규제를 받는 대표적인 산업이다.

특정 산업으로의 진입을 제한하는 보다 민감한 정부통제로는 대기와 수질 오염의 규제기준이나 제품의 안정성 및 효능에 대한 단속규정 등이 있다. 예를 들어 오염 규제조건은 진입에 필요한 자본규모를 증대시키고, 또 그 요건을 충족시키기 위한 고도의 기술과 심지어는 설비규모의 적정성에까지 영향을 미칠 수 있다. 식료품과 그 밖의 국민보건과 연관된 산업 분야에는 흔히 까다로운 제품 검사기준이 설정되어 있다. 이러한 검사기준은 제품이 출시되기까지의 시간(lead time)을 크게 늘림으로써 진입에 따른 자본소요를 증대시킬 뿐만 아니라, 기존 기업들로 하여금 새로이 진입하는 기업과 제품에 대한 대응전략을 마련할 시간을 벌게 해준다. 이와 같은 정부 규제정책은 사회 전체적으로 볼 때에는 이익이라고 할 수 있으나 새롭게 진입하고자 하는 기업 입장에서는 진입장벽으로 작용한다.

## 예상되는 보복

기존 경쟁기업들이 어떤 형태의 반응을 보일지 예상하는 것 자체도 진입의 위협에 영향을 미칠 것이다. 기존 경쟁기업들이 다른 기업의 진입이나 경쟁 참여를 불쾌하게 여겨 강력하게 대응할 것으로 예상된다면, 이는 기업의 진입을 억제하는 요인으로 작용하게 된다. 신규 진입에 강력한 보복이 뒤따를 것으로 예상되는 상황은 다음과 같다.

· 과거 신규 진입기업에 가했던 혹독한 보복적 대응책
· 기존 경쟁기업의 막강한 자원동원 능력, 즉 잉여자금이나 활용 여지가 있는 자금차입 능력 등의 대응능력, 각종 불확실성에 대처할 수 있는 잉여생산 능력, 그리고 유통경로나 고객들에게 행사할 수 있는 막강한 영향력 등
· 진입대상 산업에 대한 기존 기업들의 전력투구와 그에 동원되는 막대한 고정자산
· 진입대상 산업의 완만한 성장속도. 산업의 성장속도가 완만한 만큼 새로운 기업이 진입할 경우 기존 기업들의 판매량과 재무상태는 타격을 받을 수밖에 없다. 그러한 상황을 야기하지 않고 신규 진입기업을 수용할 수 있는 능력은 제한되어 있다.

## 진입억제 가격

특정 산업의 진입조건은 '진입억제 가격구조'라고 불리는 하나의 가설적인 개념으로 요약될 수 있다. 진입억제 가격구조란 특정 산업에 진입함으로써 기대되는 잠재적인 보상과, 구조적인 진입장벽을 극복하고 기존 경쟁기업들의 보복에 대응하는 데 필요한 예상경비 사이의 균형을 의미한다. 만약 현재의 가격 수준이 진입억제 가격보다 높으면, 진입기업은 평균 이상의 이윤을 기대할 수 있게 되므로 그 산업으로의 진입을

단행하게 될 것이다. 그러나 여기서 말하는 진입억제 가격은 현재의 여건이 아닌, 미래에 대한 진입기업의 예상에 따라 좌우되는 가격을 의미한다.

만약 기존 기업들이 다른 기업의 신규 진입을 억제할 목적으로 가격을 진입억제 가격 아래로 낮춘다면 실제로 신규 진입이 줄어들 가능성이 높다. 그러나 그들이 신규 진입 여부와 상관없이 가격을 진입억제 가격 이상으로 올린다면 그로 인해 얻는 수익은 단기간 동안만 지속될 것이다. 왜냐하면 기존 기업들이 얻을 수 있는 이득이 신규 진입기업과의 경쟁이나 공존에 소요되는 비용으로 사라져버리기 때문이다.

### 진입장벽의 속성

그 밖에도 진입장벽에는 몇 가지 속성이 있는데, 이러한 속성은 전략적으로 매우 중요하다. 첫째, 진입장벽은 앞서 설명한 여건들이 바뀌면 그에 따라 달라질 수 있다. 예를 들어 폴라로이드가 독점한 즉석사진은 그 특허시효가 만료됨에 따라 기술독점으로 구축된 절대적인 진입장벽이 크게 허물어졌다. 이후 코닥(Kodak)이 동일시장에 뛰어든 것은 조금도 놀라운 일이 아니었다. 잡지인쇄 산업의 경우도 제품 차별화가 거의 없어지고 그 산업의 진입장벽도 낮아졌다. 반면 자동차 산업에서는 2차 대전 이후 자동화 시스템과 수직적 통합으로 규모의 경제가 크게 중요시됨에 따라 진입장벽이 높아져 기업의 신규 진입이 성공을 거둔 사례가 거의 없었다.

둘째, 진입장벽의 형태는 주로 기존 기업들이 통제할 수 없는 이유로 인해 바뀌는 경우가 흔히 있지만, 그들의 전략적인 결정에 따라서도 큰 영향을 받을 수 있다. 예를 들어 1960년대에 미국 포도주 제조회사들이 새로운 제품의 출하와 광고활동에 박차를 가하고 전국적인 유통조직을 갖추기로 결정한 것은, 포도주 산업의 규모의 경제 수준을 높이고 신규 기업의 유통경로에 대한 접근을 더욱 어렵게 함으로써 진입장벽을 한층 강화한 사례라 하겠다. 이와 비슷한 사례로 레크리에이션 차량 산업에서 활동하는 기업들이 원가를 낮추기 위해 부품제조 부문의 수직적 통합을 결정한 것도 규모의 경제를 강화해 자본비용 상승에 따른 진입장벽을 두텁게 한 사례이다.

끝으로, 일부 기업들은 특수한 자원이나 기술을 가지고 있어 대부분의 다른 기업들보다 훨씬 적은 비용으로 특정 산업의 진입장벽을 뚫는 경우가 있다. 예를 들어, 면도날의 유통경로를 강력하게 장악하고 있는 질레트(Gillette)는 다른 많은 회사들에 비해 훨씬 적은 비용으로 일회용 가스라이터 제조 산업에 뛰어들 수 있었다. 기업 내의 다른 제품과 진입에 따른 비용을 공통으로 분담할 수 있는 경우라면 질레트와 비슷한 기회를 획득할 수 있을 것이다(진입전략과 관련한 요인들은 16장에서 자세하게 다루겠다).

### 진입장벽으로서의 경험과 규모

규모의 경제와 축적된 경험은 가끔씩 동일시되는 경우도 있지만, 진입장벽으로서 가지는 의미는 구별된다. 설비나 유통시스템, 서비스 조직, 그 밖의 기능적 활동에서 규모의 경제를 달성한 기업은 언제나 규모가 작은 기업보다 원가우위를 확보하게 된다.[6] 규모가 작은 기업 입장에서 이 같은 원가우위는 비슷한 규모를 갖추거나 다각화를 이룩하지 않고서는 도저히 극복할 수 없는 것이다. 규모의 경제를 이룩했거나 다각화된 기업은 설비를 운용하는 고정비를 수많은 제품에 분산시킬 수 있는 반면, 소규모 기업은 비록 첨단설비를 갖추었다고 하더라도 생산 공정상의 비효율을 면하기 어렵다.

기존 기업의 입장에서 규모의 경제가 진입장벽으로 작용하기 어려운 몇 가지 측면을 살펴보면 다음과 같다.

· 대규모 설비를 갖춰 비용을 줄이게 되면 제품의 차별화(예를 들어 규모가 커지면 커질수록 제품의 이미지나 서비스에는 부정적인 영향을 미칠 가능성이 높아짐) 또는 첨단기술 개발능력과 같은 중요한 잠재적 진입장벽은 상대적으로 희생된다.

· 기술적인 변화는 특화된 규모의 경제를 달성한 기업들의 유연성에 치명적인 타격을 입힌다. 즉 대규모 설비투자로 인해 새로운 설비를 갖출 만한 융통성을 잃어버리게 된다.

· 기존의 기술을 이용한 규모의 경제에 집착하다 보면 새로운 기술이 지닌 가능성이나, 규모에 그다지 좌우되지 않는 다른 새로운 경쟁방식을 제대로 인식하지 못할 가능성이 높다.

경험의 축적은 규모의 경제처럼 진입장벽 역할을 하지 못한다. 미약한 경험곡선 효과만으로는 진입장벽 역할을 기대하기 어렵기 때문이다. 경험이 중요한 진입장벽으로 작용하려면 핵심적인 전제조건이 뒤따라야 한다. 즉 경험은 ① 모방이나 ② 경쟁기업의 종업원을 고용하는 행위, 또는 ③ 설비 공급회사로부터 최신기계를 사들이거나 컨설턴트나 다른 회사로부터 노하우를 구입하는 형식을 통해, 경쟁기업이나 잠재적인 진입기업에 적용되지 않도록 독점적으로 활용되어야 한다. 그러나 축적된 경험이 독점적으로 활용되지 못하는 경우가 종종 발생한다. 왜냐하면 후발기업은 선발기업을 다각도로 관찰해서 모방할 수 있기 때문이다. 이러한 경우 새로이 진입한 기업들이 우위에 설 수도 있다. 새로이 진입한 기업은 기존 기업들과는 다르게 최신설비를 도입하거나 또는 오랜 경험에 결부된 과거의 방식에 구애 받지 않는 혁신적 방식을 채택할 수 있기 때문이다.

경험곡선 효과를 진입장벽으로 보기 어려운 몇 가지 이유를 살펴보면 다음과 같다.

- 생산이나 공정에서 혁신을 이룩함으로써 새로운 기술이 개발되고, 또 그 기술을 둘러싼 전혀 새로운 경험곡선이 형성되면 기존 경험곡선이 지닌 진입장벽으로서의 기능은 사라진다.[7] 이때 새로이 진입한 기업이 기존 기업들을 뛰어넘어 새로운 경험곡선을 추구하게 되면 기존 기업들은 불리한 입장으로 역전된다.
- 경험을 축적함으로써 원가절감을 추구하게 되면 이미지나 기술 혁신성을 통한 제품 차별화와 같은 다른 의미 있는 진입장벽을 상실하게 될 가능성이 있다. 예를 들어 휴렛 팩커드(Hewlett-Packard)는 경쟁기업들이 경험축적과 규모에만 의존하는 경쟁전략에 몰두하고 있을 때, 기술혁신에 바탕을 둔 전략을 추구함으로써 계산기와 미니컴퓨터 산업에서 성공을 거두었다.
- 하나 이상의 강력한 기업들이 경험곡선에 의존한 전략을 펼치면 나머지 경쟁기업들은 강한 치명타를 입게 된다. 오로지 하나의 경쟁기업이 남을 때까지 치열한 경쟁이 벌어지고, 그렇게 되면 산업은 정체될 것이기 때문이다.
- 경험축적을 통한 원가절감에 과도하게 치중하다 보면 신규 시장 개척 또는 과거의 경험을 무산시키는 새로운 기술에 대한 관심이 둔해질 우려가 있다.

## 기존 경쟁기업들 간의 경쟁강도

기존 경쟁기업들 간의 경쟁은 주로 유리한 위치를 차지하려는 여러 가지 전술, 즉 가격경쟁이나 광고경쟁, 신제품 개발, 대고객 서비스나 제품보증 등의 형태로 전개된다. 경쟁은 하나 또는 복수의 경쟁기업들이 외부로부터 압박을 받거나 또는 자신의 입장을 강화할 수 있는 기회를 포착했을 때 벌어진다. 대부분의 산업에서는 어느 한 기업의 경쟁적 조치가 다른 경쟁기업들에 미치는 영향이 두드러지게 나타나기 때문에 자연스럽게 이에 대한 보복조치와 대응조치를 불러온다. 기업들은 상호 의존적이다. 이와 같은 작용과 반작용의 패턴은, 처음 그 작용을 야기한 기업과 산업 전체를 개선시킬 수도 또 악화시킬 수도 있다. 만약 어떤 조치와 이에 대한 대응조치가 계속 확대되어간다면, 그 산업의 모든 기업들은 타격을 받게 되어 전보다 못한 상태로 후퇴하게 될 것이다.

어떤 형태의 경쟁, 이를테면 가격경쟁은 수익성의 견지에서 볼 때 산업 전체를 악화시키고 불안정한 상태를 야기한다. 가령 어느 한 기업이 가격인하를 단행하면 경쟁기업도 즉시 이를 따라하게 마련이다. 일단 가격인하가 대응적인 가격인하를 불러오면, 그 산업의 수요에 대한 가격탄력성이 그에 상응할 만큼 높지 않은 한 모든 기업들의 수입은 감소하게 된다. 반면에 광고경쟁은 가격경쟁과는 달리 수요를 증가시키거나 또는 제품 차별화 정도를 제고시켜 모든 기업들에 도움이 되기도 한다.

일부 산업에서 전개되는 경쟁은 '전쟁 같은' '격심한' '필사적인'이라는 수식어가 적합할 만큼 치열한 양상을 보이는가 하면, 다른 산업에서는 '점잖은' '신사적인'이라는 표현이 어울릴 만큼 경쟁이 원만하게 벌어진다. 치열한 경쟁은 다음과 같은 구조적 요인들이 상호작용하여 나타난 결과이다.

• **수많은 경쟁기업과 대등한 균형을 이룬 경쟁기업들** | 어느 산업에서 활동하는 기업 수가 굉장히 많은 경우에는 이단적 기업이 생길 가능성이 높으며, 일부 기업들은 이러한 이단적 기업이 기습적으로 경쟁을 유발할 수 있다는 것을 늘 경계해야 한다. 심지어 기업 수가 얼마 되지 않는 경우라도 서로 비슷한 수준의 규모와 자원을 보유하고 있다면 균형은 깨지기 쉽다. 왜냐하면 균형을 이루고 있는 기업들은 서로 싸움을 벌이기 쉽고 또 지속적으로 강력한 보복조치를 취할 여력이 있기 때문

이다. 반면에 특정 산업이 독점 또는 과점 상태인 경우에는 기업들이 비교적 서로에 대해 잘 파악하고 있기 때문에 대표적인 기업들이 가격선도와 같은 기능을 통해 그 산업을 주도해나가는 경향이 있다.

많은 산업에서 해외 경쟁자들은 수출 또는 직접투자를 통해 참여함으로써 산업경쟁 측면에서 매우 중요한 역할을 담당하고 있다. 따라서 산업구조 분석이라는 큰 틀에서 볼 때 외국기업들도 동일산업 내 국내기업 경쟁의 연장으로 파악해야 한다(해외 경쟁자들의 차이점은 다시 자세하게 다루겠다).

• 산업 성장의 정체 | 특정 산업의 성장이 정체되었을 경우, 이 틈을 타 확장을 노리는 기업들은 시장점유율 확대에 전력을 기울인다. 이때의 시장점유율 경쟁은 성장속도가 빠른 산업에 비해 훨씬 격심한 양상을 보이게 된다. 성장속도가 빠른 산업에서는 그 속도에 맞추기만 해도 상당한 성과를 거둘 수 있지만, 성장속도가 완만한 산업에서는 치열한 시장점유율 경쟁으로 인해 자원이 급속히 소진되는 경우도 있다.

• 높은 고정비와 재고비용 | 고정비가 높은 경우 생산설비 유휴로 인한 손실을 줄이기 위해 완전가동의 압박이 높아지게 된다. 수요 증대를 기대할 때 이 같은 시설가동 압박은 급속하고 점증적인 가격인하를 불러온다. 예를 들어 제지와 알루미늄 같은 많은 원재료 산업은 이러한 문제로 타격을 입었다. 원가의 중요한 특성은 총비용에 대비된 고정비 비율에 있는 것이 아니라 부가가치에 대비된 고정비에서 찾을 수 있다. 부가가치가 낮은 외부자원의 투입이 많은 기업의 경우, 비록 절대적인 고정비 비율이 낮다 하더라도 손익분기점에 도달하기 위해 설비를 최대한 가동해야 한다는 압박을 받게 된다.

고정비와 관련된 또 다른 상황은 일단 생산된 제품을 쌓아두기가 매우 어렵거나 또는 많은 재고비용이 발생한다는 점이다. 이런 상황에서 기업들은 판매를 보장하기 위해 가격인하의 유혹에 빠지기 쉽다. 이러한 이유로 인해 낮은 마진에 시달리는 산업으로 바다가재 어획이나 일부 위험성이 많은 화학물질의 제조 부분, 그리고 몇몇 서비스 업종을 들 수 있다.

• 희박한 차별성과 높은 교체비용 | 제품이나 서비스에 아무런 차별성이 없는 1차 산업 제품이나 또는 그와 유사한 형태로 인식되는 제품의 경우, 구매자의 선택은 주로 가격과 서비스에 의해 결정된다. 따라서 이러한 특성을 가진 산업의 경우 대부분 치열한 가격경쟁이 전개된다. 앞서 지적한 바와 같이 이러한 가격경쟁은 변동폭이 크다. 그러나 이러한 유형의 제품에 차별성이 존재한다면 가격경쟁을 피해갈 수도 있다. 소비자들은 특정 회사 제품에 대해 선호도와 충성도를 보이므로 이러한 요소들이 차별성이 희박한 산업의 차별화 원천으로 작용하는 것이다. 교체비용도 이와 동일한 원리로 영향을 미친다.

• 대규모 시설 확충 | 규모의 경제에 따라 시설을 대규모로 확충해야 할 경우에는 그 산업의 수급균형이 만성적인 차질을 빚게 될 수 있다. 특히 집단적인 시설 확충이 한꺼번에 이루어질 때 수급균형이 깨질 위험이 크다. 예컨대 염산 제조, 비닐 클로라이드 제조, 암모니아 비료 제조처럼 잉여설비와 이로 인한 가격인하라는 악순환을 되풀이하는 산업이 대표적인 사례라 할 수 있다(만성적인 시설과잉 현상이 야기되는 상황은 15장에서 설명하겠다).

• 다양한 경쟁기업들 | 기존 산업 간 경쟁에 참여하고 있는 기업들은 저마다 다른 전략과 배경, 인적 특성, 모기업과의 관계, 목표 등을 지니고

있기 때문에 실제 경쟁하는 방식도 각기 다르게 나타난다. 이로 인해 서로의 의도를 정확하게 파악하고 '경쟁의 법칙'이 세워지기까지 큰 어려움이 존재한다. 또한 어느 한 경쟁기업에 적합한 전략적 선택이 다른 경쟁기업들에는 엉뚱하게 작용하는 경우도 많다.

글로벌 경쟁기업들이 특정 산업에 진입할 경우 상황은 더욱 복잡해진다. 자본주가 직접 경영일선에 나서는 소규모 제조업체나 서비스 사업체들도 마찬가지다. 이런 기업들은 자영권의 독립을 유지하기 위해 투자에 대한 수익률이 평균수준을 밑돌아도 만족할 수 있다. 그러나 주식이 광범위하게 분산되어 있는 일반적인 기업들은 이러한 수익률을 감내하는 것이 비상식적으로 받아들여질 수도 있다. 그런 산업에서는 중소기업이 대기업의 수익률을 제한하는 경우가 생길 수도 있다. 또한 시장을 잉여설비의 배출구로 생각하는 기업은 시장을 최우선시하는 기업과 상충되는 전략을 채택하게 될 것이다.

끝으로 모기업과의 관계가 서로 다른 점도 그 산업의 경쟁양상을 다양하게 만드는 중요한 요인이다. 예를 들어 모기업과 수직적 계열화로 연결된 기업은 자유롭게 행동하는 경쟁기업들과는 상반되는 경쟁목표를 설정한다. 또한 모기업의 여러 경영업종 중 수익의 젖줄 구실을 하는 기업은, 모기업과의 연계 없이 장기적인 성장목표를 추구하는 경쟁기업과는 다른 경쟁전략을 취하게 될 수도 있다.

• 큰 전략적 이해관계 | 많은 기업들이 특정 산업에서의 성공 여부에 큰 이해관계가 얽혀 있을 때 그 산업의 경쟁은 훨씬 치열하게 전개된다. 예를 들어 다각화된 기업이 전략적인 입지를 강화하기 위해 특정 산업에서의 진출 성공이 차지하는 경우를 들 수 있다. 보쉬, 소니, 필립스 같은 외국기업들은 세계적인 명성을 얻고 기술적 신뢰도를 높이기 위해 미국시장 진출에 성공해야 하는 동기를 가지고 있을 가능성이 높다. 이

런 경우 그 같은 외국기업들은 심지어 수익성까지도 기꺼이 희생해가면서 적극적인 시장침투와 팽창전략을 추구할 가능성이 높기 때문에 단순한 경쟁양상의 다양화가 아닌 경쟁의 근본을 통째로 뒤흔들어놓을 수도 있다(전략적 이해관계의 평가기업은 3장에서 다시 다루기로 하겠다).

• **높은 철수장벽** | 철수장벽에는 경제적·전략적·심리적 요인이 있는데, 기업들은 이러한 요인에 얽매여 투자수익률이 낮거나 심지어 결손을 보고 있는 경우에도 그들이 진출한 산업에서 선뜻 발을 빼지 못할 때가 많다. 철수장벽의 주요 요인으로는 다음과 같은 것들이 있다.[8]

· 특수한 자산: 특정 업종이나 위치에 알맞게 고도로 전문화된 자산은 그 업종에서 손을 떼고 철수하려고 할 때에는 가치가 크게 떨어지고, 다른 용도로 전환하려고 할 때에는 비용이 많이 든다.
· 철수에 따른 고정비: 노사협약, 종업원의 재취업 알선비용, 잉여부품의 처리비용 등이 포함된다.
· 전략적 상관관계: 다각화된 기업에서는 철수하는 사업단위가 그 기업 전체의 이미지나 마케팅 능력, 자본조달, 설비의 공동사용 등에 많은 영향을 미치게 된다. 이러한 점 때문에 특정 산업에 그대로 남아 있는 것이 철수하는 것보다 전략적으로 훨씬 이익인 경우가 있다.
· 심리적 장벽: 기업의 경영층은 특정 산업에서 손을 뗄 만한 경제적 타당성이 있음에도 이를 선뜻 단행하려 하지 않는다. 그 이유는 그들이 그 사업의 적임자라는 자부심과 종업원들에 대한 이미지 상실의 우려, 미래에 대한 불안, 그 밖에 자존심이나 다른 심리적 압박감이 작용하기 때문이다.
· 정부 및 사회적 제약: 정부가 실업 증대나 그 지역에 미치는 경제적 악영향을 우려해 특정 업체가 해당 산업에서 발을 빼는 것을 막거

나 억제하는 것을 의미한다. 이러한 제약은 미국 이외의 다른 나라에서 흔히 발견되는 현상이다.

철수장벽이 높은 경우 설비과잉이 만연하게 되고, 경쟁에서 패배한 기업들은 포기하지 않고 버티게 된다. 이런 상황에서 살아남기 위해 기업들은 종종 극단적인 전술에 의존한다. 이런 상태가 지속되면 산업 전체의 수익률 역시 고전을 면하지 못한다.

### 경쟁양상의 변화

산업의 경쟁강도를 결정하는 5가지 요인은 변화할 가능성이 높고 또 실제로 변하기도 한다. 가장 일반적인 예가 산업의 성숙에 따른 성장률의 변화이다. 특정 산업이 성숙되기 시작하면 성장률은 정체되고 그 결과 경쟁은 가열된다. 그러면 또 다시 수익률이 떨어져 결국 산업 자체가 재편되기도 한다.

1970년대 초 RV차량이 한창 붐을 일으키고 있을 때 거의 모든 RV차량 제조업체들이 호경기를 누렸으나, 성장률이 둔화되면서 유력한 몇몇 업체들을 제외한 나머지 업체들은 인수·합병되거나 시장에서 철수하게 되는 운명을 맞았다. 이 같은 현상은 스노우 모빌, 스포츠 장비 산업 등 수많은 산업에서 반복되었다.

경쟁상황의 또 다른 변화는 필립모리스가 밀러 맥주를, 프록터 앤 갬블(Procter & Gamble)이 차민(Charmin) 제지회사를 각각 사들인 경우처럼 기존 산업에 전혀 이질적인 기업이 뛰어들 때 나타난다. 또한 기술혁신으로 생산공정에 소요되는 고정비 수준이 높아져 경쟁상황의 불안정성이 커질 때에도 이와 같은 경쟁 양상의 변화가 발생한다. 1960년대에는 사진의 현상·인화 작업이 공정별로 나뉘어 있다가, 기술혁신으로 인해 일관된 작업으로 통합되면서 경쟁상의 큰 변화가 야기된 것도 한 예라 할 수 있다.

기업은 필연적으로 산업의 경쟁강도를 결정하는 요인들과 씨름할 수밖에 없다. 하지만 기업은 전략적 변화를 통해 이에 어느 정도 대처할 수 있는 여지가 있다. 예를 들어 고객들이 자사의 제품을 지속적으로 활용하도록 부가적인 기술지원을 제공하거나 또는 기술상담에 의존하도록 하는 형태로써 고객의 교체비용을 증대시키는 전략을 세울 수 있다. 또는 새로운 형태의 서비스나 혁신적인 마케팅 방법, 제품의 전환이나 대체 등으로 제품의 차별성을 높일 수도 있다. 그 산업의 활동영역 중 성장이 빠른 부문이나 고정비가 가장 적게 드는 시장영역에 판매노력을 집중하는 것도 경쟁의 영향을 덜 받게 될 수 있는 방안이다. 또 가능하기만 하다면 철수장벽이 높은 기업들과는 정면대결을 피함으로써 격심한 가격인하 경쟁에 말려들지 않거나, 또는 만약의 경우에 대비하여 스스로의 철수장벽을 낮추어두는 것도 대안이 될 수 있다(경쟁적인 조치에 대해서는 5장에서 자세하게 다루겠다).

### 철수장벽과 진입장벽

철수장벽과 진입장벽은 개념상 서로 다른 것이지만, 산업구조를 분석할 때에는 이 2가지를 함께 다뤄야 한다. 철수장벽과 진입장벽은 상호연관되어 있는 경우가 많기 때문이다. 예를 들어 생산 부문에 적용되는 규모의 경제는 독점적인 기술과 마찬가지로 그 자산이 특수화·전문화되어 있는 경우가 일반적이다.

진입장벽과 철수장벽이 높고 낮은 경우를 단순화해서 설명하면 〈그림 1-2〉와 같다. 산업의 이윤이라는 측면에서는 진입장벽이 높은 대신 철수장벽이 낮은 경우가 가장 좋다. 이런 경우에는 진입은 억제되는 반면 경쟁에 실패한 기업은 쉽게 빠져나갈 수 있다. 진입장벽과 철수장벽이 다 같이 높은 경우에는 잠재적인 이윤은 높지만 대개 위험부담이 많이

| | 철수장벽 | |
| --- | --- | --- |
| | 낮다 | 높다 |
| **진입장벽** 낮다 | 수익은 낮지만 안정되어 있다 | 수익이 낮으면서 위험이 많다 |
| **진입장벽** 높다 | 수익이 높고 안정되어 있다 | 수익은 높지만 위험이 많다 |

〈그림 1-2〉 진입장벽 및 철수장벽과 수익성

따른다. 이런 경우에는 진입은 억제되지만, 경쟁에 실패한 기업들이 쉽게 빠져나가지 못하고 그대로 남아 경쟁을 벌이게 된다.

진입장벽과 철수장벽이 다 같이 낮은 경우도 별로 달가운 상태라고 할 수 없지만, 이보다도 안 좋은 최악의 경우가 바로 진입장벽은 낮고 철수장벽이 높은 상황이다. 이런 경우에는 진입이 용이하기 때문에, 경제상황이 호황을 맞거나 일시적인 벼락경기를 맞게 되면 그 산업으로 많은 기업들이 모여들게 된다. 이는 곧 설비과잉으로 이어지고, 높은 철수장벽으로 인해 쉽게 빠져나가기 어려운 상황이 빚어진다. 더욱이 수익성은 만성적으로 빈약한 수준에 머무르게 된다. 예를 들어 공급자 또는 대출자가 이미 금융시장에 진입해 있는 경우라면 기업들은 상당한 재무적 고정비용에 직면하게 된다. 따라서 그 산업은 불행한 위치에 놓이게 된다.

## 대체재의 위력

특정 산업에서 경영활동을 벌이는 기업들은 넓은 의미에서 대체재를 생산하는 산업들과 경쟁을 벌이고 있는 셈이다. 대체재가 존재하는 산업은 아무래도 가격 결정에 제한이 따를 수밖에 없다.[9] 대체재가 제공하는, 가격에 대비한 효능성이 높으면 높을수록 그 산업의 이윤에 가하는 대체재의 가격 상한선은 더욱 강해지게 된다.

설탕 제조업자들은 과당농도가 높은 옥수수 시럽이 설탕의 대체재로 대규모 상업화를 이루게 되면서 이를 절감하고 있다. 설탕 산업뿐만 아니라 아세틸렌과 같은 나일론 산업도 그보다 값싼 대체재와 격심한 경쟁을 벌이고 있다. 대체재는 평상시의 이윤폭을 제약할 뿐만 아니라 이례적으로 호경기 때에 거둘 수 있는 큰 성공마저 잠식해버린다. 1978년 에너지 가격 상승과 혹한에 힘입어 섬유유리 단열재 생산업자들이 전례 없는 호경기를 누렸다. 이때 생산업자들은 가격을 올리고 싶어 했지만 셀룰로오스, 로크울, 스티로들과 같은 대체재가 많이 쏟아져 나와 제동이 걸리고 말았다. 이러한 대체재들이 수요 증대에 부응하기 위해 시설을 확장했을 때에는 수익성의 제약요인으로서 보다 큰 힘을 발휘하게 된다.

대체재가 있는지 밝혀내는 것은 독과 같이 피해를 주는 상품이 있는지 찾아내는 것과 같다 하겠다. 이러한 작업은 순조롭게 진행되지 않는 경우가 많고, 또 제대로 하려면 분석 전문가들이 얼핏 보아서는 무관한 듯 보이는 산업이나 영업활동까지 세심히 관찰해야 하는 경우가 많다. 예를 들어 증권회사는 개인의 재산 증식이라는 효능 면에서 충분한 대체성을 지니고 있는 부동산, 보험, 사채시장 등으로부터 점차 강한 경쟁 상황에 직면하고 있다. 이러한 대체성은 증권시장의 부진으로 인해 더욱 두드러지게 나타난다.

대체재와의 대립적인 입장은 산업 전체의 집단적 대응이라는 문제로 드러난다. 예를 들어 어느 한 기업의 광고활동만으로는 대체재에 대항하는 산업 전체의 입장이 강화되기 어렵겠지만, 그 산업에 종사하는 모든 기업들이 집중적이고 지속적인 광고활동을 벌인다면 산업 전체의 입장은 강화될 수 있을 것이다. 집단적인 대응은 품질향상이나 마케팅 노력, 제품의 가용성 증대 등에 대해서도 적용될 수 있다.

대체재에 특히 관심을 기울여야 할 때는 ① 그 대체재가 자사의 제품과 가격 및 효능 면에서 대체성을 계속 향상하는 경우와 ② 그 대체재를 생산하는 산업이 높은 이윤을 얻고 있는 경우이다. 후자의 경우는 새로운 기술혁신이 이루어지면 대체재 경쟁력이 증대되어 가격인하나 효능 개선을 가져올 수 있다. 이러한 추세를 분석하는 일은 대체재와의 충돌을 전략적으로 회피할 것인지, 아니면 어쩔 수 없이 부딪쳐야 하는 핵심요인으로 파악해 대응전략을 세워야 할 것인지 결정하는 데 중요한 역할을 한다. 예를 들어 경비 서비스 산업에서는 전자경보 장치가 강력한 대체성을 지닌다. 더구나 노동집약적인 경비 서비스 산업은 종업원 급료 등 원가가 계속 상승할 수밖에 없기 때문에 전자경보 장치 같은 대체품의 비중이 한층 높아진다. 그 이유는 전자경보 장치는 향후 성능이 개선되고 가격이 떨어질 여지가 많기 때문이다. 여기서 경비 서비스 기업들이 취해야 할 적절한 대응조치는 그와 같은 경보장치를 능가하는 서비스 제공보다는 인력경비와 전자경보 장치를 동시에 담당할 방안을 모색하는 것이다.

## 구매자의 교섭력

구매자들은 가격을 인하하도록 하거나 품질 향상 및 서비스 증대를 요구하거나 또는 경쟁기업을 서로 대립시켜 이득을 보는 행위 등을 통해 구매대상 산업과 경쟁을 벌이는데, 이러한 행위는 모두 그 산업의 수익성을 감소시키는 결과를 낳는다. 그 산업의 주요한 구매자 집단이 얼마나 강한 힘을 지니는가 하는 것은, 시장상황의 여러 가지 특성과 또 그 산업에서 구매하는 것이 구매자 집단의 전반적인 영업활동에서 어느 정도의 상대적 비중을 지니는가에 따라 좌우된다. 어느 구매자 집단이 다음과 같은 여건을 갖추고 있다면, 그 집단의 힘은 강력하다고 볼 수 있다.

• 집중적인 구매를 하거나 판매자의 판매량 중에서 상당량을 차지한다 | 특정 구매자가 판매량의 상당 부분을 구매하고 있다면, 그 구매자의 중요성은 부각되기 마련이다. 대항 구매자들은 특히 구매대상 산업의 고정비 비율이 높아서 (예를 들면 곡물도정이나 화학제품 산업과 같이) 시설의 완전가동 여부가 중요할 때 그 힘이 막강해진다.

• 그 산업에서 구매하는 제품이 구매자의 원가나 구매비의 상당 부분을 차지한다 | 이런 경우 구매자들은 유리한 가격 위주나 선별적으로 제품을 구매하려는 경향을 보인다. 반대로 그 산업에서 사들이는 제품이 구매자의 원가 중 소액에 불과하면 구매자는 가격에 신경을 덜 쓴다.

• 그 산업에서 사들이는 제품이 표준화되어 있거나 또는 거의 차별화되어 있지 않다 | 이런 때는 구매자가 언제라도 다른 공급회사로부터 필요한 제품을 사들일 수 있기 때문에, 알루미늄 제품 산업의 경우와 같이 생산업체들 간에 가격인하 경쟁을 부채질할 수 있다.

• 교체비용이 거의 들지 않는다 | 구매자는 앞서 설명했던 교체비용 때문에 특정한 판매자에게 발목을 잡히는 경우가 많다. 이와 반대로 판매자의 교체비용이 적게 들 때는 구매자의 힘이 그만큼 강해진다.

• 구매자의 이윤율이 낮다 | 이윤폭이 낮으면 대부분 구매비용을 줄이려고 하는 경우가 많다. 예를 들어 크라이슬러(Chrysler)에 부품을 공급

하는 회사들은 크라이슬러로부터 보다 나은 조건으로 부품을 공급해달라는 압력을 끊임없이 받고 있다고 불평을 털어놓았다. 크라이슬러와 달리 마진율이 높은 회사들은 상대적으로 구매가격에 덜 민감하다(물론 이때는 구매량이 전체 원가에서 큰 비중을 차지하지 않는 경우이다). 또한 이런 회사들은 공급자의 견실성을 유지시킨다는 장기적인 안목으로 공급망 관리를 하고 있다.

• **구매자가 가능성 높은 후방통합을 위협수단으로 이용한다** | 구매자가 부품생산에서 부분적인 통합을 이루거나 또는 가능성 높은 후방통합을 위협수단으로 삼을 때는 공급자의 양보를 이끌어낼 유리한 위치에 놓이게 된다.[10] GM과 포드는 부품 공급자에 대한 압력수단으로서 부품 자체생산이라는 무기를 자주 행사하는 것으로 유명하다. 이 두 회사는 필요한 최소한의 부품만을 자체생산하고, 나머지는 모두 외부에서 조달하고 있다. 이런 회사들이 특정 부품의 외부구매를 줄이고 자체적으로 생산·조달하는 양을 늘리겠다고 하면 그 위협은 매우 실질적으로 작용한다. 또한 이러한 회사들은 특정 부품의 소요량 중 일부를 자체적으로 생산하기 때문에, 부품의 원가를 자세하게 파악하고 있어 외부구매의 조건을 교섭하는 데도 큰 도움을 얻을 수 있다. 그러나 반대로 공급자가 구매자 산업에 진출하는 전방통합을 단행하겠다고 위협한다면 구매자의 힘을 부분적으로 약화시킬 수 있다.

• **그 산업의 제품이 구매자의 제품이나 서비스의 품질에 별다른 영향을 미치지 못한다** | 구매자 제품의 품질이 구매하는 제품에 따라 큰 영향을 받게 될 때에는 구매자가 가격에 덜 민감해진다. 이러한 경우는 유전장비처럼 제 기능을 발휘하지 못할 때 엄청난 손해를 보는 경우(멕시코 해저유전에서 폭발예방 장치가 고장이 나서 막대한 손해를 보았던 것처럼)나

또 전자의료 및 실험 기기의 외장재처럼 기기의 품질이 외장재의 형태에 따라 큰 영향을 받는 경우 등이 있다.

• **구매자가 자세한 정보를 가지고 있다** | 구매자가 수요상황이나 실질적인 시장가격, 그리고 공급회사들의 구체적인 원가까지 정확하게 파악하고 있다면, 그러한 정보에 어두운 경우보다 구매자의 협상능력은 훨씬 커진다. 자세한 내용을 파악하고 있는 구매자는 다른 구매자들보다 가장 유리한 가격조건으로 제품을 구매할 수 있고, 또 손해를 보게 된다는 공급자들의 엄살에 즉각 대응할 수 있다.

구매자의 교섭력 강화요인은 기업은 물론 일반 소비자들에게도 적용될 수 있다(약간의 수정은 필요하다). 예를 들어 소비자들은 제품 차별성이 없거나, 그들의 수입에 비해 가격이 비싸 보이거나, 또는 품질 등이 그다지 중요하지 않은 제품을 사려고 할 때에는 가격에 민감하게 반응한다.

도매상이나 소매상 같은 상업적 구매자도 소비자와 비슷하기는 하지만, 한 가지 차별적인 힘을 가지고 있다. 즉 소매상은 가령 오디오 시스템의 일부나 보석류, 가전제품, 운동용구, 그 밖의 제품의 경우처럼 소비자의 구매 결정이나 제품 선정에 영향을 미치게 될 때에는 생산업자에 대해 상당한 교섭력을 지니게 된다. 도매상도 그들로부터 물건을 사는 소매상이나 다른 회사들의 구매 결정에 영향을 미칠 수 있다면 소매상과 비슷한 교섭력을 지니게 된다.

## 구매자의 교섭력 강화

앞에서 설명한 요인들은 시간이 흐름에 따라 혹은 기업의 전략적 결정에 따라 변하게 된다. 주변여건이 바뀌면 자연스레 구매자의 교섭력 또한 커지거나 축소된다. 예를 들어 기성복 산업은 주도권이 거대하고 집중화된 소매체인에 구매자들이 넘어가면서 점차 경쟁압력을 받게 되고, 이에 따라 마진을 줄이라는 압력을 받았다. 기성복 산업은 제품을 차별화할 수도 없었고 또 구매자들을 묶어둘 만한 교체비용을 증대시킬 수도 없었으며, 따라서 수입품이 밀려들어와도 기존의 산업에 별다른 영향을 주지 못했다.

결국 새로운 구매자 집단을 발굴하여 새로운 수요를 창출하는 것이 가장 중요한 전략적 결정이 되었다. 일부 기업은 교섭력이 가장 약한 구매자 집단을 찾아냄으로써 자사의 전략적 위치를 유리하게 바꿀 수 있었다(즉 구매자 선택). 일반적으로 구매자 집단이 모두 동일한 힘을 가지고 있는 경우는 거의 찾아볼 수 없다. 어느 기업이 특정 산업 한 부문에만 제품을 판매한다고 하더라도 그 산업 내에는 행사하는 힘이 서로 다른 구매자 집단이 섞여 있는 것이 보통이다. 예를 들어 대부분의 제품에 대한 교체시장은 주문자생산(OEM) 시장보다 가격 민감도가 덜하다(전략으로서의 구매자 선택문제는 6장에서 자세히 다루겠다).

## 공급자의 교섭력

공급자는 특정 산업에서 활동하는 기업들에 대해 납품단가 인상이나 제품 및 서비스 품질의 저하에 대한 위협을 통해 교섭력을 가질 수 있다. 공급자의 교섭력이 강해질 경우 특정 산업의 수익을 잠식하게 될 수 있다. 이와 같이 공급자의 교섭력 강화로 인해 수익성이 줄어드는 산업의 경우, 대부분 원가 상승분을 제품가격에 곧바로 반영하기 어렵다. 예컨대 화학회사들은 공급단가를 인상함으로써 수축성 에어로졸 포장업체들의 마진율을 떨어트리게 할 수 있다. 그 이유는 이런 포장업체들이 자체생산을 하려는 구매자의 강력한 동기로 인해 원가가 상승해도 가격을 인상하는 데 큰 제약을 받기 때문이다.

공급자의 교섭력이 강화되는 조건은 구매자의 교섭력이 강해지는 조건과 비슷하다. 다음과 같은 상황에서는 공급자가 강력한 교섭력을 지니게 된다.

• 공급능력이 몇몇 기업에 의해 과점되어 있으며 산업의 집중도가 높은 경우 | 구매자 수보다 공급자의 수가 상대적으로 적을 때, 가격이나 품질 및 판매조건에 대한 공급자의 영향력은 커진다.

• 공급자가 판매하는 제품에 대해 대체재가 없는 경우 | 규모가 큰 유력한 공급자라 하더라도 대체재와 경쟁을 벌여야 하는 경우에는 그 영향력이 억제된다. 예를 들어 감미료를 생산하는 공급회사는 비록 개별 구매자에 비해서는 규모가 크다 할지라도, 그 감미료의 다양한 용도에 따라 도처에서 다른 대체재들의 강력한 경쟁을 받게 될 것이다.

• 그 산업이 공급자 그룹의 주요 고객이 아닌 경우 | 공급자가 여러 산업에 제품을 공급하고 있고, 또 그 산업이 총판매량에서 차지하는 비율이 얼마 되지 않을 경우 공급자의 교섭력이 강화된다. 반대로 그 산업이 공급자의 주요 고객일 경우에는 공급자의 판매량이 그 산업에서 크게 좌우되기 때문에 적절한 가격조건이나 막후활동 등으로 기존 판매량을 유지하려고 노력할 것이다.

• 공급자의 판매품이 구매자의 생산 및 경영 활동에 주요한 요인이 되는 경우 | 이런 경우에는 공급자의 판매품이 구매자의 제조공정이나 제품품질에 막대한 영향력을 미칠 수 있다.

• 공급자의 제품이 차별화되어 있거나 교체비용이 소요되는 경우 |

이런 경우에는 구매자의 선택의 여지가 줄어든다. 반대로 공급자의 교체비용이 소요된다면 공급자의 교섭력이 그만큼 줄어든다.

• 공급자가 신뢰할 만한 전방통합의 가능성을 가지고 있는 경우 | 공급자에게 이러한 위협의 여지가 있는 경우 구매자의 구매력 개선의 노력은 제동이 걸리게 된다.

우리는 공급자라고 하면 보통 다른 기업들을 연상하지만, 노동력도 분명 하나의 공급자임에 틀림이 없고 실제로 많은 산업에 막강한 영향력을 발휘하고 있다.

쉽게 구하기 어려운 숙련도 높은 종업원들이나 또는 노동조합을 통해 치밀한 조직력을 갖춘 근로자들이 노사협의를 통해 산업의 잠재적 이윤을 상당 부분 잠식하는 사례를 흔히 볼 수 있다. 공급자로서의 노동력이 잠재적 영향력을 행사하는 원리는 지금까지 설명한 것과 비슷하지만, 근로자의 영향력을 평가하는 데는 조직화의 정도와 희소가치가 있는 노동력의 공급이 확대될 수 있는지의 여부가 추가되어야 한다. 근로자들이 철저하게 조직화되어 있거나 또는 희소가치가 있는 노동력의 공급이 늘어나지 못하도록 억제된다면 공급자로서의 노동력의 교섭력은 강화될 수밖에 없다.

공급자의 영향력을 결정하는 여건은 주변의 상황에 따라 변할 수 있을 뿐만 아니라, 기업이 통제할 수 없는 경우도 흔히 있으며 또한 그러한 상황을 유리한 방향으로 호전시킬 수 있다. 즉 전환비용을 제거하거나 후방통합을 단행하겠다는 등 구매자를 위협함으로써 불리한 여건을 개선할 수 있다(공급자 구매전략이 의미하는 바에 대해서는 6장에서 보다 자세하게 다루겠다).

## 산업경쟁의 한 요인으로서의 정부의 역할

정부는 주로 진입장벽에 영향을 미치는 요인으로서 인식되어왔으나, 1970년대와 1980년대를 지나면서 산업구조에 상당한 영향력을 행사하는 요인으로 그 성격이 바뀌었다고 보는 편이 타당할 것이다.

실제로 정부는 여러 산업 부문에서 구매자의 역할을 하면서 정책의 형태에 따라 산업 내부의 경쟁에 적지 않은 영향을 미칠 수 있는 능력을 지니고 있다. 예컨대 정부는 방위 산업 제품에 대해서는 구매자로서, 또 미국 서부지역의 광대한 산림자원을 바탕으로 한 목재 공급자로서 각각 결정적인 역할을 하고 있다. 공급자나 구매자로서의 정부 역할은 경제적 여건보다는 정치적 요인에 의해 결정되는 경우가 많다. 정부가 가하는 여러 가지 규제는 공급자나 구매자의 활동에 실질적인 제약을 가져오게 된다.

정부는 또한 여러 가지 법규나 보조금 지급과 같은 다른 수단을 통해 특정 산업과 이에 대체되는 산업 간의 관계에 영향을 미칠 수도 있다. 예를 들어 미국 정부는 갖가지 세제상 혜택과 연구비 지급 등을 통해 태양열 난방 산업을 적극 장려했다. 미국 정부가 천연가스에 대한 규제를 해제하자 화학원료로서 사용되어왔던 아세틸렌은 일시에 천연가스로 대체되었다. 안전도와 오염규제 기준도 대체재에 대한 상대적인 원가와 품질에 영향을 미친다. 정부는 또한 규제를 통해 산업 성장이나 원가구조에 영향을 미침으로써 기업들 간의 경쟁결과를 좌우할 수 있다.

따라서 각급 정부기관의 현행정책이나 앞으로 취할 정책이 산업구조에 어떤 영향을 미칠 것인지 판단하지 않고서는 산업구조 분석이 완벽하게 이루어졌다고 볼 수 없을 것이다. 보통 전략적인 분석을 위해서는 정부를 하나의 요인이나 또는 그 자체로서만 고려하기보다는, 정부가 5개 주요 경쟁요인을 통해 경쟁 전반에 어떤 영향을 미치는지 검토하는 것이 더욱 효과적이다. 그러나 전략 그 자체에서는 정부를 하나의 영향

요인으로 취급하는 것이 더욱 타당할 것이다.

# 산업구조 분석과 경쟁전략

특정 산업의 경쟁에 영향을 미치는 여러 가지 작용과 이러한 작용을 일으키는 기본적인 요인을 명확히 이해할 수 있으면, 기업은 활동하고 있는 산업과 관련한 기업 자체의 강점과 약점을 파악할 수 있게 된다. 전략적인 관점에서 중요시되는 강점과 약점은 곧 기본적인 경쟁요인에 대해 기업이 얼마나 잘 준비되어 있는지에 관한 문제로 귀결된다. 대체품에 대한 기업의 대응태세는 어떠한가? 진입장벽에 대한 대응태세는 어떠한가? 기존 경쟁자들에 대한 대응태세는 어떠한가?

효과적인 경쟁전략은 5가지 경쟁요인들에 대응하는 방어적 태세를 갖추기 위해 공세적 또는 수세적 행동을 취하는 것을 의미한다. 넓은 의미에서 살펴보면, 이러한 전략은 다음과 같은 여러 가지 접근방식을 취한다.

· 다양한 형태로 배열되어 있는 기존의 경쟁요인에 대항해 최선의 방어책을 수립할 수 있도록 기업의 대응태세를 갖춘다.
· 전략적인 조치를 통해 경쟁요인의 균형에 영향을 미침으로써 이러한 요인에 대한 기업의 대응태세를 강화한다.
· 경쟁요인의 기본바탕이 변화할 것을 예상하고, 경쟁기업들이 이를 인식하기 전에 새로운 경쟁적 균형에 적합한 전략을 선택함으로써 변화를 활용한다.

## 유리한 포지셔닝
첫 번째 접근방식에서는 산업구조를 주어진 것으로 인식하고, 기업의 강점과 약점을 그 구조에 맞게 조화시킨다. 이때의 전략은 경쟁요인을 극복하기 위한 방어자세를 취하거나 경쟁요인이 가장 취약해 보이는 부문에 포진할 곳을 찾아내는 수단이기도 하다.

기업의 역량에 대한 지식과 포지셔닝, 그리고 경쟁요인의 근원을 파악하면, 기업이 외부의 경쟁에 정면으로 맞서도 될 부문과 회피해야 할 부문이 뚜렷하게 드러나게 될 것이다. 예를 들어 기업이 값싼 제품들을 생산하고 있다면 그 제품들을 유력한 구매자에게 판매하되, 대체재와의 경쟁을 견뎌낼 만한 제품에 한정해야 할 것이다.

## 균형에 대한 영향력 행사

기업에 따라서는 공격적인 전략을 수립할 수도 있다. 이러한 대응은 단순히 경쟁요인 자체와 대립한다는 현상적 대처가 아니라, 한 걸음 더 나아가 경쟁요인을 생성하는 기본바탕을 바꿔보려는 적극적인 대처라 하겠다.

혁신적인 마케팅 방법은 상표 인지도를 높이거나 제품의 차별화를 보다 뚜렷하게 만들 수 있다. 또 대규모 설비투자나 수직적 통합은 진입장벽에 영향을 미치게 될 수도 있다. 경쟁요인의 균형은 외부요인의 작용으로 나타날 수도 있고, 기업의 통제를 통해 유도될 수도 있다. 산업구조 분석은 특정 산업의 경쟁구도에 영향을 미칠 수 있는 핵심전략 행동과 그로 인해 기대되는 결과를 동시에 보여준다.

## 기본적 상황 변화의 활용

산업이 어떤 형태로서든 변화하면 그에 따라 구조적인 경쟁요인도 변화하기 때문에 산업의 진화는 전략적인 관점에서 매우 중요시된다. 제품의 수명주기 이론을 산업발전 패턴에 적용해보면 성장률은 변화를 거듭하고 또 산업이 성숙되고 광고효과는 떨어지며, 기업들은 수직적인 통합을 이루려는 경향을 보인다.

이러한 추세는 그 자체로는 그다지 중요한 것이 아니다. 다만 이러한 추세가 경쟁의 구조적 요인에 영향을 미치는지의 여부가 중요한 것이라 하겠다. 수직적인 통합을 살펴보자. 상당한 성숙단계에 접어든 미니컴퓨터 산업에서는 컴퓨터 제작과 소프트웨어 개발의 양면에서 광범위한 수직적 통합이 이루어졌다.

이러한 의미심장한 추세는 곧 컴퓨터 산업의 경쟁에 소요되는 자본투자액이 크게 늘어났다는 점, 그리고 규모의 경제가 심화되었음을 의미한다. 이와 같은 현상은 진입장벽을 높이고 또한 안정된 성장률로 인해 군소경쟁자들이 더 이상 버티지 못하고 경쟁에서 탈락하는 결과를 빚게 된다.

전략적인 견지에서 최우선적으로 관심을 기울여야 할 부분은 산업 내의 가장 중요한 경쟁요인에 영향을 미치는 것과 또 새로운 구조적 요인을 전면으로 밀어 올리는 것 등의 2가지 부분이라고 하겠다. 예를 들어 수축성 에어로졸 포장 산업은 제품의 차별화가 점차 퇴색되는 과정을 보여주고 있다. 이러한 추세는 구매자의 힘을 강화시킬 뿐만 아니라 진입장벽을 낮추고 또 내부의 경쟁을 가열시키는 새로운 현상이다.

산업구조 분석은 특정 산업의 궁극적인 수익성을 예측하는 데 이용할 수 있다. 장기적인 계획을 수립할 때는 각 경쟁요인을 검토하고 그러한 요인을 야기하는 기본적인 근거를 예측한 다음, 그 산업의 이윤 잠재력을 종합적으로 파악해야 한다.

이와 같은 작업은 기존 산업구조에 따라 결과에 큰 차이가 나타날 수 있다. 예를 들어 태양열 난방 산업에는 수십, 수백 개 기업이 뛰어들었지만, 어느 하나도 시장에서 두드러진 우위를 차지하지 못했다. 이 산업은 진입이 매우 용이하기 때문에 많은 기업이 뛰어들어 치열한 경쟁을 벌이고 있다.

태양열 난방 산업의 잠재력은 다음과 같은 요인들에 크게 좌우될 것이다. 즉 앞으로 이 산업의 진입장벽을 어떤 형태로 쌓아나갈지 하는 것과 대체재에 대응하는 태양열 난방 산업의 우위확보 여부, 산업 내부의 궁극적인 경쟁강도, 그리고 구매자들과 공급자들이 확보하게 될 교섭력 등이다. 이러한 특성은 또한 다음과 같은 요인들에 의해 영향을 받게 될 것이다. 즉 뚜렷한 상표인식의 확립 가능성, 기술적 변화로서의 규모의 경제나 설비 제작상의 경험곡선이 창출될지의 여부, 진입에 따른 최종적인 고정비 규모 등이 그러한 요인이다(산업의 구조적 발전과정과 이에 영향을 미치는 요인들에 대해서는 8장에서 자세하게 다루겠다).

### 다각화 전략

특정 산업의 경쟁분석 체계는 다각화 전략을 수립하는 데도 활용할 수 있다. 이러한 체계는 다각화의 의사 결정에 내재된 지극히 어려운 문제, 즉 산업의 잠재적 가능성은 어떤 것인가 하는 문제에 해답을 제공하는 지침 역할을 한다. 이러한 경쟁분석 체계는 기업으로 하여금 전망이 좋은 산업을 찾아낼 수 있게 하는 데 도움을 준다.

이 체계는 또한 다각화에 따른 가장 유리한 형태의 연관성을 찾아내는 데 도움을 준다. 예를 들어 기능의 보유나 기존 유통경로과 밀접하게 연결된 관계를 그대로 활용하는 형태로 주요 진입장애 요인들을 극복할 수 있다면, 이는 경영 다각화를 이루는 데 있어 중요한 기본적 토대가 될 수 있을 것이다(이 문제는 16장에서 보다 자세하게 다루겠다).

## 산업구조 분석과 산업의 범위 설정

경쟁전략의 수립에 따른 중요한 단계로서 관련 산업의 범위 설정에 많은 관심이 기울여지고 있다. 많은 학자들이 제품 자체만이 아닌 산업 범위의 설정이 가지는 잠재적인 국제적 경쟁 가능성에, 또 오늘의 경쟁자가 아닌 내일의 경쟁자로 등장할 대상에 각각 눈을 돌릴 필요성이 있다고 역설한다.

이와 같은 주장으로 인해서 기업이 활동하는 산업이나 산업의 범위 설정은 끊임없는 논란의 대상이 되고 있다. 이러한 논란을 빚어내는 중요한 동기는 언젠가 그 산업을 위협해올지 모르는 잠재적 요인을 간과하고 있는지도 모른다는 불안 때문이다.

산업구조 분석의 초점을 기존 경쟁기업에 국한하지 않고 광범위한 경쟁 대상에 맞춘다면, 산업범위 설정은 기존 경쟁상품과 대체재 간의, 기존 기업들과 잠재적인 진입예상 기업들 간의, 또 기존 기업들과 공급자 및 구매자들 간의 경계획정을 어느 선에서 결정해야 하는지에 대한 문제가 반드시 따르게 된다. 이러한 획정은 정도의 문제로서, 전략의 선택과는 별다른 관련이 없다.

광범위한 경쟁요인들이 파악되고 그 요인들이 지닌 상대적인 영향력이 제대로 평가된다면, 어느 선에서 획정할 것인지에 대한 실제적인 문제는 전략을 수립하는 데 있어 다소 거리를 둘 수 있게 된다. 왜냐하면 이러한 부분이 잠재적인 경쟁요인이나 핵심적인 경쟁 차원에서 간과되지 않을 것이기 때문이다.

산업의 범위에 대한 정의는 기업의 경쟁 분야를 정의하는 것과는 다르다. 따라서 산업의 범위를 넓게 잡는다고 해서 그것이 곧 기업이 광범위한 경쟁을 벌일 수 있거나, 그러한 경쟁을 벌여야 하는 것을 의미하는 것은 아니다. 앞서 설명한 바와 같이 산업의 범위 설정에 초점을 맞춘다면, 일련의 관련 산업을 상대로 경쟁을 벌여나가는 데 있어서도 많은 이익을 거둘 수 있을 것이다.

## 산업구조 분석의 활용

1장에서는 산업 내의 경쟁에 영향을 미칠 수 있는 잠재적 요인을 종합적으로 규명해보았다.[11] 이 모든 요인이 특정 산업에서 중요한 역할을 하는 것은 아니다. 산업구조 분석의 체계는 특정 산업 내부의 경쟁력을 결정짓는 핵심적인 구조적 특성을 밝혀내는 데 활용된다. 이러한 점으로 인해 산업구조 분석체계는 많은 분석적·전략적 관심을 기울여야 할 대상이 된다.

# 본원적 경쟁전략

1장에서는 특정 산업 내에서 방어적으로 유리한 위치를 만들고, 5가지의 경쟁요인에 성공적으로 대응함으로써 기업에 보다 나은 투자수익률을 가져다주는 공격적 또는 방어적 방책으로서의 경쟁전략을 설명했다. 기업들은 이러한 목표에 접근하는 데 있어 서로 다른 다양한 방법을 모색해왔다. 특정 기업의 최선의 전략이란 궁극적으로 그 기업이 당면한 특수한 주변 여건을 반영한 독특한 구조를 갖추는 것이라 하겠다. 그러나 보다 넓은 의미에서 살펴보면, 장기적인 면에서 방어적으로 유리한 위치를 만들고, 또 산업 내에서 다른 경쟁기업들을 능가하기 위해서는 내적인 일관성을 지니는 3가지의 본원적 전략이 필요하다(이러한 전략은 개별적으로 또는 결합된 형태로 활용할 수 있다). 본 장에서는 이 3가지 본원적 전략을 설명하면서 개별 전략에 요구되는 사항과 위험부담에 대해 알아보기로 하겠다. 우선 기초적인 개념을 전개하면서 이어 분석을 더하도록 하겠다(다음 장부터는 넓은 의미의 본원적 전략을 특수한 산업상황에 부응하는 구체적인 전략으로 전환하는 방법을 다룰 것이다).

# 3가지 본원적 전략

5가지 경쟁요인에 대응하여 산업 내의 다른 기업을 능가하기 위한 잠재적 성공의 3가지 본원적 전략 접근법은 다음과 같다.

- 총체적인 원가우위(overall cost leadership)
- 차별화(differentiation)
- 집중화(focus)

기업은 주요 목표로서 한 가지 이상의 접근방식을 추구하여 성공을 거두게 되는 경우가 자주 있다. 그러나 앞으로 설명하겠지만 이러한 방식으로는 더 이상 성공하기 어렵다. 3가지 본원적 전략 중 어느 하나를 효율적으로 수행하기 위해서는 전사적인 전력투구와 조직적인 뒷받침이 필수적이다. 이러한 측면으로 인해 주요 목표로서 복수의 접근방식을 추구할 때 전열이 흐트러지게 되는 것이다. 본원적 전략은 산업 내의 다른 경쟁기업들을 능가하기 위한 접근방식이다. 어느 산업에서는 산업구조상 모든 기업이 높은 수익을 누리는가 하면, 다른 산업에서는 절대적인 의미에서 감내할 수 있는 정도의 수익을 얻기 위해 본원적 전략의 성공이 요구되기도 한다.

## 총체적인 원가우위

1970년대에 경험곡선 개념이 보편화되면서 널리 알려지게 된 첫 번째 본원적 전략은 원가우위 전략이다. 원가우위를 차지하기 위해서는 규모의 경제를 달성할 수 있는 설비를 적극적으로 갖추고 경험의 축적을 통한 원가절감을 활기차게 모색해야 한다. 그 밖에 원가와 총경비의 철저한 통제, 수지균형을 맞추기 어려운 거래의 회피, 또 연구개발·서비스·판매원·광고 등의 분야에서 원가를 최소화하려는 노력이 필요하다. 이러한 목표를 달성하기 위해서는 경영 관리층이 원가관리에 대해 많은 관심을 기울여야 한다. 경쟁기업에 대한 상대적인 원가우위는 경쟁전략 전반에서 주요한 주제가 된다. 물론 품질이나 서비스, 그 밖의 다른 부분들도 무시할 수는 없다.

원가우위를 확보한 기업은 다른 강력한 경쟁요인이 있다 하더라도 평균 이상의 수익을 거둘 수 있다. 또한 이런 기업은 다른 기업들과의 경쟁충격을 충분히 막아낼 수 있다. 왜냐하면 경쟁과정에서 이윤이 다소 희생된다 하더라도 원가우위를 통해 보충해나갈 수 있기 때문이다. 이런 기업은 유력한 구매자들에 대해서도 잘 대응할 수 있다. 구매자들이 영향력을 발휘해서 가격을 인하할 수 있는 폭은 바로 아래의 경쟁자가 제시하는 가격 선으로 한정될 뿐이다.

원가상의 우위를 차지하고 있는 기업은 원가상승 압박에 대응할 수 있는 유연성이 있기 때문에 유력한 공급자의 영향력도 배제할 수 있다. 원가상의 우위를 안겨주는 여러 가지 요인은 규모의 경제라는 측면에서 진입장벽으로서 상당한 역할을 한다. 원가우위는 산업 내의 다른 경쟁기업들에 비해 대체재와의 경쟁에서 유리한 입장에 놓일 수 있게 해준다. 원가우위를 확보하면 5가지 경쟁요인 전부로부터 보호받을 수 있다. 5가지 경쟁요인에 대응하는 과정에서 이윤이 잠식된다 하더라도, 그것은 능률 면에서 바로 아래에 위치한 경쟁기업이 도태될 때까지만 일시적으로 진행되는 것이기 때문이다. 그보다 못한 경쟁기업들은 이미 초기에 경쟁압력을 버티지 못하고 쓰러질 것이다.

전반적인 원가우위를 확보하려면 시장점유율이 비교적 높거나, 그 밖에 원자재의 확보나 접근이 용이한 것과 같은 다른 이점이 뒷받침되어야 한다. 또한 제작이나 생산이 용이한 형태로 제품을 설계한다거나, 원가를 분산하기 위해 관련 제품의 생산라인을 폭넓게 유지한다거나, 또는 생산 및 판매량을 증대시키기 위해 주요 고객그룹에 충실하게 기여하는 일 등이 필요하다. 이러한 요구를 충족시키기 위한 원가우위 전략을 실행하려면 초기의 대규모 설비투자, 적극적인 가격정책, 그리고 시장점유율 증대를 위한 초기의 결손 감수 등이 필요하다. 또 시장점유율이 증대되면 생산량이 늘어나 구매조달 비용을 절약할 수도 있고, 구매비가 줄어들면 원가는 더욱 줄어들게 된다. 일단 원가우위를 확보하게 되면 이익의 폭이 높아져 새롭고 현대적인 설비를 도입할 수 있는 재원이 조달됨으로써 원가우위를 계속 유지해나갈 수 있다. 재투자는 비용절감을 유지하는 데 반드시 필요한 요건이다.

원가우위 전략은 전 세계 소형 가솔린 엔진시장의 50퍼센트를 장악한 브릭스 앤 스트래턴(Briggs and Stratton)의 경이적인 성공이나 또 아크용접 장비 및 부품 부문에서 이룩한 링컨 일렉트릭(Lincoln Electric)의 성공에 발판을 마련한 전략이다. 이 밖에 같은 전략으로 큰 성공을 거둔 기업으로는 에머슨 일렉트릭, 텍사스 인스트루먼츠, 블랙 앤 데커, 그리고 듀퐁(Du Pont) 등이 있다.

원가우위 전략은 특정 산업에서 지금까지 지속되어온 경쟁의 기본바탕을 완전히 바꾸어놓은 경우도 있다. 이런 상황에서는 경쟁기업들이 비용을 최소화하기 위해 필요한 조치를 취하는 데 있어 사태를 인식하거나 경제적인 측면에서 제대로 준비를 갖추지 못하는 경우가 많다. 하르니쉬페거(Harnischfeger)는 1979년에 거친 지형에 사용하는 크레인 제작 산업에 혁신적인 변화를 일으키는 대담한 시도를 하였다. 15퍼센트의 시장점유율이라는 상황에서 이러한 시도에 나선 하르니쉬페거는 부품의 규격화와 여러 가지 형태 변화, 원자재 투입량의 감소 등을 통해 제작과 조작이 용이하게 크레인 설계를 변형했다. 그리고 종래의 크레인 산업방식과는 판이하게 조립공정의 세분화와 컨베이어 시스템을 활용한 완성품 조립라인을 만들었을 뿐만 아니라 원가절감을 위해 부품을 대량 발주했다. 이러한 생산체제를 갖추자 크레인의 성능이 개선되면서 가격이 15퍼센트나 떨어졌다. 하르니쉬페거의 시장점유율은 단숨에 25 퍼센트로 상승했고 그 이후로도 계속 늘어났다. 하르니쉬페거의 수압장비 사업부 담당 전무인 윌리스 피셔는 성공의 배경을 다음과 같이 설명했다.

> 우리는 그 어느 회사의 제품보다도 훨씬 성능이 우수한 크레인을 개발하려고 했던 것이 아니라, 정말 제작이 간편하고 또 값이 싼 크레인을 개발하려고 했던 것이다.[1]

경쟁기업들은 하르니쉬페거가 마진폭을 줄여 시장점유율을 높였다고 비난했지만, 이 회사는 그러한 비난을 근거 없는 것이라고 일축했다.

## 차별화

두 번째 본원적 전략은 기업이 판매하는 제품이나 서비스를 차별화하는 것, 즉 기업이 활동하고 있는 산업 내에서 자사의 제품이나 서비스를 다른 모든 제품이나 서비스와 구별되는 독특한 것으로 인식시키는 전략을 말한다. 차별화를 달성하기 위한 접근방식에는 여러 가지가 있다. 디자인과 상표의 이미지를 이용하는 방법, 기술을 이용하는 방법, 독특한 특성을 이용하는 방법, 대고객 서비스를 이용하는 방법, 견실한 판매망을 이용하는 방법 등이 있다. 이상적인 형태는 이러한 여러 가지 접근방식 중 몇 가지를 동시에 채택, 추진하는 것이다. 예를 들어 캐터필러 트랙터(Caterpillar Tractor)는 탄탄한 판매망과 부품을 어디서나 쉽게 구할 수 있다는 장점 외에도 제품의 뛰어난 성능과 내구력으로 유명하다. 건설 중장비는 가동하지 않고 내버려두면 큰 손해를 보기 때문에 끊임없이 굴리거나 움직이게 해야 하는데, 이러한 점 때문에 내구성이 가장 중요시된다. 차별화 전략을 추구한다고 해서 원가를 무시할 수는 없겠지만, 그렇다고 원가를 우선적인 전략목표로 삼지도 않는다.

일단 다른 제품 및 서비스와 뚜렷이 구별되는 차별화를 달성하면, 이 전략은 산업 내에서 평균 이상의 수익을 올릴 수 있는 활기찬 전략으로 변모한다. 왜냐하면 차별화 전략은 5가지의 경쟁요인에 대항하는 튼튼한 방위력을 갖추게 해주기 때문이다. 차별화 전략을 구사하는 제품 혹은 기업은 고객이 상표를 신뢰하고 또 가격을 별로 따지지 않기 때문에 경쟁적인 대결에서 벗어날 수 있다. 또 수익을 증대시켜주기 때문에 원가우위를 확보할 필요성을 제거한다.

차별화는 또한 신규 진입을 노리는 기업들에 고객의 신뢰와 그 제품의 독특성을 극복해야 한다는 어려운 과제를 안겨줌으로써 진입장벽의 역할도 하게 된다. 차별화를 통해 높은 수익을 얻게 되면 원자재를 공급하는 회사들의 영향력을 쉽게 배제할 수 있을 뿐만 아니라, 구매자의 압력도 극복할 수 있다. 구매자는 그 제품과 비교할 만한 다른 제품이 없기 때문에 가격에 대해 지나치게 따질 수도 없을 것이다. 차별화를 통해 고객의 신뢰를 획득한 기업은 대체품과의 경쟁에서도 다른 기업들보다 훨씬 유리한 입장에 놓이게 된다.

차별화를 달성함으로써 시장점유율의 확대가 어려워지는 경우도 있다. 차별화 자체가 일종의 배타성(exclusivity)이라는 인식을 가져오게 하는데, 이와 같은 배타성은 높은 시장점유율과 양립할 수 없는 것이기 때문이다. 예를 들어 차별화를 달성하는 경영활동이 광범위한 연구개발이나 제품 디자인, 양질의 원자재 사용, 고객의 선호를 유도하기 위한 집중적인 노력 등과 같이 많은 비용을 필요로 한다면, 이러한 차별화 전략은 원가우위를 희생하는 결과를 빚게 될 것이다. 그러나 이러한 현상은 흔하게 나타난다. 고객들이 그 산업 내에서 특정 기업의 제품이나 서비스가 가장 뛰어나다고 인정한다 하더라도, 구매자들이 모두 다른 것보다 더 비싼 제품이나 서비스를 기꺼이 구매하거나 구매할 능력이 있다고 볼 수는 없다. 그러나 차별화가 상대적인 원가우위나 다른 경쟁기업들과 비슷한 가격을 유지하는 일과 반드시 양립할 수 없는 것은 아니다.

## 집중화

세 번째 본원적 전략은 특정 구매자 집단이나 생산라인별 부문, 또는 지역적으로 한정된 시장을 집중적인 목표로 삼는 것이다. 차별화와 마찬가지로 집중화 전략도 여러 가지 형태가 있다. 원가우위 전략이나 차별화 전략이 활동하고 있는 산업 전체를 대상으로 목표를 추구하는 데 반해, 집중화 전략은 특정한 목표만을 집중적으로 겨냥하면서 모든 기능적 방안을 이에 맞추어 전개해나간다. 이 전략은 넓은 영역에서 경쟁을 벌이는 다른 기업들과는 달리, 한정된 목표를 보다 효과적이고 능률적으로 달성할 수 있다는 전제에 바탕을 두고 있다. 이에 따라 기업은 특정한 대상의 요구를 보다 잘 충족시킴으로써 차별화를 이루거나 또는 이러한 대상에 제품이나 서비스를 공급하는 데 있어 원가우위를 달성할 수 있다. 또는 이 2가지를 동시에 이룰 수도 있다. 집중화 전략이 시장 전체에 대해서는 원가우위나 차별화를 달성하지 못하지만, 한정된 시장에서는 양자 모두를 성취하거나 둘 중 어느 하나는 달성할 수 있다. 3가지 본원적 전략의 차이점은 〈그림 2-1〉에 예시되어 있다.

집중화를 이룬 기업은 그 산업 내에서 평균 이상의 수익을 달성할 잠재력을 지니고 있다. 집중화 전략은 곧 기업이 전략적인 목표로 원가우위나 두드러진 차별화 또는 양자를 다 추구함으로써 5가지 경쟁요인 모두에 대응할 수 있는 방어력을 갖추게 해준다. 이 전략은 또 대체품과의

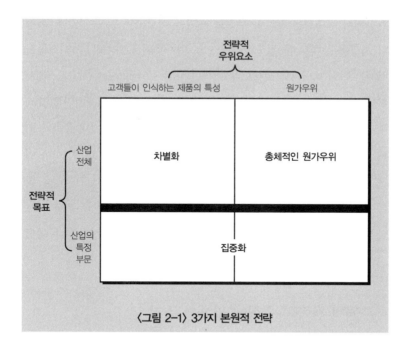

<그림 2-1> 3가지 본원적 전략

경쟁 가능성이 가장 희박한 부문이나 경쟁기업들의 가장 취약한 부문을 선택해서 집중적인 노력을 기울이는 데 활용된다.

　예를 들어 일리노이 툴 워크(Illinois Tool Work)는 볼트나 너트 같은 조임쇠 시장을 목표로 해 구매자들의 특수한 요구에 부응할 수 있는 제품을 생산하고, 아울러 그러한 특수성에 따른 교체비용을 창출해냈다. 이러한 전문적 제품공급에 많은 구매자들이 관심을 기울이지는 않았지만, 일부는 기꺼이 제품을 구매했다. 포트 하워드 페이퍼(Fort Howard Paper)는 광고경쟁이나 계속적인 신제품 공급으로 타격을 받기 쉬운 일반 용품을 파는 대신, 몇 종류의 한정된 산업용지 생산에만 집중적인 노력을 기울였다. 포터 포인트(Porter Point)는 손수 집을 칠하는 아마추어용 페인트 대신 직업적인 페인트공을 대상으로 한 페인트나 서비스를 제공하는 데 주력했다. 서비스 형태는 적합한 페인트 선택을 위한 전문적 조언이나 아무리 적은 양이라도 작업장까지 배달해주는 일, 또는 직판장에서 접대실을 갖추어 무료로 커피를 대접하는 일 등이었다. 특정한 시장을 상대로 한 집중화 전략으로 원가우위를 차지하는 데 성공한 실례는 당시 미국 3위 식품도매 회사인 마틴 브라워(Martin-Brower)에서 찾아볼 수 있다. 마틴 브라워는 상위 8개 패스트푸드 체인회사만을 고객으로 한정했다. 이 회사는 이들 소수고객의 특수한 요구에 부응하기 위해 수주절차를 구매 사이클에 맞추어 조정하고, 창고를 고객의 회사 인근에 설치해 집중적으로 관리했으며, 또 전산화된 회계처리 방식을 활용했다. 마틴 브라워는 도매시장 전체에 비추어볼 때 원가우위를 확보한 도매회사라고 할 수는 없지만, 집중화 전략을 통해 급성장할 수 있었고 또한 평균 이상의 수익성을 보장받았다.

## 본원적 전략의 수행에 필요한 조건

3가지의 본원적 전략은 위에서 설명한 기능적 차이점 외에도 다른 여러 측면에서 서로 상이한 모습을 나타낸다. 이러한 전략을 성공적으로 실행하기 위해서는 각기 다른 자원과 기술이 필요하다. 또한 본원적 전략은 조직성의 대응이나 관리상의 절차, 창의적인 시스템의 활용형태 면에서도 차이점을 드러낸다. 따라서 3가지 본원적 전략 중 어느 하나를 우선적인 목표로 삼아 지속적으로 전력투구해야만 성공적인 결실을 얻을 수 있다. 〈표 2-1〉은 여러 분야에서 공통적으로 요구되는 전략별 요인을 설명해준다.

본원적 전략은 또 각기 다른 스타일의 리더십을 요구하는 경우가 많으며, 그 기업의 조직풍토나 분위기에 따라 지극히 다른 양상으로 변모될 수도 있다. 또한 기업의 분위기에 따라 서로 다른 성향의 사람들이 모여든다.

| | |
|---|---|
| **총체적인 원가우위 전략** | **공통적으로 요구되는 자원 및 기술적인 요인**<br>• 대규모 자원 투자와 재원 확보<br>• 생산공정의 기술적 관리<br>• 집중적인 노동력 관리<br>• 제작 및 생산의 편의성을 도모할 수 있는 제품설계<br>• 유통시스템의 비용절감<br>**공통적으로 요구되는 조직상의 대응**<br>• 철저한 원가관리<br>• 빈번하고 세부적인 통제 및 관리보고 체계<br>• 체계적인 조직화와 책임소재 명확화<br>• 목표생산량 달성을 자극하는 인센티브 제도 |
| **차별화 전략** | **공통적으로 요구되는 자원 및 기술적인 요인**<br>• 강력한 마케팅 능력<br>• 생산기술<br>• 창의적인 안목과 재능<br>• 기초적인 조사연구 능력의 강화<br>• 품질 및 기술적인 선도자라는 평판<br>• 산업 내에서 오랫동안 이어져온 전통과 다른 업종에서 익힌 독특한 기술의 배합능력<br>• 유통경로의 적극적인 협력<br>**공통적으로 요구되는 조직상의 대응**<br>• 연구 개발과 제품 개발, 마케팅 간의 효율적인 기능 조절<br>• 양적인 평가 대신 주관적 평가 및 인센티브 제도 실시<br>• 고도의 숙련성을 갖춘 노동력이나 과학자, 창의적인 인재를 끌어 모을 수 있는 쾌적한 근무여건 |
| **집중화 전략** | **공통적으로 요구되는 자원 및 기술적인 요인**<br>이상의 방책이 특정한 전략목표에 집중된 적절한 배합<br>**공통적으로 요구되는 조직상의 대응**<br>이상의 방책이 특정한 전략목표에 집중된 적절한 배합 |

〈표 2-1〉 3가지 본원적 전략의 수행조건

# 어중간한 상태

3가지 본원적 전략은 여러 가지 경쟁요인에 대응하는 선택적이고 성장 가능한 접근방식이다. 이러한 접근방식 중 최소한 어느 하나로 전개되는 자체적인 전략을 개발하지 못한 기업(즉 어중간한 상태에 놓여 있는 기업)은 전략적 상황에서 매우 불리한 입장에 놓이게 된다. 이런 기업은 시장점유나 자본투자를 제대로 실행하지 못하고 또 차별화를 달성해 원가우위를 확보할 필요성을 제거하지도 못하며, 제한된 영역에서나마 차별화나 원가우위를 확보하기 위한 집중화 전략을 실행하지도 못한다.

이처럼 어느 한 전략을 추구하지 못하는 기업은 대개 수익성이 낮다. 이런 기업은 싼 가격을 요구하는 대신 대량 발주를 하는 큰 고객을 잃거나 또는 원가우위를 획득한 경쟁기업들로부터 주문을 빼앗아오기 위해 이윤을 희생시키지 않으면 안 된다. 또한 이런 기업은 수익률이 높은 목표시장에 집중적인 노력을 기울이는 기업이나, 산업 전체에서 다른 제품과 뚜렷이 구별되는 차별화를 달성한 기업에 의해 높은 수익을 얻을 수 있는 기회를 빼앗긴다. 이런 기업은 기업조직의 문화나 풍토가 명확한 성격을 드러내지 못하고, 조직 내부나 인센티브 제도 운용에서도 여러 가지 갈등과 모순을 드러내기 쉽다.

지게차 산업 부문에서 미국 전체는 물론이고, 세계시장에서도 상당한 점유율을 확보하고 있던 클락 이큅먼트(Clark Equipment)가 이와 비슷한 상황에 빠진 것은 어찌 보면 당연한 일인지도 모른다. 일본의 주요 회사인 도요타와 코마츠(Komatsu)는 대량 수요품목에만 집중적인 노력을 기울이면서 생산원가를 가능한 한 낮추고 가격을 최저수준으로 인하하는 전략을 채택했다. 더구나 일본의 철강재 가격은 미국보다 훨씬 싸기 때문에 미국시장에 진출하는 데 따르는 장거리 수송비를 상쇄하고도 남을 정도였다. 클락 이큅먼트는 세계시장의 점유율이 이 두 회사보다 높음에도 불구하고, 방만한 제품라인과 원가절감 노력의 부족으로 확고한 원가우위를 확보하지 못했다. 결국 클락 이큅먼트는 광범위한 제품라인과 기술개발에 대한 노력이 미흡하여 하이스터(Hyster)와 같은 기술적인 우수성이나 제품 차별화를 이룩할 수 없었다. 하이스터는 대형 지게차에 집중적인 노력을 기울이면서 연구개발에 많은 경비를 투입했다. 이에 따라 클락 이큅먼트의 수익률은 하이스터에 비해 현저하게 떨어져 점차 열세에 몰리게 되었다.[2]

어중간한 상태에 놓인 기업은 반드시 근원적 의사 결정을 다시 해야만 한다. 이런 기업들은 적극적인 설비 현대화 투자나 시장점유율 확대 노력 등을 통해 원가우위나 최소한 대등한 원가수준을 달성해야 한다. 또는 특정 대상목표에 집중적인 노력을 기울이거나 차별화를 달성하지 않으면 안 된다. 집중화나 차별화를 추구하다 보면 시장점유율이 하락하고 심지어 절대판매량이 줄어들지도 모른다. 3가지 전략 중 어느 하나를 선택할 때는 기업의 능력이나 한계를 제대로 평가한 후에 결정해야 할 것이다. 선택된 전략을 성공적으로 추진하기 위해서는 앞서 언급한 바와 같이 자원이나 능력, 조직상의 반응, 경영 관리상의 스타일 등을 알맞게 변형해야 한다. 3가지 전략 중 어느 것을 택하든, 기존의 모든 경영능력을 그대로 유지하면서 이를 추진해나갈 수 있는 기업이란 거의 없을 것이다.

기업이 어중간한 상태에 놓이게 되면 상당한 시간과 지속적인 노력을 경주해야만 불리한 상황에서 벗어날 수 있다. 일반적으로 이러한 기업들은 어중간한 상태에서 벗어나는 과정에서 한동안 원가우위, 차별화, 집중화 등 3가지의 전략 사이를 오가는 경향을 보인다. 3가지 전략이 상호조화를 이룰 수 없는 만큼 기업이 시행착오를 겪게 되는 것은 너무나 당연한 일이다.

이와 같은 판단은 시장점유율과 수익성 간의 여러 가지 관계를 시사해준다. 일부 산업에서는 어중간한 상태에 놓여 있다는 것이 다음과 같은 상황을 초래할 수 있다. 즉 소규모 기업과 대규모 기업이 가장 수익성이 높고, 중간규모의 기업이 수익성이 가장 낮은 경우이다. 이런 현상은 〈그림 2-2〉에 제시된 바와 같이, 수익성과 시장점유율 간의 U자형 관계를 통해서도 알 수 있다. 〈그림 2-2〉는 미국 내의 소형 전기모터 생산 부문에 그대로 적용되는 현상이다. 소형 전기모터 산업에서 GE와 에머슨 일렉트릭은 높은 시장점유율을 보여주었는데, 특히 GE는 기술적인 평판이 높다. 두 회사는 다 같이 소형 전기모터산업에서 높은 수익을 얻었다.

또 발도(Baldor)와 글로드(Gloud) 두 회사는 집중화 전략을 채택했는데 발도는 유통경로 부문에서, 글로드는 특정 고객 부문에서 각각 집중화 전략을 적극적으로 추진했다. 두 회사의 수익성 모두 상당히 높다. 이 기업들과는 달리 프랭클린(Franklin)은 원가우위도 집중화도 달성하지 못한 어중간한 상태에 머물러 있었다. 이 때문에 전기모터 산업도 부진한 상태였다. 전기모터 산업 외에 세계적인 규모로는 자동차 산업 또한 U자형 관계가 대체로 적용되는 현상을 보였다. 즉 GM(General Motors:

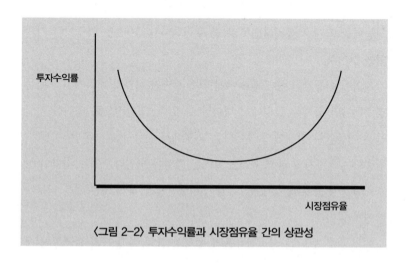

〈그림 2-2〉 투자수익률과 시장점유율 간의 상관성

원가우위 성취)과 메르세데스 벤츠(차별화 성취)가 수익성 면에서 선두를 달렸고, 크라이슬러는 원가우위나 차별화, 집중화 전략 중 어느 하나도 달성하지 못해 수익성이 훨씬 뒤떨어졌다.

그러나 〈그림 2-2〉의 U자형 관계가 모든 산업에 전부 적용되는 것은 아니다. 일부 산업에서는 원가우위 경쟁만이 있을 뿐 집중화나 차별화 전략를 추구할 여지가 아예 없는 경우도 있다. 예를 들어 1차 산업 제품을 생산하는 산업이 바로 그러한 경우다. 또 다른 일부 산업에서는 구매자나 제품의 특성상 원가 문제가 그다지 중요시되지 않는 경우도 있다. 또 경쟁이 너무 치열해서 평균 이상의 수익률을 올릴 수 있는 방법이 집중화나 차별화 전략을 통하는 방법밖에 없는 산업 부문도 있다. 미국 철강 산업이 그러한 예라 하겠다. 또 총체적인 원가우위가 차별화나 집중화와 상치되지 않는 경우나 원가우위가 시장점유율을 희생시켜야만 가능한 산업 부문도 있다. 시장점유율이나 차별화, 집중화 전략 등이 복잡하게 결합되어 나타난 하나의 실례로서 하이스터의 경우가 있다. 이 회사는 지게차 산업에서 2위를 차지한 기업이지만, 시장점유율 증대로 원가우위를 확보하지도 또 원가우위를 상쇄할 만한 차별화를 달성하지도 못한 알리스 챠머(Allis Chalmer)나 이튼(Eaton)보다 수익률이 더 높았다.

집중화나 차별화를 달성한 기업은 점유대상 시장을 협의의 산업시장으로 보는 반면, 원가우위를 확보한 기업의 활동대상 산업은 비교적 광의적으로 해석하는 편의상의 전제가 따르지 않는 한 수익성과 시장점유율의 관계를 어떤 단일한 정형적 관계로 간주할 수 없다(원가우위를 확보한 기업이 점유대상 시장을 협의적으로 한정한다면 이러한 기업의 시장점유율이 가장 높아질 수는 없다. 왜냐하면 그들이 소규모 시장에서까지 최고의 점유율을 기록할 수는 없기 때문이다). 산업의 정의나 범위의 획정을 편의상 확대하거나 축소하더라도 여전히 설명하기 어려운 경우도 있다. 즉 산업 전체에서 제품의 차별화를 이룩했으나 시장점유율이 선두기업들에 뒤지는 기업이 정작 수익률은 높다는 것이다.

그러나 중요한 점은 기업에 따라 산업의 범위 획정을 달리하는 것이 자칫 특정 기업에 가장 적절한 전략을 선택하는 문제의 핵심을 회피하는 결과를 초래하기 쉽다는 사실이다. 3가지 본원적 전략 중 어느 하나를 선택한다는 것은 결국 기업의 강점에 가장 적합하고, 또 다른 경쟁 기업들이 모방·추종할 가능성이 가장 적은 전략을 채택하는 것이라 하겠다.

산업구조 분석의 원리를 살펴보면 이러한 전략 선택의 특성이 분명하게 드러날 뿐만 아니라, 특정 산업에서 나타나는 시장점유율과 수익성 간의 관계를 해명하거나 예측할 수 있다(이러한 문제에 대해서는 7장에서 다시 자세하게 다루겠다. 산업구조 분석은 특정 산업 내에서의 개별 기업의 상이한 입장이나 위치도 함께 고려해야 한다).


## 3가지 본원적 전략의 위험부담

3가지 본원적 전략을 추구하는 데는 기본적으로 2가지 위험이 따른다. 하나는 선택된 전략을 제대로 성취하거나 지속적으로 추진하지 못할 때 야기되는 위험이고, 다른 하나는 선택된 전략의 추구로써 얻어지는 전략적인 이득이 그 산업의 발전과정에서 잠식될 때 나타나는 위험이다. 보다 좁은 의미로 파악한다면, 3가지 본원적 전략은 그 선택에 따라 경쟁요인에 대항하는 방패로서의 역할이 각각 다른 형태를 띠게 되며, 따라서 2가지 위험부담 요인도 달라진다. 여기서 중요한 점은 3가지 전략적 대안 중 특정 기업이 어느 것을 선택할 것인지 결정하기 위해 대안별 위험요인의 형태를 뚜렷이 밝혀내야 한다는 것이다.

# 총체적 원가우위에 따르는 위험요인

원가우위를 확보한 기업은 이를 유지해나가는 데 상당한 부담을 지게 된다. 이러한 부담으로는 현대적인 설비 도입을 위한 재투자나 낙후된 자산의 과감한 폐기처분, 생산라인의 확산 회피, 그리고 기술 개발이나 개선에 대한 부단한 관심 등이 있다. 누적되는 생산량에 따른 원가하락 은 저절로 되는 것이 아니다. 규모의 경제 또한 그에 따르는 적절한 노력 없이는 이뤄지지 않는다.

원가우위에 따르는 위험요인은 규모나 축적된 경험을 진입장벽으로 의존할 때 야기되는 위험(1장에서 설명한)과 동일한 형태를 보인다. 그중 일부를 설명하면 다음과 같다.

· 과거의 투자나 학습을 무효화하는 기술적인 변화
· 신규 진입기업이나 추종 기업들이 모방이나 동일한 설비도입을 통해 원가우위를 획득한 기술이나 방법을 터득하는 경우
· 원가에만 모든 관심을 쏟다가 제품이나 마케팅의 변화 요구에 제대로 부응하지 못하는 경우
· 원가가 늘어나 경쟁기업들의 상표 이미지나 그 밖의 다른 차별화 효과를 상쇄할 만한 가격 차이를 유지할 수 없는 경우

이 같은 원가우위상의 위험요인 때문에 타격을 입은 가장 뚜렷한 사례가 1920년대의 포드 자동차회사의 경우다. 당시 포드는 자동차 모델이나 차종의 한정, 적극적인 후방통합, 고도의 설비 자동화, 그리고 기술학습을 통한 적극적인 원가절감 추구 등으로 자동차 산업에서 압도적인 원가우위를 확보하고 있었다. 기술학습은 모델을 자주 바꾸지 않음으로 해서 더욱 촉진되었다. 그러나 소비자들의 소득수준이 높아지고

대다수가 승용차를 소유하게 되면서 그들의 의식도 달라지기 시작했다. 소비자들은 승용차의 스타일이나 새로운 모델, 안락성, 그리고 오픈카보다는 덮개가 있는 승용차를 선호하게 되었다. 소비자들의 이러한 기대에 부응하는 제품들이 더 잘 팔렸다. GM은 모든 면에서 이러한 변화에 대응할 준비가 되어 있었다. 그러나 포드는 이미 오로지 비용 최소화를 위해 낡은 자동차에 막대한 투자를 했기 때문에 구매자의 선호 변화에 대응하기 위한 전략적 조정의 신축성을 상실한 상태였다.

원가우위에만 주력하다 어려움을 겪은 또 다른 사례로 가전제품을 생산해온 샤프의 경우를 들 수 있다. 오랫동안 원가우위 전략을 추구해온 샤프는 새로운 상황이 전개됨에 따라 상표 인지도를 높이기 위한 적극적인 활동에 나서지 않을 수 없었다. 샤프는 가격 면에서 소니와 파나소닉보다 우위에 있었는데, 가격상의 우위가 원가상승 압박과 미국의 반덤핑 규제의 발효로 인해 거의 잠식되고 말았다. 샤프는 원가우위 전략만을 지나치게 추구하다가 전략적 기반을 상실한 대표적 사례가 되었다.

## 차별화에 따르는 위험요인

차별화 전략에는 다음과 같은 위험부담이 따른다.

· 원가우위를 획득한 기업과 차별화를 달성한 기업 간의 원가 차이가 너무 커서 차별화에 따른 구매자들의 상표 편중성을 지켜나가지 못할 경우. 가격 차이가 너무 크게 나면 차별화를 달성한 기업이 제공하는 제품의 특성이나 서비스, 이미지 등을 일부 희생하게 된다.
· 차별화 속에 내포된 특이한 요소에 대한 구매자들의 요구가 줄어드는 경우. 구매자들의 생산기술이 보다 정교해지면서 나타나게 된다.

· 모방으로 인해 차별화의 인식이 희박해지는 경우. 산업의 성숙도가 높아지면서 이런 현상이 흔히 나타나게 된다.

첫 번째 위험요인은 매우 중요하기 때문에 조금 더 언급할 필요가 있다. 어느 기업이 차별화를 달성했다고 하면, 대개 이러한 차별화는 가격상의 차이에 상응하는 만큼만 유지된다. 따라서 차별화를 달성한 기업이 기술 변화나 단순한 무관심 따위로 인해 원가 면에서 크게 뒤처지게 되면 원가우위에 있는 기업들에 의해 크게 잠식되는 경우가 많다. 예를 들어 가와사키(Kawasaki)를 비롯한 일본의 여러 모터사이클 생산회사들은 현저한 가격 차이로 큰 성공을 거둘 수 있었다.

## 집중화에 따르는 위험요인

집중화 전략에는 다음과 같은 위험부담이 따른다.

· 넓은 시장을 상대로 경쟁을 벌이는 기업과 특정 시장을 대상으로 집중화를 달성한 기업 간의 가격 차이가 원가상의 이득이나 집중화로써 성취한 차별성을 배제할 만큼 큰 경우
· 전략적인 목표가 되는 특정한 시장과 전반적인 시장에서 요구하는 제품이나 서비스상의 차이가 별로 두드러지지 않는 경우
· 경쟁대상 기업이 전략적인 목표가 된 특정 시장 안에서 보다 세분화된 단위의 목표시장을 다시 설정, 공략함으로써 집중화를 달성한 기업을 압도하는 집중적인 전략을 추구하는 경우

# 경쟁기업 분석의 체계

경쟁전략이란 경쟁기업들과 구별되는 특정 기업이 지닌 여러 가지 능력의 가치나 장점을 극대화하는 형태로 전열을 갖추는 것을 말한다. 따라서 경쟁전략 수립의 핵심은 경쟁기업에 대한 철저하고 예리한 분석을 하는 것이다. 경쟁기업 분석은 개별 경쟁기업이 취할 전략 변화의 특성과 성공 여부, 다른 기업이 취할 실현 가능한 전략적 조치에 대한 개별 경쟁기업들의 예상되는 반응, 그리고 앞으로 야기할지 모를 산업의 변화와 넓은 의미로서의 일반 환경 변화에 대한 개별 경쟁기업들의 예상되는 대처방법 등을 개괄적으로 파악하는 데 그 목적이 있다. 보다 면밀한 경쟁기업 분석을 위해서는 다음과 같은 질문들에 대한 해답이 제시되어야 한다. 즉 '우리가 활동하는 산업 내에서 어느 기업들과 경쟁을 벌여야 하며, 또 어떤 형태의 조치를 어떤 순서에 따라 취해야 하는가?' '경쟁기업이 취한 전략적 조치의 의도는 무엇이며, 우리는 이를 어느 정도의 의미로서 받아들여야 하는가?' '경쟁기업이 심리적이고 필사적으로 대응해올 것으로 예상될 때 우리가 회피해야 할 경쟁영역은 어떤 것인가?' 등이다.

전략 수립에는 면밀한 경쟁기업 분석과정이 반드시 필요하기는 하지만, 실제로는 분석이 명확하고 포괄적으로 이루어지지 않는 경우가 많다. 따라서 경쟁기업에 대한 경영층의 판단에는 위험한 가정이 따르기 쉽다. '경쟁기업에 대한 체계적인 분석은 불가능하다' '매일같이 경쟁을 벌이고 있는 만큼 경쟁기업에 대해서는 모르는 것이 없다' 는 것 등이 위험한 가정이다. 그러나 두 가정 중 어느 것도 옳은 것이라고 할 수는 없다. 경쟁기업을 분석하는 과정에서 또 한 가지 어려운 점은 경쟁기업을 심층 분석하는 데 수많은 자료가 필요하다는 것과 이러한 자료 중 상당량은 대단한 노력을 기울이지 않고서는 찾아낼 수 없다는 점이다. 많은 기업은 경쟁 대상자에 대한 정보를 조직적으로 수집하지 않고 개인적인 인상이나 추측, 직관 등에 의존하는 경우가 많다. 물론 인상이나 추측, 직관 등은 경영관리자가 일상적인 활동에서 접하게 되는 단편적인 정보에 의해 형성된 것이다. 그러나 단편적인 정보나 추측, 직관이 아닌 정확하고 충분하며 또한 근거 있는 정보를 바탕으로 할 때 보다 면밀하고 정확한 경쟁기업 분석이 이뤄질 것이다.

경쟁기업 분석에는 미래목표, 현행전략, 가정적 판단, 능력 등의 4가지 분석요소가 있다(〈그림 3-1〉 참고).[1] 4가지 요소를 정확히 파악하면 경쟁기업의 대응윤곽을 뚜렷하게 예측할 수 있을 것이다. 이는 곧 〈그림 3-1〉에서 제기된 의문들에 대한 해답을 찾게 되는 것과도 같다. 물론 대부분의 기업은 경쟁기업의 현행전략과 그들의 장단점에 대해 최소한의 직관적인 판단을 할 수 있다. 그러나 경쟁기업의 미래목표나 그들이 자사의 상황이나 산업의 성격을 가정적으로 판단하는 부분에 대해서는 관심이 적다. 미래목표나 가정적 판단과 같은 요소는 실제적인 경영활동으로 드러나는 경쟁기업의 행위에 비해 훨씬 파악하기가 어렵지만, 경쟁기업의 미래 활동양상을 판단하는 데 있어 중요한 요소가 된다.

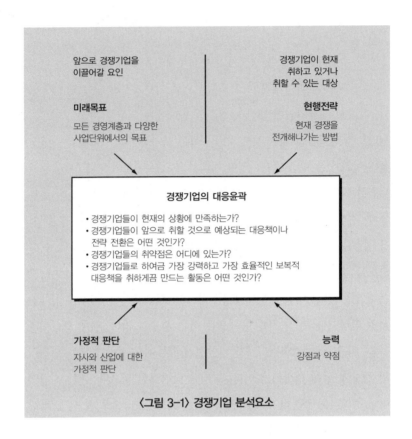

앞으로 경쟁기업을
이끌어갈 요인

경쟁기업이 현재
취하고 있거나
취할 수 있는 대상

**미래목표**

모든 경영계층과 다양한
사업단위에서의 목표

**현행전략**

현재 경쟁을
전개해나가는 방법

**경쟁기업의 대응윤곽**

• 경쟁기업들이 현재의 상황에 만족하는가?
• 경쟁기업들이 앞으로 취할 것으로 예상되는 대응책이나
  전략 전환은 어떤 것인가?
• 경쟁기업들의 취약점은 어디에 있는가?
• 경쟁기업들로 하여금 가장 강력하고 가장 효율적인 보복적
  대응책을 취하게끔 만드는 활동은 어떤 것인가?

**가정적 판단**

자사와 산업에 대한
가정적 판단

**능력**

강점과 약점

〈그림 3-1〉 경쟁기업 분석요소

3장에서는 경쟁기업에 대한 기본적인 분석체계를 제시하겠다. 이러한 분석체계는 이어지는 장에서 보다 상세하고 깊이 있게 다루어질 것이다. 경쟁기업 분석요소는 각 요소별로 일련의 질문형태로 다루어질 것이지만, 그중에서도 경쟁기업의 미래목표와 가정적 판단에 보다 큰 비중을 두도록 하겠다. 이러한 미묘한 문제들은 단순한 유형화를 통해 특정 기업의 미래목표와 가정적 판단의 규명방법이나 단서를 제시하는 선에서 만족하는 것이 아니라 그 이상으로 깊숙이 파고들지 않으면 안 된다. 경쟁기업 분석요소를 검토한 후에는 다시 〈그림 3-1〉에서 제시된 의문들의 해답을 찾기 위해 이러한 요소를 어떤 방법으로 결합해야 하는지 살펴보겠다. 끝으로 자료수집의 중요성을 고려하여 경쟁기업 분석

에서 필요한 자료의 수집 및 분석방법에 대해서 설명하겠다.

앞으로 제시하는 분석체계와 의문은 모두 경쟁기업을 대상으로 하는 것이지만, 자사의 분석방법으로도 그대로 이용할 수 있다. 즉 동일한 방법으로 주변 환경에 대한 자사의 입장이나 위치를 정확하게 파악할 수 있는 것이다. 또한 더 나아가 경쟁기업이 경영활동 여건에 대해 이끌어낼 만한 결론이 어떤 것인지 파악하는 데도 도움이 될 것이다. 경쟁기업의 결론적 판단은 복잡한 경쟁기업 분석의 일부가 된다. 따라서 이러한 파악은 경쟁적인 대응책을 강구하는 데 지극히 중요한 요인이 된다(5장 참고).

# 경쟁기업 분석의 4가지 요소

경쟁기업 분석의 개별 구성요소를 검토하기에 앞서 우선 어느 기업을 분석대상으로 삼아야 할지 결정해야 한다. 물론 현존하는 주요 경쟁대상 기업들을 모두 분석의 대상으로 삼아야 할 것이다. 또한 앞으로 부상할 수 있는 잠재적인 경쟁대상 기업들도 분석대상으로 삼아야 하는 경우도 있다. 잠재적인 경쟁기업들을 예측하고 가려내는 일이 결코 쉬운 작업은 아니지만, 다음과 같은 기업 위주로 검토해보면 잠재적 경쟁기업을 가려낼 수 있을 것이다.

· 현재 그 산업에 뛰어들지는 않았지만, 큰 부담 없이 진입장벽을 극복할 수 있는 기업
· 그 산업에 진출함으로써 경영상의 뚜렷한 상승효과를 거둘 수 있는 기업
· 그 산업에서 경쟁을 벌이는 일이 기업전략의 명백한 확장을 가져오

는 기업

· 후방통합이나 전방통합을 실행할 수 있는 구매자나 공급자

분석대상으로서 주목해야 할 또 다른 경우가 합병이나 인수이다. 합병이나 인수는 기존 경쟁기업이든지 외부 기업의 경우이든지 상관이 없다. 기업합병은 취약한 경쟁기업을 하루아침에 유력한 기업으로 부상하게 하거나 유력한 경쟁자를 한층 강력하게 만들 수 있다. 어느 기업이 주식매입 등의 방법을 통해 산업 내의 기존 기업을 매수할 것인지 예측하는 데는 잠재적인 진입기업을 예측하는 방법을 그대로 활용할 수 있다. 산업 내의 매수대상 기업을 예측할 때는 기업의 주식소유 분포, 산업의 미래 변화에 대응할 수 있는 능력, 그리고 무엇보다도 기업이 산업 내에서 활동발판을 마련할 가능성이 얼마나 있는가 하는 점 등을 고려해야 할 것이다.

## 미래목표

경쟁기업의 목표(또한 이러한 목표에 대응하는 자체의 능력 평가)에 대한 진단은 여러 가지 의미에서 중요한 역할을 한다. 경쟁기업의 목표를 파악하게 되면, 개별 경쟁기업의 현재의 상황과 재무성과에 만족하는지의 여부, 또 그러한 성과를 바탕으로 경쟁기업이 기존 전략을 수정할 가능성이나 외적 상황(예를 들면 경기순환과 같은) 및 다른 기업들의 움직임에 대응하는 태도 등을 예측할 수 있다. 예를 들어 경기 하강이나 다른 기업들의 시장점유율 증대와 같은 상황 변화에 대해 안정적인 매출액 증가에 우선적인 역점을 두는 기업과 투자수익률 유지에 가장 큰 관심을 기울이는 기업은 서로 크게 다른 대응책을 보일 수 있다.

경쟁기업의 목표를 파악하게 되면 전략적인 변화에 대해 그 기업이

대응하는 태도를 예측하는 데도 도움이 된다. 어떤 전략적 변화는 기업이 설정한 목표나 모기업으로부터 받는 압력의 형태에 따라 다른 기업들보다 특정한 어느 기업에 더욱 심각한 위협이 될 수도 있다. 위협을 느끼는 강도에 따라 보복적인 대응책을 강구할 것인지의 여부도 함께 영향을 받게 된다. 끝으로 경쟁기업의 목표를 제대로 진단하게 되면 그 경쟁기업이 취한 선제적 조치가 얼마나 진심에서 나온 것인지 판단하는 데도 도움을 준다. 또한 그 기업이 사업단위의 선제적인 조치를 성실하게 지원하고 있는지의 여부와 경쟁기업의 움직임에 대응하는 사업 단위의 보복을 뒷받침할 것인지의 여부를 판단하는 데도 도움이 된다. 어느 기업이 핵심목표를 겨냥하거나 또는 중요한 목표시장에서의 판매성과 회복을 위해 전략적인 행동을 취한다면, 이것은 분석과 숙고를 거친 의미 있는 행동이라고 할 수 있을 것이다.

경쟁기업의 목표를 진단할 때에는 흔히 재무적인 목표를 가장 먼저 떠올리지만, 보다 포괄적인 진단을 위해서는 시장우위나 기술수준, 사회적 성취와 같은 질적 측면의 목표들도 고려하는 것이 좋다. 또한 다양한 경영계층을 대상으로 삼아야 한다. 경쟁기업의 목표에는 기업 전체를 대상으로 한 목표와 사업단위의 목표, 그리고 심지어는 개별 기능부서나 핵심적인 경영관리자가 설정한 별도의 목표들이 있을 수 있다. 보다 높은 경영계층의 목표가 그보다 낮은 계층의 목표에 영향을 줄 수도 있지만, 그렇다고 해서 높은 경영계층의 목표에 의해 완전히 결정되는 것은 아니다.

다음과 같은 질문을 던지는 것은 경쟁기업의 현재 및 미래 목표를 파악하고 예측하는 데 많은 도움이 될 것이다. 우선 사업단위나 사업부의 목표부터 검토해보기로 한다. 어느 기업에 있어서는 사업단위나 사업부가 사실상 그 기업의 실체 전부인 경우도 있기 때문이다. 그 다음으로는 경영 다각화를 이루고 있는 기업의 경우, 모기업이 특정 사업단위나 사업부에 미치는 영향에 대해 살펴보기로 한다.

## 사업단위의 목표

· 명시되거나 명시되지 않은 경쟁기업의 재무적인 목표는 어떤 것인가? 경쟁기업은 목표 설정에 따른 불가피한 상황, 가령 장기적인 성과와 단기적인 성과 중 어느 하나를 선택하고 다른 하나를 희생하는 조정을 어떤 형태로 취하고 있는가? 또 이윤과 수익의 증대, 성장과 정기적인 배당금 지급능력 간의 균형은 어떤 형태로 취하고 있는가?

· 경쟁기업은 위험부담에 대해 어떤 입장을 취하는가? 만약 재무적 목표가 수익성, 시장점유율, 성장률, 그리고 바람직한 위험부담 수준을 종합적으로 포함하고 있다면, 경쟁기업은 이러한 요소들을 어떤 형태로 조정하여 균형을 이루도록 하고 있는가?

· 기업 전체나 최고경영층이 경제적 또는 비경제적인 조직상 어떤 가치체계와 신념을 지니고 있는가? 또 경쟁기업은 주도적인 시장점유자가 되고자 하는가(텍사스 인스트루먼츠)? 또는 그 산업을 대변하는 정치적 지도세력이 되고자 하는가(코카콜라)? 아니면 이단적인 위치에 서거나 기술적 선도자가 되고자 하는가? 경쟁기업은 특정한 전략이나 정책을 목표 속에서 구체화한 전통이나 경험이 있는가? 또 제품 디자인이나 품질에 대해 특별히 고수해온 목표가 있는가? 입지상의 선호에 대한 특별한 목표는 있는가?

· 경쟁기업의 조직구조는 어떠한가(기능적 조직, 생산관리자의 유무, 별도의 연구개발 실험실의 유무 등)? 자원배분이나 가격결정, 제품변경과 같은 중요한 의사 결정에 대한 권한과 책임을 어떤 형태로 분산하고 위임하고 있는가? 경쟁기업의 조직구조를 살펴보면 여러 기능 부문에 대한 상대적인 지위나 조정상태, 그리고 전략적으로 중요시되는 부문에 대해 어느 정도 알 수 있다. 예를 들어 판매 부문을 수석 부사장이 담당하면

서 사장에게 직접 보고하고, 생산 부문은 이사가 담당하면서 수석 부사장에게 보고한다면 이 기업은 생산 부문보다 판매 부문을 더 중요시한다는 것을 알 수 있다. 결국 의사 결정의 책임소재는 최고경영층이 바라는 의사 결정의 유도과정을 파악하는 실마리가 된다.

· 현재 실시되고 있는 통제 및 인센티브 제도는 어떤 형태인가? 중역들에 대한 보수지급은 어떤 형태로 이루어지는가? 판매원들의 급료는 어떤 식으로 지급되는가? 경영자는 주식을 소유하고 있는가? 고과평가는 어떤 형태로, 또 장기적으로 이루어지고 있는가? 장기적으로 이루어지고 있다면 기간은 어느 정도인가? 쉽게 파악하기 어렵겠지만, 이러한 질문들은 그 기업이 중요시하는 대상과 또 경영자들이 보수와 관련된 문제들에 보이는 반응을 알아보는 데 중요한 단서가 된다.

· 현재 실시되는 회계시스템과 관례는 어떠한가? 재고평가는 어떤 방법으로 이루어지는가? 비용배분은 어떤 형태로 이루어지는가? 인플레이션에 대한 회계처리 방식은 어떠한가? 회계 방침상의 문제는 경쟁기업의 성과나 원가에 대한 인식, 가격결정 방식 등에 큰 영향을 미친다.

· 경쟁기업의 의사 결정을 이끄는 경영자, 특히 최고의사결정자(CEO)는 어떤 인물인가? 그리고 그의 배경과 경력은 어떠한가?[2] 어떤 성향의 경영자들이 요직에 배치되며, 경영자들은 어느 부문에서 역량을 발휘하는가? 인재를 고용하는 방식에는 어떤 패턴이 있으며, 또 그러한 패턴으로 미루어볼 때 기업이 앞으로 취할 방향을 예상할 수 있는가? 예를 들어 빅 펜은(Bic Pen)은 활동하는 산업 밖에서 인재를 고용하는 뚜렷한 인사방침을 실시하고 있는데, 그 이유는 외부에서 인재를 고용하면 판에 박힌 인습적인 전략을 탈피할 수 있다고 믿기 때문이다.

· 미래의 진로에 대한 경영 관리층의 견해는 어느 정도 일치되어 있는가? 경영 관리층이 여러 의견으로 나뉘어 서로 다른 목표가 옳다고 주장하는가? 이런 경우 핵심적인 권한이 다른 사람에게 넘어가게 되면 갑

작스런 전략 변화가 나타날 수도 있다. 반면 견해가 완전히 일치되어 있는 경우에는 불리한 상황에 직면하게 될 때도 전략을 바꾸지 않고 고수하려는 경향이 있다.

· 이사회의 구성은 어떠한가? 이사회에 외부 인사들이 많이 구성되어 있어 그들의 의견을 수용하고 있는가? 외부 인사들의 배경 및 기업과의 관계는 어떠한가? 그들은 그들 자신의 기업을 어떤 형태로 관리하고 있으며, 그들이 대변하는 이익집단은 누구인가? 이사회 구성은 기업의 지향성이나 위험에 대한 입장, 그리고 전략적인 접근방식의 형태까지도 파악해볼 수 있는 단서가 된다.

· 어떤 계약상의 구속으로 인해 대안 선택에 제약을 받는가? 자금 차입계약 때문에 어떤 목표를 설정하는 데 제약을 받는가? 라이선스 약정이나 합작투자 협정으로 인해 어떤 제약을 받는가?

· 경쟁기업이 소규모 경쟁자의 조치에 대응하거나 시장점유율을 증대하려는 노력 등에 어떤 규제, 즉 반독점법이나 정부의 권한 행사 등의 사회적 제약이 가해지는가? 경쟁기업이 과거에 반독점법을 위배한 적이 있는가? 만약 있다면, 그 이유와 경위는 어떠했는가? 경쟁기업이 다른 기업과 행동을 일치하는 약정에 참여한 적이 있는가? 이상에서 말한 여러 가지 제약에 부딪히거나 또는 이러한 규제에 직면했던 경험이 있는 기업은, 경영활동이 위협을 받는다 하더라도 위협을 받는 대상에 핵심적인 이해가 걸려 있지 않는 한, 다른 기업의 전략적인 움직임에 대응하는 것을 몹시 자제하거나 포기하는 일이 많다. 이러한 규제로 인해 선도적인 기업의 시장점유를 약간 잠식하는 경우에는 오히려 보호를 받을 수도 있다.

### 모기업과 사업단위의 목표

경쟁대상이 대기업의 한 사업단위일 때에는 모기업이 사업단위에 규제를 가하거나 요구를 할 가능성이 많은데, 이러한 점은 사업단위의 행위를 예측하는 데 큰 도움이 된다. 이러한 경우 다음과 같은 의문이 제기될 필요가 있다.

· 모기업의 현재 경영성과는 어떠한가(매출 고신장률, 수익률 등)? 현재 경영성과를 알게 되면 모기업이 사업단위에 기대하는 목표성과, 즉 시장점유율 목표, 가격결정, 신제품 개발에 대한 압력 등 많은 것을 추측할 수 있다. 사업단위가 모기업의 전체적인 경영성과에 못 미치면 모기업으로부터 압력을 받는 것은 당연한 일이다. 모기업이 부단히 재정상의 성과를 증진해왔다면 그 기업의 사업단위는 그러한 성과를 파괴할 위험이 내재된 행동을 취하지는 않을 것이다.

· 모기업의 전반적인 목표는 어떤 것인가? 이에 비추어 모기업이 사업단위에 요구할 만한 목표는 어떤 것인가?

· 모기업의 전반적인 전략의 측면에서 볼 때 특정 사업단위에 부여하는 전략적인 중요성은 어느 정도인가? 모기업은 그 사업단위를 주력사업으로 보는가, 아니면 주변사업으로 보는가? 그 사업단위는 모기업의 여러 사업영역 중 어디에 적합한가? 이 사업영역이 성장 가능성 면에서 모기업의 미래에 중요한 역할을 한다고 인식되는가? 아니면 이미 성숙되거나 안정된 사업으로서 현금 조달원의 역할을 하고 있는가? 특정 사업단위에 부여된 전략적 중요성은 목표달성 의욕에 큰 영향을 미치는데, 이러한 전략적 중요성에 대해서는 뒤에서 다시 언급하겠다.

· 모기업이 이 사업에 뛰어든 이유는 무엇인가(과잉설비나 수직적 통합의 필요성 때문인가, 아니면 유통경로의 활용이나 마케팅 능력의 증대를 위해서인가)? 이와 같은 요인은 모기업이 그 사업의 기여도를 인식하는 방법이나 그 사업의 전략적 태도와 행위에 대해 가하는 압력 등을 살펴볼 수 있게 해준다.

· 그 사업과 모기업의 다른 사업영역 간의 경제적 관계는 어떻게 연결되어 있는가? 사업단위가 독립된 기업의 활동과 비교할 때 이러한 경제적 관계는 모기업이 요구할 가능성이 있는 특수한 조건에 대해 어떻게 작용하는가? 예를 들어 설비의 공동사용은 결국 그 사업단위가 자매 사업 단위에서 야기하는 과잉설비의 흡수나 총비용의 부분적인 부담을 의미하는 것이다. 또는 사업단위가 모기업 내 다른 사업부의 보조적인 기능을 한다면, 그것은 모기업이 다른 사업영역에서 이윤을 얻겠다고 결정한 것이다. 기업 내 다른 사업단위와의 상관성을 파악하게 되면 여러 방향으로 얽힌 보조금 지급형태에 대해서도 알 수 있다.

· 최고경영층이 기업 전체에 대해 지니고 있는 가치체계나 신념은 어떠한 것인가? 그들은 모든 사업영역에서 기술적 우위를 추구하고 있는가? 그들은 일정한 생산수준을 견지함으로써 노동조합과의 충돌을 야기할 수 있는 일시해고 사태를 회피하려 애쓰고 있는가?[3] 이러한 형태의 믿음이나 방침은 사업단위에도 영향을 미친다.

· 모기업이 여러 사업 부문에 적용하려고 하는 본원적 전략이 있는가? 그리고 이러한 전략을 특정 사업단위에도 적용하려 하는가? 예를 들어 빅 펜은 필기용품, 라이터, 팬티스타킹, 면도날 등과 같이 몇 차례 쓰고 버리는 제품을 판매하는 데 있어 염가와 표준화, 대량생산, 집중적인 광고 등의 경쟁전략을 택하고 있다. 하인즈(Haynes)는 팬티스타킹을 생산하는 레그스(L'eggs)의 전략을 화장품과 남성용 속옷, 그리고 양말 등의 다양한 사업에 적용하였다.

· 모기업 내의 다른 사업단위의 경영성과 및 요구와 전반적인 전략이 동일하다고 본다면, 경쟁대상이 되는 사업단위에는 어떤 형태의 판매목표와 투자 수익상의 장애요인, 자본상의 제약이 가해지는가? 또한 다른 사업단위에 대비되는 그 사업단위의 경영성과가 일정한 조건 아래에 있다면, 그 사업단위는 다른 사업단위와 성공적인 경쟁을 벌여나갈 수 있

는가? 사업단위가 모기업의 관심이나 지원을 집중적으로 받을 만큼 잠재적인 규모가 큰가? 아니면 별다른 관심을 받지 못한 채 방치되어 있는가? 모기업의 다른 사업부문에 필요한 투자요구 상황은 어떠한가? 여러 사업부문에 대한 모기업의 우선순위와 배당 후의 여유자금이 일정액 남게 될 것을 파악했다고 했을 때, 경쟁대상이 되는 사업단위에는 얼마의 자금이 배당될 것인가?

· 모기업의 사업 다각화 계획은 어떤 내용인가? 모기업이 다른 영역으로 경영을 다각화할 계획을 수립하고 있는가? 그렇다면 많은 자금이 소요될 것이고, 이에 따라 경쟁대상이 되는 사업단위에 대한 비중의 정도가 드러날 것이다. 또 모기업은 협동적인 기회를 제공함으로써 사업단위를 후원하고 강화시키는 방향으로 나아가고 있는가? 레이놀드(Reynold)는 델몬트를 인수했는데, 이에 따라 델몬트의 유통조직을 활용할 수 있게 됨으로써 식품사업부가 큰 활력을 얻게 되었다.

· 모기업의 조직구조를 통해 모기업이 경쟁대상 사업단위의 상대적인 지위나 입장 및 목표 등을 파악하는 데 어떤 단서를 얻을 수 있는가? 그 사업단위는 모기업의 사장이나 부사장에게 직접 보고하는가? 아니면 모기업의 일부 조직에 불과한가? 모기업의 유망한 인물이 그 사업단위를 담당하는가? 아니면 정년퇴직이 임박한 인물이 마지막 담당부서로서 그 사업단위를 맡았는가? 조직상의 관계는 실제적인 전략이나 수립될 전략의 파악에 중요한 단서가 된다. 예를 들어 전기제품 사업부가 전기제품 담당 상무 아래 위치해 있다면 개별 사업부로 독립되어 있는 경우보다 전략 수정이 훨씬 용이할 것이다. 그러나 보고관계에서 어떤 단서를 얻었다고 해서 그것만을 가지고 판단해서는 안 된다. 보고체계와 같은 조직관계는 대개 형식적인 경우가 많은 만큼, 다른 단서와 비교해서 종합적으로 판단을 내리는 것이 좋다.

· 기업 전체 구조에서 사업부 담당 경영관리자들은 어떤 형태의 통제

와 어떤 형태의 보수를 받는가? 그리고 평가의 빈도는 어떠하며, 급료 대비 상여금 비율은 어느 정도인가? 상여금 지급은 무엇을 바탕으로 결정되는가? 그들도 주식지분을 갖고 있는가? 이러한 질문들에 대한 답을 얻을 수 있다면 사업부의 목표와 활동을 뚜렷하게 파악할 수 있을 것이다.

· 어떤 성향의 경영관리자들이 요직에 배치되는가? 이를 파악하면 모기업의 경영 상층부가 어떤 형태의 전략적 활동을 권장하고 있는지 알 수 있고, 또한 사업부 경영 관리층의 목표도 유추해볼 수 있을 것이다. 경영관리자들이 그 사업단위에서 다른 사업단위로 이동하는 인사교류 기간은 어느 정도인가? 이를 알면 모기업이 위험부담이 있는 전략과 안전 일변도 전략 간의 균형을 맞추려는 방법이나 기간의 범위를 알 수 있을 것이다.

· 모기업은 필요한 인력을 어디에서 충원하는가? 경영진이 승진하는 내부 충원제(이는 과거의 전략이 견지된다는 것을 의미한다)인가 아니면 사업부나 기업 밖에서 필요한 인재를 끌어오는가? 현재의 총지배인은 어느 기능부서 출신인가?

· 모기업이 독점금지법이나 규제적·사회적 제약에 민감한 반응을 보이는가? 만약 그렇다면 그러한 민감성은 경쟁대상이 되는 사업단위에도 확산되기 쉽다.

· 모기업이나 특정한 최고경영자가 사업단위에 감정상의 애착을 느끼고 있는가? 사업단위가 모기업의 초창기 사업 중의 하나인가? 과거에 사업단위를 담당했던 사람이 현재 모기업의 최고경영층에 올라 있는가? 현재 최고경영층에 있는 사람이 사업단위를 사들였거나 또는 키워왔는가? 사업단위의 어떤 계획이나 조치를 취하는 데 있어 경영층의 지위가 발휘되고 있는가? 이러한 관계는 사업단위에 모아지는 관심이나 뒷받침이 되는 부분에 대해 파악하는 단서가 될 수 있다. 이러한 관계는 또한 사업단위의 철수장벽의 높이를 가늠하는 데 도움이 된다.[4]

## 포트폴리오 분석과 경쟁기업의 목표

경쟁 대상자가 경영다각화를 이룬 기업의 한 부분일 때는 모기업의 사업영역 분석을 통해 앞서 제기한 여러 가지 질문 중 일부의 해답을 밝혀내는 데 잠재적으로 활용할 수 있다. 사업영역의 분석에 이용되는 모든 방법은 모기업의 입장에서 성취되기를 기대하는 경쟁대상 사업단위의 요구에 관한 여러 가지 질문의 해답을 찾는 데 이용될 수 있다.[5] 경쟁대상 기업의 사업영역 분석방법으로 가장 효과적인 것은 바로 경쟁기업 스스로가 활용하는 분석방법이다.

- 사업분류 방법이 활용되고 있다면 모기업에서는 어떤 기준을 이용하는 있는가? 개별 사업은 어떻게 분류되는가?
- 어느 사업이 수익 주종사업으로 간주되고 있는가?
- 어느 사업이 좋은 결과가 기대되는 대상사업이고, 어느 사업이 점차 손을 떼야 할 대상사업인가?
- 다른 사업부문의 수익 및 성과 변동의 충격을 상쇄하는, 언제나 안정적 역할을 담당하는 사업은 어느 부문인가?
- 어느 사업이 다른 주력사업의 방어적 기능을 담당하는가?
- 모기업이 자원을 투입하고 시장에 배치할 만큼 가장 중요시되는 부문은 어느 사업인가?
- 여러 사업영역 중에서 가장 큰 '영향력'을 지닌 부문은 어느 사업인가? 이러한 유력사업은 경영성과의 변동에 따라 안정성, 수익현금의 흐름, 매출액 증가, 원가 등의 측면에서 모기업의 경영성과에도 큰 영향을 미치게 된다. 이러한 사업 부문은 적극적인 보호를 받게 된다.

모기업의 사업영역 분석은 경쟁대상 사업단위의 미래목표를 파악하는 단서가 된다. 즉 투자수익률, 시장점유율, 현금유동성과 같은 차원에서의 경영성과나, 자체의 입장을 유지하기 위해 그 사업단위가 얼마나 치열한 경쟁을 전개할 것인지의 문제, 그리고 전략적인 전환을 시도할 가능성 등을 파악하는 실마리가 된다.

## 경쟁기업의 목표와 전략적인 유리한 위치

전략을 수립하는 하나의 접근방법은 어느 기업이 경쟁기업들을 위협하지 않으면서 자체의 목표를 달성할 수 있는 시장에 위치할 수 있는 길을 모색하는 것이다. 경쟁기업들의 목표를 자세하게 파악하면 모든 기업들이 비교적 안정감이 있는 위치에 설 수 있을 것이다. 물론 그러한 위치를 항상 찾을 수 있는 것은 아니다. 특히 기존 기업들이 모두 상당한 성과를 내는 산업에는 신규 진입의 유혹이 크기 마련이지만, 이러한 점을 고려한다면 진입이 쉽지만은 않을 것이다. 대부분의 경우 특정 기업은 자사의 목표를 달성하기 위해서 경쟁기업들로 하여금 그들의 목표를 일보 후퇴하게 하거나 양보하도록 강요한다. 그러한 입장을 위해 기업은 두드러진 우위를 이용해 기존 경쟁기업들과 신규 진입기업들로부터 자사를 보호할 수 있는 전략을 찾아내야만 한다.

경쟁기업의 목표 분석이 지극히 중요시되는 이유는, 그러한 분석을 통해 목표를 달성할 이들의 능력을 위협하는 전략적 조치로 이용함으로써 치열한 싸움을 야기하는 행위 등을 피할 수 있기 때문이다. 예를 들어 사업영역 분석을 통해 경쟁대상 모기업이 키우려고 하는 수익 주종사업이나 좋은 결과가 예상되는 사업을 파악하게 되면, 그러한 사업부문에서는 전략적인 경쟁도발 조치를 피할 수 있다. 이런 경우에도 그 사업 부문이 모기업의 현금흐름을 위협하지 않는 것이라면 수익 주종사업에 대항하는 전략으로 파고들 수 있으나, 경쟁대상 모기업이 강력하게 지원하는(또는 강한 애착을 품고 있는) 사업인 경우에는 자칫 치열한 대결을 야기할 가능성이 있다. 또한 안정된 매출액이 달성될 것으로 기대되는 사업이 도전을 받게 되면 경쟁대상 모기업이 이윤을 희생하는 한이 있더라도 적극적인 대응책을 강구하게 될 것이다. 만약 경쟁기업이 시장점유율은 그대로 두고 이윤만을 증가시키려는 조치를 취한다면, 이에 대한 대응은 앞의 경우보다 한층 더 약할 것이다.

## 가정적 판단

경쟁기업 분석의 두 번째 핵심적인 요소는 개별 경쟁기업들이 가지고 있는 가정적 판단을 밝혀내는 것이다. 이것은 크게 2개의 범주로 나눌 수 있다.

· 경쟁기업이 '자사'에 대해 가지고 있는 가정적 판단
· 경쟁기업이 '활동하고 있는 산업과 그 산업 내의 다른 기업들'에 대해 가지고 있는 가정적 판단

모든 기업은 자사가 처한 입장에 대한 여러 가정적 판단에 따라 움직인다. 예를 들어 어느 기업은 스스로 사회적인 의식이나 감각을 가진 기업이나 또는 활동하고 있는 산업 내에서 주도적인 역할을 하는 기업으로 판단할지도 모른다. 아니면 원가우위를 확보한 생산기업이나 가장 뛰어난 판매능력을 갖춘 기업으로 자처할지도 모른다. 자사의 입장에 대한 이 같은 가정에 따라 기업의 활동방식이나 기업 내외부의 사태에 대한 대응방식이 좌우된다. 예를 들어 기업이 원가우위를 확보하고 있다고 가정한다면, 그 기업은 가격인하 등의 방법을 통해 원가우위가 계속 유지될 수 있도록 직원들을 교육할 것이다.

자사의 상황에 대한 경쟁기업의 가정적 판단은 정확할 수도 있고 정

확하지 않을 수도 있다. 만약 경쟁기업의 가정적 판단이 정확하지 않다면 자사로서는 그 허점을 이용할 수 있는 전략적 수단을 얻게 되는 셈이다. 예를 들어 어느 경쟁기업이 시장에서 가장 큰 고객의 신뢰를 얻고 있다고 믿고 있지만, 만약 실제로는 그렇지 않다면 파격적인 가격인하를 통해 경쟁기업의 위치를 잠식할 수 있을 것이다. 이때 경쟁기업은 그 정도의 가격인하로는 자신들의 시장점유에 아무런 영향을 미치지 않을 것으로 믿고 대응적인 가격인하 조치를 취하지 않을 수도 있다. 그러나 자신들의 가정적 판단이 잘못되었음을 깨달을 때에는 이미 상당 부분 시장점유를 상실했을 때이다.

모든 기업은 기업 자체의 상황에 대해 가정적 판단을 하는 것처럼, 자신들이 활동하고 있는 산업이나 그 산업 내의 다른 경쟁기업들에 대해서도 똑같이 가정적 판단에 근거해서 활동한다. 이러한 가정적 판단 역시 정확할 수도 있고 정확하지 않을 수도 있다. 예를 들어 거버 프로덕트(Gerber Product)는 1950년대 이래 출산율이 계속 상승하리라고 판단했지만, 실제 출산율은 계속 하락하다가 1979년부터 비로소 상승하기 시작했다. 또한 경쟁기업들의 지속력이나 자원, 기술 등에 대한 과대평가나 과소평가의 사례도 무수히 많다.

이러한 가정적 판단을 자세히 살펴보면, 주변 상황에 대한 경영관리자들의 인식에 여러 가지 맹점이나 편견이 포함되어 있음을 알 수 있다. 이러한 맹점이나 편견으로 인해 경쟁기업은 사태의 심각성(예를 들어 전략적인 움직임 같은)을 전혀 깨닫지 못하거나, 잘못 인식하거나, 또는 뒤늦게야 깨닫게 된다. 경쟁기업의 이러한 맹점을 찾아내게 되면, 즉각적인 보복을 불러올 가능성이 낮은 조치나 또 보복을 불러온다 하더라도 그 효력이 크지 않은 조치들을 가려내는 데 도움이 될 것이다.

다음의 질문들은 경쟁기업의 의사 결정에 대한 가정, 또는 냉정한 판단이 결여되어 있거나 비현실적인 판단의 영역을 밝혀내는 데 도움이 될 것이다.

- 경쟁기업은 원가, 품질, 기술적 정교성, 그 밖의 핵심적인 사업 측면에서 '자신들의 상업적 위치'를 어떻게 파악하고 있는가? 그 기업의 공표 사실이나 경영관리 측의 주장, 판매능력, 그 밖의 다른 사실을 통해 이러한 상대적 위치를 가늠해본다. 경쟁기업은 자신들의 강점과 약점이 무엇이라고 생각하는가? 이러한 판단이나 생각은 정확한 것인가?

- 경쟁기업은 특정 제품이나 제품 디자인에 대한 접근방식, 품질개선 의욕, 공장입지, 판매방법, 유통체계 등과 같은 기능적 방침에 대해 강한 '전술적·심리적 애착'을 가지고 있는가? 그중 어느 것에 강한 집착을 보이는가?

- 경쟁기업이 기업 내외부의 상황을 인식하고, 이에 중요성을 부여하는 방법에 영향을 미치는 어떤 문화적·지역적·민족적인 요소가 있는가? 한 가지 예를 들면, 서독 기업들은 단위원가나 마케팅을 희생하는 경우가 있더라도 생산과 품질 개선에 주력하는 경우가 많다.

- 상황 판단이나 인식에 영향을 미칠 만큼 제도화된 어떤 '조직상의 가치관이나 규범'이 있는가? 창업자가 신조로 삼고 있는 어떤 방침이 아직까지 영향을 미치고 있는가?

- 경쟁기업은 그들의 제품에 대한 '미래의 수요'와 '산업 동향 내에 함축된 의미'를 어떻게 인식하고 있는가? 수요 동향을 불확실하게 판단해서 시설확장을 주저하거나 또는 불확실한 수요상황을 자신 있게 판단해서 시설확장을 단행할 가능성은 없는가? 경쟁기업이 특수한 산업 추이의 중요성을 잘못 평가할 가능성은 없는가? 예를 들어 실제로는 그런 추이를 보이고 있지 않음에도 특정 산업이 집중화되고 있다고 잘못 판단하고 있지는 않은가? 이러한 판단은 곧 전략적인 허점이 될 것이다.

- 경쟁기업은 다른 '경쟁기업들'의 목표나 능력을 어떻게 판단하고

있는가? 과대평가하거나 과소평가하고 있지는 않은가?

· 경쟁기업은 새로운 시장여건에 적합하지 않은 인습적인 사고나 전통적인 주먹구구식 방법, 또는 산업 내의 일반적인 접근방식을 그대로 믿고 있는가? 인습적인 사고의 실례로는 '모든 기업은 완벽한 생산라인을 갖추어야 한다' '고객들은 무가치한 것으로써 가치 있는 것을 교환한다' '이런 사업에서는 원료 공급원을 장악해야 한다' '공장의 분산화가 가장 효율적인 생산시스템이다' '기업에는 대규모적인 거래상이 필요하다' 등의 사고형태를 들 수 있다. 이러한 인습적인 사고가 적절하지 못하거나 바뀔 수 있는 상황을 파악하게 되면, 경쟁기업이 취하는 보복조치의 시의성과 적절성이라는 측면에서 자사는 훨씬 유리한 입장에 놓이게 될 것이다.

· 경쟁기업의 가정적 판단은 그 기업의 현행전략에 반영될 뿐만 아니라 그러한 판단으로 인해 전략 수립에 미묘한 영향을 받을 수도 있다. 기업은 산업 내의 새로운 상황을 과거와 현재의 여건을 모두 고려해 판단하기 때문에 객관성을 지니기 어렵다.

## 맹점이나 인습을 감지하는 중요성

다음의 경우는 경쟁기업들이 지닌 맹점을 파악하는 일이 얼마나 중요한 것인지를 단적으로 보여주는 실례라 하겠다. 밀러는 한 가족이 소유하는 형태가 많은 다른 양조회사들과는 달리 인습에 얽매이지 않았다. 밀러는 7온스들이 라이트 맥주와 자체 생산한 뢰벤브로이(lowenbrau) 맥주를 미켈롭(michelob: 대표적인 고급맥주)보다 25퍼센트나 인상된 가격으로 시판했다. 대부분의 양조회사들은 밀러의 이러한 행동을 비웃었지만, 밀러가 시장점유율을 크게 높이자 그때는 마지못해 밀러의 방식을 뒤따랐다.

시대에 뒤떨어진 낡은 인습을 파악하고 활용함으로써 큰 이득을 얻은 또 다른 사례가 있는데, 파라마운트 영화회사의 방향 전환이 그 경우이다. 파라마운트의 방향 전환은 새로이 초빙된 2명의 중역에 의해 이루어졌다. 그들은 TV 방송국을 경영하고 관리한 경험이 있는 사람들로서 영화 산업의 고질적인 인습이나 기준을 과감하게 버리고, 제작될 영화를 사전 판매하거나 수많은 영화관에서 동시 개봉하는 등의 방법을 통해 시장점유율을 크게 높였다.

## 목표와 가정의 지표역할을 하는 사업경력

특정 사업과 관련한 경쟁기업의 목표와 가정적 판단을 예시해주는 유력한 단서 중의 하나가 기업의 사업경력이다. 다음의 질문들은 사업경력을 검토하는 데 필요한 몇 가지 방법을 제시해줄 것이다.

· 경쟁기업의 현재 재정적 성과와 시장점유율이 비교적 최근인 과거와 비교해볼 때 어떠한 상태에 놓여 있는가? 이 질문은 경쟁기업의 미래 목표를 파악하는 데 도움이 될 것이다. 특히 과거의 경영성과가 다소 좋은 편이어서 그것이 경쟁기업에 자극이 되는 뚜렷한 가시적 지표 역할을 할 때에는 미래목표를 파악하는 데 더욱 좋은 자료가 된다. 경쟁기업은 항상 그 지표를 생각하면서 과거의 경영성과를 회복하려고 노력할 것이다.

· 경쟁기업의 과거 시장활용 경력은 어떠한가? 어느 부문에서 실패를 한 경험이 있는가? 또 이러한 실패경험 때문에 다시는 그 부문에 발을 들여놓으려 하지 않는가? 과거에 큰 실패를 한 경험이 있어서 다시 그 부문에 진입했다가는 더 큰 어려움을 겪을 것이라는 두려움을 품게 되면, 이런 생각은 의외로 오래 지속되면서 큰 압박을 가하게 된다. 특히 성공한 기업이라는 일반적인 평판을 듣던 기업이 한 번 큰 실패를 하

고 나면 이와 같은 침체상태에 빠지기 쉽다. 실례를 들면, 과거 할인 판매업을 하다가 실패했던 페더레이티드(Federated) 백화점은 7년간의 침체를 겪고서야 다시 소매업에 발을 들여놓을 수 있었다.

· 경쟁기업이 어느 분야에서 각광을 받거나 큰 성공을 거두었는가? 새로운 제품시판인가, 혁신적인 마케팅 방법인가? 아니면 그 밖의 다른 요인인가? 경쟁기업은 그러한 부문에 있어서는 과감한 선제조치를 취하거나 도전에 나설 충분한 자신감을 가지고 있을 것이다.

· 경쟁기업이 과거의 특정한 전략적 조치나 산업 내의 사태에 어떤 반응을 보였는가? 합리적으로 대응했는가, 아니면 감상적으로 대응했는가? 신속한 대응이었는가, 아니면 완만한 대응이었는가? 또 어떤 접근 방식을 취했는가? 어떤 형태의 사태에 빈약한 대응을 보였으며, 또 그 이유는 무엇인가?

## 경쟁관리자들의 경력과 자문관계

경쟁기업의 여러 목표나 가정적 판단, 앞으로 취할 만한 조치를 예시해주는 또 다른 주요 지표로는 경영 상위계층의 출신배경과 그들의 경력, 그리고 그들이 거둔 개인적인 성공이나 실패의 대상 등이 있다.

· 최고경영층의 경력은 기업의 방향설정과 사업 및 적절한 목표인식을 가늠할 수 있는 중요한 척도가 된다. 재무관리 부문에서 경력을 쌓은 경영층은 역점을 두는 전략적 방향에 있어서 마케팅이나 생산 부문에서 경력을 쌓은 경영층과는 다른 견해를 보이는 경우가 많다. 폴라로이드(Polaroid)의 에드윈 랜드(Edwin Land)가 전략적 문제 해결방안으로써 철저한 기술혁신을 달성한 것이나, 또 맥기(McGee)가 걸프(Gulf) 석유회사에서 에너지 관련 사업에 원가절감 전략으로 대응한 것이 그러한 실례

라 하겠다.

· 최고경영층의 가정이나 목표, 또는 앞으로 취할 조치를 예상해볼 수 있는 두 번째 단서는 그들이 개인적인 성공을 거두었거나 또는 실패했던 전략의 형태라 하겠다. 예를 들어 과거 최고경영층이 당면했던 문제를 경비절감을 통해 성공적으로 해결했다면, 다음에도 그러한 방안을 채택할 가능성이 많다.

· 최고경영층의 경력 중 중요시해야 할 또 다른 부분은 그들이 현재 종사하고 있는 부문과 다른 사업에 종사한 경험이 있는가 하는 점과, 있다면 그 사업에서는 어떠한 전략적 접근방식을 채택했는가 하는 점이다. 예를 들면 1960년대에 제이 아이 케이스(J. I. Case) 사장에 취임했던 마크 로잇맨(Marc Roijtman)은 과거 활동했던 산업장비 사업에서 성공을 거둔 바 있는 판매전략을 영농장비 사업에 그대로 적용했다. 알 제이 레이놀즈(R. J. Reynolds)는 소비자용 포장식품 회사와 화장품 회사에서 유능한 인재를 초빙하여 최고경영층을 보강하였는데, 이들은 자신들의 경영활동에 특유한 여러 제품관리 방식과 다른 단행들을 과감하게 도입·활용했다. 또한 은퇴한 HFC(Household Finance)의 최고경영층은 소매산업에서 활동했던 사람들이 많았는데, 이들은 소비자신용 분야에서 다진 자신들의 경력을 HFC의 강력한 기반으로 활용하면서 소비자신용 붐에 편승할 생각은 하지 않고, 소매 산업 진출로 경영을 다각화하는 데 자원을 투입했다. 그러나 소비자금융 사업부에서 승진한 사람들이 새롭게 최고경영층을 구성하면서 방향이 역전되었다. 과거에 성과를 나타냈던 사업 부문으로 방향을 되돌리려는 경향은 법무법인이나 컨설팅 회사, 산업 내의 다른 기업 출신 중역들에게서 쉽게 찾아볼 수 있다. 이러한 사람들은 그들의 전력이 다소 반영된 시각이나 문제해결 방식을 경쟁기업에 확산시킬 수 있다.

· 최고경영층은 이전에 그들이 겪었던 주요한 사태, 즉 격심한 경기

침체나 심각한 에너지난, 통화변동에 따른 막대한 결손과 같은 사태에 큰 영향을 받을 수 있다. 그러한 사태는 광범위한 분야에서 최고경영층의 시각에 큰 영향을 미치는 경우가 종종 있으며, 또 그에 따라 전략적인 선택에도 상당한 영향을 미치게 된다.

· 최고경영층의 시각은 그들이 쓴 글이나 평소의 언행, 그들의 전문적인 배경 또는 사용 가능한 특허권 경력, 그들이 빈번하게 접촉하는 다른 기업들(예를 들면 이사로서 참여하는 기업 등), 그들의 기업 외적 활동, 그리고 그 밖의 다른 여러 요소들을 통해서도 알 수 있다.

· 경쟁기업이 경영 관리상의 자문을 구하는 컨설팅 회사, 광고대행자, 투자은행, 그 밖의 자문 담당자도 중요한 단서를 제공할 수 있다. 다른 어떤 기업들이 이 자문담당자를 동시에 활용하고 있으며, 또 그는 그간 어떤 역할을 해왔는가? 이 자문담당자는 어떤 형태의 이론적 접근방식이나 실제적인 자문방식으로 유명한가? 경쟁기업이 의존하는 자문담당자의 신원을 밝혀내 그들을 면밀하게 파악하는 것도 기업의 미래 전략적 변화를 예시해주는 자료가 된다.

## 현행전략

경쟁기업 분석의 세 번째 구성요인은 개별 경쟁기업의 현행전략을 파악하여 분석보고서를 작성하는 일이다. 경쟁기업의 전략은 경영활동을 담당하는 개별 직능 부문의 핵심적인 운영방침과 직능 부문 간의 상관성을 모색하는 데 가장 유용한 수단이 된다. 이러한 전략은 명시적으로 드러날 수도 있고 내재적인 형태를 취할 수도 있으며, 또 언제나 일정한 형태를 취하는 것이 아닌 여러 가지 모습으로 나타나기도 한다.

경쟁기업의 전략을 밝혀내는 원칙적인 방법에 대해서는 이 책을 시작하면서 밝혔다.

# 능력

　경쟁기업 분석의 마지막 단계는 개별 경쟁기업의 능력을 현실적으로 평가하는 일이다. 경쟁기업이 설정한 목표와 가정적 판단, 현행전략은 기업의 전략적 반응이나 대응의 가능성과 강도, 타이밍, 특성 등에 영향을 미칠 것이다.

　기업이 지닌 강점과 약점은 스스로 전략적 조치를 취하거나, 다른 기업의 전략적 조치에 대응하는 능력은 물론 주변이나 산업 내에서 야기되는 사태를 처리하는 능력을 좌우하게 된다.

　경쟁기업의 강점과 약점은 비교적 뚜렷하게 드러나기 때문에 여기서는 길게 다루지 않겠다. 넓은 의미에서 경쟁기업의 강점과 약점은 1장에서 설명한 5가지 경쟁요인과 관련된 그 기업의 입장을 검토하는 형태로써 평가할 수 있을 것이다. 그리고 7장에서 다시 논의할 것이다. 협의의 시각에서 살펴본다면, 다음의 일람표를 통해 핵심적인 사업 분야에서의 경쟁기업의 강점과 약점을 파악해볼 수 있을 것이다.[6] 〈표 3-1〉은 부차적인 질문이나 종합적인 질문을 일부 포함하면 더욱 유용하게 활용될 수 있을 것이다.

## 핵심적인 능력

　· 개별 기능분야에서의 경쟁기업의 능력은 어떠한가? 가장 뛰어난 능력을 지닌 부문과 가장 취약한 부문은 어디인가?

　· 경쟁기업은 전략의 일관성 여부를 어떤 방법으로 검증하는가?

　· 경쟁기업이 성숙되면서 그러한 능력들에 어떤 변화가 일어날 가능성이 있는가? 그러한 능력이 시간이 경과함에 따라 강화되는가, 아니면 약화되는가?

**제품**
- 사용자가 판단하는 개별 시장 부문에서의 제품평판
- 제품라인의 폭과 깊이

**거래상 및 유통**
- 유통경로의 범위와 질적 수준
- 유통경로 관계상의 강점
- 유통경로에 대한 서비스 능력

**마케팅과 판매**
- 마케팅 믹스(marketing mix)의 개별 측면에서 발휘되는 능력
- 시장조사와 신제품 개발상의 기술
- 판매원들의 훈련과 그들의 숙련도

**운용(operation)**
- 제조원가 상태- 규모의 경제나 학습곡선(learning curve), 설비의 현대화 등
- 설비의 기술적 고도화
- 설비의 신축성
- 독점적인 노하우와 독특한 특허권, 또는 원가상의 이점
- 시설 확장, 품질관리, 공작기계 관리상의 기능
- 인건비와 수송비를 포함한 입지조건
- 인력 관리상의 여건, 노동조합 조직상황
- 원자재 확보 및 원자재 비용
- 수직적 계열화 수준

**연구 및 엔지니어링**
- 특허권이나 저작권
- 연구 및 개발을 추진하는 자체적 능력(제품 연구, 공정 연구, 기초 연구, 개발, 모방 등)
- 창의성, 성실성, 신뢰성, 우수성의 측면에서 평가된 연구개발원의 자질
- 외부에 있는 연구원 및 기술자에 대한 접근형태(공급자, 구매자 및 하청업자 등)

**총체적인 원가**
- 전반적인 관련 원가
- 다른 사업단위와 공동으로 분담하는 원가나 공동으로 벌이는 활동
- 경쟁기업이 원가상의 유리한 위치를 차지하는 데 핵심적인 역할을 하는 규모의 경제나 다른 요인들

**재무 관리상의 강점**
- 현금의 흐름
- 단기 및 장기 차입능력
- 예측 가능한 미래에 이루어질 증자능력

• 증권 유통이나 자본 조달, 신용판매, 재고, 미수금 처리 등을 포함한 재무 관리상의 능력

## 조직
• 조직 내 가치기준의 통합성과 목적의 명확성
• 최근의 여러 가지 요구로 인한 조직의 과도한 부담
• 조직편제와 전략 실행의 조화

## 일반적인 경영관리 능력
• 최고경영층(CEO)의 경영지도 역량과 동기부여 능력
• 특정한 직능부서나 직능그룹 간의 조정능력(예를 들면 제조와 연구 부문의 조정 등)
• 경영 관리층의 연령과 훈련 및 기능적 지향성
• 경영관리의 강도(depth)
• 경영 관리상의 신축성과 적응성

## 사업 다각화 노력(portfolio)
• 재원 및 다른 자원 면에서 모든 사업단위의 계획된 활동 전환을 뒷받침할 수 있는 모기업의 능력
• 사업단위의 강점을 보강할 수 있는 모기업의 능력

## 기타
• 정부기관의 특별대우를 받거나 그 기관과 쉽게 접촉할 수 있는 능력
• 보충인원 수

〈표 3-1〉 경쟁기업의 강점 · 약점 분야 일람표

## 성장능력

· 경쟁기업의 능력은 기업이 성장함에 따라 강화되는가, 아니면 약화되는가? 그러한 능력상의 변화가 있다면 어느 부문에서 일어날 것인가?

· 인력, 기술, 생산설비 면에서 성장을 도모할 수 있는 경쟁기업의 능력은 어떠한가?

· 재무적인 측면에서 경쟁기업의 '지속적인 성장'이란 무엇인가? 듀 퐁의 분석방법에 따른다면 그 기업은 성장 능력이 있는가? 그 기업은 시장점유율을 높일 수 있는가? 지속적인 성장이 외부 자본조달에 대해 얼마나 민감한 영향을 받는가? 또 단기적인 재무성과를 훌륭하게 성취

시키는 데 있어서 얼마나 민감한 영향을 받는가?

### 신속대응 능력

다른 기업의 움직임에 즉각 대응하거나 또는 즉각적인 공세를 취할 경쟁기업의 능력은 어느 정도인가? 이러한 능력은 다음과 같은 요인들에 좌우된다.

- 용도가 결정되지 않은 사내 잉여금
- 예비차입 능력
- 잉여생산 준비
- 출고를 준비 중인 신제품

### 변화에 대한 적응능력

- 경쟁기업의 고정비 대 변동비의 비율은 어떠한가? 설 연휴에 따른 비용지출 상황은 어떠한가? 이러한 부분들은 변화에 대응해 취할 조치들에 영향을 미칠 것이다.
- 개별 기능영역의 여건 변화에 적응하고 대응하는 경쟁기업의 능력은 어떠한가? 예를 들어 그 기업은 다음과 같은 새로운 여건에 적응할 수 있는가?
  - 원가상의 경쟁
  - 더욱 복잡해진 제품 라인의 관리
  - 신제품의 추가
  - 고객에 대한 서비스 경쟁
  - 마케팅 활동의 확대 및 강화
- 경쟁기업은 다음과 같은 외부 사태에 대응할 수 있는가?
  - 고율의 인플레이션 상태 계속

- 현재의 공장설비를 쓸모없게 만드는 기술적 변화
- 경기침체
- 임금수준 상승
- 경쟁기업의 사업에 영향을 미칠 정부의 규제

· 경쟁기업은 사업규모의 축소나 활동 포기를 뜻대로 할 수 없게 만드는 철수장벽들을 가지고 있는가?

· 경쟁기업은 모기업의 다른 사업 단위와 생산설비, 판매원 및 그 밖의 시설이나 인원을 공동으로 활용하고 있는가? 이러한 공동활용은 주변의 변화에 적응할 수 있는 능력을 제약하거나 원가관리를 저해할 수도 있다.

### 지속력

· 경쟁기업이 수익이나 현금의 흐름에 압박을 가할 수 있는 장기전을 계속할 수 있는 능력은 어느 정도인가? 이는 다음과 같은 요인을 검토해 보면 알 수 있다.
- 현금 보유율
- 경영층 간의 의견 일치
- 재무적 목표의 장기성
- 증권시장의 낮은 압력

# 4가지 조성요인의 통합 - 경쟁기업의 대응수준

경쟁기업의 미래목표, 가정적 판단, 현행전략 및 능력의 분석이 끝났으면, 경쟁기업이 앞으로 어떤 방법으로 대응조치를 취할지 대략적인 방향을 잡을 수 있을 것이다. 경쟁기업의 대응수준을 파악하는 데는 다음과 같은 질문을 하는 것이 도움이 된다.

## 공격적인 조치

첫 번째 단계는 경쟁기업이 어떤 전략적 변화를 시도할 것인지 예측하는 일이다.

• **현재의 상황에 대한 만족** | 경쟁기업과 모기업의 여러 목표와 현재의 입장을 비교해볼 때 기업이 전략적인 전환을 시도할 가능성이 있는가?

• **취할 가능성이 높은 조치** | 경쟁기업의 목표나 가정적 판단, 능력을 현재의 입장과 관련해서 볼 때, 기업이 앞으로 취할 가능성이 가장 높은 전략적 조치는 어떠한 것인가? 이러한 요인들은 미래의 상황에 대한 경쟁기업의 판단이나 자체의 강점이 어떤 것이라고 믿고 있는지에 대한 점, 그리고 취약하다고 생각하는 경쟁대상, 바람직하다고 생각하는 경쟁사업, 최고경영층이 그 사업에 대해 품고 있는 선입견, 그 밖에 앞에서의 분석과정에서 고려대상이 된 여러 가지 점들을 드러내준다.

• **조치의 강도와 중요성** | 경쟁기업의 여러 목표와 능력을 분석한 결과는 기업이 취할 조치의 예상되는 강도를 평가하는 데 이용할 수 있다. 그 결과는 또한 경쟁기업이 그 조치를 통해 얻을 수 있는 것이 무엇인지 평가하는 데도 중요한 자료로 이용된다. 예를 들면 경쟁기업이 다른 사업부와 원가를 분담하는 조치를 강구함으로써 원가상의 상대적인 입장이 크게 강화되었다면 이는 마케팅의 관계를 증대하는 조치보다 훨씬 강한 조치라고 할 수 있다. 경쟁기업의 목표를 파악하는 것과 함께 그 기업의 이득을 예측할 수 있다면, 경쟁기업이 앞으로 얼마나 진지하게

전략적인 조치를 취할 것인지 파악할 수 있을 것이다.

## 방어능력

경쟁기업의 대응수준을 파악하는 두 번째 단계는 기업이 취할 수 있는 현실성 있는 전략적 조치의 리스트와 실제로 일어날 가능성이 있는 산업 및 경영 환경상의 변화를 리스트로 만드는 일이다. 이러한 일람표는 다음과 같은 기준을 바탕으로 경쟁기업의 방어능력을 결정하는 평가 자료로 활용할 수 있다.

• 취약성 | 경쟁기업이 타격을 받기 쉬운 전략적 조치, 그리고 정부적인 차원이나 거시 경제적 차원에서의 산업적 사태는 어떤 것인가? 전략적 조치를 취한 쪽보다 특정 경쟁기업의 이윤에 더 크거나 적은 영향을 미치는 불균형적인 결과를 가져오는 사태는 어떤 것인가? 보복적인 대응책을 강구하는 데 엄청난 자금이 들기 때문에 경쟁기업이 도저히 시행할 수 없는 조치로는 어떤 것이 있는가?

• 도발 | 보복적인 대응책을 강구하는 데 많은 비용이 들고 또 별다른 재정적 성과가 없음에도 경쟁기업으로 하여금 그러한 보복조치를 취하게 만드는 조치나 사태 변화는 어떤 것인가? 다시 말하면 경쟁기업의 목표나 위치를 크게 위협해 경쟁기업이 보복적인 대응에 나설 수밖에 없도록 만드는 조치는 어떤 것인가? 대부분의 경쟁기업들에는 위협이 가해지면 의외로 강한 반응을 보이는 지극히 민감한 사업 부문이 있다. 이처럼 민감한 사업 부문에는 대개 적극적인 목표나 심리적인 애착이 얽혀 있다. 가능한 한 이런 사업 부문은 피해야 할 것이다.

• 보복적 대응의 효율성 | 경쟁기업의 목표나 가정적 판단, 현행전략, 능력 등으로 미루어볼 때, 그 기업이 즉각적이고 효율적인 대응을 보이는 데 장애를 받는 조치는 어떤 것들인가? 경쟁기업이 대항하려고 해도 별다른 성과를 거두지 못할 것이 예상되는 부문에서는 어떤 조치를 취해야 하는가?

〈그림 3-2〉는 경쟁기업의 방어능력을 분석하는 간단한 형태의 그림이다. 이 그림의 왼쪽 상단 부분에는 어떤 기업이 취할 수 있는 실행 가능한 전략적 조치들을 기재하고, 왼쪽 하단 부분에는 일어날 수 있는 주변 환경이나 산업상의 변화를 기재한다(경쟁기업이 취할 만한 조치도 포함한다). 그 다음 이러한 조치나 변화를 그림 상단에 기재된 내용과 대비해 판단한다. 이러한 과정은 경쟁기업으로 하여금 가장 효과적인 전략을 선택할 수 있게 하고, 또한 경쟁기업의 약점을 노출시키는 산업 및 환경 변화에 대해 신속하게 대응할 수 있도록 해준다(경쟁적 조치를 선택하는 문제에 대해서는 5장에서 자세하게 다루겠다).

## 최적의 경쟁터 선택

특정 기업이 어떤 조치를 취했을 때 경쟁기업이 이에 보복을 가할 것이라고 가정한다면, 그 다음 세울 수 있는 전략적 과정은 그 경쟁기업과 대립할 최적의 경쟁터를 선택하는 일이다. 이 단계가 경쟁기업의 대응 수준을 파악하는 세 번째 단계이다. 최적의 경쟁터란 경쟁기업이 제대로 대비하지 못해서 경쟁을 벌이기에 가장 약한 시장 부문이나 전략의 차원을 말한다. 또는 원가에 바탕을 둔 제품라인 중 최상의 제품이나 최하의 제품을 중심으로 경쟁을 벌일 수도 있다.

가장 이상적인 방법은 경쟁 대상자들이 현재의 여건 속에 묶여 대응하지 못하게 하는 전략을 찾아내는 것이다. 과거와 현재의 전략 경험에 비추어볼 때, 어떤 조치는 그 조치를 취하는 기업에는 별다른 어려움이나 희생을 요구하지 않으면서 이를 따르는 경쟁기업들에는 엄청난 대가를 치르게 하는 경우가 있다. 예를 들어 폴저스 커피(Folger's Coffee)가 가격을 인하함으로써 맥스웰 하우스(Maxwell House)의 동부지역을 공략할 때, 시장점유율이 높은 맥스웰 하우스 측은 동일하게 가격을 인하하면서 대응하는 데 엄청난 희생을 치렀다.

경쟁기업 분석에서 이끌어낼 수 있는 또 하나의 중요한 전략은 경쟁기업의 동인이 여러 가지로 뒤엉키거나 설정된 목표가 상충되는 상황을 조성하는 것이다. 이러한 전략은 경쟁기업이 전략조치에 대해 효과적인

| 사태 | 그 사태에 대한 경쟁기업의 취약성 | 그 사태가 경쟁기업의 보복을 유발하는 정도 | 그 사태에 대해 경쟁기업이 취하는 보복조치의 효율성 |
|---|---|---|---|
| 자회사의 실행 가능한 전략적 조치 (다음과 같은 대안을 열거할 수 있다.) • 제품라인의 확보 • 품질과 서비스 개선 • 가격인하와 비용 경쟁 | | | |
| 일어날 수 있는 주변 환경이나 산업상의 변화(다음과 같은 변화요인을 열거할 수 있다.) • 원자재 비용의 대폭 상승 • 판매량 감소 • 구매자의 비용의식 증대 | | | |

〈그림 3-2〉 경쟁기업의 방어능력에 대한 평가 분석

보복책을 강구한다 하더라도, 결국 그 보복책이 경쟁기업을 더욱 안 좋은 상황으로 몰아넣는 결과를 초래한다. 예를 들면 IBM이 미니컴퓨터 사업에 대한 경쟁기업의 위협을 미니컴퓨터 사업부로 하여금 대응하게 할 경우, 이러한 조치는 IBM의 대형컴퓨터 사업의 성장을 쇠퇴하게 해 결국 미니컴퓨터 사업을 주력으로 하게 되는 전환을 가져올 수 있다. 경쟁기업들로 하여금 여러 목표가 상충되는 상황에 빠져들게 하는 것도, 판매시장에서 성공을 거둔 안정된 기업을 공략하는 매우 효과적인 전략이 될 수 있다. 소규모 기업이나 새로이 진출한 기업은 활동하고 있는 산업 내에서 이용되는 기존 전략에 거의 얽매이지 않는 경우가 많은데, 이런 기업이 기존 전략의 이해에 얽혀 있는 점을 이용해서 경쟁기업을 궁지로 몰아넣는 전략을 찾아낸다면 큰 이득을 얻을 수 있을 것이다.

실제로는 여러 가지 동인이 뒤엉키는 일로 인해 경쟁기업이 완전히 속수무책이 되거나 무너지는 일이 흔하지는 않다. 그러나 이런 상황이 온다면 앞에서 설명한 대로 가장 유리한 입장에서 경쟁을 벌일 수 있는 전략적 조치를 찾아내는 데 도움을 얻을 수 있다. 이는 경쟁기업의 목표와 가정적 판단을 파악함으로써 그 기업의 효과적인 보복책을 회피하고, 아울러 자사의 독특한 능력이 발휘될 수 있는 경쟁터를 선택하는 것을 의미한다.

## 경쟁기업 분석과 산업 예측

기존 또는 잠재적 경쟁기업을 면밀히 분석하면 미래의 산업 여건을 예측하는 중요한 자료로서 활용할 수 있다. 개별 경쟁기업이 취할 수 있는 조치와 변화에 대응하는 능력을 파악해서 요약하면, 다음과 같은 질문들에 해답을 얻을 수 있을 것이다.

· 경쟁기업이 취할 수 있는 조치들의 상호작용이 시사하는 의미는 무엇인가?
· 기업들의 전략이 어느 한곳에 집중되면서 상충될 가능성이 있는가?
· 기업들이 그 산업의 예측 성장률에 견줄 만한 지속적인 성장률을 보이고 있는가, 아니면 실제 성장률과 예측 성장률의 격차로 인해 신규 진입을 초래할 것인가?
· 예상되는 조치들을 취합하면 산업구조의 특성이 암시적으로 드러나는가?

## 경쟁기업 정보관리 시스템의 필요성

경쟁기업에 관한 여러 의문을 해소시키는 데에는 상당히 많은 자료가 필요하다. 경쟁기업에 관한 정보와 자료를 수집할 수 있는 원천은 매우 다양하다. 공개적으로 제출하는 보고서, 경쟁기업 경영층이 기업진단 분석가(security analyst)들에게 밝힌 기업 실태, 업계 전문지의 기사, 판매원, 경쟁관계에 있는 여러 기업들에 부품이나 서비스를 제공하는 공급자나 이 기업들의 고객, 경쟁기업 제품의 조사, 자체 기술진의 평가, 경쟁기업에서 퇴사한 경영관리자나 다른 직원들로부터 수집한 정보 등이 모두 해당된다(자료수집 원천에 대한 내용은 부록B에 자세히 나와 있다). 완벽한 경쟁기업 분석을 뒷받침할 만한 방대한 자료를 한 번의 집중적인 노력으로 수집한다는 것은 거의 불가능한 일이다. 애매한 사실에 판단의 기준을 제공해주는 이 자료들은 대량 입수할 수 있는 것이 아니라 대개 조금씩 입수되는 경우가 많다. 따라서 경쟁기업이 처한 상황을 포괄적으로 파악하기 위해서는 이러한 자료들을 일정 기간 동안 수집, 취합해서 분석해야 할 것이다.

정밀한 경쟁기업 분석에 필요한 자료수집은 예상할 수 있는 정도 이상으로 힘겨운 작업이다. 자료수집 과정이 효율적으로 이루어지게 하려면 경쟁기업 정보관리 시스템과 같은 조직적인 기구가 필요하다. 정보관리 시스템은 기업의 요구나 활동하고 있는 산업, 기업 참모진의 능력, 그리고 경영진의 관심이나 재능에 따라 다양한 형태를 취할 수 있다.

〈그림 3-3〉은 경쟁기업 정밀분석에 필요한 자료를 수집·정리·처리하는 데 반드시 필요한 기능을 보여주고, 또 개별 기능의 수행방법을 대체하는 선택방안을 일부 제시해주고 있다. 이러한 모든 역할을 한 사람이 맡아 효과적으로 처리하는 기업도 있기는 하겠지만, 그러한 경우는 예외적이라 하겠다. 현장자료나 문헌자료의 수집원천은 상당히 많기 때문에 이런 자료는 기업의 많은 직원들이 수집, 제공할 수 있을 것이다. 더구나 이런 자료들을 능률적인 방법으로 정리·분류·요약·통보하는 일은 한 사람이 감당하기에는 매우 벅찬 작업이다.

기업에 따라 이러한 역할을 수행하는 조직편성 방법은 매우 다양하다. 즉 어느 기업은 기획부의 한 파트로서 경쟁기업 분석그룹을 만들어 모든 역할을 떠넘기는가 하면 다른 기업은 경쟁기업 정보조정 책임자를 두어 자료의 수집·정리·통보 역할을 담당하게 한다. 또 다른 기업에서는 전략기준 담당자가 모든 일을 도맡아 비공식적으로 처리하기도 한다. 그러나 경쟁기업 분석에 대한 책임의 한계를 명확하게 규정하지 않는 경우가 많다. 경쟁기업 분석을 위한 자료수집 방법에 한 가지 전형적인 방법만 있는 것은 아니지만, 자료수집의 필요성에 적극적으로 관심을 가지지 않을 경우 많은 유용한 정보를 잃게 될 것이다. 최고경영층은 기회과정의 일환으로서 경쟁기업의 정밀분석 활동을 촉진시킬 수 있다. 최소한 한 경영관리자가 경쟁기업에 대한 정보수집 활동의 구심점 역할을 맡을 필요가 있다.

〈그림 3-3〉에서 볼 수 있는 바와 같이 자료수집의 개별적인 기능도

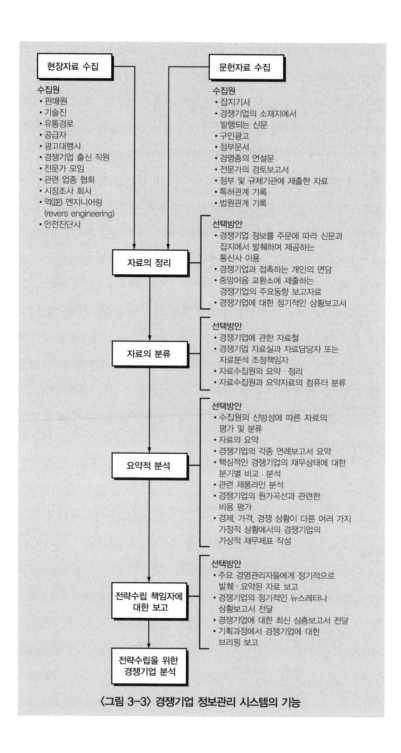

현장자료 수집

수집원
• 판매원
• 기술진
• 유통경로
• 공급자
• 광고대행사
• 경쟁기업 출신 직원
• 전문가 모임
• 관련 업종 협회
• 시장조사 회사
• 역(逆) 엔지니어링
  (revers engineering)
• 안전진단사

문헌자료 수집

수집원
• 잡지기사
• 경쟁기업의 소재지에서
  발행되는 신문
• 구인광고
• 정부문서
• 경영층의 연설문
• 전문가의 검토보고서
• 정부 및 규제기관에 제출한 자료
• 특허관계 기록
• 법원관계 기록

선택방안
• 경쟁기업 정보를 주문에 따라 신문과
  잡지에서 발췌하여 제공하는
  통신사 이용
• 경쟁기업과 접촉하는 개인의 면담
• 중앙어음 교환소에 제출하는
  경쟁기업의 주요동향 보고자료
• 경쟁기업에 대한 정기적인 상황보고서

자료의 정리

선택방안
• 경쟁기업에 관한 자료철
• 경쟁기업 자료실과 자료담당자 또는
  자료분석 조정책임자
• 자료수집원의 요약·정리
• 자료수집원과 요약자료의 컴퓨터 분류

자료의 분류

선택방안
• 수집원의 신빙성에 따른 자료의
  평가 및 분류
• 자료의 요약
• 경쟁기업의 각종 연례보고서 요약
• 핵심적인 경쟁기업의 재무상태에 대한
  분기별 비교·분석
• 관련 제품라인 분석
• 경쟁기업의 원가곡선과 관련한
  비용 평가
• 경제, 가격, 경쟁 상황이 다른 여러 가지
  가정적 상황에서의 경쟁기업의
  가상적 재무제표 작성

요약적 분석

선택방안
• 주요 경영관리자들에게 정기적으로
  발췌·요약된 자료 보고
• 경쟁기업의 정기적인 뉴스레터나
  상황보고서 전달
• 경쟁기업에 대한 최신 심층보고서 전달
• 기획과정에서 경쟁기업에 대한
  브리핑 보고

전략수립 책임자에
대한 보고

전략수립을 위한
경쟁기업 분석

〈그림 3-3〉 경쟁기업 정보관리 시스템의 기능

여러 가지 다양한 방법으로 수행될 수 있다. 선택방안은 정밀성과 완벽성을 기할 수 있는 수준을 충족시켜줄 것이다. 소규모 기업은 복잡한 접근 방식을 시도할 만한 자원이나 인원이 부족할 것이고, 또 유력한 경쟁기업을 제대로 파악할 수 있는지의 여부에 따라 성패가 좌우되는 기업에서는 복잡한 접근방식을 그대로 따라야 할지도 모른다. 경쟁기업 분석의 정밀성 수준에 관계없이 수집된 정보의 전달과 통보도 지극히 중요한 부분이다. 수집된 자료가 전략 수립에 활용되지 못한다면 자료수집 활동은 시간과 노력 낭비에 불과하다. 따라서 자료를 활용할 수 있도록 간략하게 정리해서 최고경영층에 보고하는 독창적인 방법을 강구해야 할 것이다.

경쟁기업에 관한 정보수집 담당기구가 어떤 형태이든 간에, 그 기구가 공식조직으로서 자료정리 및 문서화 활동을 함께 담당하고 있다면 여러 가지 이점이 있다. 잡다한 자료는 자칫 잃어버리기 쉽고, 그렇게 되면 자료를 통해서 얻을 수 있는 이득도 사라지게 된다. 경쟁기업 분석이 매우 중요한 작업인 만큼 정보수집과 관련한 담당기구의 배치 또한 적당히 처리해서는 안 될 것이다.

# 시장신호

시장신호(market signal)란 경쟁기업이 기업 자체의 의도나 동기, 목표 또는 내부 상황을 직·간접적으로 드러내는 활동을 말한다. 경쟁기업이 시장신호를 드러내는 방법은 무수히 많다. 어떤 신호는 허세에 불과하고 또 어떤 신호는 경고를 위한 것일 수도 있다.[1] 여러 가지 시장신호는 시장에서 행해지는 간접적인 의사소통 수단이라 할 수 있는데, 대부분의 경우 경쟁기업의 시장신호 속에는 경쟁기업 분석과 전략 수립에 도움이 되는 정보들이 담겨 있다.

따라서 시장신호를 정확하게 파악하는 일은 경쟁전략을 수립해나가는 데 매우 중요하며, 또한 경쟁기업 분석의 보충작업으로서 필수적인 과정이라 하겠다(3장). 경쟁기업의 신호를 정확하게 파악하는 일은 5장에서 다루게 될 효과적인 경쟁조치에도 중요한 역할을 한다. 상대방의 신호를 정확하게 판단하기 위해서는 기본적인 경쟁기업 분석, 즉 경쟁기업의 미래목표, 시장과 자사에 대한 가정적 판단, 현행전략, 능력 등을 파악하는 작업이 반드시 선행되어야 한다. 간접적인 경쟁기업 분석방법인 시장신호는, 주로 경쟁기업이 처한 상황 중 이미 드러난 행동을 비교·평가해야 한다는 점에서 특히 섬세한 판단이 요구된다. 이처럼 시장신호의 판독은 미묘한 부분이 많은 만큼, 상대방의 행위와 3장에서 언급한 경쟁기업 분석결과를 대조하는 작업을 병행해야 할 것이다.

# 시장신호의 유형

시장신호는 근본적으로 2가지의 다른 기능을 가진다. 하나는 경쟁기업의 동기나 의도, 목표 등을 숨김없이 드러내는 것이고, 다른 하나는 단순한 허세에 불과한 것이다. 허세는 다른 기업들이 시장신호를 잘못 판단해서 신호를 보낸 쪽에 유리하도록 어떤 행동을 취하거나 또는 취하지 않게 하려는 의도에서 나오는 것이다. 허세와 진의가 담긴 시장신호를 구별해서 판단하려면 그 기업에 대한 미묘하고 어려운 판단이 요구될 때가 많다.

시장신호는 그 신호와 관련된 특정 경쟁기업의 행위와 사용되는 수단에 따라 다양한 형태를 보인다. 시장신호와 관련한 부분에서는 경쟁기업이 허세를 부릴 때 시장신호를 어떻게 이용해야 하는지, 또 허세와 진의의 시장신호를 어떻게 구별해야 하는지에 대한 점을 중시해야 한다.

시장신호의 대표적인 형태를 소개하면 다음과 같다.

## 행동이나 조치의 사전공표

사전공표의 형태나 성격, 시기의 선택은 모두 중요한 시장신호의 역할을 한다. 사전공표는 가령 특정 경쟁기업이 공장을 세우겠다든가, 가격을 인상 또는 인하하겠다든가 하는 식의 어떤 행동을 '취하거나 취하지 않겠다'는 뜻을 공식적으로 밝히는 것이다. 그러나 공표했다고 해서 그 기업이 반드시 공표한 대로 실행한다고 볼 수는 없다. 사전에 한 공표가 실제로는 실행되지 않을 수도 있다. 가령 추후 다른 공표를 함으로써 앞의 공표내용을 백지화할 수도 있고, 또 우물쭈물하다가 공표내용을 실천에 옮기지 못하는 경우도 생길 수 있다. 이러한 특성으로 인해 사전공표는 시장신호로서의 가치가 한층 더 무거워진다.

일반적으로 사전공표는 여러 가지 시장신호 역할을 한다. 첫 번째로 사전공표는 다른 경쟁기업들보다 '시장을 선점하기 위해' 어떤 조치를 취하겠다는 태도를 명백하게 밝히는 의도이다. 예를 들어 경쟁기업이 그 산업에서 예상되는 수요 증대를 충족시키기에 충분한 규모의 새로운 설비확장 계획을 공표했다면, 그 의도는 다른 기업들의 시설확장 계획을 단념시키려는 데 있다고 보아야 할 것이다. 왜냐하면 다른 기업들마저 생산설비를 확장한다면 그 산업은 설비과잉 현상이 빚어질 것이기 때문이다. 기업은 또 시장출하 준비를 갖추기 훨씬 전부터 신제품을 홍보함으로써 구매자들로 하여금 그동안 경쟁기업의 제품을 사들이지 않고 자사의 신제품 출하를 기다리게 만들기도 한다.[2]

이러한 사례는 IBM의 경우에서 찾아볼 수 있다. 버키(Berkey)는 코닥(Eastman Kodak)이 경쟁기업의 제품 판매를 억제하기 위해 생산에 훨씬 앞서 새로운 카메라 제품을 소개했다고 해서 코닥을 반독점법 위반혐의로 제소했다.

두 번째로 사전공표는 어느 경쟁기업이 계획된 조치를 취할 경우, 자신들도 어떠한 조치로써 대응할 것이라는 '위협'이다. 예를 들어 A가 경쟁기업 B의 가격인하 의도(또는 B가 그런 의도를 공표했을 때)를 알고 있다면, A는 B가 의도하는 가격인하폭보다 더 큰 폭의 가격인하를 단행하겠다고 공표할 수 있다. 그렇게 되면 B는 계획했던 가격인하 실행을 주저하게 될지도 모른다. 왜냐하면 B는 A가 가격인하 계획 자체를 못마땅하게 생각하면서도 어쩔 수 없이 가격인하 경쟁에 뛰어들 것임을 알고 있기 때문이다.

세 번째로 사전공표는 반드시 실행할 필요가 없다는 점을 이용해 '경쟁기업의 의중을 떠보려는' 술책이다. 가령 A가 경쟁기업들의 반응을 살펴보기 위해 새로운 보증실시 계획을 공표했다고 하자. 만약 다른 기업들이 예측한 대로 반응을 보인다면 A는 계획대로 보증형태의 전환을 실행할 것이다. 그러나 경쟁기업들이 예상과는 달리 노골적인 불쾌감을 드러내거나 A와 약간 다른 형태의 보증실시 계획을 발표한다면, A는 계획을 취소하거나 또는 경쟁기업이 발표한 보증실시 계획에 상응하는 형태로 당초의 계획을 수정할 것이다.

네 번째로 사전공표는 그 산업의 경쟁적 사태 진전에 대한 '만족이나 불쾌감을 전하는' 수단이다.[3] 경쟁기업의 조치에 합치되는 활동계획을 공표한다면 이는 만족의 표시가 되겠지만, 응징적인 조치나 또는 동일한 목표에 대해 전혀 다른 방법을 택하겠다고 공표한다면 이는 불쾌감을 드러내는 것이라 볼 수 있다.

다섯 번째이자 가장 흔한 사전공표의 형태는, 앞으로 취할 전략적 조정을 '도발성을 극소화하기 위한' 유화적 조치로써 이용하는 것이다. 이러한 성격의 사전공표는 전략상의 조정이, 달갑지 않은 보복조치와 필요 없는 경쟁을 불러오지 않게 하려는 데 그 목적이 있다. 가령 A가 가격을 인하, 조정할 필요가 있다고 결정했다고 하자. A가 가격인하를 단행하기에 훨씬 앞서 이러한 계획을 공표하고 또 가격인하가 원가상의 변동요인으로 인해 충분히 타당성이 있는 것임을 경쟁기업들이 인식하게 한다면, B가 그런 움직임을 시장점유 확대의도로 오인하여 적극적인 보복조치를 취하는 일을 피할 수 있을 것이다.

이러한 성격의 사전공표는 주로 필요한 전략의 조정이 공격적인 성격이 아닐 때 이용된다. 그러나 오히려 경쟁기업에 안도감을 심어줌으로써 공격적인 조치의 실행을 원활하게 하려는 기만적인 술책으로 이용될 때도 있다. 이처럼 특정 신호가 양면에 날이 선 칼처럼 이용되는 경우도 많이 있다.

여섯 번째로 사전공표는 '동시다발적인 움직임으로 인해 큰 희생을 치르는 사태를 미연에 방지하기 위한' 수단으로 이용되기도 한다. 가령 시설확장과 같은 부분에서 여러 기업이 한꺼번에 공장설비를 증가하면 설비과잉 현상이 빚어질 것이다. 이런 사태를 예상해서 기업이 시설확장 계획을 사전에 공표하면, 경쟁기업이 확장시기를 조정함으로써 설비과잉 사태를 최소화할 수 있을 것이다.[4]

사전공표의 마지막 기능은 주가 상승이나 기업에 대한 평판을 개선하기 위해 '금융계를 대상으로 한 과시'의 수단으로 이용되는 것이다. 이러한 공표는 기업들이 기업 자체의 입장을 위해 가능한 한 각광을 받으려는 PR의 동기에서 비롯되는 경우가 많다. 이러한 성격의 공표가 경쟁기업에 자칫 잘못 전달되면 갈등을 불러올 수도 있다.

사전공표는 특정 조치에 대한 '기업 내부의 뒷받침'을 얻어내려는 목적으로 이용될 때도 있다. 일단 어떤 조치를 외부에 공표해버리면, 그 조치의 타당성 여부를 둘러싼 내부의 논란을 잠재울 수 있다. 주로 재무적인 목표를 외부에 공표해서 내부의 지지를 규합하는 경우가 많다.

이상의 논의에서 알 수 있듯이 모든 경쟁전이 돈 한 푼 들이지 않고 사전공표를 통해서만 전개될 수도 있다. 컴퓨터 기억장치 생산기업들 간에 벌어진 일련의 공표전은 이 같은 사례를 여실히 보여주었다. 먼저 텍사스 인스트루먼츠가 2년 후에 선보일 램(RAM) 메모리의 가격을 사전공표했다. 일주일이 지나자 바우마(Bowmar)가 이보다 싼 가격을 밝혔다. 3주 후에는 모토로라가 이보다도 더 싼 값을 제시했다. 모토로라가 가격을 발표한 2주 후, 텍사스 인스트루먼츠가 다시 모토로라가 제시한 가격의 절반 값으로 제품을 판매하겠다고 선언했다. 그러자 다른 기업들은 모두 램 메모리의 생산을 포기하기로 결정했다. 텍사스 인스트루먼츠는 대규모 투자를 하기도 전에 이미 경쟁에서 승자가 되었다.[5] 이처럼 사전공표를 주고받다가 경쟁을 끝냄으로써, 시장을 교란하거나 또는 계획 수정 및 철회와 같은 번잡한 경쟁을 치르지 않고서도 가격 인하폭이나 거래상에 대한 새로운 리베이트(rebate) 계획 등이 해결될 수 있는 것이다.

기업의 사전공표가 시장 선점을 위한 의도인지 유화적인 의도인지 구별하는 일은 어렵지만 정확성을 기해야 하는 중요한 문제이다. 그러한 구별을 위해서는 우선 사전공표를 한 기업이 얻을 수 있는 지속적인 이득이 어떠한 것인지 분석해야 한다.[6] 만약 사전공표를 한 기업이 지속적인 이득을 얻을 수 있다면, 그 기업은 시장 선점을 위해 사전공표를 이용했을 가능성이 높다.

반면 지속적으로 얻는 이득이 없거나 사전공표보다는 기습적인 실행에서 더 큰 이득을 얻을 수 있을 것으로 판단된다면, 이는 유화적인 동기가 작용했다고 볼 수 있다. 다른 기업들이 예상보다 덜한 타격을 입게 되는 조치를 사전에 공표하는 경우도 유화적인 동기로 볼 수 있다. 사전공표의 동기를 파악하는 데는 공표의 타이밍도 하나의 중요한 단서가 된다. 공표의 시기가 계획된 조치의 실행시기보다 훨씬 앞서 있을 때는 유화적인 동기로 볼 수 있다. 그러나 사전공표의 동기에 대한 상황을 모두 일반화해서 판단하기는 어렵다.

한 가지 분명한 것은 사전공표가 미리 계획된 허세일 가능성도 높다는 점이다. 사전에 공표했다고 해서 그 계획이 항상 실행되리란 법은 없다. 앞서 설명한 바와 같이 사전공표는 여러 가지 상황에서 경쟁기업에 위협을 가하기 위한 수단이 되기도 한다. 가령 경쟁기업에 대해 후퇴나 계획된 조치의 축소, 또는 선수 치지 못하게 하는 목적으로 활용되는 것이다. 예를 들어 기업이 다른 기업이 공표한 시설확장 계획을 취소하도록 하기 위해 대규모 공장을 신축하겠다고 공표했다고 하자. 이 기업으로서는 다른 기업의 시설확장 계획을 취소시키지 않으면 그 산업 내에서 점유하고 있는 자사의 생산용량 비율을 유지할 수 없다. 이 때문에 자사의 대규모 공장 신축이 산업 내에 엄청난 생산설비 과잉현상을 야기할 것을 계산하고 이 같은 허세를 부린 것이다. 그러나 이런 허세가 당초 의도한 효과를 가져오지 못하면 기업은 적지 않은 부담을 지게 된다. 그 기업은 처음부터 공장을 신축할 생각이 없었기 때문이다. 위협적인 공표가 실행되는지 아니면 공표 자체로만 끝나는지에 대한 문제는 추후 다른 공표를 할 때나 그 기업의 신뢰성에 치명적인 영향을 미친다. 극단적인 경우, 기만적인 사전공표는 경쟁기업으로 하여금 실제가 아닌 위협에 대처할 준비를 갖추는 데 막대한 자원을 낭비하게 만드는 허세로도 이용될 수 있다.

사전공표는 다양한 형태의 매개수단을 이용한다. 보도자료나 경영층의 연설, 또는 기자회견 등이 모두 사전공표의 매개수단에 포함된다. 사전공표의 매개수단으로 어떤 매체를 선택했는지 하는 것은 그 공표의 저의를 파악하는 단서가 된다. 공표의 형태가 공식적일수록 그만큼 전달하려는 의도가 확실하게, 또 의도하는 대상들에 폭넓게 알려지기를 바라는 것으로 볼 수 있다. 공표의 매개수단은 그 공표를 주목하는 대상에도 영향을 미친다.

만약 업계 전문지에 어떤 내용을 공표한다면 경쟁기업이나 다른 기업들에만 알려질 가능성이 높다. 따라서 업계 전문지에 공표하는 것과 전국을 대상으로 하는 경제지에 공표하는 것은, 공표에 함축된 의도가 서로 다르다고 볼 수 있다. 보다 광범위한 범위를 대상으로 하는 사전공표는 어떤 조치를 취하겠다는 공개적인 태도 표명의 한 방법이다. 이처럼 입장의 표명이 공개성을 보일 경우, 경쟁기업들은 그 기업이 공표한 조치를 철회하기 어려운 것으로 인식하고, 이는 자연스럽게 경쟁적인 조

치를 억제하는 효과를 발휘한다.[7]

## 결과나 조치의 사후공표

기업들은 공장설비 확장이나 매출지표, 그 밖의 성과나 조치를 사후에 공표(또는 확인)하는 경우가 있다. 이러한 사후공표는 공표하지 않았더라면 입수하기 어려운 자료를 어느 정도까지 공개하는지, 또 그 공표에 어느 정도의 의외성이 담겨 있는지에 따라 상당한 시장신호를 암시하고 있을 수 있다. 사후공표는 다른 기업들로 하여금 공개된 내용에 주목하게 함으로써 그들의 행동에 어떤 영향을 미치게 하려는 데 그 의도가 있다.

사전공표와 마찬가지로 사후공표 또한 사실과 다르거나 왜곡된 것일 가능성이 많다. 물론 이러한 경우가 일반적인 것은 아니다. 그러나 이러한 왜곡된 공표는 회계감사를 받지 않았거나 증권거래위원회(SEC)의 심사절차 및 의무규정을 제대로 지키지 않은, 시장점유율 같은 자료를 참고한 경우가 많다. 기업들은 어떤 자료가 선취 기능을 가지거나 자사의 의도를 효과적으로 전달할 수 있을 때는, 상대방의 오판을 불러올 수 있는 그릇된 자료까지 공표하는 경우가 종종 있다.

예를 들면 특정 제품의 매출지표에 관련된 일부 제품의 판매량까지 포함해 시장점유율을 과장하는 경우가 그렇다. 또 다른 예는 신축공장의 생산능력을 과장하는 것이다. 즉 공표된 시설용량을 갖추려면 2차 증설이 필요함에도 마치 1차 공사에서 시설용량을 전부 갖춘 것처럼 과장하는 것이다.[8]

이러한 사후공표의 과장과 오도를 간파할 수 있다면 경쟁기업의 목표나 실제적인 경쟁능력을 파악하는 데 중요한 단서가 될 것이다.

# 경쟁의 전반적인 문제에
# 대한 경쟁기업의 공개적 논의

경쟁기업이 수요 예측이나 가격 동향, 미래의 생산시설 증가 추세, 원자재 가격 상승과 같은 외부의 중요한 변화 등을 포함해, 산업의 전반적인 문제에 대해 견해를 밝히는 일은 흔히 있는 일이다. 이러한 견해 속에도 어떤 신호들이 담겨 있다고 볼 수 있다. 기업이 밝히는 견해를 통해 산업에 대한 기업의 추정적 전망을 파악할 수 있으며, 실제로 기업은 그러한 전망을 바탕으로 전략을 수립한다. 이러한 논의나 견해 표명은, 다른 기업들도 자신들과 동일한 가정적 전망의 범위 안에서 활동하도록 함으로써 상대방의 의도를 잘못 판단해서 필요 없는 경쟁을 벌이는 일을 가능한 한 줄이려는 의식적·무의식적인 의도이다. 또 이러한 견해 표명에는 가격경쟁의 자제를 호소하는 의미가 내포되어 있는 경우도 있다. 즉 "가격경쟁이 아직도 치열하게 전개되고 있다. 우리 산업은 지금 경쟁에 따른 불필요한 원가를 소비자에게 전가하는 추악한 일을 벌이고 있다"[9] 또는 "현재 우리 산업이 당면한 문제점은 현재의 가격구조가 우리의 장기적인 성장능력과 좋은 제품을 생산할 수 있는 능력을 저해하고 있다는 점을 일부 기업들이 제대로 인식하지 못하는 데 있다"[10]는 호소가 그러한 경우이다. 산업상황에 대한 논의에는 또 무절제한 시설 확장이나 과대한 광고경쟁, 주요 고객과의 거래관행 파괴, 그 밖에 자제가 필요한 여러 가지 행위 등을 하지 말자는 호소가 은연중에 담겨 있는 경우도 있으며, 아울러 다른 기업들이 '분별 있게' 행동할 때 자신들도 이에 협력하겠다는 의미도 담겨 있다.

물론 어떤 견해를 표명하는 기업은 자사의 입장에 유리한 형태로 산업상황을 해석하려 한다. 예를 들어 가격이 떨어지기를 바라는 기업은 경쟁기업의 가격이 지나치게 높은 것처럼 보이게 산업상황을 해석할 것이다. 이러한 태도 속에는 자사의 견해를 주시하는 기업들이 자사와 같은 입장에서 산업상황을 인식하게 함으로써 서로의 이해를 절충하자는 뜻이 내포되어 있는 것이다.

경쟁기업들은 산업의 전반적인 문제에 대해 자신들의 견해를 밝히는 일 외에도 경쟁대상 기업의 움직임에 대해 직접 언급하는 경우도 있다. 예를 들면 "최근 거래상에 대한 여신 확대는 이러저러한 이유로 적절하지 못하다"라는 견해이다. 이러한 비판적 견해를 잘 살펴보면, 어떤 조치에 대한 만족이나 불만을 나타내는 것임을 알 수 있지만 여기에도 함정이 있을 수 있다. 공표의 경우와 마찬가지로 견해표명도 표면적으로 드러난 태도와 본래의 의도가 다를 수 있다. 즉 경쟁기업의 행동이 바람직하지 못한 것처럼 보이게 함으로써 자신들의 입장을 강화하는 경우가 그렇다.

또 다른 경우로는 기업들이 경쟁기업의 이름이나 특정 산업 전체를 언급하여 칭찬하는 일이다. 예를 들어 종합병원의 경영에서 그런 예를 찾아볼 수 있다. 이런 칭찬은 대개 기업 간의 긴장을 완화시키거나 바람직하지 못한 관행을 종식하기 위한 유화적인 제스처로 사용된다. 모든 기업이 고객 집단이나 금융계에 주는 산업 전체의 이미지에 따라 영향을 받는 산업 부문에서 이런 경우를 흔히 볼 수 있다.

## 자체적인 조치에 대한 경쟁기업의 논의와 설명

경쟁기업은 자사의 행동이나 조치를 공개석상이나 토론석상에서 자발적으로 꺼내는 일이 있다. 물론 이런 자리에서는 그들의 발언이 다른 기업들에 직접 전달될 가능성이 많다. 공개토론의 일반적인 사례는 기업이 고객들이나 유통업자들과 토론 모임을 갖는 경우인데, 이때에는 토론 내용이 산업 전체에 알려지게 된다.

기업이 의식적이건 무의식적이건, 기업 자체의 조치를 설명 또는 토론에 붙이는 일은 최소한 다음과 같은 3가지 의도가 있다고 볼 수 있다. 첫째는 다른 기업들로 하여금 그 기업의 조치를 따르게 하거나 또는 그 조치가 다른 기업을 자극, 도발시키기 위한 것이 아니라는 것을 알리려는 시도이다. 두 번째는 선제나 선취적인 행동으로서 이용되는 것이다. 신제품을 출하하거나 새로운 시장에 뛰어드는 기업들이 업계 전문지 기자들과 만나 그 계획이 실행되기까지 얼마나 큰 희생과 난관을 겪었는지 계속 늘어놓을 때가 있다. 이러한 이야기가 보도되어 다른 기업들이 이를 접하게 되면 선뜻 같은 사업에 뛰어들 엄두를 내지 못할 것이라는 계산이 깔려 있다. 세 번째는 확고한 결의를 알리려는 시도로 이용되는 것이다. 새로운 분야에 진출하기 위해 막대한 자원을 투입했고 장기적인 추진계획을 수립했음을 강조함으로써 그 기업이 끝까지 버틸 것이라는 인식을 준다.

## 실행 가능한 능력과 대비된 경쟁기업의 전술

실제로 선택된 가격 변동사항이나 광고활동 수준, 특정 제품의 특성이나 시설확장 규모 등을 기업의 실행 가능한 능력과 비교해보면, 그러한 조치의 동기를 파악하는 데 중요한 단서가 된다. 선택된 전략적 변수가 다른 기업에 실제로 가할 수 있는 최악의 타격 범위에 이르렀다면 이는 강력한 공격적 신호라 하겠다. 그러나 선택된 변수가 실제로 가할 수 있는 타격보다 약한 수준이라면(예를 들면 경쟁기업들이 납득할 수 있는 가격수준보다 높은 경우) 이는 유화적인 신호일 가능성이 많다. 경쟁기업이 엄격한 의미에서 기업 자체의 이익에 부합하지 않는 형태로 행동할 때에도 역시 유화적인 신호로 간주할 수 있다.

## 전략 변경의 초기 실행방법

경쟁기업은 신제품을 처음 출하할 때 주변 시장을 대상으로 하거나, 경쟁대상 기업의 주요 고객들을 대상으로 처음부터 적극적인 판매활동을 벌일 수 있다. 제품가격 변화에 있어서는 제품라인의 핵심이 되는 제품부터 대상으로 삼을 수도 있고, 또 큰 이해관계가 얽히지 않은 제품이나 시장 부문부터 대상으로 할 수도 있다. 또 어떤 조치를 통상적인 조정 적기에 취할 수도 있고, 그렇지 않은 시기에 취할 수도 있다. 전략의 변경은 어느 것이나 실행방법에 따라 특정 경쟁기업의 의도가 경쟁대상 기업을 불리한 상황에 몰아넣으려는 것인지, 아니면 산업 전체에 최선의 이익이 되도록 하려는 것인지를 구별해보는 데 도움이 된다. 다른 경우와 마찬가지로 전략 변경도 허세를 부리려는 동기가 작용할 수 있다.

## 과거 목표로부터의 일탈

경쟁기업이 지금까지 산업 내에서 항상 최상의 제품만을 생산해오다가 갑자기 품질이 훨씬 떨어지는 제품을 내놓는다면, 이는 그 기업이 목표나 가정적 판단을 재정립하려는 중요한 움직임으로 볼 수 있다. 다른 전략 부문에서 나타나는 일탈현상도 동일한 의미로 해석할 수 있다. 이런 현상이 나타날 때 시장신호 분석담당자나 경쟁기업 분석담당자는 비상한 관심을 가지고 주시해야 한다.

## 산업 관례로부터의 일탈

산업의 관례로부터 벗어나려는 움직임은 공격적인 신호로 받아들이는 경우가 많다. 예를 들면 할인 판매가 전혀 없었던 산업에서 제품을 할인해서 팔거나 또는 전혀 생소한 지역이나 나라에 공장을 건설하는 일 등이 해당된다.

## 교차적 우회전략

어느 기업이 한 산업 부문에서 경쟁조치를 취하자 경쟁기업이 다른 산업 부문에서 그 기업에 영향을 미치는 대응조치를 취할 때, 이런 상황을 '교차적 우회전략(the cross-parry)'이라고 한다. 이런 상황은 기업들이 여러 지역에서 경쟁을 벌이거나 또는 완전히 중복되지 않은 다양한 제품라인을 가질 때 종종 야기된다. 예를 들어 동부지역에 본거지를 둔 기업이 서부지역으로 파고들면, 서부지역을 본거지로 둔 기업은 동부지역 시장으로 사업영역을 넓혀 들어온다. 이와 같은 전략상황이 커피 산업에서 벌어진 적이 있었다. 맥스웰 하우스는 오래전부터 동부시장에서 강세를 보인 반면 폴저스 커피는 서부지역에서 강세를 보였다. 폴저스 커피가 프록터 앤 갬블에 넘어가면서 이 회사는 새로운 전략을 채택, 적극적인 마케팅 활동을 통해 동부시장으로 파고들기 시작했다. 그러자 맥스웰 하우스는 가격인하와 함께 폴저스 커피의 중요한 서부시장 일부에 마케팅 비용을 대폭 투입해 이에 맞섰다. 이와 같은 또 다른 사례를 중장비 산업의 경우에서도 찾아볼 수 있다. 1950년대 후반 존 디어(John Deere)는 캐터필러와 유사한 전략으로 건설기계 산업에 진출했다가 후에 와서는 캐터필러의 주력시장에 더욱 적극적으로 파고들었다. 그렇게 되자 산업 내에서 존 디어가 캐터필러보다 우세를 보이며, 존 디어가 곧 영농기계 산업에 뛰어들 계획을 세우고 있다는 소문이 나돌기도 했다.[11]

교차적 우회전략은 수세에 놓인 기업이 선제조치에 직접 대응하지 않고 간접적으로 대처하는 전략방법이다. 수세에 놓인 기업은 간접적인 대응을 통해 쟁탈대상이 된 시장에서 서로 치고받는 파괴적인 상황은 야기하지 않으면서, 상대방에게 이쪽의 불만을 뚜렷하게 표시하고 동시에 추후 심각한 보복조치를 취할 것이라는 위협을 가할 수 있다.

만약 교차적 우회전략이 선제조치를 취한 기업의 핵심적인 부문을 담당하는 시장에 겨누어진다면 이는 심각한 경고로 받아들여질 수 있다. 교차적인 우회전략의 대상이 그다지 비중이 많지 않은 시장이라면, 이는 단지 앞으로 다가올 사태에 대한 경고이자 상대방의 성급한 역대응을 유발하지 않겠다는 희망의 신호로 볼 수 있다. 그러나 이 경우 선제조치를 취한 기업이 후퇴하지 않는다면 추후 보다 큰 위협이 되는 시장을 표적으로 삼겠다는 공격신호일 수도 있다.

시장점유율이 서로 상당한 차이가 있을 때에는 교차적 우회전략이 경쟁기업을 제어하는 데 매우 효과적인 수단이 된다. 예를 들어 시장점유율이 훨씬 높은 경쟁기업을 대상으로 교차적 우회전략의 수단으로서 가격인하를 이용한다면, 그 경쟁기업이 이에 맞서기는 매우 어려워진다. 우회적 대응에 맞서 가격인하를 단행한다면 상대 기업보다 더 큰 엄청난 희생을 치르게 되기 때문이다. 따라서 이런 경우에는 선제조치를 취한 기업이 보다 큰 후퇴압력을 받게 된다.

이와 같은 내용을 토대로 교차성을 띤 시장(cross-market)에서는 시장점유율이 낮을 때 보다 큰 잠재적 저지력을 발휘할 수 있다.

## 대결상표

교차적 우회전략과 관련된 다른 신호형태로 대결상표(the fighting brand)가 있다. 다른 기업으로부터 현재 위협을 받거나 위협을 받을 가능성이 있는 기업은, 위협을 가하는 상대 기업에 대응하기 위해 위협적인 효과를 지닌 상표(그 상표가 단순히 그런 의도에서 만들어졌건 아니건 간에)를 내놓을 수 있다. 예를 들어 코카콜라는 자신들의 시장을 잠식하는

'닥터 페퍼(Dr. Pepper)'라는 상표의 제품에 대항하여 맛이 지극히 유사한 '미스터 핍(Mr. Pibb)'이라는 새로운 상표의 제품을 내놓았다. 또 맥스웰 하우스는 폴저스 커피가 시장점유율 증대를 노리는 일부 시장에 맛의 특성이나 포장이 폴저스 커피의 제품과 흡사한 '호라이즌(Horizon)'이라는 상표의 제품을 내놓았다. 대결상표는 경고나 억제 의도, 또는 상대방의 경쟁적 공세를 꺾기 위한 타격으로서 이용하려는 의도가 깔려 있다. 또 심각한 공격이 예상되는 경우, 공격을 받기 전에 일종의 경고용으로서 출하되는 경우도 종종 있다. 대결상표는 보다 큰 캠페인의 일환으로서 공격무기로 이용되기도 한다.

## 독점금지법 제소

기업이 경쟁기업을 독점금지법 위반혐의로 제소했다면, 이것은 불만의 표시이거나 또는 경우에 따라 그 기업을 괴롭히는 수단이나 지연전술로 이용하고 있는 것으로 볼 수 있다. 제소는 그런 점에서 교차적 우회전략과 흡사하다. 기업의 제소는 언제라도 취하할 수 있는 만큼 이는 불만을 온건한 형태로 표현한 것이라 하겠다. 독점금지법 위반 제소는 가령 "이번에 귀사가 너무 지나친 행동을 했으니 일보 후퇴하는 것이 좋겠다. 그렇지 않으면 시장에서 정면대결을 벌이는 위험부담이 따를 것이다"라는 온건한 경고로 볼 수 있다. 만약 약세에 놓인 기업이 유력한 기업을 상대로 제소했다고 하면, 그 제소는 상대방을 긴장하게 해 소송이 계류되어 있는 기간 동안만이라도 공격적인 조치를 취하지 못하게 하려는 수단일 수 있다. 제소당한 기업이 사법 이상의 심리 대상이 된다면 제대로 능력을 발휘하지 못하거나 무력하게 될 가능성이 있다.

대기업이 소규모 기업을 독점금지법 위반혐의로 제소했다면, 그것은 그 기업을 궁지로 몰아넣으려는 의도임이 분명하다. 제소에 맞서 소요되는 소송비용은 소규모 기업에는 큰 부담이 될 뿐만 아니라, 소송이 장기화될수록 경쟁에 쏟아야 할 관심이 소송에 쏠리게 된다. 이 경우 제소는 대기업이 소규모 기업을 상대로 시장점유에 너무 과욕을 부렸다는 경고를 전달하는 수단이 되기도 한다. 이러한 경고수단에는 별다른 위험부담이 없다. 피소된 소규모 기업이 제소의 진의를 제대로 파악하지 못하는 기미를 보이면, 여러 가지 법적 절차를 통해 소송을 계류, 장기화함으로써 피소된 소규모 기업에 소송비용을 가중시킬 수도 있다.

## 시장신호 확인에 활용되는 기업관행

기업이 지금까지 공표한 내용과 실제적인 조치 간, 또는 다른 여러 가지 형태의 잠재적 신호와 뒤이어 나타난 결과 간에 어떤 관계를 보이는지 연구하면, 시장신호를 정확하게 판단할 수 있는 능력을 크게 향상할 수 있다. 경쟁기업이 과거 어떤 전략적 전환을 시도하기 전에 무심코 내보이던 신호들을 파악하고 있으면, 그 기업의 특유한 무의식적 신호를 가려내는 데 도움이 될 것이다.

제품에 어떤 변화를 주기 전에 항상 판매원들의 특정한 활동이 두드러지게 나타나지 않았는가? 항상 전국 판매조직망 회의를 소집한 후에 새로운 제품이 시장에 나오지 않았는가? 항상 신제품을 내놓기 전에 기존 제품라인의 가격변동이 있지 않았는가? 시설활용이 일정한 수준에 이르렀을 때 항상 시설확장을 공표하지 않았는가?

물론 이런 행동이 과거의 관례에서 벗어날 가능성은 언제든지 있다. 그러나 경쟁기업 분석이 완벽하게 이루어져 있다면, 그러한 행위일탈을 야기한 경제적·조직적인 사유 또한 파악할 수 있을 것이다.

# 시장신호에 대한 과도한
# 관심이 오히려 역기능을 불러오는가?

시장신호의 판단에 미묘한 측면이 많은 점을 감안할 때, 시장신호에 대한 지나친 관심 집중이 오히려 비생산적인 혼란을 불러온다고 생각하는 사람들이 있다. 그들은 경쟁기업의 시장신호를 뒤늦게 깨달아 이에 대응하느라 혼란스러워하는 것보다는 시간과 관심을 오로지 경쟁활동에만 집중하는 것이 더 효율적이라고 주장한다.

그러나 가령 최고경영층이 시장신호에만 관심을 기울여 경영관리나 전략적 우위확보와 같은 중요한 과업을 게을리 하는 사태가 벌어진다 하더라도, 그런 결과가 이 같이 중요한 정보수집원을 포기해도 좋을 만한 구실이 되지는 못한다. 전략수립에는 경쟁기업과 그들의 동기에 대한 명시적·묵시적 가정이 내포되어 있다. 기업은 시장신호를 통해 경쟁대상에 대한 많은 정보를 얻을 수 있으며, 이에 따라 자연히 전략수립의 기초가 되는 가정적 판단의 질적 수준을 향상할 수 있다. 따라서 시장신호를 무시하는 것은 곧 경쟁기업을 무시하는 것과 같다.

# Chapter 05

# 경쟁적 조치

대부분의 산업 내 경쟁에서 기업들은 상호 의존적이라는 특성을 가진다. 즉 기업들은 서로가 취하는 행동이나 조치에 영향을 받고, 또 그 조치에 대응하는 경향을 보인다. 경제학자들이 흔히 '과점'이라고 부르는 이러한 상황에서 특정 기업의 경쟁적 조치는 경쟁대상 기업들의 반응 양상에 따라 얼마간 그 결과가 좌우된다.[1] 경쟁기업들(비록 취약한 대상이라 할지라도)이 '고약하거나 분별없는' 반응을 보이면 대개 '적절한' 전략적 조치도 실패로 끝나는 경우가 종종 있다. 따라서 경쟁기업들이 해롭지 않은 방법으로 대응하거나, 또는 그렇게 대응하게 만들지 않으면 전략적 조치의 성공을 보장할 수 없다.

과점상태에서는 기업들이 딜레마에 빠지는 경우가 종종 있다. 즉 산업 전체(또는 그 하위에 있는 몇몇 기업군)의 이익(수익성)을 추구함으로써 경쟁적인 대응을 유발하지 않을 것인지, 아니면 보복조치를 유발하고 치열한 경쟁전으로 확대되는 위험을 무릅쓰면서까지 자사의 이익을 도모할 것인지 하는 점이다. 이런 상황이 딜레마로 작용하는 까닭은 치열

152

한 경쟁을 피하면서 산업 전체의 이익을 도모할 수 있는 전략이나 대응 (즉 상호 협력적인 전략방안)을 선택하면, 기업이 추구하는 잠재적인 이익이나 시장점유는 포기해야 하기 때문이다.

이러한 딜레마는 게임 이론에서 재판을 받기 위해 기다리는 2명의 죄수가 당면한 딜레마와 흡사하다. 이 딜레마의 내용을 살펴보면 다음과 같다. 감옥에 갇혀 있는 두 죄수는 서로의 죄를 밀고하거나 아니면 입을 다물고 있거나 하는 양자택일의 상황에 놓여 있다. 양쪽이 입을 다물고 있으면 두 사람은 같이 자유의 몸이 된다. 양쪽 모두 입을 열어 밀고하면 다 같이 교수형을 받게 된다. 그러나 어느 한쪽이 밀고하고 다른 한쪽이 입을 다물고 있으면, 밀고한 쪽은 자유의 몸이 될 뿐만 아니라 그 대가로 상당한 보상금을 받게 된다. 두 죄수가 서로 밀고행위를 피할 수 있다면 두 사람은 같이 좋은 결과를 맞을 것이다. 그러나 자신의 이익만을 생각하거나 상대방이 자기와 같은 생각을 갖고 있지 않다고 판단하게 되면, 방어적으로 상대방을 밀고하고 싶은 유혹을 한층 강하게 느낄 것이다. 이와 같은 상황을 과점상태에 비유하면, 기업들이 상호 협력적일 때에는 전체 기업체에 적절한 이익이 돌아갈 것이다. 그러나 어느 한 기업이 자사의 이익만을 도모하려는 전략적 조치를 취하고, 이에 다른 기업들이 효과적으로 대응할 수 없을 경우에 그 기업은 훨씬 큰 이득을 얻을 수 있다. 이와 반대로 다른 경쟁기업들이 적극적인 보복책으로 이에 맞선다면, 모든 기업들은 협력적인 태도를 취했을 경우보다 더 안 좋은 상황에 빠지게 될 것이다.

이 장에서는 이러한 여건에서 경쟁적 조치를 취할 때 적용되는 몇 가지 원리를 설명하겠다. 또한 1장에서 설명한 내용을 바탕으로 특정 산업에서 경쟁적 조치를 유발하는 일반적인 가능성, 즉 공격적이거나 방어적인 조치를 취하게 만드는 배경적 요인들을 살펴보겠다. 그 다음으로 비위협적이거나 협력적인 조치, 위협적인 조치, 그리고 억제적인 의도를 지닌 조치 등을 포함한 다양한 형태의 조치를 강구하는 데 고려해야 할 몇 가지 중요한 요인들을 검토해보겠다. 이러한 것들을 살펴봄으로써 경쟁적 조치를 강구하는 데 기업의 확고한 결의나 입장이 얼마나 중요한 역할을 하는지 알게 될 것이다. 끝으로 기업이 산업 내의 협력을 촉진하기 위해 택할 수 있는 몇 가지 접근방법을 간단히 살펴보겠다.

5장에서 설명할 내용은 1장의 내용 외에도, 3장에서 언급된 기본적인 경쟁기업 분석의 원칙과 4장에서 설명한 시장신호에 관련된 내용에 의존하지 않을 수 없다. 경쟁기업 분석은 공격적·방어적 조치를 검토하는 데 있어 반드시 선행되어야 할 조건이며, 시장신호는 경쟁기업을 파악하고 또 경쟁적 조치를 실행하는 데 직접 활용할 수 있는 유용한 수단이 된다.

# 산업의 불안정성 – 경쟁전의 유발 가능성

공격적이거나 방어적인 조치를 검토하는 기업이 가장 먼저 생각해봐야 할 문제는 산업 자체나 산업 내 전반적인 여건의 불안정성이 어느 정도인지, 즉 경쟁조치가 곧 광범위한 경쟁전을 유발할 만큼 산업상황이 불안정한지 하는 점이다. 이에 따라 어떤 산업은 다른 산업들에 비해 절제된 행동이 요구될 것이다. 1장에서 설명한 것처럼 특정 산업의 기본적인 구조에 따라 경쟁적 대결의 강도, 또는 경쟁을 회피하거나 협력적 결과를 이끌어낼 수 있는 정도가 좌우된다. 경쟁기업의 수가 많고 기업들 간의 상대적인 힘이 대등할수록, 산업의 성장속도가 완만할수록, 그리고 고정비나 다른 여건상 시설 유휴현상을 막아야 할 필요성이 강할수록 기업이 자사의 이익만을 추구하려고 할 가능성은 그만큼 높아진다. 이런 상황에서는 기업이 은밀하고 점진적인 가격인하와 같은 조치(즉 두 죄수의 경우에서 나타나는 밀고행위와 같은)를 취하기가 쉬운데, 그런 행위는 보복과 또 다른 보복이 거듭되는 악순환을 불러와 결국 이윤폭을 떨어뜨린다.

마찬가지로 경쟁기업의 목표와 시각이 어긋나고 부조화될수록, 특정 사업에 걸린 전략적 이해가 클수록, 또 기업들이 활동하고 있는 시장이 덜 분할될수록 서로의 움직임을 제대로 파악하고 협동적인 성과를 지속하기는 그만큼 어려워진다. 대체로 이러한 여건으로 인해 치열한 경쟁이 유발되고 있다면 공격적인 조치나 방어적인 조치를 택할 경우 모두 위험부담은 더 커진다.

이 밖의 특정 산업 내 다른 상황들도 경쟁의 유발 가능성을 높이거나 낮출 수 있다. 기업 간의 경쟁이 오랫동안 지속되거나 '상호작용이 연속성을 지니고 있을 때'는 그 산업의 안정성을 촉진할 수 있다. 왜냐하면 장기간의 경쟁이나 연속적인 상호작용이 신뢰(즉 경쟁기업들이 서로를 파산하게 하지 않을 것이라는 믿음)를 증진하고, 더 나아가 경쟁기업의 반응 양상을 보다 정확하게 예측할 수 있게 해주기 때문이다. 이와 반대로 연속성이 없으면 경쟁 유발의 가능성은 높아질 것이다. 상호작용의 연속성은, 경쟁 기업군이 얼마나 안정되어 있느냐에 따라 좌우될 뿐만 아니라, 그 기업들을 움직이는 경영층의 안정성 여부에도 영향을 받게 된다.

기업들의 상호작용이 하나 이상의 경쟁영역을 대상으로 하는 소위 '경쟁영역의 복합화'도 그 산업에서 일어나는 경쟁의 결과를 안정적인 방향으로 이끌 수 있다. 예를 들어 두 기업이 미국과 유럽 시장에서 경쟁을 벌이고 있는 경우, 한 기업이 미국 시장에서 우세를 보이더라도 다른 기업은 유럽 시장에서 우세를 보임으로써 미국 시장에서의 열세를 상쇄할 수 있다. 그렇지 않고 두 기업이 미국이나 유럽 중 어느 한 시장에서만 경쟁을 벌인다면 한쪽의 시장점유율 증대를 다른 쪽이 용납하지 않을 것이다. 따라서 경쟁시장이 복수일 때에는 한 시장에서 공격을 당했다 하더라도 그 시장에서 정면대결을 하지 않고 다른 시장에서 만회하거나 응징을 가할 수 있다.[2] 합작투자나 공동참여를 통한 '상호연결'도 협동적 지향성을 촉진하고 경쟁기업들이 서로에 관한 정보를 완벽하게 접할 수 있도록 해준다는 점에서 산업 내의 안정성을 증진한다. 서로에 관한 정보를 빠짐없이 입수할 수 있다면, 필요 없는 대응을 막거나 분별없는 전략적 조치를 취하지 않도록 예방하는 데 도움을 주기 때문에 산업구조의 안정화에 기여하게 된다.

산업구조는 경쟁기업의 위치나 적극적인 조치를 취하게 만드는 압박감의 정도, 그리고 기업들의 이해 상충을 야기하는 정도 등에 영향을 미친다. 따라서 산업구조는 경쟁적 조치를 유발하는 매개변수들을 결정한다. 그러나 산업구조 자체가 시장에서 벌어지는 모든 상황을 좌우하는 것은 아니다. 경쟁은 개별 경쟁기업이 처한 특수한 상황에 의해서도 좌우된다. 산업의 불안정성과 경쟁조치를 유발하는 일반적인 배경을 평가하는 또 다른 수단이 '경쟁기업 분석'이다. 따라서 3장에서 설명한 여러 가지 분석방법을 이용해서 개별 경쟁기업이 취할 수 있는 조치나 그러한 조치로서 가해지는 위협, 그리고 개별 경쟁기업이 조치에 대해 자사를 효과적으로 방어할 수 있는 능력 등을 검토하지 않으면 안 된다. 이러한 분석은 경쟁기업에 대한 억제전략을 강구하는 일이나, 또 어느 부문에서 어떤 방법으로 공격적인 조치를 취할 것인지 결정하는 데 있어서 반드시 선행되어야 할 작업이다. 여기서는 일단 그러한 분석작업이 완료되었다고 가정하기로 한다.

산업의 불안정성을 평가하는 마지막 요소는 기업 간에 시장에서 이루어지는 정보유통의 성격을 파악하는 것이다. 이러한 정보유통의 성격에는 산업상황에 대한 경쟁기업들의 공통적인 인식도와 시장신호를 통해 경쟁기업의 의도를 효과적으로 전달할 수 있는 능력 등이 포함된다. 이 장에서 다룰 핵심적인 주제가 바로 정보유통이다.

# 경쟁적 조치

과점상태에서의 올바른 경쟁조치는 장기전이나 심각한 경쟁을 유발하지 않는(경쟁기업의 행동에 일부 영향을 받기 때문에) 조치나, 아울러 자사의 이익을 최대한 도모할 수 있는 조치를 찾아내는 것이다. 다시 말해 불안정한 상황이나 값비싼 희생이 따르는 경쟁을 일으켜 모든 기업들에 불행한 결과를 초래하는 조치는 피하되, 그런 상황에서도 이익 면에서 다른 기업들을 능가할 수 있는 목표를 세워야 하는 것이다.

한 가지 노골적인 방법은 우세한 자원과 능력을 활용하여 경쟁기업의 보복조치에 과감하게 대응하면서 자사에 이익이 되는 결과를 '강압적으로' 이끌어내는 방법이 있는데, 이런 방법을 '폭력적인 접근방식'이라 부른다. 이 방법은 특정 기업이 뚜렷한 우세를 확보하고 있을 때에만 가능하며, 또 우세를 계속 지켜나감으로써 경쟁기업이 오판으로 인한 피해의 상황을 만들지 않게 해 안정된 상황을 유지해나갈 수 있다.

일부 기업은 경쟁적 조치를 폭력적인 게임으로 인식하기도 한다. 이런 기업은 경쟁대상 기업을 공격하기 위해 온갖 자원을 총동원한다. 기업이 자체의 강점과 약점(3장)을 정확하게 파악하고 있으면, 그 기업이 맞게 될 호기와 외부의 위협을 판단하는 데 도움이 된다. 그러나 아무리 우세한 자원으로 밀어붙인다고 해도, 경쟁기업이 완강하게 대응(또는 필사적이거나 무분별한 대응)하거나 추구하는 목표가 크게 다르다면 기업이 원하는 좋은 결과를 얻기 어렵다. 더구나 뚜렷한 강점을 가진 기업이라 하더라도, 모든 기업이 저마다 전략적인 우위를 확보하려는 상황에서는 그러한 강점이 항상 현실적인 위력을 발휘하는 것은 아니다. 뚜렷한 강점을 가지고 있는 경우라도, 경쟁이 소모전의 양상을 띠고 있을 때에는 승자와 패자 모두 값비싼 대가를 치러야 하므로 이런 소모전은 피하는 것이 상책이다.

경쟁적 조치는 교묘한 술책을 활용해야 하는 게임이다. 이런 게임에서는 동원할 수 있는 자원이나 힘이 많건 적건 간에 이익을 극대화할 수 있는 방향으로 경쟁적 조치를 선택하고 전개해나가야 할 것이다. 따라서 과점상태에서는 우세하다고 해서 함부로 폭력적인 조치를 취하기보다는 폭력적인 조치와 교묘한 술책을 적절하게 배합·활용하는 것이 최선의 방법이 된다.

## 협동적 또는 위협적 측면이 없는 경쟁적 조치

경쟁기업의 목표를 위협하지 않는 조치는 자사의 입장을 개선하는 출발점으로서의 전략이라고 할 수 있다. 3장에서 설명한 기본구조를 이용해 경쟁기업의 목표와 가정적 판단을 철저하게 분석하면, 유력한 경쟁기업의 경영성과를 위축시키거나 그들의 목표를 지나치게 위협하지 않으면서 자사의 이윤(또는 시장점유율)을 증대할 수 있는 경쟁적 조치가 어떠한 것인지 알 수 있게 된다. 그러한 경쟁적 조치는 다음과 같은 3가지 형태로 유형화할 수 있다.

· 경쟁기업이 추종하지 않더라도, 행동을 취한 기업과 경쟁기업의 입장이 다 같이 향상되는 조치
· 많은 경쟁기업들이 보조를 맞출 때만이 행동을 취한 기업과 경쟁기업의 입장이 다 같이 향상되는 조치
· 경쟁기업이 보조를 맞추지 않음으로 인해 행동을 취한 기업의 입장이 강화되는 조치

첫 번째 경우와 같은 결과를 가져오는 조치는 위험부담이 가장 적다. 그러나 이 경우에도 반대의 가능성을 배제할 수는 없다. 즉 산업의 전반

적인 흐름과 배치되는 엉뚱한 광고활동이나 가격구조를 선택함으로써 자사의 경영성과뿐만 아니라 경쟁기업들의 경영성과에까지 부정적인 영향을 미치는 경우이다. 이런 경우는 과거에 미흡한 전략을 선택했던 경험으로 인해서 나타날 수 있다.

두 번째 경우는 첫 번째 경우보다 더 흔하게 볼 수 있는 경쟁적 조치다. 대부분의 산업에는 모든 기업이 특정 기업의 조치를 경쟁적으로 추종할 때 전체 기업의 입장이 개선되는 조치가 있다. 예를 들어 한 기업의 조치에 따라 모든 기업이 보증기간을 2년에서 1년으로 단축하고 또 산업의 총체적인 수요가 그 단축조치에 영향을 받지 않는다고 한다면, 이 조치는 모든 기업의 원가를 절감시켜 수익성의 증대를 불러올 것이다. 약간 다르지만 원가절감이 가격조정까지 요구하는 경우도 있다. 그러나 이런 조치의 문제점은 모든 기업이 이에 추종하지 않을 수도 있다는 점이다. 이런 조치가 대부분의 기업의 입장을 강화시켜주는 것은 분명하지만, 기업에 따라서는 이런 조치를 따르는 것이 적절하지 않은 경우도 있기 때문이다. 예를 들어 고객들의 가장 큰 신뢰를 받는 제품을 생산하는 기업은 보증기간이 단축될 경우 경쟁상의 유리한 입장을 잃게 될 것이다. 경쟁기업이 이런 조치에 추종하지 않을 가능성이 있는 또 다른 요소는, 다른 기업들이 모두 추종할 것이라는 가정 하에 자신들은 이에 호응하지 않음으로서 유리한 입장에 올라설 수 있다는 계산이 작용하는 것이다.

두 번째 유형의 조치를 선택할 때에는 ① 그 조치가 개별 기업과 유력한 경쟁기업에 어떤 영향을 미칠 것인지 평가하고, 그 다음으로 ② 경쟁기업이 추종에 따른 혜택보다 이탈에서 기대되는 이득을 추구하도록 만드는 유인의 크기를 평가하는 2가지 단계를 반드시 거쳐야 한다. 다른 경쟁기업들이 추종해야만 성공을 거둘 수 있는 경쟁적 조치는 결국 다른 기업들이 추종하지 않을 때 위험이 따르게 된다. 이때에는 쉽게 취소할 수 있거나 대체와 수정이 용이한 조치를 선택하면 위험을 줄일 수 있다. 그러나 이러한 조치도, 이에 참여하지 않기로 결정한 기업이 잠재적으로 매우 유리한 입장에 놓이게 될 때에는 상당한 위험부담이 따른다.

세 번째 유형의 조치를 선택할 때에는 경쟁기업의 특정한 목표와 가정적 판단을 면밀히 분석해 자사에 제공되는 호기를 신중하게 파악해야 한다. 이때는 경쟁기업이 대응의 필요성을 느끼지 않는 경쟁적 조치를 강구해야 한다. 예를 들어 경쟁기업이 수출상 호기로서 중남미 시장에는 그다지 비중을 두지 않고 대신 캐나다에 집중적인 노력을 기울이고 있다면, 다른 기업의 중남미 시장 침투는 이 경쟁기업에 아무런 관심의 대상이 되지 않을 것이다.

위협적인 측면이 없는 것으로 판단되는 경쟁적 조치로는 다음과 같은 것들이 있다.

· 어떤 조정이나 조치가 주로 기업 내부의 문제점이기 때문에 이를 경쟁기업이 제대로 인식조차 못 하는 경우
· 경쟁기업들이 산업과 경쟁기업에 대한 자사 나름의 인식이나 가정적 판단으로 인해 경쟁적 조치에 개의하지 않는 경우
· 경쟁기업 자체의 기준에 미루어볼 때 어떤 경쟁적 조치가 그들의 경영성과에 거의 아무런 손상을 미치지 않는 경우

경쟁적 조치의 여러 가지 특성이 결합된 사례로 1950년대 초 시계 산업에 뛰어든 티맥스의 경우를 예로 들 수 있다.[3] 티맥스의 진출전략은 보석 베어링이 없는 매우 값싼 시계를 생산한다는 것이었다. 티맥스의 시계는 고장이 났을 때 수리해서 다시 쓸 필요가 없을 정도로 값이 쌌다. 판매장소도 보석상 대신 잡화를 파는 약국 등 전통적인 시계 판매점과는 거리가 먼 다른 장소를 활용했다. 그 당시에는 스위스가 시계 산업

을 주름잡고 있었는데, 스위스는 값비싼 고급시계를 보석상을 통해 일종의 정밀기계로서 팔고 있었다. 티맥스가 시계 산업에 뛰어든 1950년대 초는 스위스 시계가 계속 세계시장 점유율을 높이고 있던 때였다. 따라서 스위스 시계 산업은 그들과 성격이 전혀 다른 티맥스의 제품을 거의 경쟁대상으로 인식하지 않았다. 티맥스 시계는 스위스 시계의 고급품 이미지에도, 또 보석상을 통해 판매하는 그들의 시장경로나 값비싼 시계를 생산한다는 유력한 입장에도 아무런 위협을 가하지 않았다. 티맥스는 스위스 시계의 판매량을 잠식하지 않으면서 1차적인 수요(primary demand)를 창출했다. 더구나 스위스 시계는 판매량이 계속 늘어나 티맥스의 진출이 그들의 성과에 아무런 위협을 주지 않았다. 이에 따라 티맥스는 스위스 시계 산업의 주목을 받지 않은 채 값싼 시계시장에 튼튼한 발판을 마련할 수 있었다.

모든 기업의 입장을 개선시키는 조치를 실행할 때에는 경쟁기업으로 하여금 그 조치가 위협적인 것이 아님을 이해하도록 해야 한다. 이러한 유형의 조치는 산업의 여건 변화로 인해 새로운 적응이 필요할 때 빈번하게 나타난다. 그러나 실제로는 위협적인 조치가 아님에도, 이 3가지 유형의 조치가 공격적인 조치로 잘못 인식될 위험이 있다는 점을 유의해야 한다.

기업은 이 같은 오판을 피하기 위해 여러 가지 방법을 활용할 수 있다(그런 방법들이 오판을 방지할 완벽한 수단이 되지는 못한다). 우선 사전공표나 그 조치에 대해 공개적·적극적으로 설명함으로써 자사의 유화적인 의도를 전달할 수 있다. 예를 들어 원가 상승으로 인해 가격의 인상이 불가피하다는 점을 인터뷰를 통해 밝히면, 자사의 진의를 전하는 데 도움이 될 것이다. 만약 그런 방법으로도 산업 전체를 위한 조치에 보조를 맞추지 않는 경쟁기업이 있다면, 그 경쟁기업의 고객을 겨냥한 선별적인 광고활동이나 판매활동을 통해 응징할 수도 있을 것이다. 경쟁기업의 오판 위험을 줄일 수 있는 또 다른 방법은 그 산업의 전통적인 선도기업에 의존하는 것이다. 일부 산업에서는 새로운 상황 변화에 대해 항상 주도적인 역할을 담당하는 특정 기업이 있다. 이런 경우에는 대개 다른 기업들이 선도기업이 어떤 조치를 취할 때까지 기다리고 있다가 그대로 따른다. 또 다른 방법은 가격이나 다른 결정에 따르는 변수를 누구나 알고 있는 지수, 가령 소비자 물가지수 같은 지수에 연결 지어 결정하는 것이다. 이 경우 가격조정 같은 조치에 대해 오해가 생기지 않을 뿐만 아니라, 경쟁기업들의 호응도 함께 불러올 수 있다.

## 위협적인 조치

과점상태에서는 특정 기업의 위치가 현저하게 강화되면 경쟁기업에 위협이 된다. 이것은 과점상태의 본질이기도 하다. 따라서 어떤 조치를 성공적으로 이끄는 데에는 그 조치에 대한 보복적인 대응책을 예측하고 이를 제어하는 것이 관건이 된다. 보복적인 대응책이 신속하고 효과적일 경우, 먼저 조치를 취한 쪽이 아무런 이득을 얻지 못하거나 심지어는 그 이전보다 더욱 불리한 상황에 놓이게 될 수도 있다. 만약 보복 대응책이 매우 격렬하게 전개된다면 조치를 취하기 이전보다 훨씬 곤란한 상황에 빠지게 될 것이다.

위협적인 조치를 고려하고 있을 때에는 다음과 같은 문제들을 반드시 점검해봐야 한다.

· 보복의 가능성은 어느 정도인가?
· 보복 대응책이 얼마나 신속하게 나타날 것인가?
· 보복 대응책의 잠재적인 효율성은 어느 정도인가?
· 보복의 완강함은 어느 정도인가?(여기서 완강함이란 경쟁기업이 자사

를 희생해가면서까지 맹렬한 보복을 가하려는 의지를 말한다.)
· 경쟁기업의 보복 대응책에 영향을 미칠 수 있는가?

3장에서 이미 경쟁기업 분석틀을 통해 다양하게 논의되었으므로 본
장에서는 공격적인 보복의 시간 차이에 대해 설명하고자 한다. 이와 같
은 공격적인 전략은 반대로 방어적인 전략을 개발하는 데 도움이 된다
(보복에 영향을 주는 부분에 대해서는 본 장의 '결의표명(commitment)' 절에서
논의할 것이다).

## 보복의 지체

어느 기업이든 경쟁기업이 효과적인 보복 대응책을 취하기까지 가능
한 한 많은 시간이 소요되는 조치를 취하고자 할 것이다. 이와 반대로
방어적인 입장에 있는 기업은 이쪽이 공격적인 조치에 즉각 효과적인
보복 대응책을 가할 것이란 점을 경쟁기업이 믿어주기를 바랄 것이다.
보복의 지체는 다음과 같은 4가지 기본적인 원인에서 비롯된다.

· 인식에 따른 지체
· 보복조치의 준비에 따른 지체
· 보복의 정확한 대상을 찾지 못하는 데 따르는 지체(이런 경우에는 단
  기적인 희생이나 손실이 늘어나게 된다.)
· 목표의 상충이나 동기의 혼란에 따른 지체

첫 번째로 인식에 따른 지체는 경쟁기업이 초기의 전략적 조치를 재
빨리 인식하거나 주목하지 못하는 데서 빚어진다. 초기에 인식하지 못
하는 이유는 그 조치가 비밀리에 진행되거나, 경쟁기업의 주요 관심권
밖에서 조용하게 모습을 드러내기 때문이다(예를 들면 소규모 고객이나 외

국 고객을 대상으로 하는 경우). 기업은 이처럼 은밀하거나 비밀스럽게 전략적 조치를 추진함으로써 경쟁기업이 효과적인 보복 대응책을 강구하기 전에 새로운 능력을 강화할 수 있다. 핵심적인 기업의 조치를 즉각 포착하지 못하는 것은 자사의 목표나 시장 인식의 문제에서 연유되기도 한다. 이에 대한 구체적인 사례가 시계 산업에 진출한 티맥스의 경우이다. 티맥스가 스위스 시계 산업과 미국 시계 제조회사들의 판매시장을 잠식하기 시작한 이후에도 티맥스 시계는 한동안 여전히 형편없는 제품으로 인식되어 전혀 보복의 대상이 되지 않았다.

인식에 따른 지체는 기업이 전략적 조치를 취하는 영역과 거리가 먼 다른 영역에서 새로운 제품을 내놓거나 다른 조치를 취하는 식의 '양동전술(diversionary tactics)'에 말려들어가 연장되는 경우도 있다. 방어적인 입장에 놓인 기업이, 현장에서 뛰는 판매원이나 유통조직을 통해 끊임없이 자료를 수집하는 경쟁기업 추적시스템을 활용한다면 인식상의 지체 기간을 단축할 수 있을 것이다. 경쟁기업이 상대 기업을 면밀히 추적·감시한다면 공격적인 조치를 사전에 인지할 수도 있을 것이다. 경쟁기업은 광고지면을 확보하거나 설비 등을 인도받기 위해 사전에 계약을 체결해야만 하는데, 이런 일은 주의 깊은 추적을 통해 미리 포착할 수 있다. 경쟁기업 추적시스템을 통해 이러한 사실이 다른 기업들에 알려지면 억제적 효과는 더욱 커질 것이다.

두 번째로 보복조치의 준비에 따른 지체는 앞선 전략적 조치의 형태에 따라 좌우된다. 가격인하에 대한 보복조치는 즉각 단행할 수 있지만, 제품의 변경에 대응하기 위한 방어적 연구활동이나 경쟁기업의 공장 신설에 대응하는 현대식 설비 도입 및 가동에는 몇 년씩 소요되기도 한다. 예를 들어 새로운 자동차 모델을 생산하려면 기획과정까지 포함해 3년 정도 소요된다. 또 선철 생산을 위해 거대한 현대식 용광로를 세우거나 공장을 신축하는 데에는 3년에서 5년의 긴 시간이 필요하다.

보복조치의 준비에 따른 지체 시간은 선제조치를 취한 기업의 행동에 따라 영향을 받는다. 가령 기업이 공격적인 조치를 취할 때에는 경쟁기업이 효과적인 보복 대응책을 준비하는 데 많은 시간이 소요되는 조치를 선택할 수 있다. 이런 때에는 의도된 지체 소요기간에 보복 대응책을 취하는 기업의 내부적인 취약점까지 포함되어 지연되는 기간이 더 길어지기도 한다. 그러나 방어적인 입장에 놓인 기업이 보통 때에는 잘 사용하지 않는 보복수단까지 동원한다면, 보복상의 지체 시간을 단축할 수도 있다. 예를 들면 개발이 완료되었지만 아직 공개하지 않은 신제품을 이때 출하하거나, 나중에 발주취소 배상금을 지불하는 한이 있더라도 새로운 장비를 주문하는 일 등이다.

보복조치의 정확한 대상을 찾지 못해 빚어지는 지체는, 고장 난 트랜지스터 하나를 갈아 끼우기 위해 TV 수상기를 모조리 분해해야 하는 어려움과 유사하다. 특히 규모가 큰 기업이 소규모 기업의 공격적 조치에 대응해야 할 경우, 보복조치가 경쟁의 대상이 되는 일정한 고객이나 시장 부문에 국한되지 않고 모든 고객들에게 일반화되어야 하는 경우가 있다. 예를 들어 소규모 기업의 가격인하 조치에 대응하기 위해 기업이 모든 고객들을 대상으로 가격할인 조치를 취한다면 그 손실은 소규모 기업보다 훨씬 커진다. 만약 기업이 대응조치를 취하는 쪽보다 훨씬 희생이 적은 선제조치를 찾아낼 수 있다면, 그 기업은 경쟁기업의 보복상의 지연뿐만 아니라 때로는 보복조치 자체를 완전히 억제할 수도 있다.

목표의 상충이나 동기의 혼란에 따른 지체는 경쟁적인 상호작용 연구에 광범위하게 적용될 수 있다. 3장에서 소개된 것처럼 이런 상황은 기업이 경쟁기업의 사업 중 일부 영역을 위협하는 조치를 취했지만, 경쟁기업이 이에 대항해서 즉각적으로 강력한 보복조치를 취하면 자사의 다른 사업 부문에 손상을 입히는 경우이다. 이런 상황은 보복조치의 지체와 효율성의 감소를 유발하고, 나아가 보복 대응책 자체를 봉쇄하기까지 한다. 보복조치를 더욱 지체시키는 이유는 목표의 상충과 같은 내부적인 문제를 해소하는 데 별도의 시간이 소요되기 때문이다.

특정한 주요 경쟁기업이나 여러 경쟁기업들로 하여금 목표의 상충이라는 딜레마에 빠지게 함으로써 성공을 거둔 사례도 있다. 앞서 언급한 티맥스에 대한 스위스 시계 산업의 완만한 반응이 그러한 사례 중의 하나이다. 티맥스는 전통적인 시계판매점인 보석상 대신 잡화를 함께 취급하는 약국을 통해 시계를 판매했고, 또 수리할 필요가 없을 정도로 값이 싸다는 점과 시계는 신분을 표시하는 장식품이 아니라 옷과 같은 필수품이라는 점을 강조했다.

티맥스 시계가 불티나게 팔리면서 마침내 스위스 시계 산업의 성장목표를 위협하게 되었지만, 이에 직접적인 보복을 가하는 부분에서는 적잖은 딜레마가 따랐다. 스위스 시계 제조회사들은 판매경로로서 보석상에 큰 이해관계가 걸려 있었고, 또 스위스제 시계가 보석이 박힌 정밀제품이라는 이미지를 심는 데 막대한 투자를 해왔다. 티맥스에 대한 적극적인 보복조치는 곧 티맥스의 주장이나 전략이 옳았음을 입증하는 셈이되고, 스위스제 시계를 판매하는 보석상들 간의 협력을 위협하며, 또 스위스제 시계제품의 이미지를 손상하는 결과를 빚게 될 것이었다. 이러한 딜레마로 인해 스위스 시계 산업은 끝내 티맥스에 보복조치를 취하지 못했다.

이러한 딜레마로 인한 사례는 그 밖에도 많이 있다. 폭스바겐과 아메리칸 모터스(American Motors)는 초기의 스타일을 거의 바꾸지 않는 기본 모델 그대로 자동차를 계속 생산하는 전략을 택함으로써, 그들과는 다른 전략을 택했던 미국의 3대 자동차 메이커 GM, 포드, 크라이슬러에 의해 스위스 시계 산업과 유사한 딜레마를 안게 되었다. 왜냐하면 3대 메이커는 품질을 계속 높이고 모델을 자주 바꾸는 전략을 택했기 때문이다. 빅 펜은 한 번 쓰고 버리는 면도날을 시장에 내놓아 질레트를 곤경에 빠뜨렸다. 그러나 질레트가 대응조치를 취할 경우, 여러 가지 면도 날 제품 중 질레트의 제품 판매량도 감소될 위험이 있었기 때문에 질레트는 선뜻 보복조치를 취할 수 없었다. 물론 빅 펜은 다른 제품에 달리 손상을 입을 것이 없었다.[4] 마지막 사례로 IBM은 대형컴퓨터 판매에 영향을 미칠 것을 우려해 미니컴퓨터 사업에 선뜻 뛰어들지 못했다.

보복의 지체를 통해 이득을 볼 수 있는 전략적 조치를 찾아내거나 보복의 지체를 극대화하는 조치를 강구하는 것은 경쟁적인 상호작용의 핵심적인 원리라고 할 수 있다. 그러나 보복조치를 무조건 지체하게 하는 것을 능사로 삼아서는 안 된다. 완만하지만 강력한 효과를 가진 보복조치가, 신속하지만 효과적이지 못한 보복조치보다 선제조치를 취한 기업에 더 큰 타격을 가할 수 있다. 따라서 어떤 전략적 선제조치를 취할 때에는 보복조치의 지체와 보복 대응책의 효율성 및 효과를 잘 비교하여 균형을 잘 맞추어야 할 것이다.

## 방어적 조치

지금까지는 공격적 조치에 대해서 설명했으나, 경쟁기업의 조치를 억제하거나 그 조치로부터 자사를 방어하는 문제도 역시 중요하다. 물론 방어적인 조치는 공격적인 조치와 반대의 형태를 취한다. 훌륭한 방어적 조치란, 경쟁기업으로 하여금 앞서 설명한 분석작업을 끝낸 후나 실제로 공격적 조치를 시도한 후 그 조치가 적합하지 못한 것이었다는 결론을 내리게 만드는 상황을 조성하는 것이다. 공격적인 조치와 마찬가지로 방어적인 조치 또한 경쟁기업들이 경쟁을 벌인 후 곧 후퇴하도록 만들어야만 효과를 거둘 수 있다. 그러나 가장 효과적인 방어조치는 '경쟁 자체를 방지하는' 것이다.

공격적인 조치를 사전에 막기 위해서는 경쟁기업으로 하여금 확실하게 보복조치가 가해질 것이란 점과 또 그 보복조치가 상당히 위력적일 것이라는 점을 믿게 해야만 한다. 이러한 효과를 거둘 수 있는 몇 가지 방법은 앞에서 설명했으며, 그 밖의 다른 방법들은 '명확한 결의표명'의 일반화된 개념의 일부로서 소개하겠다.

경쟁기업의 조치를 사전에 봉쇄할 수 없다 하더라도 이를 막아낼 다른 방법은 여러 가지가 있다.

## 방어의 한 형태로서의 응징

어떤 경쟁기업이든 공격적 조치를 취하면 분명히 보복을 받게 된다고 한다면, 이런 보복적 행위는 공격적인 조치를 취하는 기업으로 하여금 언제나 보복이 뒤따르리라는 것을 예상할 수 있게 할 것이다. 보복을 가하는 기업이 선제조치를 취한 기업을 보다 명확한 보복조치의 대상으로 삼거나, 보복의 대상이 다른 기업이 아닌 바로 그 기업임을 보다 확실하게 전달할 수 있으면 보복적 행위의 효력은 그만큼 더 커질 것이다.[5] 이와 반대로 보복조치가 일반적인 형태(예를 들어 가격인하 조치를 취한 기업과 경쟁을 벌이는 산업 부문만이 아니라, 모든 부문에 적용되는 보복적인 가격인하를 단행한 경우)를 취할 수밖에 없을 경우에는 보복적 행위에 따르는 대가는 커지고 효력은 오히려 감소할 가능성이 많다.

또한 공격적 조치에 대한 보복적 대응이, 선제조치를 취한 기업에만 집중되지 않고 다른 기업들에도 영향을 미치는 일반적인 형태로 나타나면 자칫 연쇄적인 보복조치를 야기할 위험이 있다. 이러한 상황은 보복의 효력을 완전히 상쇄함은 물론이고, 오히려 사태를 더욱 악화시키는 결과를 초래할 것이다.

## 기반의 거부

경쟁기업이 어떤 조치를 취했을 때에는, 그 기업이 목표를 달성하는 데 필요한 적절한 근거를 분쇄하고, 또 그런 상태가 앞으로도 계속될 것이라는 예상을 갖게 하면 그 기업을 후퇴시킬 수 있다. 예를 들어 신규 진입기업은 성장이나 시장점유 등에 대해 일정한 목표를 설정하고, 이를 달성하는 기간도 정해놓는다. 만약 신규 진입기업이 설정한 목표가 분쇄당하고 이를 성취하는 데 장기간이 걸리리라는 확신을 갖게 만들면, 결국 신규 진입기업은 후퇴를 하거나 당초의 계획을 축소하게 될 것이다. 기반을 거부하는 방책에는 치열한 가격경쟁, 연구활동에 대한 막대한 투자 등이 포함된다. 시험출하 단계의 신제품을 공격하는 것도 앞으로 대결할 용의를 사전 예고하는 효과적인 방법이 되는데, 이 방법을 이용하면 나중에 본격적으로 신제품이 출하될 때를 기다려 대응하는 것보다 비용이 덜 들게 된다.

또 다른 방법은 특별계약 등을 통해 고객들에게 필요한 물품을 대량 구매하여 재고로 쌓아놓도록 함으로써 신제품의 수요를 거의 없애 진출상의 단기비용을 높이는 것이다. 기업이 시장에서 위협을 받을 때에는, 단기간 동안에는 큰 희생을 치르는 한이 있더라도 위협을 가하는 경쟁기업의 기반을 분쇄하는 것이 효과적이다. 그러나 이러한 전략을 채택할 때에는 경쟁기업의 실행목표와 자세한 내용을 정확하게 추적하여 판단해야 한다.

이와 비슷한 사례로 디지털 시계사업에서 철수한 질레트의 경우를 예로 들 수 있다. 질레트는 시험출하 단계에서 상당한 시장을 점유했다고 판단했지만 결국 철수했다. 그 이유는 기술 개발과 또 다른 사업 부문보다 낮은 수익률을 끌어올리려면 막대한 투자가 소요되기 때문이었다. 텍사스 인스트루먼츠는 그동안 디지털 시계사업에서 적극적인 가격조정과 급속한 기술개발 전략을 실행해왔는데, 이런 점이 질레트의 철수 결정에 큰 영향을 미쳤던 것으로 보인다.

# 결의표명

공격적 또는 방어적 경쟁조치를 계획하고 실행하는 데 가장 중요시해야 할 점은 결의표명(commitment)이라고 할 수 있다. 결의나 태도 표명은 공격적 조치에 대한 보복의 가능성이나 신속성, 강도 등을 확실하게 드러낼 수 있을 뿐만 아니라, 방어적 전략을 세우는 데 기본적인 토대가 된다.

결의표명은 또한 경쟁기업이 그들의 입장이나 경쟁대상이 처한 상황을 인식하는 형태에 영향을 미칠 수도 있다. 확고한 결의표명은 기업의 능력과 의도를 명료하게 전달하는 커뮤니케이션(communication)의 기본적인 형태라 하겠다.[6] 경쟁기업은 때때로 다른 기업의 의도와 경쟁능력의 크기를 제대로 알지 못하는 경우가 있다. 이런 때에 다른 기업의 결의가 제대로 전달된다면 잘못된 판단을 할 가능성이 줄어들고, 그에 따라 각 기업은 새로운 판단에 근거하여 합리적인 전략을 모색함으로써 필요 없는 경쟁을 피할 수 있다. 예를 들어 기업이 특정 조치를 단호하게 격퇴하겠다는 결의를 명확하게 표명할 수 있다면, 경쟁기업은 그들의 전략을 수립하는 데 있어 이러한 반응을 가능성으로서가 아니라 명확한 사실로서 받아들일 것이다. 따라서 경쟁기업이 선제조치를 취할 가능성은 줄어들게 된다. 경쟁적인 상호작용에서는 시장에서 차지하는 자사의 유리한 입장을 극대화하는 형태로써 결의를 표명한다.

경쟁상황에서는 다음과 같은 3가지 형태의 결의표명 방법이 있는데, 이 3가지는 제각각 억제력을 발휘하는 대상이 다르다.

- 기업이 현재 취하고 있는 조치를 분명히 고수할 것이라는 결의표명
- 경쟁기업이 어떤 조치를 취하면 보복을 취하고, 또 이에 계속 대응해나갈 것이라는 결의표명

· 기업이 아무런 조치를 취하지 않거나, 이미 취한 어떤 조치를 포기 하겠다는 결의표명

기업이 현재 취하고 있거나 앞으로 취할 어떤 전략적 조치를 계속 고수할 것임을 경쟁기업이 확실하게 인식할 수 있다면, 경쟁기업이 새로운 상황에 대항하는 것을 포기해 보복조치나 그 기업의 후퇴를 강요하기 위한 자원의 동원을 단념할 가능성이 커질 것이다. 이런 점에서 결의표명은 '보복조치를 억제할 수 있는' 조치인 셈이다. 기업이 어떤 조치를 실행하겠다는 의도를 확고하고 완강하게 드러내면 드러낼수록 소기의 성과를 얻을 가능성은 그만큼 커진다. 그 기업이 상대하기 벅찬 두려운 기업으로 인식된다면 경쟁기업이 섣불리 보복조치를 취하기는 어려울 것이다. 보복조치를 취할 경우 그 기업은 자사의 새로운 위치를 지키기 위해 대응조치를 취할 것이고, 이에 따라 보복의 악순환은 계속될 것이기 때문이다.

두 번째 형태는 경쟁기업이 취할지도 모르는 선제조치를 억제하려는 목적에서 행해지는 결의표명이다. 기업이 경쟁기업의 공격적 조치에 대해 강력한 보복을 가할 것임을 확실하게 인식하게 한다면, 경쟁기업은 어떤 조치를 취해보았자 실익이 없을 것이라는 판단을 하게 될 것이다. 이런 점에서 결의표명은 위협적인 조치를 취하지 못하도록 억제하는 기능이 있다. 경쟁기업이 위협적인 조치를 취할 경우, 끈질기고 맹렬한 보복조치를 유발해 관련 기업 모두의 이익을 크게 손상시킬 가능성이 있음을 보다 분명하게 인식하게 한다면, 그들이 먼저 조치를 취할 가능성은 그만큼 줄어들 것이다. 이러한 상황은 가령 강도가 "꼼짝 말고 가지고 있는 돈을 다 내놔!"라고 말했을 때, 반쯤 미친 듯이 보이는 상대가 "내 돈을 빼앗으면 이 폭탄을 터뜨려 당신까지 죽일 테다" 하고 오히려 거꾸로 위협하는 상황과 비슷하다고 할 수 있다.

결의표명의 세 번째 형태는 신뢰를 조성하는 것이다. 이런 형태의 결의표명은 경쟁을 단계적으로 축소하는 기능을 한다. 예를 들어 기업이 경쟁기업의 가격인상 조치를 이용해 경쟁기업의 시장을 잠식하려 하지 않고, 대신 그 조치에 따라 함께 가격을 인상할 것임을 드러낸다면 치열한 가격경쟁을 막는 데 도움이 될 것이다.

결의표명의 설득력은 그 결의가 얼마나 구속력이 있고 또 확고한지에 달려 있다. 결의표명의 가치는 억제력에서 찾을 수 있고, 억제력으로서의 가치는 결의표명이 준수될 것이라고 경쟁기업이 확실하게 믿을 때 더욱 커진다. 그러나 공교롭게도 결의표명이 억제효과를 발휘하지 못할 경우에는 결의표명을 한 기업이 난처한 입장에 빠지게 된다. 이때에는 당초의 결의를 취소함으로써 추후 겪게 될 신뢰성의 약화와, 결의표명을 그대로 실행할 경우 치르게 될 대가를 잘 비교해서 결정을 내려야 한다.

결의표명을 하는 데에는 표명 내용의 사실과 시기 모두 중요한 문제가 된다. 시기적으로 먼저 결의를 표명하는 기업은 다른 기업들로 하여금 앞으로 대응을 하는 데 있어서 자사의 행위를 기정사실로서 받아들이게 하기 때문에, 결과를 자사에 유리한 방향으로 이끌어갈 수 있다. 특히 다른 기업들이 그 기업에 대한 대응형태를 그대로 따르지는 않지만, 기본적으로는 안정적인 결과를 얻고자 할 때에 선제적 결의표명은 효과적인 수단이 된다. 그러나 두 기업이 서로 유리한 입장을 차지하기 위해 치열한 경쟁을 벌이고, 또 기업들의 이해관계가 집중되어 있지 않고 광범위하게 분산되어 있을 때에는 먼저 결의를 표명하는 기업이 오히려 불리할 수 있다.[7]

## 결의표명의 전달방법

어떤 조치를 추구하기 위한 것이든, 또는 경쟁자의 조치에 대항하기 위한 것이든 결의표명은 여러 가지 방책과 표현수단을 통해 전달된다. 결의표명의 신뢰성을 뒷받침할 수 있는 수단으로는 다음과 같은 것들이 있다.

- 표명한 결의를 즉각 실행할 수 있는 자산이나 자원 또는 방책
- 과거의 실천 사례를 포함, 결의표명을 반드시 실행하겠다는 의지
- 결의표명을 철회할 수 없는 상황, 또는 철회하지 않을 것이라는 개연성 있는 결의의 외부 인식
- 결의표명에서 지적된 조건의 추종 여부를 탐지할 수 있는 능력

결의표명의 의지를 제대로 전달하기 위해서는 이를 이행하는 방책이 필요하다. 가령 그 기업에 대항해보았자 아무런 승산이 없을 것처럼 보인다면 경쟁은 좀처럼 일어나지 않을 것이다. 결의의 실행을 뒷받침하는 가시적인 자산(visible assets)으로는 잉여준비 자금이나 잉여생산 능력[8], 대규모적인 판매원, 광범위한 조사연구 능력, 경쟁기업이 다른 사업 부문에서 벌이는 소규모 사업(보복조치에 활용할 수 있는), 대결상표 등이 있다. 이보다 가시성이 덜한 자산으로는 개발이 완료되었지만 아직 출하되지 않은 신제품 등이 있는데, 이런 신제품은 경쟁기업의 주요 시장에 내놓아 직접 대항할 수 있는 자산이다. 결의표명의 방책이란 이러한 자산이나 자원, 즉 경쟁기업이 자사에 바람직하지 못한 조치를 취했을 때 그 기업을 응징하는 데 동원되는 자원을 말한다. 위에서 밝힌 자원들은 효과적인 응징방책으로 활용할 수 있는 것이다.

결의표명의 실행을 뒷받침하는 자산을 강화하는 것은 결의를 구축해나가는 데 중요한 기능을 한다. 그러나 자산의 소유만으로 모든 것이 해결되는 것은 아니다. 경쟁기업이 그 기업의 자산소유 사실을 알아야만 억제적인 효과를 발휘할 수 있다. 확실한 방법은 아예 공표를 하거나 고

객들에게 알림으로써 산업 내에 널리 알려지게 하거나, 업계 전문지와 접촉해서 기사화하는 것이다. 가시성이 높은 자원은 경쟁기업이 잘못 판단하거나 인식하지 못할 위험이 거의 없기 때문에 억제적인 효과가 가장 크다 하겠다.

표명한 결의를 분명히 이행하겠다는 의사 또한 그것이 경쟁기업에 전달되어야만 신뢰성을 지니게 된다. 이를 위한 방법은 행동의 일관성을 유지하는 것이다. 경쟁기업은 주로 특정 기업의 과거행적을 통해 그 기업의 반응이 얼마나 끈질기고 강력할 것인지 가늠하는데, 만약 과거의 행위가 일관성이 없다면(대단하지 않거나 심지어 사소한 문제까지도) 앞으로의 의지를 판단하는 데도 설득력을 가지지 못할 것이다. 결의표명을 실천하겠다는 명확한 의지는, 이미 알려져 있는 방어적 기능의 연구개발 계획처럼 보복상의 시간 차이를 줄일 수 있는 뚜렷한 조치로서 더욱 부각될 수 있다. 이 밖에 공표를 하거나 의도적으로 누설하는 방법도 결의표명의 실행의지를 전달하는 방법이 된다. 그러나 이런 방법은 보통 과거의 결의표명까지는 전달하지 못하는 경우가 많다.

실행의지를 전달하는 매우 효과적인 방법은, 표명한 결의를 철회하는 것이 불가능하지는 않지만 철회가 쉽지 않고 또 값비싼 희생이 뒤따른다는 점을 알리는 것이다. 예를 들면 특정 공급자나 구매자와 장기계약을 체결한 사실이 알려지게 되면, 시장에 뛰어들어 끝까지 버티는 데 장기적인 이해관계가 얽혀 있음을 알리는 셈이 된다. 또한 공장을 빌려 쓰는 것이 아니라 사들인다든가, 단순한 조립생산 업체로서가 아니라 완벽한 체제를 갖춘 생산업체로서 시장에 뛰어드는 것도 마찬가지 효과를 거둘 수 있다. 경쟁기업의 공격적인 조치에 대한 보복결의는 소매상이나 고객들에게 서면이나 구두로 가격인하를 약정하거나, 경쟁기업에 상응한 우량품 공급을 보장하거나, 또는 지원광고로써 협조를 약속하는 등의 형태로 취소 불능의 확정성을 부여할 수 있다.

산업이나 금융계에 대한 공개적인 결의표명, 시장점유 목표의 공표, 그 밖의 다른 여러 가지 방법도 경쟁기업으로 하여금 철회하거나 후퇴할 수밖에 없는 절박한 상황으로 인식하게 하는 수단이 될 것이다. 이런 상황을 인식하게 한다면 경쟁기업이 그러한 결의를 그대로 실행하지 못하게 하는 억제적 효과를 발휘한다.

이런 관점에서 볼 때, 기업이 자사의 결의표명을 무분별하게 추구할 가능성이 높을수록 그 기업을 다룰 때에는 그만큼 신중을 기해야 한다. 경쟁적인 상황에서는 과거의 행태나 송사, 공표 등을 통해 상대의 무분별을 가늠할 수 있다. 경쟁기업은 특정 기업의 진실성을 모든 경영활동 부문에서 확인할 수 있다. 공급자나 고객, 유통경로 등에서 밝힌 내용이나 공표한 내용을 살펴보면, 그 기업이 특정 사업부문에 뛰어든 경우나 끝까지 결의표명을 고수하겠다는 태도가 얼마나 진지한 것인지 파악할 수 있다.

결의표명을 제대로 전달하는 데 있어서 막강한 자원의 뒷받침이 언제나 필요한 것은 아니다. 예를 들어 높은 시장점유율이나 다양한 제품라인을 가지고 있는 기업은 앞서 설명한 것과 같이, 경쟁기업의 어떤 조치에 대응함에 있어 목표가 상충되는 일이 비일비재하다. 그러나 소규모 기업은 선제조치를 취하거나 다른 기업의 조치에 대응하는데 있어 보통 잃는 것보다 얻는 것이 많다. 이런 기업이 가령 가격인하 조치를 취하면, 소규모 기업보다 판매량이 많은 경쟁기업에 엄청난 영향을 미칠 수 있다. 소규모 기업은 자사의 위협을 실행에 옮길 자원이 부족하다 해도, 무모하거나 끈질긴 조치를 취함으로써 이러한 약점을 보충할 수 있다.

끝으로 다른 기업의 추종 여부를 탐지할 수 있는 능력은 보복결의의 효율성을 높이는 데 중요한 역할을 한다. 경쟁기업이 상대방을 기만하면서 은밀하게 어떤 행동을 할 수 있다고 믿게 되면, 실제로 그렇게 하려는 충동이 커질 것이다. 그러나 보복 대응책을 사용하겠다는 결의를 밝힌 기업이 경쟁기업의 은밀한 가격조정이나 품질조정 또는 앞으로 출시할 신제품 등을 즉시 간파할 수 있는 능력을 과시한다면, 그 기업의 결의표명은 더욱 신빙성을 가지게 될 것이다. 상대방의 행동을 파악할 수 있다는 능력을 과시하는 몇 가지 방법으로는 판매량 추적 시스템이 외부에 '알려지게' 하거나 고객들에게 그런 사실을 밝히는 일, 또는 유통업자들과 면담을 하는 일 등이 있다. 여기서 한 가지 유념해야 할 사실은 구매자가 할인혜택을 노려 있지도 않은 가격인하 조치를 거짓 전달할 가능성이 있다는 점이다. 이런 일은 정보유통이 원활하지 못하거나 공급자가 구매자의 주장을 확인할 수 없는 시장에서 시장의 안정성을 저해할 가능성이 많다.

정맥주사 용액, 혈액용기, 그 밖의 일회용 의료제품 시장에서 벌어지는 경쟁전의 양상은 결의표명과 관련된 흥미로운 사례를 보여준다.[9] 의료제품 시장에 유력한 기반을 두고 있는 백스터(Baxter: 매출액 8억 달러)는 정맥주사 용액을 담는 새로운 용기를 개발한 아메리칸 호스피탈 서플라이(American Hospital Supply: 매출액 15억 달러) 맥고(McGaw) 사업부의 도전을 받게 되었다. 미국 식품의약국(FDA)이 1977년 11월까지 맥고 사업부가 개발한 새로운 용기를 승인하지 않았음에도 불구하고 백스터는 이 신제품의 출하저지 결의를 전달하기 위한 조치에 착수한 것으로 알려졌다. 뒤이어 병원 구매담당자들로부터 가격경쟁이 가열되고 있다는 이야기가 흘러나왔다. 백스터는 여러 제품에 대해 대폭적인 할인판매 조치를 취했으며, 특히 맥고 사업부가 신장세를 보이는 시장 부문에서는 더욱 치열한 가격경쟁이 벌어졌다. 백스터는 그때까지 연구 부문에 막대한 투자를 해왔고, 또 1970년대 초반 다른 경쟁기업이 시장에 진입하면 치열한 가격인하 공세를 취해왔다. 이런 점에 비추어볼 때 백스터가 맥고의 도전에 대처하는 강경한 결의는 충분히 전달된 것으로 보인다.

## 신뢰를 조성하는 결의표명

지금까지는 어떤 조치의 고수결의나 보복결의의 뜻을 전달하는 데 설명의 초점을 맞추었다. 그러나 기업이 다른 기업에 손상을 끼치는 조치를 취하지 않겠다거나, 공격을 종식시키겠다는 결의를 표명하는 바람직한 결의표명도 있다. 이러한 결의표명은 비교적 수월해 보이지만 경쟁기업은 이런 유화적 제스처에도 방심하지 않는다. 특히 과거에 그 기업으로부터 타격을 받은 적이 있는 기업은 이런 제스처를 더욱 경계한다. 경쟁기업이 방심한 틈을 타 기습적인 조치를 취함으로써 상대로 하여금 만회하기 어려운 타격을 입히고, 자사의 결정적 우위를 차지하려는 전략이 아닌지 경계심을 품는 것이다. 그렇다면 화해나 신뢰의 의도를 가진 결의는 어떤 형태로 전달해야 하는가?

현실적으로 나타날 수 있는 방법은 매우 다양하지만, 기본적인 원리는 앞서 설명한 결의표명의 원리를 그대로 적용할 수 있다. 신뢰를 전할 수 있는 설득력 있는 방법은 그 기업이 자사의 성과를 일부 축소함으로써 경쟁기업에 이익이 되도록 증명해 보이는 것이다. 예를 들어 GE는 터빈발전기 사업의 격심한 가격인하 경쟁을 피하기 위해 경기하강 국면에서는 시장점유를 일부 양보했다가 경기상승 국면에서 다시 되찾는 전략을 취했다.[10]

# 중심점

과점상태에서 불안정성이 유발되는 것은 시장성과에 대한 경쟁기업들의 기대가 모두 크기 때문이다. 경쟁기업들이 저마다 다른 기대를 품고 있다면 교묘한 술책이 끊임없이 이어질 것이고, 이것은 보다 격렬한 경쟁전을 불러올 것이다. 게임 이론에 대한 토마스 쉘링(Thomas Schelling)의 연구결과[11]를 보면 앞에서와 같은 상황에서 어떤 성과를 얻는 데 중요한 역할을 하는 것이 '중심점', 즉 경쟁적 과정에서 개별 기업의 기대를 집중시킬 수 있는 어떤 뚜렷한 귀착점을 찾아내는 것임을 알 수 있다. 그러한 중심점의 효력은 경쟁기업들이 공격적인 조치와 대응조치가 난무하는 곤란하고 불안정한 상황을 피하고, 안정적인 결과를 성취하는 데 공동노력을 기울여야 하는 필요성과 의욕을 지니고 있는지의 여부에 달려 있다.

중심점은 논리적 타당성을 지닌 가격지표, 일정 이윤율을 바탕으로 한 가격결정 방식, 균형을 이룬 시장점유 분할, 비공식적인 지역별 또는 고객별 시장분할 등의 형태를 취할 수 있다. 중심점 이론은 경쟁적인 활동이 조정을 거치다 보면 결국에는 중심점으로 정착되어 그 지점이 자연스럽게 고착적 위치가 된다는 것이다.

중심점 이론은 경쟁적인 측면에서 다음과 같은 3가지 의미를 부여한다. 첫째, 경쟁기업들은 가능한 한 빨리 바람직한 중심점을 찾아내도록 노력해야 한다. 그러한 중심점을 빨리 찾으면 찾을수록 이를 모색하는 과정에서 소요되는 여러 가지 희생을 그만큼 줄일 수 있다. 둘째, 중심점을 찾아내려면 산업의 가격구조와 그 밖의 의사 결정상의 변수를 단순화해야 한다. 가령 표준적인 등급화나 제품의 표준화로 제품라인의 복잡성이 대체되는 경우가 해당된다. 셋째, 특정 기업에 가장 적합한 형태의 중심점이 만들어지기 위해서는 그 기업이 원하는 방향으로 게임을 유도해나가야 한다. 가령 절대가격이 아닌 평방피트당 가격으로 표시하는 방법을 산업에 도입하는 것이나, 그 기업에 만족스러운 중심점이 자연스럽게 나타나는 것처럼 보일 수 있게 전략적 조치의 선후관계를 조정하는 것 등이다.

# 정보와 기밀 유지의 문제점

　업계 전문지 수가 늘어나고 기업의 각종 보고자료 제출요건이 강화되면서, 기업은 자사에 관한 정보를 점차 많이 공개하지 않을 수 없는 상황에 놓이게 되었다. 그중 일부는 법적인 요건에 따르는 불가피한 것도 있지만, 그 밖의 상당수는 연례보고서에 실린 문장이나 인터뷰, 연설 또는 반드시 필요하지만은 않은 다른 형태로 기업의 정보가 공개되거나 유출된 경우이다. 기업정보는 대개 증권시장에 대한 관심, 경영관리자의 자만심, 종업원들의 실수 또는 단순한 부주의 등으로 인해 유출된다.

　앞서 설명한 것과 같이, 정보는 공격적인 조치나 방어적인 조치 모두 중요한 역할을 한다. 때로는 정보를 선택적으로 유출하는 것이 시장신호나 결의표명을 전달하는 데 매우 유용할 수 있다. 앞으로의 계획이나 의도가 사전에 누설되어 경쟁기업의 대응전략 수립을 매우 용이하게 해주는 경우도 있다. 예를 들어 생산이 임박한 신제품의 정보가 상세하게 유출되면, 경쟁기업은 모든 자원을 그 제품에 집중시켜 대응하게 된다. 신제품의 정보가 상세하게 누설되지 않고 지극히 모호한 형태로 알려지게 되면 경쟁기업의 방어전략은 단일 형태가 아닌 여러 형태로 갖추어져야 한다. 그 이유는 신제품이 어떤 형태로 나타나는지에 따라 반응도 달라져야 하기 때문이다.

　정보의 '선택적인' 유출은 경쟁적인 조치를 취하는 데 있어 매우 중요한 자원 역할을 한다. 따라서 어떠한 내용이든 기업정보의 공개는 경쟁전략의 불가결한 요소로서만 이루어져야 할 것이다.

# 구매자와 공급자에 대한 전략

이 장에서는 구매자 선택, 즉 목표로 삼는 고객이나 고객집단의 선택을 위한 산업구조 분석의 몇 가지 문제점을 제기하고 검토해보기로 하겠다. 아울러 구매전략을 위한 몇 가지 관련 문제점도 살펴보겠다. 구매자와 공급자에 대한 정책은 지금까지 주로 운용상의 문제들에 집중하는, 즉 지나치게 협의적으로 고찰되는 경우가 많았다. 그러나 기업이 구매자와 공급자에 대한 광범위한 전략상의 문제들에 관심을 기울이게 되면, 경쟁적 위치를 개선할 수 있을 뿐만 아니라 구매자나 공급자들이 행사하는 영향력에 쉽게 흔들리는 취약적인 부분을 줄일 수도 있다.

## 구매자 선택

대부분의 산업에서는 그 산업의 제품이나 서비스를 어느 한 구매자에게만 판매하는 것이 아니라 일정한 범위 내의 다수의 구매자들에게 판매한다. 구매자 집단이 발휘하는 협상능력은 총체적인 면에서 5가지 경쟁요인 중의 하나가 되어 특정 산업의 잠재적인 수익성을 좌우한다. 1장에서는 특정 산업의 구매자 집단이 한 집단으로서 강력한 영향력을 발휘하게 만드는 구조적 여건에 대해서 설명했다.

특정 산업이 거래하는 구매자 집단이 구조적인 면에서 동질성을 지니고 있는 경우는 매우 드물다. 예를 들어 생산재 산업은 매우 다양한 사업을 경영하는 구매자들에게 제품을 판매하기 때문에 그 제품이 사용되는 형태도 각각의 구매자에 따라 다를 수 있다. 구매량이나 구매품이 생산공정에서 차지하는 비중도 구매자에 따라 큰 차이를 드러낸다. 소비재를 구매하는 이들은 더욱 천차만별이다. 구매량이나 소득수준, 교육정도, 그 밖의 다른 많은 면에서 큰 차이를 드러낸다.

특정 산업의 구매자들은 구매상의 요구 측면에서도 서로 입장이 다르다. 즉 구매자에 따라 요구하는 서비스의 수준이나 희망하는 품질과 내구성, 그리고 판매나 제품표시에 필요한 정보 등이 다르다. 이 같은 구매상의 상이한 요구가 구매자들이 지니는 구조적 교섭력의 차이를 만드는 한 가지 요인이 된다.

구매자들은 구조적 상태뿐만 아니라 잠재적인 성장능력과 이에 따른 구매량의 증대 가능성 면에서도 차이를 드러낸다. 가령 사양기에 접어든 흑백 TV 수상기 제조회사에 판매하는 것보다 급성장하는 미니컴퓨터 산업의 디지털 이큅먼트(Digital Equipment) 같은 기업에 전자부품을 판매하는 것이 향후 판매량 증대 가능성이라는 면에서 훨씬 유망하다 하겠다.

개별 구매자에 대한 판매상의 부대비용도 차이가 날 수 있다. 예를 들어 전자부품을 판매·공급하는 데 있어서는 소량 발주기업에 공급하는 것이 대량 발주기업에 공급하는 것보다 훨씬 많은 비용(판매량에 대비된 비용)이 든다. 왜냐하면 수주를 처리하는 부대비용은 수주량에 관계없이 대체적으로 고정되어 있기 때문이다. 즉 사무처리나 그 밖에 물품을 인도하기까지 여러 가지 절차나 취급에 따라 발생하는 비용은 수주량이 많고 적음에 큰 영향을 받지 않는다.

이와 같은 이질성으로 인해 '구매자 선택(목표 구매자들의 선택)'은 중요한 전략적 변수기능을 가진다. 일반적으로 기업은 선택의 범위 내에서 가능한 한 가장 유리한 구매자에게 제품이나 서비스를 판매해야 한다. 구매자 선택은 기업의 성장률에 큰 영향을 미치고, 또 구매자들의 대항력을 극소화할 수도 있다. 성숙된 산업, 제품 차별화, 그리고 기술혁신에 의한 진입장벽을 계속 유지하기가 어려운 산업에서는 구조적 요인에 관심을 기울이는 구매자 선택이 특히 중요한 전략적 변수가 된다.

다음은 구매자 선택에 대한 몇 가지 개념을 설명하겠다. 먼저 유리하거나 다루기 편한 구매자가 어떤 특성을 지니고 있는지 살펴본 다음, 구매자 선택과 관련된 몇 가지 전략적 문제를 다루어보기로 하겠다. 여기서 한 가지 중요한 점은 기업이 자사에 유리한 구매자를 찾을 수 있을 뿐만 아니라 그러한 구매자를 '만들 수' 있다는 것이다.

## 구매자 선택과 전략의 기본구조

전략적인 관점에서 구매자의 특성을 측정하는 데에는 다음과 같은 4가지 기준이 있다.

· 구매요구 vs. 기업의 여러 가지 능력
· 성장 잠재력
· 구조적 상황: 고유한 교섭력과 이러한 교섭력을 가격인하 요구에 활용하려는 성향
· 부대비용

기업이 상이한 구매요구를 충족시키는 데 경쟁기업과 상대적으로 다른 능력을 지니고 있다면, 이러한 구매요구의 상이성은 전략적인 연관성을 지니게 된다. 만약 그 기업이 다른 조건은 동일한 상황에서 그러한 요구를 상대적으로 가장 잘 충족시킬 수 있는 구매자를 목표로 삼고 있다면, 이 기업은 경쟁적인 우위를 강화하게 될 것이다. 전략 수립에서 구매자의 잠재적인 성장능력을 중요시해야 하는 것은 너무나 당연한 일이다. 구매자의 잠재적인 성장능력이 크면 클수록 그 기업 제품의 구매량이 늘어날 가능성이 그만큼 높기 때문이다.

구매자의 구조적 상황을 전략적 분석대상으로 삼을 때에는 2가지 형태로 나누어 살펴보는 것이 좋다. 내재적인 교섭력이란 구매자가 본래 지니고 있는 영향력과 이용 가능한 대체공급원으로서, 필요에 따라 판매자들에게 행사할 수 있는 힘을 말한다. 그러나 이러한 수단이나 힘은 '행사될 수도, 행사되지 않을 수도' 있다. 왜냐하면 구매자는 판매자의 마진을 축소하기 위한 교섭력의 행사 성향이 서로 다르기 때문이다. 어떤 구매자는 많은 물량을 사들이면서도 가격에 크게 신경을 쓰지 않는다. 내재적인 교섭력과 이러한 능력의 행사 성향은 모두 전략적으로 매우 중요한 요인이다. 행사되지 않는다고 해서 교섭력이 무조건 사장되는 것은 아니며, 산업의 진전에 따라 언제라도 행사될 수 있는 잠재적 위험요인으로 보아야 할 것이다. 가격에 신경을 쓰지 않던 구매자도 가령 자신이 참여하는 산업이 성숙되어 더 이상의 성장 여지가 없어지거나, 또는 일부 대체재가 구매자의 마진을 압박할 경우에는 갑자기 구매가격에 민감한 반응을 보일 수도 있다.

전략적 관점에서 구매자의 주요 특성을 판단하는 마지막 기준은 특정 구매자에게 물품이나 서비스를 판매·공급하는 데 따르는 부대비용이다. 부대비용이 많이 든다면, 다른 기준에서 거래하기 편한 구매자라 하더라도 그 매력은 크게 떨어질 것이다. 다른 기준에서 기대되던 높은 마진이나 낮은 위험부담이 부대비용 부담으로 인해 상쇄되기 때문이다.

4가지 기준이 반드시 동일한 방향으로 함께 작용하는 것은 아니다. 성장 잠재력이 가장 큰 구매자는 (반드시 그렇지는 않다 하더라도) 교섭력이 가장 큰 구매자이거나 그러한 힘을 가장 무자비하게 행사하는 구매자일 수도 있다. 또는 교섭력을 거의 가지지 못해 가격에 대해 별로 신경을 쓰지 않는 구매자가 판매자에게 많은 부대비용의 부담을 안겨주어, 오히려 가격에 신경을 쓰는 구매자보다 더 불리한 경우도 있다. 또 수주처리를 하기에는 가장 적합한 구매자가 다른 기준에서는 모두 적합하지 않은 경우도 있다. 따라서 최선의 목표 구매자를 선택할 때에는 4가지 기준을 비교하고, 그 결과를 기업의 목표에 견주어본 후에 최종적인 결정을 내려야 할 것이다.

특정 구매자가 4가지 기준에 비추어 어떤 유형에 해당하는지 평가하는 것은, 곧 산업구조 및 경쟁분석의 개념을 구매자의 상황에 적용하는 것이라 하겠다. 이러한 분석의 몇 가지 요인들을 설명하겠다.

## 구매목표 vs. 기업의 제반능력

구매자의 특수한 구매요구를 기업의 제반능력과 조화시키는 일은 반드시 필요하다. 이러한 조화를 통해 기업은 다른 경쟁자들에 비해 구매자에게 제품을 공급하는 부대비용을 최소화할 수 있다. 예를 들어 기업이 두드러진 기술과 신제품 개발능력을 가지고 있다면, 고객의 다양성에 가장 큰 역점을 두고 있는 구매자에게 가장 높은 상대적 우위를 차지하게 될 것이다. 또는 그 기업이 경쟁기업에 비해 보다 능률적인 물류시스템을 운영하고 있다면, 그러한 우위는 원가를 매우 중요시하거나 제품인도까지의 물류과정이 몹시 복잡한 제품을 구매자에게 판매·공급할 때에 극대화될 것이다.

특정 구매자의 구매요구를 분석하는 것은 구매 결정에 관련되는 모든 요인과 구매거래(출하, 인도, 주문처리 등)를 이행하는 과정에 관련된 요인들을 규명하는 것과 같다. 이러한 요인들이 규명되면, 그 요인들을 바탕으로 개별 구매자나 구매자 집단이 전체 구매자 중에서 각각 어느 정도의 비중을 차지하는지 가려낼 수 있을 것이다. 또 이와 관련된 기업 자체의 제반능력은 3장에서 제시된 경쟁기업 분석수단을 바탕으로 평가할 수 있을 것이다.

## 구매자의 성장 잠재력

특정 산업에 참여하는 구매자의 성장 잠재력은 다음과 같은 3가지 직접적인 조건에 의해 좌우된다.

· 참여하는 산업의 성장률
· 구매자의 주요 시장영역의 성장률
· 산업이나 구매자의 주요 시장에서의 점유율 변동상태

구매자가 참여하는 산업의 성장률은, 대체재에 대응하는 그 산업의 능력이나 그 구매자에게서 제품을 사들이는 구매자 집단의 성장력 등 여러 가지 요인에 의해서 좌우된다(장기적인 산업 성장을 좌우하는 광범위한 요인에 대해서는 '산업의 진화'를 다루는 8장에서 다시 자세하게 설명하겠다).

특정 산업 내에서도 시장영역에 따라 성장률이 다를 수 있다. 즉 어떤 시장영역은 다른 시장영역에 비해 성장속도가 빠르다. 따라서 구매자의 성장 잠재력은 구매자가 현재 주력하고 있거나, 앞으로 주력할 가능성이 있는 판매시장이 어떤 영역인지에 따라서도 부분적인 영향을 받는다. 특정 시장영역의 성장 잠재력을 평가하려면, 그 산업의 성장 잠재력을 평가할 때 사용되는 분석방법을 그대로 활용해야 한다.

구매자가 산업이나 특정 시장영역에서 차지하는 시장점유율은 성장 분석의 세 번째 대상이 된다. 구매자의 현재와 앞으로의 시장점유율 증감 가능성은 모두 구매자의 경쟁상황에 대한 함수 역할을 한다. 이러한 상태를 평가하는 데에는 앞서 설명한 것과 같이, 현재와 앞으로의 산업 구조 전개 방향과 경쟁기업 분석을 필요로 한다.

이상의 3가지 요인이 모두 구매자의 성장 잠재력을 좌우한다. 예를 들어 특정 구매자가 시장점유율을 높일 수 있는 유리한 입장에 놓여 있다면, 그 산업이 성숙 또는 사양 산업이라 하더라도 뚜렷한 성장세를 보일 가능성이 많다.

일반 가계 구매자들의 잠재 수요성장률은 다음과 같은 요인에 의해 좌우된다.


· 인구 통계적 요인
· 구매량


첫 번째 인구 통계적 요인은 특정 소비자 부문의 미래규모를 결정한다. 예를 들어 교육수준이 높은 25세 이상의 소비자 수가 급속하게 늘어나는 경우가 해당된다. 소득이나 교육, 결혼, 연령 등에 대한 계층 분석도 인구 통계적 접근방법을 이용할 수 있다.

두 번째로 특정 소비자 계층이 구매할 제품이나 서비스의 수량도 성장 전망을 결정하는 주요한 요인이 된다. 구매량은 대체재의 존재 여부나 기본적인 요구를 변화시키는 사회적 추세 등과 같은 요소들에 의해서도 좌우된다(생산재에 대한 수요와 마찬가지로 소비재에 대한 장기적인 수요를 결정하는 기본요인은 8장에서 자세하게 설명하겠다).

# 구매자의 내재적인 교섭력

특정 구매자나 구매자 부문의 교섭력을 결정하는 요인은, 1장에서 설명한 산업 전체의 구매자 집단의 교섭력을 결정하는 요인과 유사하다. 여기서는 다른 구매자들에 비해 상대적으로 교섭력을 지니지 못하는 구매자를 밝혀내는 기준을 제시하겠다. 이런 구매자를 밝혀내는 것은 구매자 선택이라는 면에서 좋은 자료가 될 것이다.

• **판매자의 판매량에 비해 상대적으로 소량을 구매하는 구매자** | 소량 구매자는 가격의 양보나 운송비 부담, 그 밖의 특혜를 요구할 힘이나 수단이 별로 없다. 판매자의 고정비 비율이 높을 때에는 구매량이 구매자의 교섭력에 매우 큰 영향을 미치게 된다.

• **적당한 대체공급원이 없는 구매자** | 구매자의 요구가 특이해서 그에 적합한 대체공급원이 거의 없으면 구매자의 협상수단은 제한된다. 예를 들어 구매자가 완제품의 설계상 특별히 정밀성이 요구되는 부품을 필요로 한다면, 그런 부품을 공급할 수 있는 판매자는 그리 많지 않을 것이다. 이런 기준을 통해 볼 때, 바람직한 구매자란 특정 판매자에 한정된 특유한 제품이나 서비스를 필요로 하는 구매자라 할 수 있다.

• **쇼핑이나 거래 또는 흥정에 많은 비용이 드는 구매자** | 다른 가격을 제시하는 판매자를 찾아 나서거나 흥정하는 일, 또는 거래하는 일에 특별히 어려움을 느끼는 구매자는 고유한 교섭력이 약하게 마련이다. 필요에 부응하는 새로운 제품이나 새로운 공급자를 물색하는 비용이 많이 들면, 구매자는 자연스럽게 기존 공급자에 의존하게 될 것이다.

예를 들어 구매자가 지역적으로 벽지나 고립된 곳에 있을 때 그런 곤란을 겪게 된다.

• **후방통합을 단행하겠다는 위협이 신빙성을 가지지 못하는 구매자** | 후방통합을 실행할 만한 여건이 안 되는 구매자는 중요한 흥정수단을 상실하게 되는 셈이다. 보통 이러한 능력은 구매자들에 따라 큰 차이를 드러낸다. 예를 들어 황산을 구매하는 수많은 구매자들 중에는 비료 제조회사나 석유회사와 같은 대규모 수요자만이 후방통합이 가능할 수도 있다. 그 밖의 다른 황산 구매자들은 이런 능력이 없기 때문에 교섭력이 약하다고 하겠다(특정 구매자가 후방통합을 실행할 가능성이 있는지의 여부를 결정하는 요인들은 14장에서 자세히 다루도록 하겠다).

• **공급 대상자의 전환에 따른 고정비 부담이 높은 구매자** | 일부 구매자들은 자체적인 형편 때문에 교체비용이 매우 많이 드는 경우가 있다. 예를 들어 제품의 규격을 특정 공급자의 물품에 맞췄거나 또는 특정 공급자의 설비 사용방법을 익히는 데 많은 투자를 했을 경우가 그런 예이다.
교체비용의 주요 원천으로는 다음과 같은 것들을 들 수 있다.

· 새로운 공급자 제품에 맞추기 위한 제품수정 비용
· 새로운 공급자 제품의 대체 적격성을 확인하기 위한 검사비용
· 종업원을 재훈련하는 데 소요되는 비용
· 새로운 공급자의 제품을 사용하는 데 필요한 보조설비(공구, 실험장비 등)의 도입비용
· 새로운 물류시스템을 갖추는 데 소요되는 비용
· 기존 거래관계를 단절하는 데 따르는 심리적 부담

교체비용에 대한 부담의 정도는 구매자들에 따라 서로 다르다. 교

188

체비용은 판매자에게도 부담이 될 수 있다. 구매자를 바꾸는 데 일정한 비용을 감당해야 하는 경우가 있기 때문이다. 이는 결국 구매자의 교섭력을 강화하게 하는 요인이 된다.

## 구매자의 가격 민감도

개별 구매자들은 판매자의 마진을 축소시키기 위한 교섭력 발휘 면에서도 큰 차이를 드러낸다. 구매자가 가격에 전혀 신경을 쓰지 않거나 가격보다 구매품의 성능이나 효능적 특성에 더 관심을 기울인다고 하면, 이는 판매자의 입장에서는 바람직한 구매자의 태도라 할 수 있다. 개별 구매자들의 가격 민감도를 결정하는 조건은 1장에서 설명한 구매자 집단 전체의 가격 민감도를 좌우하는 조건과 유사하다.

가격에 신경을 쓰지 않는 구매자는 대개 다음과 같은 범주에 드는 경우가 많다.

• 구매 대상품이 구매자의 생산원가나 구매예산에서 큰 비중을 차지하지 않는 경우 | 구매 대상품이 비교적 값싼 품목이라면 싼 제품을 사려 하거나 흥정하려는 이유가 아무래도 약해질 것이다. 여기서 주목해야 할 점은 관련 원가가 구매자 제품의 기간별 총비용을 의미하는 것이지 단위비용이 아니라는 점이다. 단위원가가 낮더라도 구매량이 많아지면 그 품목은 매우 비용이 큰 항목이 될 수 있다. 일반 소비자들은 아무래도 비용이 많이 드는 항목에 관심을 기울이기 쉽다. 생산재 구매자의 경우도 마찬가지다. 비용이 많이 드는 품목에 대해서는 구매전문 담당자나 중역이 담당하고, 그 밖의 많은 품목들은 일반 구매사원이 담당한다. 소비자들의 경우에도 값싼 물건은 싸게 사려고 돌아다니거나 제품을 비교하려는 수고를 하지 않는 것이 보통이다. 이 때문에 주요 구매동

기는 쇼핑의 편의성에 치우치게 되어 객관적 기준에 덜 의존하는 경향을 보인다.

• **구매품에 결함이 생길 때 그 손실이 생산원가에 큰 영향을 미치는 경우** | 구매품이 기대에 어긋나거나 또는 기대에 부응하지 못해서 구매자가 큰 손실을 보게 된다면, 구매자는 자연스럽게 구매품의 가격에 큰 신경을 쓰지 않게 될 것이다. 이런 경우 구매자는 제품의 품질에 더욱 관심을 기울이게 되어 값이 비싸더라도 좋은 제품을 구매하려 할 것이고, 또 사용해본 제품이 품질 면에서 만족할 만한 결과를 얻었다면 계속해서 그 제품을 사용하려 할 것이다. 이런 경우는 전기제품 산업에서 찾아볼 수 있다. 가령 전기조절 장치를 생산기계에 활용하려는 구매자는 일반적인 용도로 사용하려는 구매자보다 가격에 덜 신경을 쓸 것이다. 이 장치가 고장을 일으킨다면 비싼 생산설비의 일부가 가동을 멈추게 되고, 그렇게 되면 많은 종업원들의 작업이 중단될지도 모르기 때문이다. 만약 이 조절장치를 생산공정 전반에 연관된 형태로 활용하는 경우에는, 그 제품의 고장이 전반적인 생산시스템 마비를 불러와 엄청난 손해를 입게 될 수도 있다.

• **구매품이나 서비스의 효능으로 절감효과가 크거나 제품의 성능을 개선하는 경우** | 구매품이 시간과 경비를 절감해주거나 또는 구매자의 제품성능을 개선해주는 경우에는 제품의 가격에 대해 별로 신경을 쓰지 않게 된다. 예를 들어 투자 은행가들이나 컨설턴트들의 자문 서비스를 통해 주식가격의 정확한 평가나 매입대상 기업의 정확한 자산평가, 또는 기업이 당면한 어려운 문제의 해결방법 등을 알 수 있다면, 이는 시간과 경비를 절약하는 데 큰 도움이 될 것이다. 가격 결정에 있어 특히 어려움을 겪고 있거나, 당면한 문제의 해결 여부에 큰 이해관계가 얽힌

190

구매자는 돈을 더 지불하더라도 최선의 자문 서비스를 받고자 할 것이다. 또 다른 사례로 해저유전 탐사활동의 경우를 예로 들 수 있다. 슐룸베르거(Schlumberger) 같은 기업들은 고도의 전자기술을 활용하여 암층 내의 석유매장지를 탐사하는데, 석유 시추회사들은 이런 기업들의 도움으로 정확한 매장지를 찾게 되면 시추경비를 크게 절감할 수 있다. 특히 해저유전이나 시추 깊이가 깊어서 잘못 시추할 경우 막대한 경비를 낭비하게 될 가능성이 높은 회사들은 이런 탐사회사의 서비스에 기꺼이 많은 탐사비를 지불하려 할 것이다. 이러한 절약과 관련된 다른 형태로는 적기 인도나 고장 시의 즉각적인 서비스 제공 등이 있다. 일부 구매자들은 이러한 형태로써 시간과 경비를 절약해주는 판매자에게 가격을 따지지 않고 기꺼이 물품을 구매한다.

• 구매품이 우량품 전략을 추구하는 구매자의 품질 향상 노력에 기여한다고 인식되는 경우 | 경쟁전략으로서 품질 우량화를 추구하는 구매자는 생산공정에 투입되는 물품의 가격에 크게 신경 쓰지 않는 경우가 많다. 구매자들이 구매품의 사용으로 그들 제품의 성능을 향상하거나 또는 구매품의 상표가 우량품 전략을 뒷받침할 만한 신용적 가치를 가지고 있다고 인식되는 경우가 그렇다. 이런 이유로 고가의 기계류를 생산하는 구매자들은 값이 비싸더라도 이름과 신용이 알려진 판매자의 전기모터나 발전기를 구매하려 하는 경우가 많다.

• 구매품이 고객의 요구에 적합하거나 차등적인 다양성을 갖추고 있는 경우 | 구매자가 자신의 요구에 알맞게 고안, 제작된 제품을 원할 때에는 값이 비싸더라도 그 제품을 구매하려 하는 경우가 많다. 이런 상황에서는 구매자가 특정한 공급자나 한정된 공급자에게서만 제품을 구매할 수 있을 것이고, 그렇기 때문에 쉽게 값을 깎으려 하지 못한다. 구매

자들은 특정한 요구에 부응하는 제품이 그만한 보상을 받아야 한다는 데 이의를 제기하지 않을 것이다. 이런 전략으로 성공을 거둔 좋은 사례로 일리노이즈 공구회사를 들 수 있는데, 이 회사는 고객들의 특수한 요구에 알맞게 잠금장치를 다양한 형태로 제작하여 높은 마진과 고객들의 큰 신뢰를 얻었다.

그러나 협상력이 강한 구매자 중에는 특수한 요구나 맞춤제작을 요구하면서도 그에 상응하는 가격을 지불하려 하지 않는 경우가 있는데, 판매자에게는 이런 구매자가 가장 바람직하지 못한 구매자가 된다.

• **구매자의 수익성이 높은 경우** | 수익성이 높은 구매자는 수익성이 낮은 구매자보다 구매품의 가격에 덜 신경을 쓰는 경향이 있다. 그러나 구매품이 주요 비용항목일 경우에는 수익성이 높다 하더라도 가격에 관심을 가지게 된다. 수익성이 높은 구매자는 거래나 흥정에 그만큼 뛰어나기 때문에 높은 수익을 올리는 것이라고도 말할 수 있겠으나, 실제로는 가격보다 다른 부문에서 적극적인 능력을 발휘한 결과라고 할 수 있다.

• **구매자가 구매품에 대한 정보가 어둡거나 구매품의 원가내역을 파악하지 못하고 구매하는 경우** | 구매자가 구매품의 원가나 수요 상황, 또는 대체재의 평가기준 등을 잘 모를 때에는 이런 내용을 잘 아는 구매자보다 가격에 대한 관심이 적은 경우가 많다. 만약 구매자가 수요상황이나 공급자의 원가내역 등을 자세하게 파악하고 있으면 구매품의 가격 흥정에 적극적으로 나설 것이다. 특히 1차 산업 제품을 대량 구매하는 구매자들에게서 이런 사례를 쉽게 찾아볼 수 있다. 그러나 정보가 어두운 구매자는 주관적 요소에 좌우되기 쉽고, 또 공급자의 마진을 어느 정도까지 축소할 수 있는지 명확한 판단을 내리지 못한다. 그러나 구매자가 정보에 어둡다고 해서 경쟁관계에 있는 제품들을 구분할 수 없을 정

도로 어둡지는 않다는 점을 인식하고 있어야 할 것이다.

  • 실제적인 구매결정 담당자에 대한 동기가 세부적으로 규정되어 있지 않은 경우 | 구매자의 가격 민감도는 구매자 조직 내의 구매담당자나 구매결정 담당자의 동기부여 상황에도 부분적으로 좌우되는데, 이런 상황은 구매자에 따라 큰 차이를 보인다. 예를 들어 어느 구매자 조직에서는 구매담당자가 싼 가격으로 물품을 구입해서 원가절감에 기여하면 그에 대한 보상을 베푸는 경우가 있는가 하면, 다른 조직에서는 공장장이 생산성을 바탕으로 한 장기적인 안목으로 구매 문제에 개입하는 경우도 있다.[1] 누가 구매 결정을 담당하는지에 대한 문제는 기업의 규모나 다른 요인들에 좌우되기 때문에 기업에 따라 구매담당자나 공장장, 또는 수석 부사장이 담당한다. 소비재의 경우는 물품에 따라 구매 결정을 내리는 사람이 가족 구성원 중에서 서로 다를 수가 있다. 어쨌든 구매결정 담당자에 대한 동기 부여가 원가절감에 집중되어 있지 않은 경우에는 구매가격에 대한 민감도가 한결 약화된다.

  가격 민감도를 약화시키는 이러한 요인은 동시에 작용할 가능성이 많다. 예를 들어 글자 찍기와 그림의 고속전사 장치인 레트라세트(letraset)의 구매자는 대부분 건축가와 상업 미술가들이다. 그들에게는 타자비용이 실제 손으로 할 경우 소요되는 시간에 비한다면 아무것도 아니고, 또 멋진 타자는 그들의 설계나 도안 작품의 전체적인 인상을 돋보이게 하는 데 큰 역할을 한다. 건축가와 상업 미술가들은 다양한 글자체를 그때그때 필요에 따라 즉시 사용할 수 있는지의 여부를 제일 중요시하며, 따라서 레트라세트를 구매하는 사람들은 가격에 거의 신경을 쓰지 않기 때문에 레트라세트는 높은 수익을 얻을 수 있었다.
  위에서 설명한 요인들에 비추어보면 대량 구매자가 반드시 가격에 민감하지는 않다는 것을 알 수 있다. 예를 들어 건설장비를 집중적으로 사용하면서 다양한 장비를 사용하는 건설장비의 대량 구매자는 오히려 한 공급자에게서 필요한 모든 장비를 구매하려고 한다. 비싸더라도 믿을 만한 제품을 하나의 공급상에서 구매해야 부품을 쉽게 갈아 끼울 수 있고, 애프터서비스를 잘 받을 수 있으며, 또 장비를 지속적으로 사용할 수 있기 때문이다. 이와 반대로 소규모 하청업자들은 구매하는 건설장비도 얼마 되지 않을 뿐더러 그 장비만을 집중적으로 사용하지도 않는다. 따라서 부품 교체나 애프터서비스의 필요성 때문에 단일 공급자에게 의존하는 일이 별로 없다. 또한 그들에게는 장비 하나하나가 주요 비용항목이기 때문에 장비가격에 훨씬 신경을 많이 쓴다.

## 구매자에 대한 공급자의 부대비용

구매자에게 판매하는 물품을 공급하는 데 따르는 부대비용은 다음과 같은 여러 요인에 의해 구매자별로 큰 차이를 드러낸다.

- 발주규모
- 직접판매 vs. 유통업자를 통한 간접판매
- 수주에서 인도까지 소요되는 기간(lead time)
- 기획 및 물류와 연관된 발주상태의 지속성
- 출하비용
- 판매비용
- 주문생산(customization)과 수정의 필요성

구매자에 대한 부대비용 중에는 외부로 뚜렷하게 드러나지 않는 것이 많고, 일부는 포착하기조차 어려운 경우도 있다. 이러한 경비는 간접비

용 속에 포함되어 잘 드러나지 않을 수 있다. 다양한 형태의 구매자들에 대한 부대비용을 정확히 밝혀내기 위해서는 특별한 검토가 필요하다.

## 구매자 선택과 전략

앞서 설명했듯이 구매자들이 4가지 기준에서 서로 다르다는 것은, 곧 구매자의 선택이 극히 중요한 전략적 변수가 될 수 있음을 의미하는 것이다. 모든 기업들이 구매자를 임의로 선택할 수 있는 유리한 위치에 놓여 있는 것도 아니고, 또 이러한 점에서 모든 산업이 다른 구매자들과 크게 다른 구매자와 거래하는 것도 아니다. 그럼에도 구매자 선택에 있어 여전히 많은 의문이 제기된다.

구매자 선택에서 기본이 되는 전략적 원칙은 앞서 설명한 기준을 바탕으로 가능한 한 가장 유리한 구매자들을 찾아내 그들에게 제품을 판매하도록 노력하는 것이라 하겠다. 구매자 선택의 4가지 기준은 특정한 구매자의 매력적 유인이라는 면에서 서로 상충적인 연관성을 지닐 수도 있다. 예를 들어 성장 잠재력이 가장 큰 구매자는 가장 강한 교섭력을 지니고 있으면서 동시에 구매가격에 가장 민감한 구매자일 수도 있다. 따라서 최선의 구매자 선택은 경쟁기업과 대비된 그 기업의 능력과 4가지 기준 사이의 균형을 맞추어야 한다.

기업에 따라 구매자를 선택하는 상황은 서로 다르다. 예를 들어 고도의 제품 차별화를 이룩한 기업은 다른 많은 경쟁기업들과는 달리 유리한 입장에서 구매자들에게 제품을 판매할 수 있을 것이다. 구매자의 내재적인 교섭력 또한 기업에 따라 다른 양상을 보일 수 있다. 한 가지 예를 든다면 대규모 기업이나 다양하고 독특한 제품을 생산하는 기업은 소규모 기업에 비해 구매자의 내재적인 교섭력에 영향을 덜 받을 것이다. 끝으로 구매자의 요구에 부응하는 측면에서도 기업마다 능력이 다를 수 있다. 따라서 제품을 판매하는 데 있어 가장 유리한 구매자는 어떤 면에서 개별 기업이 처한 위치나 상황에 따라 좌우된다고 할 것이다.

구매자 선택과 관련된 그 밖의 전략적인 측면은 다음과 같은 여러 가지가 있다.

• **제품원가가 낮은 기업은 구매가격에 민감한 유력한 구매자들과 거래하면서도 이익을 얻을 수 있다** | 기업이 낮은 원가로 제품을 생산한다면, 구매자가 아무리 강력한 교섭력을 가지고 있고 또 가격에 민감하다 하더라도 그 산업 내에서 평균 이상의 이익을 얻을 수 있다. 왜냐하면 그러한 기업은 경쟁기업과 동일한 가격을 받는다 하더라도 그들보다 여전히 많은 수익을 얻을 수 있기 때문이다. 그러나 일부 사업 부문에서는 이러한 유리한 입장이 손상되는 일면도 있다. 대량판매를 해야만 원가우위를 이룩할 수 있는 기업은 '빡빡한' 구매자들에게도 제품을 판매해야 할 경우가 있기 때문이다.

• **원가우위나 제품 차별화를 이룩하지 못한 기업이 평균 이상의 수익을 얻으려면 구매자를 선택해야만 한다** | 원가우위를 확보하지 못한 기업은 가격에 민감하지 않은 구매자들에게 판매노력을 집중해야만 그 산업 내에서 평균 이상의 수익을 올릴 수 있다. 그러한 방향으로 판매노력을 집중하기 위해서는 일부 판매기회를 의도적으로 포기해야만 한다. 원가우위도 없이 판매량을 증대시키려 한다면 그 기업은 점점 불리한 구매자들과 거래하게 되기 때문에 자멸적인 결과를 초래하기 쉽다. 이러한 원칙은 2장에서 설명한 본원적 전략의 결론을 뒷받침해주는 것이다. 즉 원가우위를 성취할 수 없는 기업은 유력한 구매자들에게 판매하다가 곤경에 빠지는 일이 없도록 주의해야 한다.

• 바람직한 구매자는 전략을 통해 만들어질 수 있다(또는 구매자의 속성이 개선될 수 있다) | 기업은 구매자의 특성에 영향을 미침으로써 유리한 거래를 유도할 수 있다. 예를 들어 구매자를 설득하여 자사의 제품을 구매자의 제품에 사용하도록 설계를 변경하게 만들거나, 다양한 주문품을 갖추거나, 또는 자사의 제품을 사용하도록 구매자의 직업훈련을 돕는 등의 형태로 '교체비용을 높이는' 전략을 택할 수 있다. 교묘한 판매기법으로는, 구매 결정권자를 가격에 까다로운 사람 대신에 가격에 덜 민감한 사람으로 교체하는 방법도 있다. 또 제품이나 서비스의 질을 높여 특정한 형태의 구매자들에게 잠재적인 비용절감의 혜택을 안겨줄 수도 있다. 그 밖의 다른 조치들을 활용함으로써 기업에 유리한 방향으로 구매자의 속성을 바꿀 수도 있다.

이러한 분석에 비추어볼 때, 기업에 유리한 구매자를 만들어내는 것도 전략 수립의 일환으로 간주될 수 있음을 알 수 있다. 바람직한 구매자들을 만들되, 어느 경쟁기업에나 유리한 구매자가 아닌 특정 기업에만 한정되는 유리한 구매자를 만들어내는 것이 전략상 유리하다.

• 구매자 선택의 기반은 확대될 수 있다 | 바람직한 구매자를 만드는 한 가지 접근방법은 구매자 선택의 기반을 넓히는 것인데, 이 방법은 매우 중요한 것이므로 별도로 설명할 필요가 있다. 이상적인 방법은 이 기반을 구매가격으로부터 분리해 기업이 독특한 능력을 갖추고 있거나 교체비용이 소요되는 방향으로 이끌어가는 것이다.

구매자 선택을 넓히는 데에는 2가지 근본적인 방법이 있다. 하나는 기업이 구매자에게 제공하는 부가가치를 증대시키는 것으로[2], 다음과 같은 방법이 있다.

· 고객의 요구에 부응하는 서비스 제공

· 기술적인 지원 제공

· 신용 제공이나 신속한 인도

· 제품의 새로운 특성 창출


이러한 방법은 다음과 같이 간단히 설명할 수 있다. 부가가치의 증대는 선택의 잠재적 기반이 되는 속성들을 확대한다. 이것은 자체적으로 일용품을 다른 제품으로 변환시켜 차별화할 수 있다.

두 번째 방법은 구매자 선택의 기반을 확대하는 첫 번째 방법과 관련이 있으면서도 독특한 방법을 추구한다. 제품과 서비스가 제공하는 내용 자체에 변동이 없음에도 불구하고 제품의 기능에 대한 구매자의 판단을 재정립하게 하는 것이다. 즉 구매자로 하여금 구매제품의 가치 속에는 구매가격뿐만 아니라, 다음과 같은 추가적인 원가나 요인들이 포함되어 있음을 인식하게 하는 것이다.[3]


· 재판매할 수 있는 가치

· 유지비용과 제품 수명기간 중의 비가동시간

· 연료비

· 수익창출 능력

· 설치 및 부착 비용


구매자가 이러한 요소들이 그 제품의 실제적인 총원가나 가치에 포함되어 있다고 인식하게 만들 수 있다면, 기업은 그 제품의 성능이 우수하며 따라서 값이 비싸더라도 그만한 가치가 있다는 소비자 신뢰를 구축하게 된다. 물론 그 기업은 소비자의 기대에 부응할 수 있도록 제품의 우수성을 뒷받침할 수 있어야 하며, 또 그러한 근거는 경쟁기업에 비해 어느 정도는 더 뛰어나야 한다. 그렇지 못할 경우에는 높은 잠재적 이익은 금방 사라지고 말 것이다. 구매자 선택의 기반을 확대하려면 효과적인 마케팅과 소비자 기대에 부응할 수 있는 제품 개발이 겸비되어야 한다. GE는 이러한 전략을 이용하여 대형 터빈발전기 산업 부문에서 수십 년 동안 지속적으로 성공할 수 있었다.

• 원가가 많이 드는 구매자를 배제할 수 있다 | 투자수익률을 증대시키기 위해 가장 흔하게 이용되는 전략이 원가가 많이 드는 구매자를 고객층에서 배제하는 것이다. 보통 한 산업이 성장 국면에 놓여 있을 때에는 수지타산이 빡빡한 고객들(marginal customers)에게도 무분별하게 제품을 판매하게 되는데, 특히 이런 상황에서는 원가가 많이 드는 구매자를 배제하는 것이 더욱 효과적이다.

개별 구매자들에 대한 공급비용이 면밀하게 검토되는 일이 거의 없기 때문에 비용이 많이 드는 구매자를 배제하면 효과적인 결과를 가져올 수 있다. 그러나 구매자에게는 단순한 공급비용 외에도 다른 바람직한 측면이 있다는 점을 인식해야 할 것이다. 예를 들어 비용이 많이 드는 구매자들은 가격에 거의 신경을 쓰지 않기 때문에 가격인상 조치에 순응하기가 쉽다. 따라서 그들에 대한 공급비용을 확인할 수 있다면 그러한 비용을 충당하고도 남는 가격을 제시할 때 수익을 얻을 수 있을 것이다. 비용이 많이 드는 구매자라도 규모의 경제나 그 밖의 다른 전략적 목적에 요구되는 기업의 성장에 크게 공헌할 수 있다. 따라서 비용이 많이 드는 고객들을 배제하는 문제는 구매자의 매력적 유인이 되는 4가지 요소를 면밀하게 검토해서 결정해야 할 것이다.

• 구매자의 특성은 세월이 경과함에 따라 변할 수 있다 | 구매자의 특성을 결정하는 요인들 중 어떤 요인은 시간이 경과함에 따라 변할 수도 있다. 예를 들어 산업이 성숙함에 따라 구매자들의 이익이 압박을 받고

또 구매능력이 숙달되기 때문에 구매자들은 자연스럽게 구매가격에 많은 관심을 기울이게 된다. 이런 때에는 전략적인 관점에서 그 특성이 변할 것으로 예상되는 구매자들을 대상으로 전략을 세워서는 안 된다. 반대로 앞으로 유리한 구매자가 될 것으로 예상되는 구매자 집단을 빨리 포착하는 것이 중요한 전략적 호기가 된다. 만약 이 구매자들의 전환비용이 크지 않고, 또 관심을 기울이는 경쟁기업들이 별로 없다면 이들에게 파고드는 일은 그만큼 수월해질 것이다. 일단 파고든 다음에는 전략적인 조치를 통해 다른 경쟁기업들이 파고들 수 없도록 전환비용을 높일 수 있다.

• 전략적인 조치를 취할 때에는 교체비용을 고려대상으로 삼아야 한다 | 교체비용의 잠재적 중요성을 감안하여 모든 전략적 조치가 교체비용에 어떤 영향을 미칠 것인지 충분히 감안해야 한다. 예를 들어 교체비용이 형성되어 있으면, 구매자 입장에서는 다른 제품으로 대체하는 것보다 이미 구매한 제품의 질을 높이거나 구매량을 늘리는 것이 훨씬 이득인 경우가 많다. 만약 기업이 이렇게 판단한 구매자에게 제품을 판매한다면, 이에 부응해 제품의 품질을 향상시킴으로써 큰 이익을 얻을 수 있을 것이다. 물론 이때 품질이 향상된 제품은 대체 대상으로 고려되는 경쟁기업의 신제품에 비해 적정한 가격수준을 유지해야 한다.

## 구매전략

1장에서 설명한 공급자의 교섭력 분석과 위에서 설명한 구매자 선별 원칙의 역적용을 결부해서 판단하면 구매전략을 수립하는 데 도움이 된다. 구매 전략이나 절차, 조직 등에는 이 책의 연구범위를 벗어나는 측면도 많이 있지만, 일부 문제는 산업구조의 기본틀을 이용하는 형태로 분석·검토해서 유용하게 활용할 수 있을 것이다. 구매자의 관점에서 구매전략의 핵심이 되는 문제들을 살펴보면 다음과 같은 것들이 있다.

- · 전반적인 공급자의 안정성과 경쟁력
- · 수직적 통합의 적정성 정도
- · 적격 공급자에 대한 구매 분산 및 할당
- · 선정된 공급자에게 행사할 수 있는 최대한의 교섭력 창출

첫 번째 문제는 공급자의 안정성과 경쟁력이다. 전략적인 측면에서 볼 때 제품과 서비스는 경쟁적인 위치를 유지 또는 강화하려는 공급자에게서 구매하는 것이 바람직하다. 이 같은 점을 충분히 고려한다면 기업은 품질이나 가격 면에서 적절하고 우수한 투입물을 구매하여 자사의 경쟁력을 확고하게 다질 수 있다. 또한 기업의 요구를 계속 충족시킬 수 있는 공급자를 선정하면 공급자의 전환에 따른 비용을 극소화할 수 있다. 앞서 설명한 산업구조 및 경쟁기업 분석은 특정 기업의 공급자들이 이러한 측면에서 잘 움직여주도록 만드는 방법을 규명하는 데 활용될 수 있다.

수직적 통합이라는 두 번째 문제는 14장에서 다루기로 하겠다. 특히 수직적 통합을 결정하는 데 따르는 전략적 고려요인에 대해 자세히 살펴보겠다. 기업이 외부에서 구매할 품목을 결정했다고 하면, 문제는 최선의 협상위치를 만들기 위해 품목을 '어떤 방법으로 구매할 것인지'에 달려 있다고 할 수 있다.

공급자에게 구매품을 적절하게 배분하고 교섭력을 키워나가는 것이 세 번째와 네 번째 문제인데, 이를 위해서는 산업구조 분석으로 관심을 다시 돌릴 필요가 있다. 1장에서는 다음과 같은 여건들이 특정 품목의

공급자 위치를 강화시켜주는 요인으로서 다뤄졌다.

· 특정 공급자에 대한 집중적인 구매
· 판매량의 상당 부분을 특정 고객에게 의존하지 않는 상태
· 고객의 전환 이용
· 독특한 제품이나 뚜렷하게 차별화된 제품(즉 대체공급원이 거의 없는 제품)
· 전방통합을 실행하겠다는 위협

이 장의 앞부분에서 설명한 구매자 선택의 분석결과를 보면, 이 밖에도 구매자에 대한 공급자의 힘을 강화해주는 여건들이 많이 있음을 알 수 있다.

· 구매자가 후방통합을 실행하겠다는 가능성 높은 위협을 가하지 못하는 경우
· 구매자가 정보나 쇼핑, 협상 등에 소요되는 경비가 많은 경우

따라서 구매활동의 목표는 공급자의 협상능력 강화요인을 상쇄하거나 극복하는 수단을 찾아내는 데 있다. 어떤 경우에는 공급자의 교섭력이 산업의 경제적 측면과 깊이 얽혀 있어 기업이 도저히 영향을 미칠 수 없을 때도 있다. 그러나 많은 경우 전략적인 대응으로써 그러한 능력을 약화시킬 수 있다.

• **구매의 분산** | 특정 품목의 구매를 대체 공급자들 사이에 분산해놓으면 구매기업의 협상 입장을 보다 강화할 수 있을 것이다. 그러나 개별 공급자에게서 구매하는 양은 최소한 공급자가 그 판매량의 상실에 신경

을 쓸 정도의 규모는 되어야 한다. 따라서 구매를 공급자들 사이에 너무 광범위하게 분산해 개별 공급자에 대한 구매량이 적어지게 되면 협상력 강화에 도움이 되지 못한다. 그러나 한 공급자에게서 전량을 구매하게 되면, 결국 공급자가 교체비용을 형성하거나 그 기업에게 영향력을 행사할 수 있는 호기를 주는 셈이 된다. 다만 대량구매를 함에 있어 할인 혜택을 얻어낼 수 있는 능력이 있다면, 그 능력은 기업의 협상능력의 일부가 될 수 있고, 아울러 공급자의 규모의 경제와도 연관된다.

구매기업은 여러 가지 요인들을 고려해 공급자가 가능한 한 자신들에게 의존하도록 만들고, 또한 교체비용이라는 덫에 걸리지 않으면서 최대한의 할인혜택을 얻어낼 수 있는 상황을 조성해야 한다.

• 교체비용의 회피 | 구조적인 관점에서 바람직한 구매전략이란 교체비용을 회피하는 것이다. 교체비용을 야기하는 요인에 대해서는 앞서 설명했지만, 그 밖에도 포착하기 어려운 미묘한 요인들이 남아 있다. 교체비용을 회피한다는 것은 곧 공급자의 기술적 지원에 지나치게 의존하려는 유혹을 물리치거나, 공급자가 앞으로 행사할지 모를 영향력을 감수할 정도로 가치가 있다는 뚜렷한 판단도 없이 공급자의 다양한 주문품 공급이나 주문품의 기술적 적용에 휘말려드는 일을 회피하는 것을 의미한다. 이러한 방침을 지켜나가기 위해서는 한동안 대체 공급자의 제품을 구매하거나, 특정 공급자에게 묶이는 보조설비의 투자를 거부하거나, 무엇보다도 종업원의 전문적인 훈련과정을 필요로 하는 공급자의 제품을 구매하지 않는 노력이 필요하다.

• 대체공급원의 등장 지원 | 개발 계약을 통한 자금 지원이나 소량구매 계약의 형태로 대체공급원의 진출을 촉진하는 것도 필요한 활동이다. 일부 구매기업들은 실제로 새로운 공급원에 투자 지원을 하거나 외

국 기업을 설득해서 구매품 사업에 뛰어들도록 하기도 한다. 새로운 공급자들이 적절한 공급원이 되도록 원가를 최소한으로 낮추는 활동을 지원하는 것도 바람직한 일이라 하겠다. 그 밖에 구매 담당자들로 하여금 새로운 공급자를 적극 물색하도록 하거나, 새로운 공급자들의 제품을 실험하는 비용을 보조하는 형태 등 대체공급원 확보활동은 여러 가지가 있다.

• **표준화 촉진** ㅣ 특정 산업에서 활동하는 기업들이 구매품을 공급하는 산업의 표준화를 촉진한다면 모두가 큰 이득을 얻을 수 있다. 이러한 방법을 이용한다면 공급자들의 제품 차별화를 억제하는 데 도움이 될 뿐만 아니라, 전환비용의 형성을 저지하는 데도 도움이 될 것이다.

• **후방통합의 실행이라는 위협적 여건 조성** ㅣ 구매기업이 실제로 후방통합을 실행할 의사가 있건 없건 간에, 그러한 위협이 신빙성을 지닐 때에는 그만큼 교섭력의 강화에 도움이 된다. 이러한 위협은 공표나 내부적인 검토작업의 의도적인 누설, 컨설턴트나 엔지니어링 기업의 도움을 받아 자체 생산을 위한 비상계획을 수립하는 형태 등을 통해 조성할 수 있다.

• **부분적인 통합 활용** ㅣ 구매기업이 특정 구매품을 외부에서 일부 또는 대다수를 구매하면서 동시에 부분적인 자체 생산활동을 벌여나간다면 그 기업의 교섭력은 크게 강화될 것이다(이런 활동에 대해서는 1장에서도 잠시 언급했지만 자세한 설명은 14장에서 다루겠다).

이러한 여러 가지 접근방법은 모두 장기적으로 구매원가를 낮추는 데 목적이 있다. 그러나 분명히 인식해야 할 점은 이 방법들 중 일부는 원가상승을 초래한다는 사실이다. 예를 들어 대체공급원의 유지나 교체비용에 대응하는 활동에는, 단기적인 측면에서라면 회피할 수 있는 비용들이 소요된다. 그러나 장기적으로 볼 때 그러한 소요비용은 그 기업의 교섭력을 강화하고, 그에 따라 구매비용을 절감할 수 있게 한다.

위 내용을 요약하면 다음과 같다. 첫째, 엄밀한 측면에서 단기적인 원가절감 지향은 앞에서 설명한 것과 같이 잠재적 가치가 있는 구매전략을 훼손한다. 따라서 이러한 상황은 반드시 회피해야 한다. 둘째, 구매전략에 따르는 부가적인 원가는 공급자들의 교섭력을 약화시킨다는 장기적인 이점이 있으나 이는 반드시 비교 후 판단되어야 할 부분이다. 셋째, 여러 공급원으로부터 구매를 할 경우 공급가격이 저마다 다를 수 있으므로 기업은 장기 교섭력을 훼손하지 않는다는 전제 하에 가장 낮은 가격의 공급자로부터 공급을 받는 것이 좋다.

# 산업 내부의 구조적 분석

1장에서 설명한 산업구조 분석은 특정 산업의 경쟁양상과 이익 창출 정도를 결정하는 5가지 주요 경쟁요인의 근원과 강도의 규명에 바탕을 둔 것이다. 지금까지는 분석의 초점을 특정 산업 전체에 맞추었는데, 이에 따른 분석결과는 경쟁전략과 관련된 많은 문제를 제기해주었다. 이중 일부는 이미 앞 장에서 설명했다. 그러나 산업구조 분석은 산업 전체보다는 산업 내부에서 보다 깊이 있게 활용될 수 있다.

많은 산업에서 생산라인의 폭이나 수직적 통합의 정도 등에 따라 매우 다른 경쟁전략을 채택해 시장점유율에서 큰 차이를 드러내고 있는 기업들이 상당수 있다. 또한 어떤 기업은 투자수익률 면에서 다른 기업들을 계속 앞서고 있기도 하다. 예를 들어 IBM의 수익률은 다른 컴퓨터 제조회사들의 수익률을 계속 능가해왔다.[1] 또한 GM은 포드나 크라이슬러 및 AMC의 경영성과를 꾸준하게 앞서왔다. 다른 산업에서도 이러한 사례는 충분히 찾아볼 수 있다. 가령 금속제 깡통 산업에서는 크라운 코크 앤 실(Crown Cork and Seal)과 내셔널 캔(National Can)이, 화장품 산업

부문에서는 에스티 로더가 각각 이 회사들보다 규모가 더 큰 기업들의 경영성과를 압도해왔다.

5가지 경쟁요인은 특정 산업 내의 모든 기업들이 경쟁을 벌이는 배경역할을 한다. 그러나 어떤 기업이 다른 기업들보다 계속 높은 수익을 올리고, 또 이러한 점이 그 기업의 전략적 입장과 어떤 연관성을 지니고 있는지 규명하지 않으면 안 된다. 아울러 마케팅이나 비용절감, 경영관리, 조직 등에 있어서의 능력 차이가 그들의 전략적 입장 및 궁극적인 경영 성과와 어떤 연관을 맺고 있는지 파악해야 한다.

이 장에서는 구조적 분석의 개념을 확대해 동일 산업 내에서 활동하는 기업들 간의 경영성과의 차이를 설명하고, 아울러 경쟁전략의 선택에 지침이 될 수 있는 기본체계를 설명하겠다. 산업 전체뿐만 아니라 산업 내부에도 적용되는 구조적 분석은 전략수립의 분석수단으로서 유용하게 활용될 수 있을 것이다.

## 경쟁전략의 여러 차원

특정 산업 내에서 경쟁을 벌이는 기업들의 전략은 여러 가지 측면에서 차이를 드러낸다. 그중에서도 특히 다음과 같은 점에서 차이가 나타난다.

- 전문화: 기업이 생산라인의 폭이나 목표로 삼는 고객 부문이나 지역적 시장 등의 측면에서 활동과 노력을 집중하는 정도
- 상표인식: 기업이 주로 가격이나 그 밖의 다른 변수에 바탕을 둔 경쟁보다는 자사의 상표인식을 통한 경쟁력 강화를 추구하는 정도. 상표인식은 광고, 판매원, 그 밖의 여러 가지 수단을 통해 달성할

수 있다.

- 푸시(push)와 풀(pull): 제품 판매에 있어서 최종 소비자에 대한 직접적인 상표인식 제고와 유통경로의 지원을 추구하는 정도
- 채널의 선택: 기업 소유의 채널에서 전문적인 판로, 광범위한 일반 판로에 이르기까지 다양한 유통경로 중 어느 하나를 선택하는 문제
- 제품의 품질: 원료, 내구성, 특징 등으로 판단되는 품질수준
- 기술적 우위: 기술적 우위전략을 추구할 것인지 아니면 모방이나 추종을 할 것인지의 여부. 한 가지 지적해야 할 점은 기술적인 우위를 확보하고 있다고 해서 반드시 최고의 제품을 생산하는 것은 아니라는 사실이다. 고의적으로 우량품의 생산을 기피하는 경우도 있는 만큼 품질과 기술적 우위가 반드시 일치하는 것이 아니라는 점을 염두에 둘 필요가 있다.
- 수직적 통합: 전방통합 또는 후방통합의 수준에 반영된 부가가치의 정도. 고정된 유통구조나 자체적인 서비스 조직망을 갖추고 있는지의 여부도 포함된다.
- 비용 포지셔닝: 기업이 비용을 최소한으로 줄일 수 있는 설비투자를 통해 제조와 유통 과정에서의 비용절감을 추구하는 정도
- 서비스: 기업이 기술적 지원이나 자체적인 서비스 조직 또는 신용 판매와 같은 보조적인 서비스를 제품과 함께 제공할 수 있는 정도. 이는 수직적 통합의 일부로 간주할 수 있으나 엄밀한 분석을 위해 따로 분리하는 것이 좋다.
- 가격정책: 시장에서 차지하는 상대적인 가격의 위치. 가격의 위치는 비용상의 위치나 품질과 같은 다른 변수와도 연관되지만, 가격 자체는 별도로 다루어야 할 중요한 전략적 변수이다.
- 영향력: 기업이 가지고 있는 재무적 능력이나 경영상의 영향력
- 모기업과의 관계: 기업단위가 모기업과의 관계에서 요구받는 활동

양상. 특정 기업은 고도의 경영 다각화를 이루고 있는 복합기업의 사업단위일 수도 있고, 특정 사업의 수직적 계열의 한 구성단위이 거나 관련 사업 집합체의 일부일 수도 있으며, 또 외국 기업의 자회 사일 수도 있다. 모기업과의 관계가 어떤 특성을 지니고 있는지에 따라 기업의 경영관리 목표나 활용할 수 있는 자원규모 등에 영향 을 미치며, 또 1장에서 설명한 것과 같이 다른 사업단위와 공유하는 활동이나 기능을 좌우하기도 한다.

· 자국이나 진출 대상국 정부와의 관계: 국제 산업 부문에서 활동하 는 기업이 자국 정부나 진출한 대상국 정부와 맺고 있거나 영향을 받는 관계. 자국 정부는 그 기업에 자원을 지원하거나 반대로 활동 을 규제하거나 함으로써 기업의 활동목표에 영향을 미칠 수 있다. 진출 대상국 정부도 마찬가지의 역할을 한다.

개별 전략적 차원에 대해서는 기업에 따라 세부적인 내용이 다르게 나타날 수 있으며, 좀 더 면밀한 분석을 위해서는 다른 요소들이 추가로 고려될 수 있다. 핵심은 이러한 전략적 분석을 통해 기업이 현재 처한 위치를 전체적인 관점에서 파악할 수 있다는 점이다.

특정한 차원에서 드러나는 전략적 차이는 산업에 따라 달라진다. 예 를 들어 암모늄 비료와 같은 1차 산업에서는 어느 기업도 뚜렷한 상표 인식의 효과를 누릴 수 없고, 품질 또한 거의 차이가 나지 않는다. 그러 나 후방통합이나 소비자에게 제공하는 서비스의 정도, 전방통합, 상대 적인 비용상의 위치, 그리고 모기업과의 관계 등에서는 기업마다 큰 차 이를 드러낸다.

전략적 차원은 상호 연관성을 지닌다. 텍사스 인스트루먼츠와 같이 가격이 비교적 낮은 기업은, 비용이 낮고 품질 또한 상당한 수준에 이른 제품을 생산하는 기업일 경우가 많다. 그러한 기업은 원가우위를 성취하기 위해 높은 수준의 수직적 통합을 이룩했을 가능성이 많다. 이와 같은 사례에서 알 수 있듯이 특정 기업의 전략적 차원은 대부분 내부적으로 일관성을 지니고 있다. 특정 산업에서 활동하는 기업들은 서로 다르긴 해도 저마다 일관성 있는 전략적 차원의 결합형태를 띠고 있다.

# 전략집단

산업구조 분석은 모든 유력한 경쟁기업들의 전략을 특정 차원에 따라 구분하는 것에서부터 출발한다. 이러한 유형화를 통해 산업 내의 모든 기업은 '전략집단'으로 분류할 수 있다. 전략집단이란 특정 산업 내의 기업들 중 전략적 차원에서 동일하거나 유사한 전략을 추구하는 기업군을 뜻한다. 특정 산업의 모든 기업이 기본적으로 동일한 전략을 추구한다면, 그 산업에는 오직 하나의 전략집단만이 존재하는 셈이다. 이와 반대로 모든 기업이 저마다 다른 전략을 추구해서 개별 기업이 별도의 전략집단이 되는 극단적인 경우도 생각해볼 수 있다.

그러나 산업 내에는 기업들이 기본적인 전략적 차이를 드러내는 몇개의 전략집단이 존재하는 것이 보통이다. 예를 들어 대규모 설비 산업에서는 폭넓은 제품라인과 전국적인 광고활동, 광범위한 통합, 독점적인 유통 및 서비스 조직망 등에서 동일한 특성을 나타내는 하나의 전략집단(GE가 대표적이다)이 있는가 하면, 메이텍(Maytag)처럼 고품질과 선별적인 유통망을 통한 고가품 시장에 집중하는 전문 제조기업들의 전략집단이 있고, 또 광고활동을 벌이지 않아 상표인식이 되어 있지 않은 기업군〔로퍼(Roper) 또는 디자인 앤 매뉴팩처링(Design and Manufacturing)과 같은 경우〕이 또 다른 전략집단을 형성하고 있다. 이 밖에 한두 개의 전략집단이 더 있을 수도 있다.

전략집단을 명확하게 구분하려면 전략적 차원에 모기업과의 관계가 반드시 포함되어야 한다. 예를 들어 암모늄 비료 산업에는 석유회사의 사업부로서 활동하는 기업이 있는가 하면, 화학회사의 사업부나 농업협동조합의 일부 조직, 또는 모기업과 연결되지 않은 개별적인 기업단위일 수도 있다. 모기업과의 관계는 또 다른 차원에서 다른 기업과의 상이점을 만들어내는 요인이 되기도 한다. 예를 들면 석유회사들의 질소비료 사업부는 원료나 다른 차원의 활용형태, 경영철학 등의 측면에서 모기업과 유사하기 때문에 추구하는 전략 또한 서로 비슷한 점이 많다. 이와 똑같은 논리가 기업들이 자국 정부나 진출 대상국 정부와 맺는 상이한 관계에도 적용될 수 있다. 기업들이 맺는 관계에 따라 유사한 전략을 추구하는 기업군으로 나뉘기 때문에, 이러한 관계의 양상은 전략집단을 구별하는 요인이 된다.

전략집단은 제품이나 마케팅 접근방식에서 차이를 드러내는 경우가 종종 있지만 항상 그런 것은 아니다. 제분·화학제품·제당 등의 산업 부문에서 전략집단의 제품은 동일하지만, 제조과정이나 물류·수직적 통합 방식 등에서는 차이를 드러낸다. 또 기업들은 동일한 전략을 추구하면서도 모기업과의 관계나 진출 대상국 정부와의 관계에서 서로 다른 양상을 보이기도 한다.

이 같은 관계는 기업들의 목표에 적지 않은 영향을 미친다. 따라서 전략집단을 단순히 시장점유나 전략에서 서로 비슷한 양상을 보이는 집단이라고 단정 짓기는 어렵다. 그보다는 보다 넓은 의미의 전략적 태도라는 측면에서 전략집단의 성격을 규정해야 할 것이다.

전략집단이 형성되는 원인 또한 매우 다양하다. 예를 들면 기업들의 기본적인 강약점이나 진입 시기 또는 지금까지 경험한 여러 가지 사태 등의 차이에 의해 개별적인 전략집단이 형성된다(이 점에 대해서는 이 장의 뒷부분에서 자세히 설명하겠다). 그러나 일단 전략집단이 형성되면 그

집단 내에 포함된 기업들은 포괄적인 전략 외에도 여러 가지 면에서 서로 유사한 성격을 드러낸다. 동일 집단 내의 기업들은 시장점유율도 비슷한 수준을 보이고, 외부의 사태나 산업 내 경쟁의 영향에 대응하는 형태도 비슷한 모습을 보이기 쉽다. 이러한 특성은 분석도구로서 전략집단도(the strategic group map)를 이용하는 데 중요한 기능을 한다.

특정 산업 내에 형성되어 있는 전략집단은 〈그림 7-1〉과 같은 전략집단도로 나타낼 수 있다. 이 그림은 가로축과 세로축으로밖에 표시할 수 없기 때문에 분석담당자는 몇 개의 중요한 전략적 차원만을 선택해서 전략집단도를 만들어야 한다.[2] 차후의 분석을 위해서는 각 전략집단에 포함된 기업들의 총체적인 시장점유율을 원의 크기로 표시하는 것이 좋다.

전략집단은 구조적 분석을 돕기 위한 하나의 분석도구이다. 전략집단은 산업을 전체적으로 보는 것과 각 기업을 개별적으로 파악하는 것 중간에 위치한 준거체계라 하겠다. 궁극적으로 모든 기업은 저마다 독특한 특성을 지니고 있기 때문에, 기업들을 전략집단으로 구분하는 데에는 어느 정도의 전략적 차이를 중요시하느냐 하는 판단상의 문제가 제기된다. 이러한 판단은 반드시 구조적 분석과 연관성을 가진다. 기업 간의 전략적 차이가 개별 기업들의 구조적 위치에 큰 영향을 미친다면, 전략집단별로 구분되는 차이점은 마땅히 인식되어야 할 것이다(전략집단도의 작성과 그것을 분석도구로 사용하는 문제에 대한 실제적인 고려요인들은 추후 다시 설명하겠다).

한 산업에 하나의 전략집단만이 있는 희귀한 경우에는 1장에서 설명한 구조적 분석방법을 이용하여 산업을 완벽하게 분석할 수 있다. 이런 산업구조 속에서는 모든 기업의 잠재적인 수익성이 동일한 수준을 보일 것이다. 다만 장기적인 면에서 산업 내 개별 기업들의 실제적인 수익성의 차이는 동일한 전략을 '실행하는 능력'의 차이에서만 비롯될 것이다. 그러나 그 산업 내에 몇 개의 전략집단이 존재한다면 이 분석은 복잡한

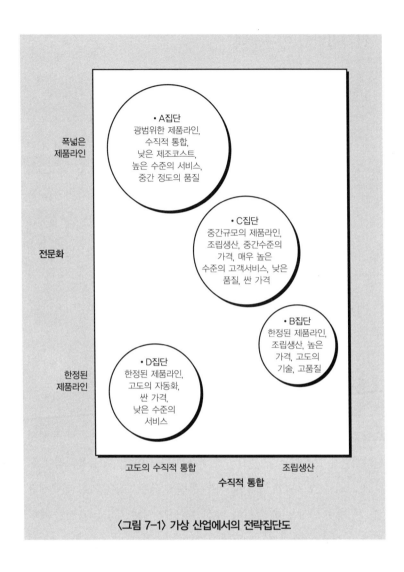

〈그림 7-1〉 가상 산업에서의 전략집단도

양상을 보이게 된다. 서로 다른 전략집단에 속해 있는 기업들의 잠재적
인 이윤은, 전략 수행상의 능력 외에도 5가지 주요 경쟁요인이 개별 전
략집단에 동일한 영향을 미치지 않음으로 인해 뚜렷한 차이를 보이는
경우가 있다.

## 전략집단과 이동장벽

진입장벽이란 새로운 기업이 특정 산업에 진출하는 것을 억제하는 그 산업의 특성이라고 볼 수 있다. 앞서 밝혀낸 주요 진입장벽 요인들로는 규모의 경제, 제품 차별화, 교체비용, 원가우위, 유통경로에 대한 접근성, 소요자본, 정부정책 등이 있다. 이 중에는 산업 내의 모든 기업들에 방패 역할을 하는 요인들도 일부 있기는 하지만, 전반적인 진입장벽은 결국 신규 진입기업이 끼어들고자 하는 특정 전략집단에 의해 좌우된다. 가령 어느 기업이 설비 산업에 진출함에 있어 전국적인 상표인식과 광범위한 제품라인, 수직적 통합을 이룬 전략집단에 파고드는 것이, 상표인식이 제대로 이루어지지 않은 한정된 제품라인의 조립생산을 위주로 하는 전략집단에 파고드는 것보다 훨씬 어려울 것은 분명하다.

전략상의 차이는 제품 차별화나 규모의 경제의 성취 정도, 소요자본, 그 밖의 여러 가지 진입장벽 요인 등의 차이를 반영하고 있을 수도 있다. 예를 들어 생산상의 규모의 경제로 야기된 장애요인이 있다면, 이런 요인은 대규모 공장과 광범위한 수직적 통합을 갖춘 기업들로 구성된 전략집단을 보호하는 데 중요한 의미를 지닐 것이다. 또 유통과정에 규모의 경제가 요구되고 있다면, 이는 독점적 유통조직을 가진 전략집단에 진입장벽 역할을 할 것이다. 또한 산업에서 중요시되는 축적된 경험을 통한 원가우위는, 풍부한 경험을 갖춘 전략집단으로 진출하는 데 진입장벽이 될 것이다. 이상의 여러 가지 경우는 그 밖의 다른 진입장벽 요인들에도 똑같이 적용된다.

모기업과 맺고 있는 관계의 차이도 진입장벽에 영향을 미칠 수 있다. 예를 들어 모기업과 수직적 관계를 맺고 있는 기업들로 형성된 전략집단은, 독자적인 기업들로 구성된 전략집단보다 잠재적인 진입 예상기업에 보복할 수 있는 재원이나 원료 확보 면에서 한층 유리한 입장에 놓여 있다. 또한 모기업의 다른 사업부와 유통경로를 공동으로 사용함으로써 유통조직상의 규모의 경제를 이룩하고 있는 기업은, 그렇지 못한 다른 경쟁기업에 비해 더욱 두터운 진입장벽을 쌓을 수 있다.

목표로 삼는 전략집단에 따라 진입장벽이 영향을 받는다는 견해는 또 다른 중요한 의미를 가진다. 즉 진입장벽은 산업 외부에서 진출하는 기업들로부터 그 전략집단 소속 기업들을 보호해줄 뿐만 아니라, 산업 내부의 한 전략집단에서 다른 전략집단으로 옮겨가는 기업에 대해서도 장벽의 기능을 한다. 예를 들어 한정된 제품라인과 상표인식이 안 되어 있는 조립생산 위주의 전략집단에서 광범위한 제품라인과 전국적인 상표인식을 이룬 전략집단으로 이동하는 기업은, 신규 진입과 다름없는 많은 어려움을 겪게 될 것이다. 특정 전략과의 경쟁에서 빚어지는 진입장벽 요인들은 규모의 경제, 제품 차별화, 교체비용, 소요자본, 뚜렷한 원가우위, 또는 유통경로에 대한 접근성 등에 영향을 미치기 때문에, 경쟁대상이 되는 전략을 채택하는 다른 기업들에는 많은 비용부담을 안겨준다. 따라서 새로운 전략으로 전환하는 데 따르는 비용이 전략의 전환에서 기대되는 이득을 완전히 제거해버릴 수도 있다.

이와 같이 진입장벽을 유발하는 기본적인 경제적 요인들이 그대로 이동장벽(mobility barriers), 즉 기업이 한 전략적 위치에서 다른 전략적 위치로의 전환을 억제하는 요소로 작용할 수 있다. 산업 외에서 그 산업의 특정 전략집단으로 진출하는 것은, 넓은 의미의 진입장벽에서 볼 때 연속되는 진입장벽 극복의 한 과정일 수도 있다.

특정 산업 내의 일부 기업들이 다른 기업들보다 계속 높은 수익을 얻는 가장 큰 이유가 바로 이동장벽에 있다. 전략집단에 따라 이동장벽의 높이도 저마다 다르다. 이로 인해 일부 기업들은 다른 기업들보다 유리한 입장을 계속 지켜나갈 수 있다. 따라서 이동장벽이 높은 전략집단에 속한 기업은 이동장벽이 낮은 전략집단에 속한 기업보다 이윤 잠재력이 크다 하겠다. 이러한 장벽은 또 모든 전략이 동일한 성과를 얻지 못함에도 불구하고 기업들이 계속 서로 다른 전략을 가지고 경쟁을 벌이는 이유를 설명해준다. 가령 한 기업이 성공적인 전략을 가지고 있을 때 다른 기업이 즉시 이를 모방하거나 추종하지 못하는 이유를 생각해보라. 만일 이동장벽이 없다면 성공적인 전략은 다른 기업에 의해 즉시 추종될 것이고, 그에 따라 모든 기업은 수익성이 균등해지는 방향으로 나아갈 것이다. 다만 성공적인 전략을 잘 실행해나갈 수 있는 능력상의 차이만이 남을 것이다. 예를 들어 이동장벽과 같은 억제적 요인이 없다면 콘트롤 데이터(Control Data)나 허니웰(Honeywell) 같은 컴퓨터 메이커들은 원가우위와 뛰어난 서비스 및 유통 조직망을 갖춘 IBM의 전략을 당장 채택할 수 있을 것이다. 그러나 이동장벽이 있음으로 해서 IBM 같은 일부 기업들이 규모의 경제, 뚜렷한 원가우위 등을 통해 다른 기업들보다 계속 유리한 위치를 차지할 수 있는 것이다. 이러한 체계적인 우위는 단순한 실행방법의 개선만으로 이루어지는 것이 아니라, 산업의 구조적 변화를 야기하는 전략적 돌파구를 마련해야만 극복할 수 있다. 그러나 이동장벽이 있음으로 해서 특정 산업 내 일부 전략집단에 속한 기업들의 시장점유율은 고도의 안정성을 유지할 수 있다.

진입장벽과 마찬가지로 이동장벽 또한 변화할 수 있다. 이러한 변화 때문에(제조공정의 자본 집적도가 더욱 고도화되는 경우) 기업은 간혹 기존의 전략집단에서 벗어나 새로운 전략집단으로 이동함으로써 전략집단의 양상을 변화시킨다. 이동장벽은 기업의 전략 선택에 의해서도 영향을 받을 수 있다. 예를 들어 제품 차별화가 이루어지지 않은 산업에서 활동하는 기업이 집중적인 광고투자를 통해 상표인식을 높임으로써(닭고기 산업에서 퍼듀(Perdue)의 경우) 이동장벽이 높은 새로운 전략집단을 만들 수 있다. 또는 새로운 제조공정을 도입해 규모의 경제를 제고할 수도 있다(버섯재배 산업에서 캐슬 앤 쿡(Castle and Cooke)과 랄스톤 퓨

리나(Ralston Purina)가 시도한 경우).[3] 그러나 이동장벽을 쌓는 투자는 일반적으로 위험부담이 크며, 또 어느 정도 장기적인 수익성을 위해 단기적인 수익을 포기해야 하는 경우가 많다.

이동장벽을 극복하는 데 따르는 희생도 기업에 따라 다르다. 각 기업의 현재 전략적 위치나 기술 축적, 자원 등에 따라 어떤 기업은 큰 부담 없이 이동장벽을 극복할 수 있는 반면, 다른 기업은 막대한 희생을 강요당하기도 한다. 경영 다각화를 이룬 기업은 활동이나 기능을 공동으로 활용할 수 있는 기회가 있기 때문에 이동장벽을 낮출 수 있다(새로운 산업으로의 진출을 결정하는 데 있어 이러한 요인들이 어떤 관련성을 지니는지에 대해서는 16장에서 자세히 설명하겠다).

산업 내부의 구조적 분석을 위한 첫 번째 단계가 특정 산업의 전략집단도를 작성하는 것이라면, 두 번째 단계는 개별 전략집단을 보호하는 이동장벽의 높이와 구성을 평가하는 작업이다.

## 이동장벽과 전략집단 형성

특정 산업 내에서 전략집단이 형성되고 변화하는 데에는 여러 가지 요인이 있다. 첫 번째, 기업은 기술이나 자원 면에서 차이를 개발하여 제각기 다른 전략을 선택한다. 유리한 여건에서 출발한 기업은 산업이 성장함에 따라 다른 기업들보다 더 일찍 높은 이동장벽의 보호를 받는 전략집단으로 나아갈 수 있다. 두 번째, 기업들이 목표나 위험에 대처하는 태도는 서로 다르다. 일부 기업들은 다른 기업들보다 이동장벽 구축을 위한 투자위험을 무릅쓰려는 성향이 강하다. 모기업과 맺고 있는 관계가 서로 다른 사업단위(가령 수직적 관계나 자유로운 형태)는 추구하는 목표가 다를 수 있고, 이는 나아가 전략상의 차이를 야기할 수도 있다.

특정 산업이 지금까지 성장해온 역사적 과정도 기업 간 전략상의 차이를 설명하는 하나의 요인이 된다. 일부 산업에서는 먼저 진출한 기업이 나중에 진출한 기업보다 특정 전략집단으로의 접근에 많은 희생을 치르게 된다. 규모의 경제, 제품 차별화, 그 밖의 요인에서 야기되는 이동장벽은 투자나 외생적인 요인들에 의해 변할 수 있다. 이동장벽의 변화란, 먼저 진출한 기업이 나중에 진출한 기업보다 전환이나 변화의 폭이 큰 전략을 추구하게 된다는 것을 의미한다. 일단 결정된 투자 중에는 철회나 번복할 수 없는 투자인 경우가 많은데, 이런 점에서 먼저 진출한 기업은 늦게 진출한 기업과는 달리 유리한 여건이 갖추어진 전략을 채택하지 못할 경우도 흔히 있다.

한 가지 더 연관된 점은 특정 산업의 발전과정 속에서 기업의 형태에 따라 진입 시기의 선택이 다르다는 점이다. 예를 들어 나중에 진출하는 기업은 그 산업의 일부 불확실한 측면들이 해소될 때까지 관망하면서 기다릴 수 있을 만한 재원을 지닌 기업인 반면, 재원이 빈약한 기업들은 진출에 따른 자본비가 많지 않을 때 일단 그 산업에 뛰어들 수밖에 없을 것이다.

산업구조의 변화는 새로운 전략집단의 형성을 촉진하거나 집단의 균질화에 영향을 미칠 수 있다. 예를 들어 산업의 총체적인 규모가 늘어나면 적극적인 기업은 수직적 통합이나 독점적인 유통경로, 자체적인 서비스 등을 포함하는 전략에 점차 접근해나갈 수 있고, 그에 따라 새로운 전략집단의 형성이 촉진된다. 또한 기술적 변화나 구매자 행위의 변화로 인해 산업경계(industry boundaries) 획정이 바뀌게 되면 전혀 새로운 집단이 등장할 수도 있다.[4] 이와 반대로 산업이 성숙되면서 광범위한 제품라인을 지닌 제조업체의 서비스 능력이나 안전성에 대한 구매자의 욕구가 감소하게 되면, 이동장벽을 낮추는 작용을 해 결국 전략집단의 수를 줄이는 결과를 가져올 수 있다. 이러한 요인의 작용을 통해 전략집단의 형성형태와 산업 내 기업들의 이윤율 분포형태가 세월이 흐름에 따라 변화하리라고 기대할 수 있다.

## 전략집단과 교섭력

전략집단에 따라 서로 다른 높이의 이동장벽의 보호를 받는 것과 마찬가지로 공급자와 구매자에 대한 교섭력 또한 전략집단별로 다르다. 1장에서 설명한 교섭력의 강화나 약화를 유발하는 요인들을 살펴보면, 이 요인들이 어느 정도는 특정 기업이 채택한 전략과 연관이 있음이 분명하게 드러난다. 예를 들어 전자계산기 산업에서 활동하는 HP(Hewlett-Packard)는 우수한 품질과 기술적 우위에 역점을 두고 전문적 수요자들에게 초점을 맞추는 전략집단에 속해 있다. 이러한 전략이 HP의 잠재적인 시장점유율을 제한할지는 모르지만, 그 대신 제품의 정밀성을 요구하지 않는 일반 시장에서 표준제품을 판매하는 기업보다는 가격 민감도나 교섭력이 약한 구매자들과 거래하는 셈이다. 이러한 경우를 1장에서 설명한 용어로 표현한다면 HP는 일반 시장 경쟁기업보다 제품 차등성이 높으며, HP 제품 구매자들은 제품의 품질에 더 관심을 기울이고, 또 제품의 가격은 구매자의 예산이나 그 제품에서 기대하는 효능의 가치에 비하면 대단하지 않은 것이라고 할 수 있다.

전략집단별로 공급자에 대한 교섭력에 차이가 드러난다는 사실은 시어스(Sears)에서 그 사례를 찾아볼 수 있다. 시어스처럼 광범위한 제품을 취급하는 전국 규모의 백화점은 많은 제품을 구매할 뿐만 아니라 구매품을 자체 생산하는 후방통합을 할 수 있다는 위협을 언제든지 가할 수 있기 때문에, 특정 지역에 국한된 단일 백화점보다 공급자에 대한 교섭력이 훨씬 막강하다.

이 사례에서 알 수 있는 것처럼, 전략집단은 공급자와 구매자에 대한 교섭력에 있어서 다음과 같은 2가지 요인을 바탕으로 그 차이를 가진다.

즉 그 집단이 어떤 전략을 취하고 있는지에 따라 '공통적인' 공급자나 구매자에 대한 취약성에 차이가 나타난다는 점과, 또 그 집단이 취하고 있는 전략에 따라 교섭력의 정도가 다른 공급자나 구매자와 거래를 하게 된다는 점이다. 양자 간의 상대적인 협상능력의 변화 정도는 산업에 따라 좌우된다. 일부 산업에서는 모든 전략집단이 공급자와 구매자에 대해 기본적으로 동일한 입장을 취하는 경우도 있다.

이상 살펴본 바와 같이 산업 내부의 구조적 분석에 대한 세 번째 단계는, 산업 내의 개별 전략집단이 공급자와 구매자에 대해 가지고 있는 교섭력을 상대적으로 평가하는 것이다.

## 전략집단과 대체재의 위협

전략집단이 서로 다른 제품라인의 집중화를 추구하고 품질이나 기술적 복잡성의 수준과 비용상의 위치도 상이하다고 하면, 전략집단이 대체재의 경쟁 위험에 노출되는 정도 또한 다르다고 할 수 있다. 전략집단이 모두 같은 산업에 속해 있다 하더라도 대체재에 대한 취약성의 정도에 있어서는 뚜렷한 차이를 드러내게 된다.

예를 들어 소형컴퓨터 회사가 업무용 수요자들에게 초점을 맞추고 또 다양한 기능을 발휘하도록 소프트웨어 기능까지 포함해 미니컴퓨터를 판매한다면, 반복적인 공정 관리용으로 구매하는 산업 내 수요자들에게 판매하는 회사보다 대체재의 위협을 덜 받을 것이다. 또는 채굴비용이 저렴한 광산을 소유하고 있는 기업은, 채굴비용이 높아 주로 고객에 대한 서비스 강화에 전략적 초점을 맞추는 기업보다 원가우위를 바탕으로 대체재의 위협을 덜 받을 수 있다.

따라서 산업 내부의 구조적 분석에 관한 네 번째 단계는 대체재에 대한 개별 전략집단의 상대적인 위치를 평가하는 일이라 할 것이다.

## 전략집단과 기업 간의 경쟁

특정 산업 내에 하나 이상의 전략집단이 있다는 것은 그 산업 내의 경쟁, 즉 가격이나 광고·서비스 및 그 밖의 변수들을 중심으로 경쟁이 벌어지고 있음을 의미하는 것이다. 경쟁강도를 결정하는 구조적 특성 중 일부는 산업 내의 모든 기업에 적용되기 때문에 전략집단 간의 상호작용에 대한 배경 역할을 하게 된다. 그러나 일반적으로 복수의 전략집단이 존재한다는 것은 산업 내의 모든 기업들이 동일한 정도의 경쟁세력과 당면하고 있지 않다는 것을 의미한다.

따라서 복수의 전략집단이 존재한다는 것은 곧 그 산업 내의 전반적인 경쟁수준에 영향을 미치는 경우가 많다는 사실에 유의해야 한다. 복수의 전략집단이 있으면 일반적으로 경쟁적 대결은 강화된다. 왜냐하면 전략집단이 여러 개 있다는 것은 그만큼 산업 내에서 활동하는 기업들 간에 다양성과 불균형이 드러나고 있다는 것을 의미하기 때문이다. 전략이나 외적인 여건의 차이는 또한 위험부담이나 가격수준, 품질수준 등에 대한 기업들의 태도에서도 차이가 드러난다. 이러한 차이 때문에 기업들이 서로의 의도를 파악하고 대응하는 과정이 복잡하게 얽히게 되고, 따라서 경쟁전을 벌일 가능성도 그만큼 커진다. 전략집단도가 복잡한 양상을 보이는 산업은 전략집단의 수가 적은 산업보다 전체적인 경쟁강도가 더욱 높아지는 경향을 보인다. 여러 연구조사 결과는 이러한 점을 입증해준다.[5]

그러나 전략상의 차이가 산업 내의 경쟁에 모두 동일한 비중으로 영향을 미치는 것은 아니다. 어떤 기업은 다른 기업들에 비해 다른 전략집단이 취하는 가격인하 조치나 그 밖의 경쟁조치에 더 큰 피해를 입는다. 특정 산업 내의 전략집단이 판매경쟁 과정에서 어느 정도의 상호작용을 미치는지 결정하는 요인은 다음과 같은 4가지가 있다.

- 전략집단 간 시장의 상호 의존성이나 목표로 삼는 고객들이 중복되는 정도
- 각 전략집단이 이루고 있는 제품 차별화
- 전략집단의 수와 개별 전략집단의 상대적인 규모
- 전략집단이 추구하는 전략상의 차이와 서로 엇갈리는 정도

전략집단 간의 경쟁에서 가장 중요한 영향을 미치는 요인은 시장의 상호 의존성, 즉 서로 다른 전략집단이 동일한 고객을 상대로 경쟁을 벌이거나 또는 전혀 다른 시장영역에서 고객을 빼앗기 위해 벌이는 경쟁의 정도다. 시장에 대한 전략집단 간의 상호 의존성이 높을 때에는 전략상의 차이가 가장 치열한 경쟁을 유발한다. 예를 들어 비료 산업에서는 농부들이 모든 전략집단의 고객이 된다. 이와는 달리 전략집단이 서로 전혀 다른 시장영역을 판매목표로 삼을 때에는, 비료 산업에서처럼 동일한 시장을 겨냥하는 경우보다 관심이나 상호작용이 훨씬 약화된다. 즉 전략집단들이 판매대상으로 삼는 고객이 뚜렷하게 구분될수록, 경쟁양상은 전략집단들이 마치 서로 다른 산업에 종사하고 있는 것처럼 약화된다.

전략집단 간의 경쟁에 영향을 미치는 두 번째 주요 요인은 개별 전략집단들이 달성한 제품 차별화의 정도이다. 전략집단 간 전략의 차이로 고객들이 선호하는 상표가 뚜렷하게 구분되면, 차등성이 없어서 마음대로 골라 구매할 수 있는 경우보다 경쟁은 훨씬 약화될 것이다.

전략집단이 차지하고 있는 시장이 여러 갈래로 나뉘고 또 비슷한 시장점유율을 보일 때, 다른 요인이 대등하다면 보통 전략의 차이에 따라 경쟁력의 강도는 높아진다. 많은 전략집단이 존재한다는 것은 곧 그 산업이 그만큼 다양성을 가지고 있다는 것과, 또 이로 인해 어떤 전략집단이 가격인하나 그 밖의 방책으로써 다른 전략집단들을 공격해 치열한

경쟁전을 유발할 가능성이 높다는 것을 말한다. 그러나 특정 산업 내에 있는 전략집단이 규모 면에서 큰 차이를 드러낼 경우에는(예를 들어 한 전략집단은 소규모 집단이고, 다른 전략집단은 그 산업에서 큰 비중을 차지하는 경우), 양자 간에 전략상의 차이가 있다 하더라도 상호 간 경쟁방법에 별다른 영향을 미치지 못한다. 왜냐하면 소규모 전략집단이 경쟁조치를 취함으로써 대규모 전략집단에 영향을 미칠 가능성이 희박하기 때문이다.

네 번째 요인은 개별 전략집단이 핵심적인 변수에서 드러내는 전략 차이의 크기다. 핵심적인 변수란 가령 상표인식이나 비용상의 위치, 기술의 우위성, 그 밖에 모기업이나 정부와의 관계와 같은 외적 여건 등을 말한다. 다른 요인들은 대등하다고 전제하고 다만 전략집단 간 전략상의 차이가 두드러지게 나타난다고 하면, 경쟁방법에 대한 기업들의 생각이나 입장이 서로 달라 이에 따라 서로의 행위에 대한 잘못된 이해나 대응 등으로 경쟁을 회피하는 데 어려움을 겪게 된다.

예를 들어 암모늄 비료 산업에 참여한 석유회사나 화학회사, 협동조합, 또는 별개의 기업은 저마다 추구하는 목표나 제약을 받는 요인이 다르다. 협동조합의 경우, 전반적으로 좋지 않은 산업상황 속에서도 세제상의 혜택이나 특이한 유인의 작용으로 시설 확장을 시도할 수 있다. 석유회사는 1960년대에 이와는 다른 이유로 협동조합과 유사한 조치를 실제로 취했다.

이 4가지 요인들은 서로 상관성을 지니면서 특정 산업 내 전략집단 간의 판매경쟁의 양상을 좌우한다. 예를 들어 대등한 균형을 이루고 있는 여러 전략집단이 뚜렷하게 다른 전략을 추구하면서 기본적으로 동일한 고객을 상대로 경쟁을 벌일 때, 가장 유동적인 경쟁상황이 조성되면서 치열한 경쟁으로 이어질 가능성이 많다. 이와 반대로 몇 안 되는 규모가 큰 전략집단이 별다른 차이가 없는 전략을 추구하면서 뚜렷하게 다른 고객을 상대로 경쟁을 벌인다면, 경쟁상황은 안정적인(또한 수익성이 높은) 양상을 보일 가능성이 많다.

위에서 설명한 요인들을 바탕으로 했을 때 특정 전략집단은 다른 전략집단으로부터 경쟁적 도전을 받게 된다. 이 전략집단은 우선 상호 의존적 시장을 공유하는 다른 전략집단으로부터 도전을 받게 될 것이다. 이러한 경쟁의 유동성은 앞서 설명한 여건에 따라 좌우된다.

특정 전략집단이 다른 전략집단으로부터 도전을 받기 가장 쉬운 상황은 그 전략집단이 동일 시장에서 다른 전략집단의 제품과 유사한 제품으로 경쟁을 벌이거나, 경쟁적인 전략집단들의 규모가 대체로 비슷하거나, 또는 판매전략이 다른 전략집단과 전혀 다르거나 할 경우이다. 이런 여건에서는 안정적인 경쟁상황을 이끌어가기가 매우 어렵기 때문에, 한 전략집단이 먼저 공격적인 경쟁조치를 취하면 경쟁은 매우 치열하게 확산될 가능성이 많다.

그러나 전략집단이 높은 시장점유율을 차지하고 있거나, 다른 전략집단이 겨냥하지 않는 시장영역을 판매목표로 삼고 있거나, 또는 높은 수준의 제품 차별화를 달성했다면 다른 전략집단 간의 경쟁적 대결에 거의 영향을 받지 않게 될 가능성이 많다. 전략집단이 다른 전략집단의 경쟁 도전을 받지 않으면서 안정된 수익성을 계속 누리려면 이동장벽을 높이 쌓아 다른 기업들이 전략적 전환을 통해 파고들 수 없도록 만들어야 한다.

이처럼 전략집단은 산업 '내부'의 경쟁양상에도 영향을 미친다. 이 과정을 살펴보려면 〈그림 7-2〉에 제시된 전략집단도를 참고할 수 있다. 이 그림은 세로축을 전략집단의 목표 고객시장으로 표시해서 시장의 상호 의존성을 측정하려 한 점 외에는 〈그림 7-1〉과 유사하다. 이 그림의 가로축에는 산업 내의 주요 전략 차원을 표시했다. 알파벳으로 표시된 도형은 전략집단을 나타내고, 도형의 크기는 전략집단에 속한 기업들의 총체적인 시장점유율을 나타내는 것이다. 또 도형의 형태는 전반적인

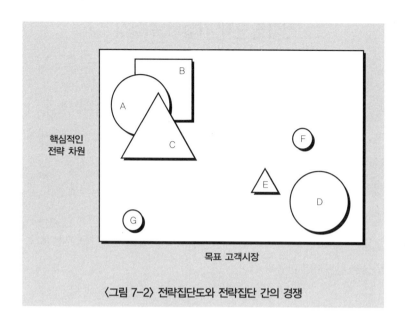

핵심적인
전략 차원

목표 고객시장

〈그림 7-2〉 전략집단도와 전략집단 간의 경쟁

전략적 형태를 드러내며, 도형의 형태가 다른 것은 곧 전략적 차이를 의미한다. 앞서 설명한 분석결과를 적용해보면 D집단은 A집단보다 산업내의 경쟁적 대결의 영향을 훨씬 덜 받는다. A집단은 대체로 규모가 비슷하고 전략적인 차이도 서로 뚜렷하며 또 기본적으로 동일한 고객시장을 겨냥하고 있는 B집단, C집단과 경쟁을 벌이고 있다. 이 세 집단에 속해 있는 기업들은 끊임없이 경쟁전을 벌일 것이다. 한편 D집단은 A·B·C 집단과는 다른 시장영역에서 경쟁을 벌이는데, 경쟁의 대상이 되는 집단으로는 규모가 작고 유사한 전략을 추구하는 E집단과 F집단이 있을 뿐이다(이 세 집단은 전문제품 생산집단으로서, 차이가 많이 나지 않는 전략을 추구하고 있다).

이와 같이 산업 내부의 구조적 분석을 위한 다섯 번째 단계는 전략집단 간의 상호 의존적인 시장양상, 그리고 다른 전략집단이 일으킬 경쟁전에 어느 정도의 영향이나 타격을 받을 것인지 평가하는 것이다.

# 전략집단과 기업의 수익성

지금까지는 전략적인 차이를 드러내는 전략집단들이 산업 내에서 작용하는 개별 또는 모든 경쟁요인에 따라 변할 수 있음을 살펴보았다. 이제는 앞서 제기한 의문에 해답을 제시할 수 있게 되었다. 그 의문이란 즉 특정 산업 내 개별 기업들의 판매능력과 이에 따른 수익 잠재력을 결정하는 요소들은 무엇이며, 또 이러한 요인들이 전략적 선택과 어떤 연관성을 지니는지에 대한 것이다.

앞서 설명한 개념들을 바탕으로 기업의 수익성을 결정하는 기본적 요인들을 살펴보면 다음과 같다.

## 산업의 일반적인 특성

5가지 경쟁요인의 강도를 결정하고, 모든 기업들에 동등하게 영향을 미치는 산업 전체의 구조적 요소를 말한다. 이러한 요소 중에는 그 산업의 수요 증가율, 전반적인 제품 차별화의 잠재성, 공급자 산업의 구조, 기술적 측면 등 산업 내 모든 기업들의 전반적인 경쟁 배경을 형성하는 요소들이 포함된다.

## 전략집단의 특성

· 기업이 속한 전략집단을 보호하는 이동장벽의 높이
· 전략집단이 구매자와 공급자에게 행사할 수 있는 교섭력
· 전략집단에 대항하는 대체재의 취약성
· 전략집단이 다른 전략집단의 경쟁 유발에 휘말려 영향을 받게 될 가능성

## 전략집단 내부에서 차지하는 기업의 위치

· 전략집단 내부에서의 경쟁 정도
· 전략집단 내부에서 차지하는 상대적인 규모
· 전략집단에 진출하는 데 따르는 희생
· 운용적인 측면에서 선택한 전략을 집행 또는 실행할 수 있는 능력

산업 전체에 걸친 시장구조의 특성은 그 산업 내 모든 기업들의 잠재적인 수익을 증감시키지만, 그렇다고 산업 내에서 추구되는 모든 전략이 동일한 잠재적 수익을 낳는 것은 아니다. 특정 전략집단을 방어해주는 이동장벽이 높으면 높을수록 전략집단이 공급자와 구매자에게 행사할 수 있는 교섭력은 커지고, 대체재에 대한 취약성도 그만큼 작아진다. 또 다른 전략집단의 경쟁에 휘말려 영향을 받는 정도도 줄어들며, 이에 따라 전략집단 내 기업들의 평균적인 수익 잠재력은 그만큼 커지게 된다. 따라서 기업의 성공 여부를 결정짓는 두 번째 범주의 요인은 산업 내에서 차지하는 전략집단의 위치이다.

기업의 수익성을 결정짓는 세 번째 범주의 요인은 전략집단 내에서 차지하는 특정 기업의 위치를 말하는 것으로, 이 문제는 지금까지 설명되지 않았다. 전략집단 내의 기업 위치에 영향을 미치는 주요 요인에는 여러 가지가 있다. 첫 번째는 전략집단 내에서 벌어지는 경쟁의 정도이다. 이 같은 경쟁은 그 전략집단이 가진 잠재적 수익을 잠식해버릴 수도 있다. 전략집단에 속한 기업들이 많이 있을 때 이러한 경쟁이 벌어질 가능성이 많다.

두 번째는 동일한 전략을 추구한다고 해서 모든 기업들이 구조적인 견지에서 동등한 상황에 놓여 있는 것이 아니라는 점이다. 기업의 구조적인 위치는 특히 그 전략집단 내 다른 기업들과 대비되는 상대적인 규모에 영향을 받기 쉽다. 만약 규모의 경제가 크게 작용해서 전략집단 내

의 총체적인 시장점유율 범위 안에서 일부 기업의 비용이 계속 떨어지고 있다고 한다면, 시장점유율 비율이 상대적으로 낮은 기업들은 수익 잠재력이 낮아질 것이다. 예를 들어 포드와 GM은 유사한 전략을 추구하고 있어 같은 전략집단으로 분류할 수 있지만, GM의 기업규모가 더 크기 때문에 추구하는 전략 속에 내재된 경제성의 측면에서 더 큰 이득을 얻을 수 있다. 반면 포드는 연구 개발이나 모델 변경에 따른 비용 면에서 규모의 경제가 뒤처졌기 때문에 GM과 같은 이득을 얻을 수 없었다. 포드는 규모와 관련된 이동장벽을 극복하고 GM과 같은 전략집단에 들어갈 수는 있었으나, GM에 비하면 상대적인 비용상의 열세를 면하지 못했다.

전략집단 내의 기업의 위치는 그 전략집단에 대한 진입비용에 의해서도 영향을 받는다. 특정 전략집단에 파고드는 과정에서 활용할 수 있는 기술과 자원은 전략집단 내의 다른 기업에 비해 상대적으로 유리하게도 또 불리하게도 작용할 수 있다. 진입에 활용하는 기술이나 자원 중 일부는 기업이 다른 산업에서 누리던 위치에 바탕을 둔 것이거나 같은 산업 내 다른 전략집단에서 거둔 성공을 기반으로 한 것이다. 예를 들어 존 디어는 영농장비 부문에서 다진 성과를 기반으로 해서 건설장비 산업 내에서는 거의 모든 전략집단에 큰 희생 없이 파고들어갈 수 있었다. 또한 프록터 앤 갬블의 차민 사업부는 과거에 이룬 기술적 업적과 모기업의 유통조직의 강점을 활용, 전국적인 상표인식을 확보한 화장지 산업의 전략집단에 큰 희생 없이 파고들 수 있었다.

특정 전략집단에 대한 진입부담은 진입 시기에 따라서도 영향을 받을 수 있다. 어떤 산업에서는 뒤늦게 뛰어든 기업이 그 전략집단 내에서 기반을 다지는 데 더욱 큰 부담을 안기도 한다(예를 들어 그 전략집단 내 다른 기업들 수준으로 상표를 인식하게 하는 데 많은 비용이 들거나, 다른 기업들이 이미 차지해버려 유리한 유통경로를 물색하는 데 많은 비용이 소요되는 경우).

그러나 정반대의 경우도 있다. 즉 늦게 진입한 기업이 최신 설비나 기술을 도입함으로써 전략집단 내의 기존 기업들보다 유리한 입장에 놓이게 되는 것이다. 그러나 진입 시기의 차이는 축적된 경험의 차이와 이로 인한 비용상의 차이로 연결될 수도 있다. 따라서 진입 시기의 차이는 특정 전략집단 내 기업들 간의 지속적인 수익성의 차이로 변형될 수 있다.

전략집단 내 기업의 위치를 분석하는 데 있어서 고려되어야 할 마지막 요인은 기업의 실행능력이다. 동일한 전략을 추구하고(즉 동일 전략집단에 속해 있고) 또 앞서 설명한 다른 여건들이 모두 동일하다 하더라도, 모든 기업들이 반드시 동등한 수준의 수익을 얻는 것은 아니다. 일부 기업들은 경영활동을 조직하고 관리하는 면이나, 같은 예산으로 창의적인 광고활동을 전개하는 면, 또는 동일한 연구개발 투자로 획기적인 기술적 성과를 이루는 면에서 다른 기업들보다 뛰어난 성과를 거둔다. 이런 형태의 능력이나 수완은 이동장벽이나 앞서 설명한 그 밖의 요인들과 같은 구조적인 이점은 아니지만, 비교적 지속적으로 누릴 수 있는 안정된 이점이라 하겠다. 따라서 실행능력이 뛰어난 기업은 전략집단 내의 다른 기업들보다 수익성이 높아질 것이다.

이와 같은 요인들이 결합하여 개별 기업의 미래 수익성을 결정하고, 동시에 시장점유율도 좌우한다. 어느 기업이 유리한 여건을 갖춘 산업에, 그 산업 내의 유리한 전략집단에, 그리고 그 전략집단 내에서 강력한 기반을 가지고 있다면 최상의 수익성을 누리게 될 것이다. 또한 신규진입기업은 진입장벽 때문에 그 산업의 유리한 이점을 허물어트리지 못할 것이고, 또 산업 내 특정 전략집단의 유리한 유인은 이동장벽으로 인해 보존될 것이다. 전략집단 내에서 누리는 특정 기업의 튼실한 기반은 기업의 전통과 기업이 활용하고 있는 기술과 자원으로 얻어진 것이다.

이상 잠재적 수익성을 증대시킬 수 있는 여러 가지 형태의 전략을 살펴보았다. 성공적인 전략은 다양한 형태의 이동장벽이나 경쟁요인들에 대응하는 접근방식에 바탕을 두고 있다. 2장에서 설명한 3가지 본원적 전략은 이러한 접근방식이 얼마나 크고 다양한 차이를 드러낼 수 있는 지 보여주고 있다. 본원적 전략 또한 3가지로 한정되는 것이 아니라 여러 가지로 변형될 수도 있다. 많은 기업들이 전략적 위치의 결정요인으로서 비용상의 위치를 가장 중요시한다. 물론 비용도 진입장벽이나 이동장벽을 쌓는 하나의 접근방식이지만, 그 밖에도 여러 가지 접근방식이 있다고 하겠다.

기업의 수익성을 결정짓는 요인들이 서로 영향을 미친다는 점을 살펴볼 때, 특정 기업의 수익 잠재력은 상호 의존적이고 이동장벽이 높은 전략집단 사이에서 전개되는 경쟁결과에 따라 큰 영향을 받게 된다. 이동장벽이 높은 전략집단은 그 집단 내부의 경쟁이 지나치게 치열하지 않는 한 이동장벽이 낮은 전략집단보다 수익 잠재력이 더 크다. 그러나 어느 전략집단 내부의 경쟁이 치열하게 벌어져 판매가격과 이윤이 함께 떨어지게 된다면, 이동장벽이 낮고 또 그 전략집단과 상호 의존적인 관계에 놓인 다른 전략집단의 수익성도 함께 잠식되는 결과를 가져올 수 있다. 가격을 인하하면(또는 광고나 비가격 경쟁 형태로 비용이 상승하면) 그 영향은 판매시장의 상호 의존성을 통해 이동장벽이 낮은 전략집단으로 파급되고, 또 이 전략집단에 속한 기업들이 대응조치를 취하고 나서면 그 기업들의 이윤마저 떨어지게 될 것이다. 이런 점은 전략집단을 선택하는 과정에서 반드시 고려되어야 할 위험요소라 하겠다.

청량음료 산업에서 좋은 사례를 찾아볼 수 있다. 만약 코카콜라와 펩시가 가격경쟁이나 광고경쟁을 벌인다면 그들의 이윤은 감소하겠지만, 그 감소폭은 동일한 고객을 상대로 경쟁을 벌이는 지역 또는 지방의 군소 청량음료 회사들보다는 적을 것이다. 즉 코카콜라나 펩시 또는 높은 이동장벽의 보호를 받는 그 밖의 대규모 청량음료 회사들이 경쟁을 벌이면, 지역이나 지방의 군소 회사들이 이윤 면에서 더욱 큰 타격을 받게 되는 것이다. 군소 회사들은 이윤뿐만 아니라 상대적인 시장점유율도 감소하게 된다.

## 대기업이 중소기업보다 수익성이 높은가?

최대의 시장점유율을 가진 기업이 가장 높은 수익률을 보인다는 전략에 대해 많은 논란이 계속되었다.[6] 앞의 분석결과에 따르면 이러한 전략의 사실 여부가 주변 여건에 의해 좌우된다는 점을 알 수 있다. 산업 내의 대기업이 중소기업보다 이동장벽이 높은 전략집단 속에서 경쟁을 벌이더라도, 공급자나 구매자들보다 더 강력한 위치에 있고 또 다른 전략집단들과의 경쟁적 대결 영향을 덜 받는다면, 그 대기업은 분명 중소기업보다 수익성이 더 높을 것이다. 예를 들어 양조나 화장품 및 TV 수상기 제조 산업처럼 생산, 유통, 서비스, 전국 규모의 광고활동 등에서 규모의 경제가 뚜렷하게 나타나는 부문에서는 보통 대기업이 중소기업보다 수익률이 더 높다. 만약 생산, 유통 및 그 밖의 기능 면에서 규모의 경제가 크지 않다고 한다면 중소기업은 전문화 전략을 통해 대기업보다 더 높은 제품 차별화나 기술적 선진화, 특정 제품에 대한 우수한 서비스 체계를 이룰 수 있을 것이다. 그리고 이와 같은 산업 부문에서는 중소기업이 규모가 크고 폭넓은 제품라인을 갖춘 대기업보다 수익성이 더 높을 것이다(예를 들면 여성 의류나 카펫 산업 등).

시장점유율이 낮은 기업이 시장점유율이 높은 기업보다 수익률이 더 낮다는 주장이 종종 나오기도 하는데, 이런 경우는 산업 간의 경계를 명확하게 획정하지 못한 데서 기인하는 것이다. 시장점유율이 수익성을 좌우하는 가장 큰 요인이라고 주장하는 사람들은, 시장을 협의적인 의미로 해석할 때 중소기업이 제품라인이 다양한 대기업보다 특정한 전문시장 영역에서 높은 시장점유율을 차지한다고 주장한다. 그러나 시장을 협의적인 의미로 해석할 경우, 폭넓은 제품라인을 가진 대기업이 가장 높은 수익을 올리는 산업 부문의 시장마저 협의의 의미로서 파악하게 된다. 이런 경우 대기업이 세분화된 모든 전문시장에서 반드시 최고의 시장점유율을 차지하지는 못한다 하더라도, 그 산업의 전체 시장에서는 최고의 시장점유율을 차지하는 경우가 흔히 있다. 시장점유율이 낮은 기업이 전문화된 특수한 시장에서 높은 수익을 올리고 있다면 다음과 같은 의문이 제기될 수 있다. 즉 기업은 어떤 산업상황에서, 제품라인이 보다 광범위한 기업이 이룬 규모의 경제와 제품 차별화에 영향을 받지 않으면서 전문화 전략(즉 단 하나의 전략적 선택방안만을 취하는 것)을 선택할 수 있는가? 또 전체적인 시장점유율이 큰 영향을 미치지 않는 산업상황이란 어떤 것인가? 이러한 의문에 대한 해답은 앞서 설명한 이동장벽, 구조적 특성 및 기업 특유의 특성에 좌우되기 때문에 산업마다 다르다.

경험적 증거에 따르면 시장점유율의 높고 낮음이 수익성과 연관되는 관계 역시 산업에 따라 좌우된다는 점을 알 수 있다. 〈표 7-1〉은 산업 총판매고의 최소한 30퍼센트 이상을 차지하는 대기업의 순자산수익률 (rate of return on equity)을 같은 산업 내의 중간규모 기업의 수익률과 비교한 것이다(자산규모가 50만 달러 이하인 소규모 기업은 제외했다). 놀랄 만한 점은 38개 산업 중 15개 산업 부문에서 중간규모 기업이 대기업보다 높은 수익을 올렸다는 사실이다. 대기업의 수익률이 오히려 낮은 산업은 일반적으로 규모의 경제가 크지 않거나 아니면 전혀 발휘되지 못하거나(의류, 신발류, 도자기, 육류, 카펫 산업 등), 시장이 고도로 세분화된 경우이다(광학, 의료 및 안과 재료, 주류, 정기간행물, 장난감 및 스포츠 용품 산업 등). 이와 반대로 대기업이 중간규모 기업보다 수익률이 높은 산업은 일반적으로 대규모적인 광고활동이 필요한 부문이거나(비누, 향수, 청량음료, 곡물, 식기 산업 등) 연구 개발비가 많이 지출되거나, 또는 생산 부문의 규모의 경제가 요구되는 경우이다(라디오 및 TV 제조, 제약, 사진용품

| 중간규모 기업이 대기업보다 수익률이 훨씬 높은 산업 부문(4% 이상) | 중간규모 기업이 대기업보다 수익률이 높은 산업 부문(0.5~4% 정도) | 대기업이 중간규모 기업보다 수익률이 높은 산업 부문(2.5~4% 정도) | 대기업이 중간규모 기업보다 수익률이 훨씬 높은 산업 부문(4% 이상) |
|---|---|---|---|
| • 육류제품 산업<br>• 주류 산업<br>• 정기간행물 산업<br>• 카펫 산업<br>• 가죽제품 산업<br>• 광학, 의료 및 안과 재료 산업 | • 제당 산업<br>• 담배(궐련 제외) 산업<br>• 편물 산업<br>• 여성의류 산업<br>• 남성의류 산업<br>• 신발류 산업<br>• 도자기 및 관련 제품 산업<br>• 전기조명 장치 산업<br>• 장난감 및 스포츠 용품 | • 낙농 산업<br>• 곡물 산업<br>• 맥주 산업<br>• 제약 산업<br>• 보석 산업 | • 포도주 산업<br>• 청량음료 산업<br>• 비누제조 산업<br>• 향수, 화장품 및 화장실 제품 산업<br>• 페인트 산업<br>• 식기, 수동식 공구 및 일반 철물 산업<br>• 가정용품 산업<br>• 라디오, TV 제조 산업<br>• 사진용품 산업 |

〈표 7-1〉 산업 선도기업과 추종기업의 상대적인 수익률

산업 등). 이러한 결과는 예상에 크게 어긋나지 않는 것이라 하겠다.

## 전략집단과 비용상의 위치

전략 수립 시 고려해야 할 문제와 관련해 두드러지게 나타나는 관점은, 경쟁전략 수립에 있어 지속적인 바탕이 될 수 있는 유일한 요소가 비용상의 위치라는 것이다. 이러한 관점에 따르면 원가우위가 가장 두드러진 기업은 다른 전략집단이 기반으로 삼는 전략영역, 즉 제품 차별화나 기술, 서비스 등의 우위를 언제나 침범할 수 있다는 것이다.

이러한 관점은 원가우위를 유지하는 일이 결코 쉬운 일이 아니라는 사실만을 제외하고는 잘못된 판단이다. 2장에서 설명한 바와 같이 대부분의 산업에는 이동장벽을 만들거나 견고한 구조적 기반을 다지는 여러 가지 방법이 있다. 이처럼 전략적 방법이 다르다 보면 일련의 기능별 방책들이 서로 다르거나 상충되는 경우도 있다. 기업이 한 가지 전략의 효율성을 극대화하려다 보면 다른 전략에서 요구되는 효율성은 높이기 어려운 경우가 많다. 전략집단 내부에서 원가우위를 차지하는 것도 매우

중요하지만, 그렇다고 원가우위가 반드시 중요하거나 유일한 경쟁방법은 아니다. 전반적인 원가우위를 성취할 때에는 제품 차별화나 기술, 서비스 등 다른 전략집단이 경쟁전략의 바탕으로 삼는 부분들은 희생되는 경우가 많다.

그러나 원가우위 이외의 부분을 전략기반으로 삼고 있는 전략집단은 전반적인 원가우위를 추구하는 전략집단과의 비용상의 차이에 끊임없이 관심을 기울여야 한다. 이 차이가 너무 현격해지면 구매자들은 품질이나 서비스, 기술 우위성, 그 밖의 부분이 뒤떨어지더라도 값싼 제품 쪽으로 이끌리기 쉽다. 이런 면에서 전략집단 간의 상대적인 비용상의 위치는 중요한 전략적 변수 기능을 한다.

## 전략 수립과 관련된 문제들

특정 산업 내에서 경쟁전략을 수립한다는 것은 '어느 전략집단에 파고들 것인가' 하는 문제로 볼 수 있다. 이 같은 선택의 대상은 이윤 잠재력과 진입비용을 감안해야 하는 기존 전략집단일 수도 있고, 또 스스로 만들어내야 하는 전혀 새로운 전략집단일 수도 있다. 산업 내부의 구조적 분석은 특정 기업의 특수한 전략적 좌표 설정의 성공을 결정짓는 요인들을 밝혀내는 데 그 목적이 있다.

서론에서 설명한 것과 같이 전략 수립을 위한 가장 일반적인 지침은 기업의 장단점, 특히 기업의 두드러진 능력이 기업환경의 호기와 위험부담 요인에 조화되도록 하는 것이다. 산업 내부의 구조적 분석 원칙은 기업의 장단점이나 두드러진 능력, 그리고 그 산업이 제공하는 호기나 위험부담이 어떠한 것인지 훨씬 구체적이고 명확하게 밝혀줄 것이다. 기업의 장점과 단점은 다음과 같은 것들이 있다.

장점(강점)

· 기업이 속한 전략집단을 보호해주는 이동장벽을 쌓는 요인들
· 전략집단이 구매자 및 공급자들과 협상하는 힘을 강화해주는 요인들
· 다른 기업들의 경쟁적 대결의 영향으로부터 소속 전략집단을 차단
  하는 요인들
· 전략집단 내의 다른 기업들에 비해 기업규모가 상대적으로 큰 경우
· 다른 기업들보다 전략집단에 대한 진입비용이 적게 들게 하는 요
  인들
· 경쟁기업들에 비해 전략실행 능력이 상대적으로 강한 경우
· 이동장벽을 극복하게 해주고, 또 보다 바람직한 전략집단으로 나아
  가게 해주는 자원과 기술

단점(약점)

· 소속된 전략집단을 보호해주는 이동장벽을 오히려 낮게 만드는 요
  인들
· 전략집단이 구매자 및 공급자들과 협상하는 힘을 약화시키는 요인들
· 다른 기업들의 경쟁적 대결의 영향에 소속 전략집단을 쉽게 휘말려
  들게 하는 요인들
· 전략집단 내의 다른 기업들에 비해 기업규모가 상대적으로 작은 경우
· 다른 기업들보다 전략집단에 대한 진입비용이 많이 들게 하는 요
  인들
· 경쟁기업들에 비해 전략실행 능력이 상대적으로 약한 경우
· 이동장벽을 극복하게 해주고, 또 보다 바람직한 전략집단으로 나아
  가게 해주는 자원과 기술의 부족

예를 들어 특정 전략집단의 이동장벽이 폭넓은 제품라인이나 독점적

기술, 축적된 경험에 의한 비용의 이점 등에 바탕을 두고 있다면, 이러한 이동장벽의 원천은 소속 기업의 주요한 강점을 반영하는 것이다. 또특정 산업 내에서 가장 유리한 위치에 있는 전략집단이 독점적인 유통및 서비스 조직을 통한 규모의 경제에 바탕을 두고 있다면, 이러한 요인을 갖추지 못한 기업은 그 요인이 핵심적인 약점 중의 하나가 될 것이다. 구조적 분석은 경쟁기업들과 대비된 특정 기업의 장단점을 체계적으로 규명할 수 있는 기본틀을 제시한다. 이러한 장단점은 고정된 것이아니라, 산업이 진전되면서 전략집단의 상대적인 위치가 재편성되거나또는 기업들이 그들의 구조적 기반을 바꾸기 위해 기술 혁신이나 대규모 투자를 할 때 변할 수 있다.

기업의 장단점을 파악하게 해주는 이 같은 기본체계는 구조상의 형태와 실행상의 형태라는, 근본적으로 다른 2가지 형태를 보여준다. 구조적장단점은 이동장벽이나 상대적인 교섭력의 결정요인과 같은 산업구조의 기본적인 특성과 연관되는 것이다. 반면, 기업의 전략집행 능력에 바탕을 둔 실행상의 강약점은 인력 및 관리능력과 연관된다. 따라서 반드시 그렇지는 않다 하더라도 실행상의 장단점은 구조상의 장단점보다 훨씬 변화성이 많다 하겠다. 어떤 경우에서건 2가지 형태의 장단점은 전략분석에서 뚜렷하게 구분해야 한다.

기업이 활동하고 있는 산업 내에서 맞게 되는 '전략적 기회들'은 이러한 개념들을 이용할 경우 더욱 구체화할 수 있다. 호기는 다음과 같은여러 가지 형태로 나눌 수 있다.

· 새로운 전략집단의 형성
· 보다 유리한 기반을 갖춘 전략집단으로의 이동
· 소속 전략집단의 구조적 기반이나 그 집단 내에서 차지하는 기업
  자체의 위치 강화

· 새로운 전략집단으로 이동하여 그 집단의 구조적 기반을 강화

전략적 호기 중에서 가장 큰 강점을 가지는 것은 새로운 전략집단을 형성하는 것이다. 기술적 변화나 산업구조의 진전이 전혀 새로운 전략 집단의 형성 가능성을 열어주는 경우가 종종 있다. 그러한 자극적 유인 이 없을 때라도 선견지명이 있는 기업은 경쟁기업이 인식하지 못하는 새롭고 유리한 전략집단의 형성 기회를 포착할 수 있다. 예를 들어 아메리칸 모터스는 1950년대 중반에 독특한 판매기반을 지닌 소형 승용차를 개발하여 포드, GM, 크라이슬러 등 미국 3대 자동차 제조회사에 대한 현저한 열세를 극복하기도 했다. 또 티맥스는 새로운 생산방식에 새로운 유통 및 판매방법을 결합한 값싸고 품질 좋은 시계를 생산하여 큰 성 공을 거두었다. 헤인즈(Hanes)는 양말 산업에서 레그스 전략으로 전혀 새로운 전략집단을 만들었다. 선견지명이 있는 판단이 쉬운 것은 아니 지만, 구조적 분석을 이용하면 가장 유리한 위치를 선점할 수 있는 변화 성 있는 영역의 착안에 도움을 받을 것이다.

전략적 호기의 두 번째 형태는 산업 내에서 보다 유리한 기반을 가진 전략집단을 선택해서 파고들어가는 것이다.

전략적 호기의 세 번째 형태는 소속 전략집단의 구조적 기반이나 그 집단 내에서 자신들의 입장을 호전시키는 투자나 조정 가능성을 말한다. 가령 이동장벽을 높이거나 대체재에 대한 입장을 강화하거나, 판매 능력을 다지는 것 등이다. 그러한 투자나 조정은 새롭고 보다 나은 전략 집단의 형성 기회로도 활용할 수 있다.

전략적 호기의 마지막 형태는 다른 전략집단으로 파고들어 그 집단의 이동장벽을 높이거나 집단의 기반을 강화하는 것이다. 산업의 구조적 진화는 이러한 변화를 야기하고, 나아가 이동한 전략집단 속에서 기업 의 입장을 강화해주는 훌륭한 가능성을 열어준다.

기업이 활동하고 있는 산업 내에서 당면하게 되는 여러 가지 위험 또한 동일한 개념들을 이용하여 밝혀낼 수 있다.

· 다른 기업들이 소속 전략집단에 파고들 위험
· 소속 전략집단의 이동장벽을 낮추고, 구매자 및 공급자에 대한 협상능력과 대체재에 대한 상대적 위치를 약화시키고, 보다 큰 경쟁적 대결에 노출되는 위험
· 이동장벽의 강화를 통해 자체의 입장을 공고하게 하기 위한 투자에 수반되는 위험
· 보다 바람직한 전략집단으로 파고들기 위한 이동장벽 극복 노력이나 전혀 새로운 전략집단을 만들려는 노력에 수반되는 위험

첫 번째와 두 번째 위험은 기업의 현재 위치에 대한 위험이나 아무런 대응을 하지 못하는 데 따르는 위험으로 간주할 수 있으며, 특히 두 번째 위험은 호기의 추구를 방해하는 위험요인이 될 수 있다.

기업의 전략 선택이나 소속되고자 하는 전략집단의 선택은 이러한 모든 요인들이 상관성을 가진다. 대부분은 아니라고 하더라도 상당수의 전략적 돌파구는 산업구조 변화를 통해 마련된다. 구조적 분석은 산업구조와 연결된 기업의 현재 전략적 위치가 시장에서의 성과로 변형되는 형태를 보여준다. 산업구조가 변화하지 않는다면, 다른 전략집단으로 이동하면서 이동장벽을 극복하는 데 소요되는 비용이 그 전략집단으로의 이동에 따른 혜택을 완전히 상쇄할 것이다. 그러나 구조적으로 유리한 전혀 새로운 전략적 위치를 포착할 수 있거나 산업의 진전으로 이동부담이 경감되었을 때 전략적 위치를 바꾼다면, 진정한 의미의 큰 경영성과를 얻을 수 있을 것이다.

2장에서 설명한 3가지 형태의 본원적 전략은 성공적인 전략적 위치로

나아가는 상호 일관성 있는 중요한 접근방식을 제시해주었다. 본 장에서는 본원적 전략의 분석골격에 살과 피를 덧붙였다 하겠다. 이 장의 분석결과를 바탕으로 할 때 본원적 전략은 그 형태는 다르다 하더라도 이동장벽(구매자, 공급자, 대체재에 대한 유리한 위치), 그리고 경쟁적 대결의 영향 배제 등에 의존하고 있음이 분명하다. 따라서 구조적 분석을 산업 내부로 확대한 것은, 본원적 전략의 개념을 보다 명확하고 실행적인 형태로 구체화한 한 방법이라고 하겠다.

# 분석도구로서의 전략집단도

이제 분석도구로 활용할 수 있는 전략집단도에 대해 다시 논의해보기로 하자. 전략집단도는 특정 산업 내의 경쟁상황을 보여주고, 산업의 변화와 또 이러한 변화 추세가 그 산업에 어떤 영향을 미치는지 살펴볼 수 있는 매우 유용한 방법이다.

전략집단을 도식화할 때 가로축과 세로축의 전략적 변수는 반드시 분석전문가들이 선정해야 한다. 그렇게 했을 때 다음과 같은 몇 가지 측면에서 유용한 결과를 얻을 수 있을 것이다. 첫째, 양 축으로 사용할 가장 좋은 전략적 변수들은 대상이 되는 산업의 '핵심적인 이동장벽을 결정하는' 것이어야 한다. 예를 들어 청량음료 산업에서는 상표인식과 유통경로가 핵심적인 이동장벽의 요소가 되는데, 이 2가지가 전략집단도의 양 축으로 이용되어야 한다는 것이다. 둘째, 전략집단도를 작성할 때에는 같은 방향으로 작용하지 않는 전략적 변수들을 양 축으로 선정해야 한다. 예를 들면 제품 차별화를 달성한 기업이 동시에 폭넓은 제품라인까지 가지고 있다면, 이 두 변수는 전략집단도의 양 축으로 사용해서는 안 된다. 그보다는 그 산업의 전략적 결합의 다양성을 반영하는 변수들을 선택해야 할 것이다. 셋째, 양 축의 변수로서 연속적이거나 변화가 없는 변수만을 선택할 필요는 없다. 예를 들어 기계톱 산업에서는 목표 유통경로가 대리점, 도매상, 또는 상표인식이 안 된 제품(private label:유명 회사나 유통점의 브랜드로 납품된 제품)의 판매상들이다. 일부 기업들은 이 중 어느 하나를 유통경로로, 다른 기업들은 복수나 전부를 유통경로로 삼고자 할 것이다. 대리점은 판매전략이라는 측면에서 상표인식이 안 된 제품의 판매상들과 가장 두드러지게 구별되고, 도매상은 양자의 중간쯤 되는 위치에 있다 하겠다. 전략집단도는 기업을 〈그림 7-3〉처럼 배치하는 것이 기업의 전략적 특색을 드러내는 데 가장 효과적이다. 세로축에서 기업의 위치는 이들이 활용하는 유통경로를 반영한다.

특정 산업은 여러 가지 전략적 차원들을 다양하게 결합해 몇 가지 전략집단도를 작성할 수 있는데, 이처럼 여러 개의 전략집단도를 만들어 놓으면 분석가들이 핵심적인 경쟁 이슈를 파악하는 데 도움이 될 것이다. 전략집단도는 경쟁관계의 진단에 도움이 되는 도구라 할 수 있으며, 접근방법도 한 가지만 있는 것은 아니다.

특정 산업의 전략집단도를 작성하면, 다음과 같은 여러 가지 분석단계를 조명해볼 수 있다.

• 이동장벽의 확인 | 다른 전략집단의 경쟁적인 공격으로부터 개별 전략집단을 보호해주는 이동장벽을 확인할 수 있다. 예를 들면 〈그림 7-3〉에서처럼 고품질과 대리점 판매를 중심으로 하는 전략집단의 이동장벽은 곧 기술과 상표 이미지, 대리점 조직망 등이 된다. 한편 상표인식이 안 된 전략집단은 규모의 경제, 축적된 경험, 그리고 어느 정도는 유통경로와의 관계 등이 이동장벽으로 작용한다. 이러한 분석은 다양한 전략집단에 대한 위험요인과 기업 간의 전략적 위치 이동을 예측하는 데 매우 유용하다.

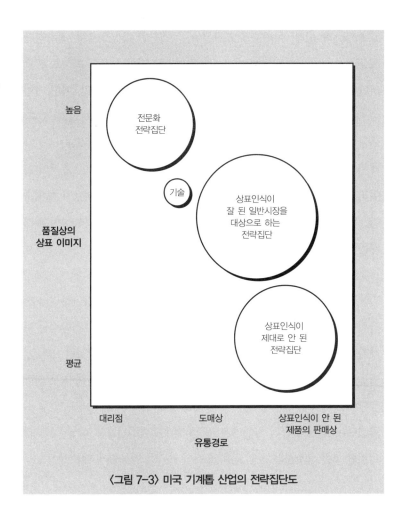

높음

품질상의
상표 이미지

평균

전문화
전략집단

기술

상표인식이
잘 된 일반시장을
대상으로 하는
전략집단

상표인식이
제대로 안 된
전략집단

대리점　　　도매상　　　상표인식이 안 된
　　　　　　　　　　　　제품의 판매상

유통경로

**〈그림 7-3〉 미국 기계톱 산업의 전략집단도**

• **주변 전략집단의 확인** ┃ 이 장의 앞부분에서 설명한 구조적 분석은 전략적 기반이 확고하지 않은 주변 전략집단을 드러내준다. 이러한 전략집단은 철수나 다른 전략집단으로의 이동을 시도할 가능성이 많은 전략집단이다.

• **전략적 이동방향의 도식화** ┃ 전략집단도의 가장 유용한 기능은 기업의 전략이 이동하거나 산업의 전반적인 관점에서 이탈하는 방향을 도

표화하는 데 있다. 이러한 도표화는 아주 간단한 작업으로서, 전략집단 (또는 그 전략집단 내의 특정 기업)이 움직여가는 방향 쪽으로 화살표를 그리면 된다. 모든 전략집단의 전략적 이동방향을 표시해보면, 어떤 기업이 다른 기업 및 전략집단과 전략적인 분리현상을 보이는지 알 수 있다. 이처럼 전략적으로 유리한 점이 특히 목표시장 영역에서 두드러지게 나타난다면 그 산업 내의 경쟁 상태를 안정시키는 데 도움이 될 것이다. 이러한 도표는 또한 어느 방향으로 전략적 위치가 집중되는지 보여준다. 이러한 집중화 현상은 매우 불안정한 상황을 조성할 가능성이 많기 때문에 회피하는 것이 좋다.

• 전반적인 추세 파악 | 특정 산업의 전반적인 추세를 감안하면서 전략집단도를 분석해보면, 여러 가지 사실을 파악할 수 있다. 전반적인 추세가 일부 전략집단의 활력을 앗아가고 있는가? 특정 전략집단 내의 기업들은 어느 방향으로 이동하고 있는가? 이러한 추세로 인해 일부 전략집단이 쌓아놓은 이동장벽은 더 높아질 것인가? 이러한 추세로 인해 전략집단은 특정 전략적 차원에 따라 별개의 전략집단으로 나뉠 것인가? 이러한 모든 요소들은 산업 진화에 대한 예측을 가능하게 해준다.

• 반응에 대한 예측 | 전략집단도는 산업이 어떤 사태에 대해 보이는 반응을 예측하는 데에도 이용할 수 있다. 전략적 유사성이 있는 특정 전략집단 내의 기업들은 장애요인이나 추세에 대해 규칙적인 반응을 보이는 성향을 지니기 때문이다.

## Chapter 08

# 산업의 진화

우리는 산업구조 분석을 통해 경쟁전략 개발에 결정적인 역할을 하는 산업 내의 경쟁력을 파악하는 기본체계를 살펴보았다. 한 가지 분명한 사실은 산업구조는 변화하며 때로는 근본적인 형태의 변화를 보인다는 점이다. 이러한 변화의 사례로 미국 양조 산업은 진입장벽과 집중화의 정도가 현저하게 높아졌으며, 또 아세틸렌 산업은 대체재의 위협이 증대되면서 심각한 압박을 받았다.

산업의 진화는 전략 수립에 있어 지극히 중요한 요인이 된다. 산업의 진전에 따라 투자대상으로서 가지는 특정 산업의 기본적 매력이 커지기도 작아지기도 하며, 또 산업 내의 기업들이 전략적 조정을 해야만 하는 경우도 있다. 산업의 진화과정을 파악하거나 또 앞으로의 변화를 예측할 수 있다는 것은 매우 중요한 일이다. 왜냐하면 변화의 필요성이 한층 부각됨에 따라 전략적인 대응비용이 높아지며, 또 가장 먼저 변화를 포착하고 이에 대응하는 전략을 세우는 것이 가장 큰 이득을 얻을 수 있기 때문이다. 예를 들어 2차 대전 직후 영농기계 산업에서는 그 산업의 구조적 변화로 인해 기업이 지원과 신용을 뒷받침해주는 강력한 독점 대리점 조직망의 중요성이 크게 제고되었다. 이러한 변화를 재빨리 인식한 기업은 대리점 조직을 뜻대로 선택할 수 있었다.

이 장에서는 특정 산업의 진화과정을 예측하고, 그 과정이 경쟁전략 수립에 미치는 영향을 인식하는 데 도움이 되는 분석도구를 제시하겠다. 우선 산업 진화과정을 분석하는 데 기본이 되는 몇 가지 개념을 설명한 다음 산업 변화의 기저에 깔린 동인들을 규명하고, 끝으로 진화과정에서 나타나는 몇 가지 중요한 경제적 관계와 이와 관련된 전략적 의미를 살펴보겠다.

# 산업 진화의 기본개념

산업 진화의 분석은 1장에서 다룬 구조적 분석의 기본체계를 출발점으로 삼아야 한다. 산업 변화는 그 변화가 5가지 경쟁요인의 핵심에 영향을 미칠 것으로 보일 때 전략적 중요성을 지닌다. 그렇지 않을 때 산업 변화는 전술적 의미에서나 그 중요성을 지닌다. 산업의 진화를 분석하는 가장 간단한 접근방식은 다음과 같은 질문을 제기하는 것이다. 그 산업에서 개별 구조적 요소들에 영향을 미치는 어떤 변화가 일어나고 있는가? 예를 들어 그 산업의 어떤 추세가 이동장벽의 증감을 암시하고 있는가? 구매자나 공급자에 대한 상대적인 능력이 강화 또는 약화되고 있는가? 개별 경쟁요인과 그 기저에 깔린 경제적 원인들에 이 같은 의문을 제기하면 산업의 진화와 관련된 중요한 문제들의 윤곽이 드러나게 될 것이다.

이와 같은 구체적 접근방식을 출발점으로 삼는다 하더라도 그것만으로 충분한 것은 아니다. 현재 벌어지고 있는 산업의 변화가 어떤 것인지도 명확하게 파악하지 못하는 경우가 많은데, 하물며 앞으로 벌어질지 모르는 변화를 예측한다는 것은 더욱 어려운 일이기 때문이다. 산업의 진화를 예측하는 것이 얼마나 중요한 일인지 감안한다면, 앞으로 예상되는 산업 변화의 패턴을 예측하는 데 도움이 될 몇 가지 분석기법을 알아두는 것이 좋다고 하겠다.

## 제품수명주기 이론

제품수명주기(product life cycle) 이론은 산업 진화의 경로를 예측하는 데 활용되는 기본적인 개념이다. 이 가설[1]의 내용은 〈그림 8-1〉에 예시된 것처럼 산업이 몇 개의 국면이나 단계(도입기·성장기·성숙기·쇠퇴기)를 거친다는 것이다. 이러한 단계들은 산업 매출액 성장률의 변곡점으로 구분할 수 있다. 산업의 성장은 혁신과 신제품의 확산과정으로 인해 S자형 곡선의 형태를 띠게 된다.[2] 산업 성장의 도입 국면이 평면과 다름없는 완만한 곡선을 보이는 것은 구매자의 무반응을 극복하고, 신제품의 시험적 구매를 자극하는 일이 매우 어렵다는 사실을 보여주는 것이

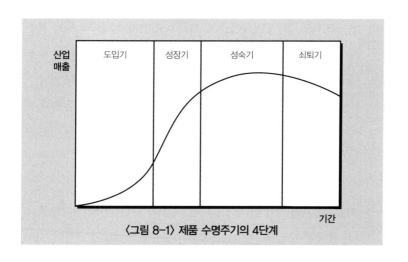

〈그림 8-1〉 제품 수명주기의 4단계

다. 성장기에는 제품이 훌륭하다는 점이 입증되어 많은 구매자들이 몰려들게 된다. 그 다음 이 제품의 잠재적 구매자들까지 모두 모여들어 시장이 포화상태에 이르면 급격한 신장세는 중단되고, 관련 구매자 집단의 기본적인 성장률 수준으로 안정세를 보이게 된다. 이것이 성숙기다. 그리고 새로운 대체재가 등장하면서 성장은 끝을 맺게 된다.

산업은 자체의 수명주기를 거치면서 경쟁의 특성이 바뀌게 된다. 필자는 〈표 8-1〉에서 산업이 수명주기를 거치는 동안 어떻게 변화하며, 또 그 변화가 전략에 어떤 영향을 미치는지 가장 흔한 형태로 예측해보았다.

제품수명주기 이론은 다음과 같은 몇 가지 점에서 비판을 받아왔으며, 이 비판은 상당한 타당성을 지니고 있다.

· 각 단계의 기간은 산업에 따라 광범위한 차이를 보이고, 또 산업이 어느 단계에 놓여 있는지 명확하지 않은 경우가 흔히 있다. 이런 문제점 때문에 계획도구(planning tool)로서의 유용성이 감소된다.
· 산업 성장이 언제나 S자형 패턴을 따르는 것은 아니다. 어떤 때는 성장기에서 성숙기를 거치지 않고 바로 쇠퇴기로 넘어가는 경우가 있는가 하면, 또 모터사이클 및 자전거 산업이나 라디오 방송 부문처럼 쇠퇴기 이후에 산업 성장이 되살아나는 경우도 있다. 어떤 산업에서는 도입기의 완만한 성장세가 빠진 것처럼 보일 때도 있다.
· 기업들은 제품 혁신과 기반 재정립, 제품용도의 다양화 등을 통해 성장곡선의 형태를 변형할 수도 있다.[3] 만약 기업이 주어진 대로 제품의 수명주기를 받아들인다면, 그것은 스스로 바람직하지 않은 방향으로 향해가는 셈이 된다.
· 제품수명주기의 각 단계가 결부된 경쟁의 성격은 산업에 따라 다르다. 예를 들어 일부 산업은 격심한 경쟁집중 상태로 출발하여 그 상

| 구분 | 도입기 | 성장기 | 성숙기 | 쇠퇴기 |
|---|---|---|---|---|
| 구매자<br>및<br>구매자<br>형태 | • 고소득 구매자<br>• 구매자의 무반응<br>• 구매자들에게 제품을<br>사용해보도록 적극<br>권장함 | • 구매집단 확대<br>• 소비자들이 제품의<br>품질 차이를 인정함 | • 대량판매 시장<br>• 포만점<br>• 반복구매<br>• 상표를 기준으로 한<br>선호구매가 원칙화<br>됨 | • 고객들의 제품 선택<br>이 까다롭고 능숙해<br>짐 |
| 제품<br>및<br>제품<br>변화 | • 품질 열등<br>• 제품 디자인과 개발이<br>관건이 됨<br>• 다양한 제품 변형과<br>비표준화<br>• 빈번한 디자인 변경<br>• 기본 제품 디자인 | • 제품의 기술적, 성<br>능상의 차별화<br>• 복잡한 제품에서는<br>신뢰성이 관건<br>• 경쟁적인 제품 향상<br>• 우량 품질 | • 월등한 품질<br>• 제품 차별화의 축소<br>• 표준화<br>• 빈번한 제품 변화<br>속도가 완만해지는<br>대신 사소한 모델<br>변화가 늘어남<br>• 중고품의 신품 대체<br>현상이 두드러짐 | • 제품 차별화가 거의<br>없어짐<br>• 품질의 균등성 상실 |
| 마케팅 | • 판매량 대비 광고비<br>의 고율화<br>• 높은 마케팅 비용 | • 광고비가 여전히 높<br>은 수준이지만, 판<br>매량에 대비된 비율<br>은 도입기보다 떨어<br>짐<br>• 의약품의 경우 의사<br>의 처방전에 따른<br>매약품(賣藥品)의 판<br>매촉진이 가장 두드<br>러짐<br>• 비기술 제품의 경우<br>광고와 유통 부문이<br>관건이 됨 | • 시장 세분화<br>• 수명주기 연장을 위<br>한 노력 경주<br>• 제품라인의 확대<br>• 서비스와 흥정이<br>일반화됨<br>• 제품포장이 중요시<br>됨<br>• 판매량 대비 광고<br>비의 감소<br>• 광고경쟁 격화 | • 판매량 대비 광고비<br>와 그 밖의 마케팅<br>비용 감소 |

| | | | | |
|---|---|---|---|---|
| **생산 및 유통** | • 과잉 설비<br>• 짧은 생산 조업시간<br>• 숙련기술 함유분의 상승<br>• 높은 생산원가<br>• 전문화된 유통경로 | • 과소 설비<br>• 양산체제(量産體制)로의 이동<br>• 유통경로 확보를 위한 경쟁<br>• 대량 유통경로 | • 부분적인 설비과잉 현상<br>• 적정 설비<br>• 생산공정의 안정성 증대<br>• 노동 숙련성의 요구 감소<br>• 안정된 기술을 이용한 생산 조업시간의 연장<br>• 마진을 높이기 위해 제품라인별로 유통경로를 점진적으로 축소함<br>• 제품라인 확대로 유통비용 증대<br>• 대량 유통경로 | • 상당한 설비과잉 현상<br>• 대량생산<br>• 전문화된 유통경로 |
| **연구 및 개발** | • 생산기술의 변경 | | | |
| **무역** | • 약간의 수출 | • 수출량 대폭 증대<br>• 약간의 수입 | • 수출량 감소<br>• 수입량 대폭 증가 | • 수출량 전무(全無)<br>• 수입량 대폭 증대 |
| **전반적인 전략** | • 시장점유율을 증대하기 위한 최적기<br>• 연구개발과 기술부문이 관건이 됨 | • 가격이나 품질상의 이미지를 바꾸는 것이 실용적임<br>• 마케팅이 핵심적인 기능이 됨 | • 시장점유율을 증대할 만한 적기가 못됨<br>• 특히 시장점유율이 낮은 기업에는 이 시기가 시장점유율 증대를 도모할 시기가 아님<br>• 경쟁적인 가격을 유지하는 것이 관건임<br>• 가격이나 품질 이미지를 바꿀 만한 적기가 되지 못함<br>• 마케팅상의 효율성이 관건임 | • 비용 통제가 관건임 |

| | | | | |
|---|---|---|---|---|
| **경쟁** | • 경쟁기업이 거의 없음 | • 경쟁기업들의 진출<br>• 다수의 경쟁기업<br>• 많은 기업 합법과 도산현상 | • 가격경쟁<br>• 재편성<br>• 개별 상표(private-brand)의 증가 | • 철수<br>• 경쟁기업 수의 대폭 축소 |
| **위험부담** | • 높은 위험부담 | • 성장률이 높아 위험을 부담할 수 있음 | • 위험과 안정의 순환적 현상 | |
| **마진과<br>이율** | • 높은 가격과 높은 마진<br>• 낮은 마진율<br>• 개별 판매자의 가격 탄력성이 성숙기 정도만큼 높지 않음 | • 높은 이윤율<br>• 최고의 이윤율<br>• 상당히 높은 가격<br>• 도입기보다는 가격 하락<br>• 불경기에 대항할 수 있음<br>• 기업 취득의 적기 | • 가격 하락<br>• 이윤율 저하<br>• 마진 저하<br>• 거래상의 마진율 저하<br>• 시장점유율과 가격 구조의 안정성 증대<br>• 기업의 취득 적기가 되지 못하고 기업의 매도도 어려움<br>• 가격과 마진이 최저 수준으로 떨어짐 | • 가격과 마진 수준의 저하<br>• 가격 하락<br>• 쇠퇴기 후반에는 가격이 상승할 가능성이 있음 |

〈표 8-1〉 제품수명주기 이론에 의한 전략, 경쟁 및 성과의 변화

태를 그대로 유지한다. 또 은행에서 사용하는 현금 자동인출기와 같은 산업에서는 상당 기간 집중적인 경쟁상태를 보이다가 나중에는 경쟁이 약화되기도 한다. 또 다른 산업에서는 처음에 분산된 경쟁상태를 보이다가 나중에 일부는 통합·정리되고(자동차 산업의 경우), 다른 일부는 그 상태를 그대로 유지하기도 한다(전자부품 유통산업의 경우). 이처럼 다양한 패턴은 광고, 연구개발비 지출, 가격경쟁의 정도, 그 밖의 다른 산업 특성들에도 그대로 적용된다. 이처럼 다양한 패턴으로 인해 제품수명주기 이론에서 전략적 의미를 찾으려는 노력에 심각한 의문이 제기된다.

제품의 수명주기를 산업 진화의 지표로 간주할 경우 나타나는 문제점은, 이것을 언제나 불변인 '하나'의 패턴으로만 보려는 데 있다. 또한 산업 성장률을 제외하고는, 제품의 수명주기와 관련한 경쟁상의 변화가 어떤 이유로 발생하는지 설명하는 기본적인 근거가 거의 없다는 것이다. 실제적인 산업 진화는 매우 다양한 경로를 좇기 때문에 수명주기 패턴이(비록 이것이 흔하거나 가장 일반적인 진화 패턴이라 하더라도) 언제나 옳은 것은 아니라 하겠다. 제품수명주기 이론은 그 가정이 어느 때에 타당하고, 또 어느 때에는 타당하지 못한지 명확하게 가려내지 못한다.

## 산업 진화의 예측을 위한 기본체계

산업 진화를 이끌어가는 실체가 무엇인지 알아보기 위해서는 실제로 진화의 과정을 살펴보는 것이 유익할 것이다. 다른 모든 진화와 마찬가지로 산업 또한 변화의 유인이나 압력을 받게 되는 일부 요인들의 작용으로 진화를 거듭하게 된다. 이러한 과정을 '진화과정'이라 한다.

모든 산업은 초기 구조, 즉 산업이 처음 등장할 때부터 존재하는 진입장벽이나 공급자 및 구매자의 영향력 등을 부담하고 출발한다. 이러한 구조는 그 산업이 나중에 발전과정 속에서 갖추게 될 전체적인 형태와는 거리가 먼 것이 보통이다(반드시 그런 것만은 아니다). 초기 구조는 그 산업의 기본적인 경제적·기술적 특성과 소규모 산업이 지니는 초기의 여러 가지 제약요인, 그리고 초기 진입기업의 기술과 자원 등이 결합되어 형성되는 것이다. 예를 들어 규모의 경제 면에서 잠재적 가능성이 매우 큰 자동차 산업도 처음에는 승용차 생산량이 적었기 때문에 노동 집약적이고 주문 생산적인 형태로 출발했다.

산업은 진화과정에 따라 본래의 '잠재적 구조'로 나아가게 되는데, 그 과정에서 잠재적 구조를 완전히 파악하는 일은 거의 불가능하다. 그러나 기본적인 기술이나 제품 특성, 현재와 잠재적 구매자의 특성 등이 산업 속에 내재해 있는 만큼 앞으로 이룰 가능성이 있는 산업구조의 범위는 대체로 가늠해볼 수 있다. 물론 그 구조는 연구개발의 방향이나 마케팅 방식의 혁신과 같은 요인들에 좌우된다.

대부분의 산업 진화에서는 산업 내의 기존 기업이나 신규 진입기업의 투자 결정이 중요한 역할을 한다는 점을 인식해야 한다. 기업은 진화과정에서 나타나는 압력이나 유인에 따라, 새로운 마케팅 방식이나 생산설비 도입 등에 내재된 가능성을 활용하기 위해 투자에 나선다. 이에 따라 산업의 진입장벽이 바뀌게 되고, 또 공급자 및 구매자에 대응하는 상대적인 영향력도 변화하게 된다. 또한 산업 내에서 활동하는 기업의 운이나 기술, 자원, 지향성 등이 실제로 산업이 취하게 될 진화경로를 형성할 수 있다. 구조적 변화의 잠재성이 있다 하더라도, 어떤 기업도 실현성이 있는 새로운 마케팅 방식을 발견하지 못할 경우에는 산업의 변화가 실제로 나타나지 않을 수도 있다. 또 어떤 기업도 완전 통합된 시설을 갖출 만한 재원이 없거나 비용문제를 깊이 있게 생각해보지 못할 경우에는 잠재적인 규모의 경제가 실현되지 못한다. 혁신이나 기술 발전 또는 특정 기업과 예상 진입기업의 존재(와 보유자원)가 산업의 진화에 지극히 중요한 영향을 미치는 만큼, 산업 진화는 정확한 예측이 매우 어렵고 변화의 형태나 속도 또한 다양성을 보일 가능성이 많다.

# 산업 진화의 과정

기업의 초기 구조, 구조상의 잠재력, 특정 기업의 투자 결정 모두 특유의 산업 진화요인이라고 할 수 있지만, 그중에서도 일반화할 수 있는 중요한 요인들이 있다. 산업에 따른 속도와 방향은 달라도, 모든 산업에 공통적이고 또 예측 가능한(또 상호 작용적인) 몇 가지 동적 과정이 있다. 이를 소개하면 다음과 같다.

· 성장의 장기적인 변화
· 구매자 집단의 변화
· 구매자의 학습
· 불확실성의 감소
· 독점적 지식의 확산
· 경험의 축적
· 규모의 팽창(혹은 축소)
· 투입비용과 환율의 변화
· 제품 혁신
· 마케팅 혁신
· 공정 혁신
· 인접 산업의 구조적 변화
· 정부정책의 변화

· 진입과 철수

다음은 각 진화과정의 결정인자나 다른 과정과의 연관성, 그리고 전략적 의미에 특히 관심을 기울여 설명하겠다.

## 성장의 장기적인 변화

산업구조의 변화를 야기하는 가장 흔한 요인은 장기적인 산업 성장률의 변화이다. 산업 성장은 그 산업의 경쟁강도를 좌우하는 가장 중요한 변수로서, 시장점유율 유지에 필요한 팽창속도를 결정함으로써 수급 균형과 신규 진입기업에 대한 유인에 영향을 미친다.

장기적인 산업 성장률을 변화시키는 중요한 요인으로는 다음과 같은 5가지가 있다.

### 인구 통계적 요인

소비재에서는 인구 통계적(demographics) 변화가 특정 제품의 소비자 집단의 규모와 또 이로 인한 수요 증가율을 결정하는 중요한 요인이 된다. 특정 제품의 잠재적 구매자 집단은 모든 가구 전체라고도 볼 수 있지만 대개는 특정한 연령층이나 소득수준, 교육수준, 지리적 위치 등으로 구분되는 구매자들로 구성된다. 인구 증가율, 연령층과 소득수준의 분포, 그리고 인구 통계적 요인들의 변화 등은 수요의 변동과 직접적으로 연결된다. 2차 대전 이후의 출산 붐 현상으로 한때 25~35세 연령 집단의 용품은 호황을 누린 반면, 출산율 감소로 인해 미국의 유아용품 수요가 감소한 것이 가장 근접한 실례라 하겠다. 인구 통계적 요인의 변화는 녹음기와 제과 산업에도 잠재적인 문제점을 제기하고 있다. 녹음기나 과자류는 전통적으로 20세 이전의 연령층에 집중적으로 판매되는데,

출산율이 계속 떨어져 수요가 감소할 것으로 전망되기 때문이다.

인구 통계적 요인의 변화는 '소득 탄력성'에 의해서도 부분적으로 영향을 받는다. 즉 소득이 증가함에 따라 제품의 수요가 변화를 일으킨다는 것이다. 어떤 상품의 경우(밍크 모피로 만든 골프클럽 커버 등)는 소득과 별다른 관계없이 수요가 늘어나고, 다른 상품의 경우 수요가 소득 증가분에 비례하지 못하거나 오히려 떨어지는 경우도 있다. 특정 산업의 제품이 둘 중 어느 상황에 해당되는지 밝혀내는 일은 전략적인 관점에서 중요한 일이다. 왜냐하면 국내 시장이나 국제 시장에서 구매자의 일반적인 소득수준이 변화할 때, 이것이 산업의 장기적인 성장에 어떤 영향을 미칠 것인지 예측하는 데 매우 중요한 역할을 하기 때문이다. 때때로 산업은 제품 쇄신을 통해 소득 탄력성의 규모 이상이나 이하로 제품을 변화시킬 수 있으며, 따라서 소득 탄력성의 영향을 반드시 처음부터 단정할 수 있는 것은 아니다.

산업재의 경우는 인구 통계적 요인이 구매자 산업의 수명주기에 영향을 주어, 다시 생산재의 수요에 영향을 미치게 된다. 즉 인구 통계적 요인은 완세품에 대한 소비자 수요에 영향을 미치고, 이러한 영향은 완제품에 부품을 공급하는 산업들에 확산된다.

기업은 제품 쇄신이나 새로운 마케팅 방식, 부가적인 서비스 제공 등으로 자체의 제품에 대한 구매자 집단을 확대시킴으로써 인구 통계적 요인의 부정적 영향에 대처할 수 있다. 이 같은 접근방법은 규모의 경제 수준을 높이거나 교섭력이 약한 다른 구매자 집단과 거래하는 형태로 산업구조에 영향을 미칠 수도 있다.

## 수요 추세

특정 산업의 제품수요는 생활방식이나 취향, 철학 또는 구매자들이 처한 사회적 상황의 변화에 의해 영향을 받는다. 예를 들어 1960년대 말과 1970년대 초 미국에서는 '자연'으로 돌아가자는 움직임과 여가시간의 증대, 캐주얼 복장의 유행, 과거에 대한 향수 등 여러 가지 새로운 변화의 물결이 일어났다. 이러한 추세로 인해 배낭, 청바지, 그 밖의 용품들에 대한 수요가 크게 늘어났다. 교육 부문에서 일어난 '기본교육으로의 복귀' 운동은 표준적인 독서 및 작문 테스트 용품의 수요를 새로이 만들어냈다. 또한 범죄 발생률의 증가, 여성의 사회적 역할 변화, 그리고 건강에 대한 관심 증대 등은 일부 제품의 수요를 증대시킨 반면 다른 제품의 수요는 감퇴시켰다.

이 같은 수요의 변화 추세는 완제품에 대한 직접적인 수요뿐만 아니라 중간산업을 통한 산업 제품의 수요에도 간접적인 영향을 미친다. 욕구의 변화 추세는 특정 산업의 전체적인 수요는 물론, 그 산업의 특정 시장영역에도 영향을 미친다. 욕구는 새로이 만들어지기도 하지만 사회적 추세에 따라 더욱 강렬해지기도 한다. 절도범죄가 크게 늘어나면서 경비원이나 자물쇠, 금고, 도난경보기 등의 수요가 크게 늘어난 것을 예로 들 수 있다. 도난으로 인한 피해가 늘어남에 따라 이를 예방하기 위한 경비지출이 충분한 가치를 지니게 된 것이다.

끝으로 정부의 규제조치가 변함에 따라 제품의 수요도 증감된다. 도박의 합법화로 인해 핀볼이나 슬롯머신의 수요가 크게 늘어난 것을 예로 들 수 있다.[4]

## 대체재의 상대적 위치 변화

제품의 수요는 대체재의 비용 및 품질에 영향을 받는다. 대체재의 비용이 상대적인 면에서 낮아지거나 구매자의 욕구를 충족시키는 기능이 개선되면 산업 성장은 부정적인 영향을 받는다(또는 그 반대의 경우도 있다). 예를 들어 라디오나 TV 중계로 인해 관현악단이나 다른 연주그룹의 관람 수요가 잠식되거나, TV 광고료가 급상승하고 시청률이 높은 시간대의 활용이 점차 어려워지면서 오히려 잡지광고 수요가 늘어나고, 또 초콜릿 및 과자와 청량음료 값이 대체재보다 훨씬 비싸지면서 수요가 감소하는 경우가 그런 예이다.

기업이 성장의 장기적 변화 상황을 예측하려면 자체의 제품과 더불어 구매자의 욕구를 충족시킬 수 있는 다른 대체재들도 찾아내야 한다. 그 다음 대체재의 비용과 품질에 영향을 미치는 기술적 추세나 다른 추세들을 도표화해야 한다. 이와 같은 추세와 기업이 활동하는 산업의 유사한 추세를 대응·비교하면 미래의 산업 성장을 예측할 수 있음과 동시에 또 대체재에 우위를 안겨주는 결정적인 방법들을 밝혀냄으로써 이에 대응하는 전략방안을 강구할 수 있다.[5]

### 보완제품의 상대적 위치 변화

구매자가 인식하는 제품의 비용과 품질은 그 제품의 보완제품(complementary products)이나 공동으로 사용하는 제품의 비용, 품질 및 가용성에 의해 좌우된다. 예를 들면 미국에서는 이동주택을 주로 이동주택 공원에 주차하는데, 이런 공원이 만성적인 부족현상을 보임으로써 이동주택의 수요를 제한했다. 대체재를 찾아내는 것이 중요한 것처럼 보완제품 또한 광범위하게 찾아내야만 한다. 보완제품은 좁은 의미로 파악해서는 안 되며 광의적인 의미로 해석해야 한다. 예를 들어 내구재를 일반 금리수준의 신용판매 형태로 판매하면 신용판매 자체가 보완제품 기능을 한다. 전문 기술자도 기술제품의 보완제품 역할을 한다(예를 들어 컴퓨터 프로그래머나 광산 기술자 등). 대체재의 비용, 가용성, 품질 등을 도표화하면 특정 산업 제품의 장기적인 성장 추세를 예측할 수 있다.

### 고객집단에 대한 침투

산업 성장률이 높은 수준을 보일 때는 대부분 반복 구매자보다는 새로운 고객에 대한 침투나 판매활동이 강화된 경우이다. 이러한 침투활동은 언젠가는 한계점에 도달하게 마련이다. 그 이후의 성장률은 대체 수요에 의해 좌우된다. 그러나 제품이나 마케팅 방식을 바꿔 새로운 고객을 끌어들인다면 구매자의 기반을 확대하거나 신속한 대체를 촉진할 수도 있다. 그러나 높은 성장률은 결국 종식되고 말 것이다.

잠재적인 구매자에게까지 일단 침투하고 나면 산업의 판매대상은 주로 반복 구매자에 한정된다. 반복 구매자에게 판매하는 것과 새로운 구매자에게 판매하는 것은 큰 차이가 있는데, 이 차이는 산업구조에 많은 영향을 미친다. 반복 구매자에게 판매하면서 산업 성장을 이끌어나가려면 제품의 급속한 대체를 촉진하거나 1인당 소비량을 증대시키는 것이 관건이 된다. 대체는 구매자가 느끼는 외형적·기술적·디자인의 진부화에 의해 좌우되는 만큼 시장침투 이후의 성장유지 전략은 이러한 요소들을 적절히 배합하는 정도에 따라 결정된다. 예를 들어 의류에 대한 수요 대체는 매년 또는 계절마다 스타일을 바꾸는 식으로 대체를 촉진할 수 있다. 또 기본 모델 승용차(흑색 승용차)의 판매가 포화상태에 이르자 모델을 바꾸어 새로운 수요를 자극함으로써 포드를 앞질렀던 GM의 성공사례는 제품 대체가 포화상태의 시장에서도 얼마든지 신규 수요를 창출할 수 있다는 것을 보여준다.

침투가 끝나면 보통 산업 수요는 일정 수준으로 안정되는데, '내구재'의 경우는 일정 수준의 안정화가 아니라 수요의 격감 현상을 보일 수도 있다. 대부분의 잠재적 고객들까지 제품을 구매하고 나면 그 제품의 내구성에 따라 상당 기간 동안은 새로 제품을 사들이는 일이 거의 없기 때문이다. 판매 침투가 신속하게 완결되면, 경우에 따라 몇 년씩 거의 수요가 단절되는 경우도 있다. 예를 들어 판매 침투가 신속하게 완결되었던 제설용 자동차 산업을 살펴보면 침투가 절정에 달했을 시기 (1970~1971년)에는 매년 42만 5,000대가 팔렸지만, 1976~1977년에는 연간 12만 5,000~20만 대 수준으로 격감했다.[6] 레크리에이션 차량의 경우도 이처럼 심하지는 않지만 비슷한 경향을 보였다. 침투 완결 이전과 이후의 성장률 관계는 침투 완결까지의 진행속도와 대체 이전까지의 평균 소요기간의 함수관계로 볼 수 있는데, 이런 수치는 실제적인 산정이 가능하다.

내구재의 판매량 감소는 생산과 유통능력이 수요를 초과했다는 것을 뜻한다. 이에 따라 이윤이 크게 떨어지면서 일부 기업들은 철수하게 된다. 내구재 수요의 또 다른 특성은, 어떤 제품이 경기변동에 민감함에도 불구하고 시장 침투로 인해 성장이 가속화되면 그러한 순환성을 간과하게 만들 수 있다는 점이다. 따라서 판매 침투의 완결상태에 근접하는 산업에서는 과잉설비의 문제를 제대로 파악하지 못하는 경우가 많다.

### 제품 변화

성장을 유발하는 5가지 외적 요인들은 제품이 변화하지 않는다는 전제에서 출발한 것이다. 그러나 산업이 제품을 쇄신하면 새로운 욕구가 충족되고, 대체재에 대한 그 산업의 입장을 강화시켜주며, 또 값비싼 보완제품의 필요성을 제거하거나 감소시킬 수 있다. 따라서 제품 쇄신은 5가지 외적 요인들과 관련된 산업환경을 개선하고, 이에 따라 산업 성장률도 증대될 수 있다. 예를 들면 제품 쇄신은 모터사이클, 자전거, 기계톱 산업 등의 성장률을 가속화하는 데 중요한 역할을 했다.

## 소비자 세분시장의 변화

진화과정의 중요한 두 번째 형태는 산업이 대상으로 삼는 소비자 세분시장(segments served)의 변화이다. 예를 들면 휴대용 전자계산기는 처음에 과학자와 엔지니어에게 판매되다가 나중에는 학생들과 회사 업무용으로도 팔리기 시작했다. 경비행기도 처음에는 군용기로 판매되다가 나중에는 일반인이나 상업용으로도 팔렸다. 이와 관련된 한 가지 가능성은 다른 제품(넓은 의미의)과 또 이를 판매하기 위한 새로운 마케팅 방법을 창안하면 기존 소비자 세분시장을 보다 세분화할 수 있다는 점이다. 그 필요성은 어느 소비자 세분시장도 영속될 수 없다는 점에 바탕을 둔 것이다.

새로운 소비자 세분시장이 산업 진화에서 큰 중요성을 가지는 이유는, 새로운 구매자들의 욕구를 충족시킴으로써 산업구조에 근본적인 영향을 미칠 수 있기 때문이다. 예를 들어 특정 제품의 초기 구매자들은 신용 제공과 현장 서비스를 요구하지 않지만, 나중에 구매하는 구매자들은 이런 서비스를 요구할지도 모른다. 만약 이런 서비스의 제공이 잠재적인 규모의 경제를 형성해 소요자본을 증가시킨다면 이는 곧 진입장벽을 크게 높이는 결과를 가져올 것이다.

1970년대 말 광학문자 판독기(optical character reader) 산업에서 일어난 변화가 그 좋은 예라 할 수 있다. 이 산업의 주도적 기업인 레코니션 이큅먼트(Recognition Equipment)는 수표, 크레디트 카드, 우편물 등을 분류할 수 있는 값비싼 대형 판독기를 생산하고 있었다. 이 제품들은 모두 특별한 기술이 필요한 주문 생산업 제품들이었다. 그러다 소매점의 계산대에서 사용할 수 있는 막대기형의 소형제품이 개발되었다. 이 소형제품은 방대한 잠재시장을 개척할 수 있었을 뿐만 아니라 표준화를 통해 대량생산이 가능했으며, 또 구매자들의 대량매입이 가능했다. 이같은 제품의 개발은 규모의 경제와 소요자본 규모, 마케팅 방법, 그 밖에 산업규모와 관련된 많은 측면을 변화시킬 것으로 여겨졌다.

따라서 산업 진전의 분석에서는 모든 잠재적 소비자 세분시장과 그 영역의 특성을 밝혀내는 과정을 반드시 포함해야 한다.

# 구매자 학습

구매자는 반복적인 구매활동을 통해 특정 제품과 그 사용법, 그리고 경쟁제품의 특성 등에 대해 많은 지식을 쌓아나간다. 이처럼 구매자의 감각이 예민해지고 보다 많은 정보를 바탕으로 구매활동을 벌이게 되면서, 모든 제품은 본래의 특성을 상실하고 점차 '일선 상품화' 하는 경향을 지니게 된다. 즉 시간이 경과함에 따라 제품의 차별화가 약화되는 성향이 자연스럽게 나타나는 것이다. 구매자가 제품에 관해 많은 사실을 알게 되면 자연스럽게 품질보증이나 서비스 및 성능 개선 등의 요구나 주문이 늘어난다.

그 한 가지 사례가 에어로졸(aerosol: 분말살포) 포장 산업이다. 에어로졸 포장이 소비재에 처음 활용된 것은 1950년대였다. 많은 소비재 판매활동의 중요한 일부분이 되었던 포장 산업은 판매회사의 무시하지 못할 비용항목인 경우가 흔히 있었다. 에어로졸 포장이 활용되던 초기에는 소비재 판매회사들이 에어로졸 살포의 디자인 방식이나 에어로졸 용기에 약제를 주입하는 방법, 그리고 에어로졸 제품의 판매방법 등을 잘 알지 못했다. 그때 에어로졸 포장대행 산업이 생겨나 소비재 판매회사들이 새로운 에어로졸 살포방법을 찾아내고, 자체 생산에 따른 문제를 해결하는 데 큰 도움을 주었다. 그러나 시간이 경과하면서 소비재 판매회사들은 에어로졸에 대해 많은 지식을 얻게 되어 자체적인 사용방법 개발과 마케팅 계획을 세우기 시작했으며, 일부 기업들은 후방통합을 시도하기까지 했다. 이에 따라 에어로졸 포장대행 산업은 점차 서비스의 차별화를 지켜나가기가 어렵게 되어 많은 기업들이 결국 에어로졸 용기 공급자로 전락했다. 이로 인해 에어로졸 포장대행 산업의 이윤은 크게 축소되어 많은 기업들이 철수했다.

구매자의 학습과정도 제품에 따라 각각 다르다. 즉 구매대상 제품의 비중이나 구매자의 전문지식에 따라 학습이 빠르게 이루어질 수도, 늦게 이루어질 수도 있다. 예리하고(구매품이 중요하기 때문에) 제품정보에 관심이 많은 구매자는 학습과정이 빠르다.

구매자의 체험학습을 상쇄시키려면 제품이나 판매 및 사용법을 바꾸어야 한다. 예를 들어 새로운 특성이나 첨가물, 또는 스타일을 바꾸거나 광고내용의 역점을 변화시키는 것 등이 있다. 이러한 변화는 구매자들이 축적한 지식의 일부를 무효화함으로써 결국 제품 차별화를 가속화한다. 이러한 토대 위에 제품에 대해 잘 알지 못하는 새로운 구매자들을 대상으로 고객기반을 확대한다면 제품 차별화를 계속 유지하는 데 도움이 될 것이다. 구매활동의 특성 면에서 제품에 대한 학습과정이 완만하게 이루어지는 고객들을 확보한다면 이 같은 효과는 더욱 커질 것이다.

## 불확실성의 감소

산업구조에 영향을 미치는 또 다른 형태의 학습이 불확실성의 감소라 하겠다. 대부분의 새로운 산업들은 초기에 여러 가지 불확실성에 휩싸인다. 즉 잠재적 시장규모, 최적의 생산체계, 잠재적 구매자의 성격과 그들에게 접근할 수 있는 최선의 방법, 그리고 기술적 난관의 극복 가능성 여부 등이 불확실성의 요인이다. 이러한 불확실성 때문에 기업들은 여러 가지 전략으로써 미래에 대한 다양한 대비책을 강구하는 등 갖가지 방법을 모색한다. 급성장기에는 이러한 다양한 전략이 오랫동안 공존하기도 한다.

그러나 시간이 경과하면서 이러한 불확실성은 해소된다. 기술의 실용성 여부가 드러나고 구매자의 구매의도가 뚜렷하게 밝혀지면서 산업의 성장률을 통해 잠재적인 규모를 가늠할 수 있게 된다. 이처럼 불확실성이 하나하나 해소되면서 성공적인 전략을 모방하고 성과가 빈약한 전략을 포기하는 과정이 반복된다.

불확실성이 감소되면 그 산업에는 새로운 형태의 진입기업들이 파고들게 된다. 위험부담이 줄어들면서 신설 기업들보다 규모가 큰 기존 기업들이 진출하게 되는데, 이런 현상은 성장 산업에서 흔히 볼 수 있다. 산업의 잠재력이 크고 또 기술적 장애들이 극복될 수 있다는 것이 뚜렷해지면 규모가 큰 기업들은 진출할 만한 가치가 있다는 판단을 내리며, 이와 같은 판단이 실행에 옮겨진 사례로는 레크리에이션 차량이나 비디오 게임, 태양열, 그 밖의 많은 산업들이 있다. 물론 이런 사례로 인해 산업에 새로운 불확실성이 야기될 수도 있지만, 구매자의 학습과정과 마찬가지로 불확실성의 감소과정 또한 기존의 의문점을 해소하는 기능을 가진다.

전략적인 면에서 살펴보면 불확실성의 감소와 모방 과정은, 특정 기업이 불확실성에만 의존해 경쟁기업이나 신규 진입기업으로부터 오랫동안 보호를 받을 수 없다는 것을 말해준다. 이동장벽 때문에 성공적인 전략의 모방은 쉽지 않은 경우가 많다. 기업은 자사의 위치나 기반을 지키기 위해 모방 기업이나 신규 진입기업에 대한 전략적인 대비책을 강구해놓거나, 초기의 전략적 대응이 적합하지 않았다면 즉시 접근방법을 조정해야 한다.

## 독점적 지식의 확산

특정 기업들이 개발한 제품이나 공정상의 기술은 시간이 경과함에 따라 그 독점성이 약화되는 경향을 보인다. 기술은 세월이 경과하면서 점차 기성화하고 또 그에 관한 지식도 널리 퍼진다. 이러한 확산은 다양한 방법을 통해 일어난다. 첫째, 기업은 경쟁기업의 독점적 생산제품을 실제로 입수하거나 또는 규모나 위치, 조직, 그 밖에 경쟁기업의 경영 활동상의 특성 등에 관한 정보를 입수함으로써 새로운 사실이나 지식을 학습하게 된다. 또한 공급자나 유통업자, 구매자 등도 정보를 전달하는 매개역할을 하는데, 그들은 자신들의 목적을 위해(예를 들면 다른 강력한 공급자를 만들기 위해) 정보를 확산시키는 데 큰 관심을 기울인다. 둘째, 독점적인 지식은 외부의 공급자들이 생산한 자본재에 구체적으로 나타나면서 확산되기도 한다. 산업 내부의 기업이 스스로 자본재를 생산하거나 공급자에게 제공한 기술정보를 철저하게 보호하지 않는 한, 그 기술은 경쟁기업들이 구매의 형태로 쉽게 입수할 수 있을 것이다. 셋째, 기술자들이 이직함으로써 독점적 정보를 알게 되는 사람들이 늘어나고, 또 그들이 다른 기업에 정보를 직접 전달할 가능성도 많다. 창설회사를 떠나 이직한 기술자들이 그 회사와 유사한 기업을 만드는 일도 흔히 있다. 마지막으로 컨설팅 회사나 공과대학 등에서 기술 전문가들이 많이 배출되고 있고, 공급자나 구매자 스스로 학습을 통해 기술 전문가가 되는 경우도 있다.

따라서 특허상의 보호가 없다면 독점적인 기술이나 정보는 쉽게 허물어질 것이다. 물론 일부 기업들은 이런 사실을 부인하면서 실제로 독점성을 계속 지켜나가는 경우도 있다. 독점적인 정보나 전문적인 기술을 바탕으로 쌓은 이동장벽은 시간이 경과함에 따라 허물어지게 마련이다. 왜냐하면 그런 이동장벽은 다름 아닌 능력 있는 전문 기술자들의 부족으로 빚어진 것인데, 사실상 전문 기술자들은 계속 배출되고 있기 때문이다. 이러한 변화로 인해 경쟁기업이 갑자기 도약할 수 있을 뿐만 아니라, 공급자와 구매자가 수직적인 통합을 시도하기도 한결 수월해진다.

앞서 언급한 에어로졸 포장 산업을 다시 살펴보면, 시간이 경과하면서 에어로졸에 관한 새로운 기술은 점점 더 알려지게 되었다. 에어로졸 포장산업 부문은 효율적인 규모의 경제를 달성하는 데 필요한 생산량이 비교적 소규모였기 때문에, 많은 대형 소비재 판매회사들은 그들에게 매달리는 에어로졸 포장 대행회사들을 상당수 거느릴 수 있었다. 그 후 기술지식과 전문 기술자들이 점차 늘어나면서 많은 소비재 판매회사들이 에어로졸 포장산업 부문을 실제로 수직·통합하거나 또는 통합하겠다는 위협을 가했다. 이러한 사태 변화로 에어로졸 포장 대행회사들은 비상시에나 포장 일을 돕게 되는 등 협상 위치에서 지극히 불리한 입장에 놓이게 되었다. 이에 따라 대행회사들은 기술적 우위를 회복하기 위해 새로운 기술 개선이나 응용방법의 창안에 투자해야 했다. 그러나 이러한 전략도 점차 큰 난관에 부딪혀 대행회사들의 위치는 시간이 지남에 따라 더욱 약화되었다.

독점기술의 확산속도는 산업에 따라 다르다. 기술형태가 복잡하고 기술자의 전문성이 더욱 요구되면 요구될수록, 또 필요한 연구원 수가 많고 연구 부문의 규모의 경제가 높으면 높을수록, 독점기술의 확산속도는 그만큼 완만해진다. 소요자본 규모가 막대하고 연구개발 부문의 규모의 경제가 크게 요구될 경우 독점기술은 지속적인 이동장벽을 제공하게 될 것이다.

독점기술의 확산에 제동을 거는 중요한 요인은 특허상의 보호이다. 그러나 이러한 보호도 비슷한 창안품이나 발명품의 특허가 출원될 경우에는 확산 예방에 큰 도움이 되지 못한다. 이때 확산을 막는 또 다른 요인은 연구개발을 통해 새로운 독점기술을 계속 보유하는 것이다. 새로운 기술이나 지식을 개발하면 독점적 우위를 지켜나갈 수 있는 기간을 연장할 수 있을 것이다. 그러나 지속적인 기술 혁신도 가령 새로운 기술이 곧바로 확산되거나 또는 기술 개발기업에 대한 구매자들의 신뢰성이 높지 못할 경우에는 제대로 보답을 받지 못할 것이다.

독점기술로 쌓을 수 있는 2가지 형태의 이동장벽이 〈그림 8-2〉에 나타나 있다. 초기에는 연구 부문의 규모의 경제가 두 산업 모두 대단하지 않은 수준이었다. 그 이유는 초기의 조잡한 기술적 돌파구가 소규모의

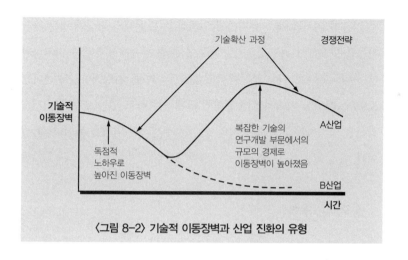

〈그림 8-2〉 기술적 이동장벽과 산업 진화의 유형

연구원만으로도 가능했기 때문이다. 이러한 현상은 흔히 볼 수 있는 것으로 소형컴퓨터, 반도체, 그 밖의 산업에서 사례를 찾아볼 수 있다. 이런 산업에서는 독점적 기술이 초기에 제법 유용한 이동장벽을 제공하지만 기술이 빨리 확산되면서 이동장벽 또한 낮아지게 된다.

그림에서 A산업은 복잡한 기술형태로 연구 부문의 규모의 경제를 계속 높여나갔다. B산업에서는 지속적인 기술 혁신의 기회가 거의 없어 대규모적인 연구 추진의 필요성이 거의 없었다. 이에 따라 A산업에서는 독점기술로 인한 이동장벽이 초기단계보다 높은 수준으로 급상승했다. 그러나 지속적인 기술 혁신의 기세가 약화되고 확산 현상이 나타나면서 이동장벽은 다시 낮아지기 시작했다. B산업에서는 독점적 기술로 쌓여진 이동장벽이 급속하게 낮아졌다. 이 때문에 A산업은 수익성이 높은 성숙단계로 접어들었을 것이고, B산업은 이윤이 경쟁적인 수준 이하로 떨어지는 것을 막기 위해 다른 이동장벽에 의존하게 되었을 것이다. 에어로졸 포장산업의 경우는 기술의 성격상 진입장벽의 점차적인 강화가 불가능했다.

전략적인 관점에서 기술지식의 확산은 다음과 같은 의미를 가진다.

즉 기존의 위치를 계속 유지하기 위해서는 ① 현재의 지식과 전문 기술자들을 보호해야 하고, ② 기술 개발을 통해 계속해서 우위를 지켜나가야 하며[7], 또는 ③ 다른 부문에서도 전략적 기반을 지탱해나가야 한다는 것이다. 기업이 기술적 이동장벽에 크게 의존하고 있는 경우에는 기술 확산을 방지하는 전략적 위치의 고수에 우선적인 역점을 두어야 할 것이다.

## 경험의 축적

1장에서 기본적인 특성이 규명되었던 일부 산업에서는 제품의 생산, 유통, 마케팅 활동에서 경험이 축적됨에 따라 단위당 비용이 하락한다는 사실이 밝혀졌다. 학습곡선이 경쟁활동을 하는 데 얼마나 큰 중요성을 지니는지에 대한 문제는, 경험을 축적한 기업이 다른 기업들보다 뚜렷하고 지속적인 우위를 확립할 수 있는지에 따라 좌우된다 하겠다. 만약 이러한 우위가 지속된다면, 뒤처진 기업들은 선도기업의 방식을 모방하거나 선도기업이 개척한 보다 새롭고 능률적인 설비를 도입한다 하더라도 그 격차를 좁히지 못할 것이다. 그러나 뒤처진 기업들이 비약적인 발전을 보인다면, 선도기업은 연구비나 개발비 또는 새로운 방식과 설비를 도입하는 데 따르는 부담으로 인해 불리한 입장에 놓이게 될 수도 있다. 독점기술의 확산 경향은 어느 정도 학습곡선과 상치되는 형태로 작용한다.

경험을 독점적으로 소유할 수 있을 때, 그 경험은 산업 변화의 과정에서 큰 힘이 된다. 만약 특정 기업이 빠르게 경험을 쌓아나가지 못한다면, 재빠른 모방에 나서거나 비용 이외의 다른 분야에서 전략적 우위를 차지하도록 대비하지 않으면 안 된다. 예를 들어 차별화 전략이나 집중화 전략을 채택해야 한다.

## 규모의 확장과 축소

성장 산업이란 곧 총체적인 규모가 늘어나는 산업을 말한다. 이러한 성장은 보통 그 산업 내 주력 기업들의 절대적인 규모가 커지면서 이루어지고, 또 개별 기업별로 보면 시장점유율이 늘어나는 기업들의 규모가 훨씬 빠른 확대 속도를 보인다. 산업과 기업의 규모 증대는 산업구조와 연관된 여러 가지 의미들을 내포하고 있다. 우선 규모 확대는 규모의 경제나 소요자본 규모의 증대 등 활용 가능한 전략의 폭을 넓혀주는 경향이 있다. 예를 들어 규모가 큰 기업은 노동을 자본으로 대체하거나, 규모의 경제를 요구하는 생산방식을 채택하거나, 독점적인 유통경로와 서비스 조직망을 갖추거나, 또는 전국을 상대로 하는 광고활동을 전개할 수 있다. 또한 규모가 늘어나면 외부 기업들이 그러한 변화를 포착하여 적절한 전략을 채택하는 매우 유리한 경쟁기반을 지닌 채 산업에 진출할 수 있게 해준다.[8]

규모의 확대가 산업구조에 미치는 영향은 1960년대와 1970년대 초의 경비행기 산업에서 나타난 현상을 보면 잘 알 수 있다. 이 산업의 선두 기업인 세스나(Cessna)는 규모가 커짐에 따라 주문생산(job shop) 체제에서 준양산 체제로 생산과정을 전환했다. 이러한 전환을 통해 세스나는 비용의 우위를 차지하게 되었다. 그때 다른 유력 경쟁기업들은 대량생산에 따른 규모의 경제라는 혜택을 누리지 못했다. 세스나의 두 유력 경쟁기업들도 자본 집약도가 높은 대량생산 체제에 들어설 만큼 규모가 커진다면, 이 산업에 대한 진입장벽은 훨씬 높아질 것이다.

산업 성장의 또 다른 영향은 수직적 통합전략의 실현성이 더 높아진다는 점이다. 수직적 통합이 강화되면 진입장벽은 그만큼 높아지는 경향을 보인다. 산업규모가 확장되면 그 산업의 공급자나 구매자가 더 많은 제품을 판매하거나 구매하게 된다. 개별 공급자나 구매자의 판매량 및 구매량이 늘어나면 늘어날수록, 전방통합이나 후방통합의 유혹은 그만큼 커질 것이다. 통합이 실행되든 안 되든 간에 공급자나 구매자의 협상능력은 더욱 강화될 것이다.

산업규모가 확대되면 새로운 기업들의 진출을 유혹하는 경향이 있다. 가령 신규 진입기업이 이미 다른 분야에서 기반을 다진 대기업일 때는 기존 유력 기업들에게 상당한 어려움을 안겨줄 것이다. 대기업이 어떤 시장에 뛰어들 때는 이미 상당한 절대적 규모(즉 진입에 따른 고정비를 부담할 수 있고 전반적인 판매고에 구체적인 기여를 할 수 있는 규모)를 이룩했을 경우가 많다.

진입대상 산업이 신생 산업일 경우도 마찬가지다. 신생 산업이라 하더라도 그 산업에 진입하고자 하는 대기업은 기존 산업에서 이미 기술과 자산 등 상당한 자원을 갖추고 있기 때문이다. 예를 들어 레크리에이션 차량 산업의 경우, 초기 진입기업은 전혀 새로운 기업이거나 레크리에이션 차량과 생산공정이 비슷한 자동차주택 기업들의 소규모 사업부였다. 그러나 사업규모가 확대되면서 큰 영농기구 회사나 자동차 회사들이 진출하기 시작했다. 이런 기업은 기존 경영활동에서 다진 기반을 통해 레크리에이션 차량 산업에서 경쟁을 벌일 만한 충분한 자원을 갖추고 있었지만, 중소기업들이 시장을 개척할 때까지 관망하고만 있다가 잠재적 시장규모가 크다는 것이 확인된 후에야 뛰어들었다.

## 진입비용과 환율의 변화

모든 산업은 생산, 유통, 마케팅 과정에 다양한 요소를 투입시킨다. 투입요소의 비용이나 질이 변화하면 산업구조에 영향을 미칠 수 있다. 투입비용이 변화하는 종류로는 다음과 같은 것들이 있다.

· 임금(노동과 관련된 온갖 비용)

· 자재비

· 자본비

· 통신비(미디어 광고비용 포함)

· 운송비

가장 직접적인 영향을 미치는 것은 제품비용(그리고 가격)의 상승과 하락으로서 이것은 수요에 그대로 영향을 미친다. 예를 들어 영화제작비가 크게 상승하면서 독자적인 제작활동을 해온 제작업자들은 재정이 튼튼한 영화회사들에 비해 큰 곤란을 겪게 되었다. 더구나 1976년에 세법이 개정되어 세제상의 혜택이 억제되면서 상황은 더욱 악화되었다. 이런 상황으로 인해 독립 제작업자들의 주요 재원이 끊기고 말았다.

임금이나 자본의 변화도 산업의 원가곡선 변화를 일으켜 규모의 경제나 노동의 자본 대체를 촉진시킨다. 업무용 전화나 배달을 담당하는 인건비가 크게 상승하면 많은 산업의 전략에 근본적인 영향을 미칠 수 있다. 통신비나 운송비의 변화도 생산체계의 재편성을 촉진시켜 진입장벽에 영향을 미친다. 통신비가 상승하면 보다 효과적인 다른 광고매체를 사용하게 되고(이에 따라 제품 차별성에 변화가 생기면), 유통구조 또한 다른 형태로 바뀌게 된다. 운송비에 어떤 변화가 생기면 지역적 시장경계 또한 변화하게 되고, 그에 따라 경쟁기업의 수가 늘어나기도 줄어들기도 한다.

환율 변동도 산업구조에 큰 영향을 미칠 수 있다. 예를 들어 1971년 이후 엔화나 유럽통화에 대한 달러화의 가치가 떨어지면서 많은 산업에서 기업들의 위치나 기반에 큰 변화를 불러일으켰다.

# 제품 혁신

산업구조를 변화시킬 수 있는 주요 원천 중의 하나가 다양한 형태의 기술 혁신이다. 제품 혁신은 판매시장을 확대하고 그에 따라 산업 성장을 촉진시키거나 제품 차별성을 높일 수 있다. 제품 쇄신은 이 같은 직접적인 영향 외에도 간접적인 영향을 많이 미친다. 가령 신속한 제품소개 과정과 이와 연관된 높은 마케팅 비용은 그 자체가 이동장벽 역할을할 수 있다.

기술 혁신은 새로운 마케팅, 유통, 생산 방식을 요구하게 되고, 이것은 다시 규모의 경제나 다른 이동장벽 요인들을 변화시킨다. 또 뚜렷한차이가 나는 제품 변화는 구매자들의 축적된 경험을 무효화함으로써 구매행위에도 영향을 미치게 된다.

혁신제품은 산업 내부와 외부 모두에서 나올 수 있다. 컬러 TV 수상기는 흑백 TV 수상기의 유력 메이커였던 RCA가 앞장서서 개발했다. 그러나 휴대용 전자계산기는 전자회사들이 개발한 것이지, 기계식 계산기회사들이 만든 것은 아니었다.

따라서 제품 혁신을 예측할 때는 외부 기업의 개발 가능성도 검토해야 한다. 제품 혁신은 구매자와 공급자로 연결되는 수직적인 과정에서비롯되는 경우가 많다.

제품 혁신이 산업구조에 영향을 미친 사례로 디지털 시계 산업을 예로 들 수 있다. 디지털 시계는 대부분의 재래적인 시계보다 생산규모의경제가 더 크다. 또한 디지털 시계 산업에서 경쟁하려면 막대한 자본투자와 재래적인 시계 산업에 비해 전혀 새로운 기술적 기반이 필요하다.이에 따라 이동장벽과 그 밖의 시계산업 구조의 다른 측면들도 급격한변화를 야기했다.

## 마케팅 혁신

제품 혁신과 마찬가지로 마케팅 혁신도 수요 증대를 통해 산업구조에 직접적인 영향을 미칠 수 있다. 광고매체나 새로운 마케팅 목표 및 채널 활용에 획기적인 변화를 시도하면 새로운 소비를 찾아내거나 가격 민감성을 약화시켜 제품 차별성을 높일 수 있다. 예를 들어 영화회사들은 TV에 영화를 광고하여 관람객을 크게 늘렸다. 새로운 유통경로의 발견도 수요를 확대하거나 제품 차별성을 높일 수 있다. 마케팅의 효율성을 증대하는 쇄신은 제품가격을 인하하는 데도 큰 도움을 준다.

마케팅과 유통 부문의 혁신은 산업구조의 다른 요인들에도 영향을 미친다. 새로운 형태의 마케팅은 규모의 경제의 크고 작음에 영향을 받기 때문에, 결국 이동장벽에도 영향을 미치는 셈이 된다. 예를 들어 포도주를 판매하는데, 광고대상을 잡지에서 TV로 바꾼다면 그만큼 이동장벽을 높이는 결과가 된다. 마케팅 혁신은 구매자에 대한 상대적인 힘의 균형을 변화시킬 수 있고, 고정비와 유동비의 균형 또한 경쟁의 유동성에 영향을 미칠 수 있다.

## 공정 혁신

산업구조를 변화시킬 수 있는 혁신의 마지막 형태는 생산공정이나 방식상의 혁신이다. 생산공정의 혁신은 자본 집약도를 높일 수도 낮출 수도 있고, 규모의 경제를 크게 할 수도 작게 할 수도 있으며, 고정비 비율을 변화시킬 수도 있고, 또 수직적 통합의 정도를 높일 수도 낮출 수도 있는 동시에, 경험의 축적과정에 영향을 미칠 수도 있다. 이러한 요인들은 모두 산업구조에 영향을 미친다. 규모의 경제를 높이거나 경험곡선을 국내 시장규모 이상으로 확대하는 생산공정 혁신은 산업을 국제화하게 할 수도 있다(13장 참조).

상호 영향을 미치는 여러 가지 진화과정이 생산공정의 변화를 유발한 사례는 1977년 컴퓨터 서비스 산업에 나타난 변화에서 찾아볼 수 있다. 컴퓨터 서비스 기업은 기업체, 교육기관, 금융기관 등을 포함한 광범위한 사용자들에게 컴퓨터 기능과 프로그램을 제공했다. 전통적으로 서비스 기업은 지방이나 지역 단위의 사업체로서 주로 소규모 기업에 회계나 봉급 지급과 같은 부문에서 간단한 컴퓨터 패키지로 서비스를 제공했다. 그러나 대체재인 소형 컴퓨터가 등장하면서 소규모 조직까지 활용할 수 있을 정도로 컴퓨터 사용료가 저렴해지게 되었다. 이에 따라 보다 규모가 크거나 전국을 상대로 하는 서비스 기업의 등장을 촉진시키는 요인들이 나타나기 시작했다. 첫째, 소형 컴퓨터와는 뚜렷하게 구별되는 복잡한 프로그램이 개발되었다. 이러한 개발에는 많은 투자가 소요되었다. 이 같은 투자는 수많은 사용자들에게 확산되어야만 경제성을 도모할 수 있어 이로 인해 집중화가 촉진되었다. 둘째, 값싼 컴퓨터 서비스를 요구하는 압력이 컴퓨터의 효율적인 활용을 촉진시켰다. 이 때문에 전국을 상대로 하는 대규모 서비스 기업은 미국 내 표준시간의 차이를 활용하여 컴퓨터의 유휴시간을 없애는 방도를 강구했다. 셋째, 컴퓨터 기술의 복잡성이 한층 증대되면서 최소한 단기적으로는 새로운 서비스 기업의 진출을 막는 기술적 장벽이 높아졌다.

산업구조를 변화시키는 생산공정의 혁신은 산업 내부는 물론 산업 외부에서도 이루어질 수 있다. 예를 들어 컴퓨터화한 기계공구나 설비 공급자들이 제작한 장비의 발전은 생산규모의 경제를 높이게 된다. 1950년대에 섬유유리 생산기업들이 이룩한 혁신으로 인해 이 제품이 선박에 이용되면서 유람선의 설계 및 건조의 어려운 점이 크게 줄어들었다. 이로 인해 유람선 건조 산업의 진입장벽이 낮아지면서 많은 기업들이 이 산업에 뛰어들었지만 결국 이윤 감소로 1960년에서 1962년 사이 상당수가 도산했다. 금속용기 산업에서는 얇은 철강 판을 판매하는 공급자들이 알루미늄 깡통에 대항, 철강 깡통을 보호하기 위해 많은 자원을 투입해서 철강 판의 두께를 줄이고 값싼 제품을 생산하는 기술 혁신을 이룩했다. 이 같은 사례들은 기업이 기술적인 변화를 예측하는 시각을 산업 밖으로까지 확대해야 함을 보여준다 하겠다.

## 인접 산업의 구조적 변화

공급자와 구매자 산업의 구조가 다른 산업에 대한 교섭력에 영향을 미치기 때문에 이들의 산업구조 변화 또한 다른 산업의 진전에 중요한 잠재적 영향을 미친다. 예를 들면 1960년대와 1970년대에 의류와 철물류 소매 산업에서는 연쇄점이 크게 늘어났다. 연쇄점을 통해 소매 산업의 구조가 집중화 형태를 보이면서 공급 산업에 대한 소매업자들의 교섭력이 강화되었다. 의류 메이커들은 소매회사들이 판매 시즌이 임박해서야 발주를 하고, 그 밖에 여러 가지 양보를 요구함에 따라 점점 어려움을 겪게 되었다. 의류 메이커들은 마케팅 및 판매촉진 전략을 조정하지 않을 수 없었고, 그에 따라 의류제조 활동의 집중화가 강화되었다. 소매업의 대량판매 혁신은 다른 많은 산업에도 비슷한 영향을 미쳤다(시계, 소형기구, 화장품 산업 등).

인접 산업(adjacent industries)의 집중화나 수직적 통합의 변화에도 많은 관심을 기울여야 하겠지만, 그 산업의 경쟁방식의 미묘한 변화도 다른 산업의 진전에 중요한 영향을 미치는 경우가 있다. 예를 들어 1950년대와 1960년대 초에 레코드 소매 산업은 점포 안에서 고객들이 레코드를 들어보지 못하도록 했는데, 이와 같은 작은 변화가 인접 산업에 적지않은 영향을 미쳤음이 나중에 입증되었다. 고객들이 점포에서 레코드를 들어볼 수 없게 되자 라디오의 음악방송에 나오는 노래들이 레코드 판매에 결정적인 역할을 하게 되었다. 한편 방송국에서는 광고료가 점차 청취율에 좌우되면서 방송 프로그램을 '가장 인기가 많은 40곡' 등의 내용을 중심으로 편성하게 되었다. 이로 인해 인기순위 40위 내에 들지 않고서는 신곡이 방송 전파를 타기가 지극히 어려워졌다. 소매 산업의 판매형태 변화는 레코드 산업이 대응해야 할 강력한 새로운 요소(즉 방송국)를 제공해 결국 전략적 전환을 하지 않을 수 없도록 만들었다. 이에 따라 레코드 산업은 신곡을 방송에 내보낼 수 있는 유일한 방법으로 방송국의 광고시간을 사서 신곡을 소개하는 수밖에 없었다. 그러나 이러한 측면은 레코드 산업의 진입장벽을 높이는 결과가 되었다. 인접 산업의 구조 변화를 중요시해야 한다는 점은 곧 활동하고 있는 산업 자체와 마찬가지로 공급자 산업과 구매자 산업의 구조적 진전에 대해서도 항상 정확한 진단과 그에 따른 대비책을 강구할 필요가 있음을 보여주는 것이라 하겠다.

## 정부정책의 변화

정부는 산업구조의 변화에 중요하고 뚜렷한 영향을 미친다. 즉 산업 진입이나 경쟁 관행, 수익성과 같은 핵심적인 변수들에 철저한 규제를 가함으로써 직접적인 영향을 미치게 된다. 예를 들면 국민건강 보험법안 등은 개인병원이나 임상실험 산업의 잠재적 이윤에 근본적인 영향을 미칠 것이다. 정부규제의 한 형태인 허가요건은 보통 진입을 규제하기 때문에 기존 기업을 보호하는 진입장벽 역할을 한다.

정부의 가격통제의 전환이나 변화도 산업구조에 근본적인 영향을 미칠 수 있다. 그 한 예가 증권거래상의 법정수수료가 협정수수료로 바뀌면서 야기된 심각한 영향이다. 증권회사들은 법정수수료라는 안정성 때문에 지금까지 경쟁의 초점을 수수료에서 서비스와 연구 쪽으로 옮겼다. 이런 상황에서 법정수수료제가 폐지되자 이제 경쟁은 수수료에 집중되어 많은 기업들이 파산이나 합병 등의 형태로 증권 산업에서 철수했다. 정부의 규제조치는 또 해외 경쟁의 유발 가능성을 크게 높이거나 낮추기도 한다(13장 참고).

직접성은 덜해도 정부의 규제조치가 산업구조에 영향을 미치는 또 다른 형태는 품질이나 안전도, 환경오염, 관세, 또는 해외투자에 대한 규제이다. 제품의 품질이나 환경오염 등에 대한 여러 가지 규제조치는 비록 공공의 이익을 위해서는 바람직한 조치임에 틀림없지만 산업구조 면에서는 소요자본 규모를 증대시키고, 조사와 검사규정 등을 통해 규모의 경제를 높이며, 또 산업 내 소규모 기업들의 기반을 약화시키고, 신규 진입을 억제하는 진입장벽을 높인다.

질적 규제의 한 사례는 경비 산업에서 찾아볼 수 있다. 경비서비스 회사들이 보낸 경비원들이 무기를 다루거나 침입자를 체포하는 능력이 미숙하다는 여론이 높아지자 경비원들에게 일정 기간 특별훈련을 시키도록 법제화한 조치가 뒤따랐다. 이러한 의무규정은 규모가 큰 경비서비스 회사에는 별다른 부담이 되지 않지만, 규모가 작은 많은 회사들은 전반적인 비용 증대와 노련한 경비원 확보경쟁으로 인해 커다란 타격을 받을 수도 있는 것이다.

## 진입과 철수

기업의 진입, 특히 다른 산업에서 기반을 다진 기업이 그 산업에 새롭게 진입하면 산업의 구조는 영향을 받게 된다. 기업들이 다른 산업에 진입하는 이유는 성장과 이윤율이 진입에 따른 희생이나 비용(또는 이동장벽을 극복하는 데 따르는 희생이나 비용)을 능가하리라고 판단하기 때문이다.[9] 많은 산업을 대상으로 한 사례연구 결과를 보면, 보통 특정 산업의 성장이 외부 기업의 진입을 유혹하는 중요한 역할을 하고 있음을 알 수 있다. 외부 기업들은 그 산업의 성장세를 길게 보고 앞으로 상당한 이윤을 얻을 수 있으리라고 판단하지만, 이러한 가정적 판단은 물론 빗나갈 때도 있다. 진입을 유혹하는 또 다른 요인은 규제조치의 변화나 제품 혁신 등 앞으로의 성장 기미가 뚜렷하게 나타날 때다. 예를 들어 에너지난이 심화되면서 태양열 난방 산업에 대한 연방정부의 보조금 지급을 규정한 법안이 제출되자, 많은 기업들은 현재의 태양열 난방 수요가 보잘 것없음에도 불구하고 그 산업에 너도나도 뛰어들었다.

외부에서 기반을 다진 기업이 특정 산업에 진입(주식 매입이나 자체적인 개발 등에 의해)하는 경우, 그 산업의 구조적 변화를 촉진하는 원동력이 되는 경우가 흔히 있다.[10] 이런 기업은 이미 다른 시장에서 쌓은 기술과 자원을 보유한 상태에서 진입하기 때문에 새로운 산업의 경쟁양상을 변화시킬 수 있다. 사실 이러한 기술과 자원이 진입 결정의 주요한 동기가 되는 경우도 많다. 이런 기업의 기술과 자원은 기존 기업들의 기술이나 자원과는 전혀 다르기 때문에 진입대상 산업의 구조를 변하게 할 가능성이 많다. 또한 다른 시장에서 활동하던 기업은 기존 기업들보다 산업구조를 변화시킬 기회를 더욱 잘 인식할 수 있다. 진입기업은 지금까지 실행해왔던 여러 전략에 아무런 구애를 받지 않고, 또 경쟁에 활용할 수 있는 산업 외부의 기술적 변화를 더욱 상세하게 파악할 수 있기 때문이다.

한 가지 예를 들어보자. 1960년만 해도 미국 포도주 산업은 특제 포도주를 생산해서 지역시장에 판매하는 소규모 가족기업들로 이루어져 있었다. 그들은 광고나 판매촉진 활동도 벌이지 않았고, 또 전국적인 판매망을 갖춘 기업도 거의 없었다. 대부분의 기업들이 양질의 포도주를 만들어내는 데 경쟁의 초점을 맞추었다.[11] 이윤도 나름대로 괜찮았다. 그러나 1960년대 중반에 소비자 제품을 판매하는 대형 판매회사들[예를 들어 휴브레인(Heublein)이나 유나이티드 브랜드(United Brands) 등]이 자체적인 개발이나 기존 기업의 매입 형태로써 포도주 산업에 진출했다. 그들은 소비자에 대한 광고 및 판매촉진 활동에 막대한 자본을 들여 값싸고 양질이라는 포도주 상표 이미지를 만들어내기 시작했다. 이 중 다른 알코올성 음료를 생산하는 일부 기업들이 주류 판매점을 통한 전국적인 유통망을 가지고 있어서 포도주 제품은 전국적으로 급속한 판매망을 갖출 수 있게 되었다. 포도주 산업에서는 그때까지 새로운 제품이 선을 보이는 일이 거의 없었는데, 이때를 기점으로 품질이 약간 떨어지는 포도주 제품이 시장에 많이 나왔다. 사실 재래적인 포도주 양조기업들은 품질상의 차등을 보이는 여러 가지 제품을 만드는 일을 경시하고, 오로지 좋은 포도주 제품 개발에만 매달려왔다. 그러나 이 시기의 포도주 산업의 선두기업들은 많은 수익을 얻게 되었다. 이처럼 전혀 이질적인 기업들이 포도주 산업에 뛰어들면서 산업구조를 크게 뒤바꿔놓거나 또는 그런 변화를 촉진시켰다. 사실 재래적인 기존 기업들은 그러한 변화를 야기할 만한 기술이나 자원, 또 그럴 의사도 없었다.

철수도 진입과 마찬가지로 산업구조 변화에 영향을 미친다. 활동하는 기업 수가 줄어들어 유력 기업들의 지배력이 강화되면 산업구조는 개편되지 않을 수 없다. 기업이 활동하던 산업에서 철수하는 이유는 투자수익률이 더 이상 자본비용을 상회할 가능성이 없다고 판단되기 때문이다. 1장에서 설명한 대로 철수도 철수장벽의 장애를 받게 되는데, 이 때문에 철수의도가 없는 보다 견실한 기업들의 위치까지 흔들리는 경우가 있다. 철수장벽은 또 자칫 가격경쟁이나 다른 경쟁과열 현상을 불러올 수도 있다. 철수장벽은 구조 개편에 따른 산업의 집중화와 수익성 증대에도 장애요인이 된다.

산업의 여러 진화과정은 산업의 변화를 예측하기 위한 하나의 도구이다. 개별 진화과정은 핵심적인 전략적 의문을 제기하는 기본바탕이 된다. 예를 들어 정부 규제조치의 변화가 산업구조에 잠재적 영향을 미친다고 판단된다면, 기업은 다음과 같은 의문을 가져야 할 것이다. "우리 산업구조의 일부 측면에 영향을 미칠 만한, 즉 정부가 어떤 조치를 취할 기미가 보이는가? 만약 그런 조치가 나온다면 그로 인한 산업구조의 변화가 우리의 상대적인 전략적 위치에 어떤 영향을 미칠 것이며, 또 이에 효과적으로 대처하기 위해서는 어떤 대비책을 강구해야 하는가?" 앞서 설명한 다른 진화과정에 대해서도 동일한 의문을 제기해보아야 할 것이다. 이러한 일련의 의문들은 되풀이해 제기되어 신중하게 검토해야 하고, 또 때로는 전략기획 과정에서 공식화할 필요도 있다.

더구나 개별 진화과정은 갖가지 전략적 신호나 중요한 전략적 정보들을 드러내는데, 기업은 이러한 정보나 신호를 바탕으로 기업환경을 끊임없이 주시해야 한다. 다른 산업에서 기반을 다진 기업이 진입한다는 것은 대체재 상황에 영향을 미치는 중요한 사태로, 전략적 견실성의 유지를 책임지는 중역들은 이런 사태를 마땅히 경계해야 할 것이다. 이러한 적신호가 보이면 그것이 산업에 어떤 영향을 미칠 것인지 분석하고 그에 따라 적절한 대응책을 강구해야 할 것이다.

끝으로 학습이나 경험 축적, 시장규모의 증대, 그 밖의 몇 가지 진화과정은 그 과정을 뚜렷하게 드러내지 않고 있을 때에도 작용하고 있다는 점에 주목해야 한다. 따라서 겉으로 드러나지 않은 과정에서 야기되는 구조적 변화에도 장기적으로 관심을 기울여야 한다.


## 산업 진화에서 나타나는 중요한 상관성

산업은 어떤 형태로 변화할 것인가? 산업은 '상호 연관된 시스템'인 만큼 단편적으로 변화하지 않는다. 산업구조의 한 요소에 변화가 일어나면 다른 요소에도 변화를 일으키기 쉽다. 예를 들어 마케팅 방법의 쇄신은 새로운 소비자 세분시장을 개발할 것이나, 이러한 영역에 제품을 공급하려면 생산방식의 변화가 야기될 것이고 또 그에 따라 규모의 경제가 제고될 것이다. 규모의 경제를 가장 먼저 성취하는 기업은 후방통합을 착수할 수 있고, 또 이러한 후방통합의 가능성은 공급자들에 대한 영향력을 증대시킬 것이다. 이처럼 한 가지 변화는 연쇄작용을 일으켜 다른 많은 변화를 불러일으킨다.

한 가지 분명한 점은 산업의 진화가 어떤 한 가지 형태로만 이루어지지 않는다는 사실이다. 따라서 제품수명주기 이론처럼 한 가지 형태만을 가지고 논의되는 산업 진화론은 마땅히 배제되어야 한다. 그러나 산업 진화과정은 몇 가지 특수한 상관성을 지니는데, 그 내용을 살펴보면 다음과 같다.[12]

## 산업의 통합성

산업은 시간이 경과함에 따라 일반적으로 통합(consolidate)의 경향을 보이는 것으로 인식되지만 이는 사실과 다르다. 예를 들면 미국의 115개 제조 산업을 대상으로 조사한 결과 이 중 19개 산업은 1963~1972년 사이 집중화가 2퍼센트 정도 강화되었고, 52개 산업은 반대로 집중화 현상이 2퍼센트 정도 약화되었다. 특정 산업 내에서 통합 현상이 일어날지의 여부는 산업의 구조적 요인들 간에 매우 중요한 상관성을 드러내는데, 이때는 경쟁적 대결·이동장벽·철수장벽 등이 작용한다.

• 산업의 집중화와 이동장벽은 동시에 작용한다 | 이동장벽이 높거나 이동장벽이 높아질 경우에는 거의 예외 없이 집중화 현상이 강화된다. 예를 들어 미국 포도주 산업에서도 집중화 현상이 강화되었다. 대량 판매가 이루어지는 표준품 시장의 영역에서는 앞서 설명한 전략적 변화

요인들로 인해 이동장벽이 크게 높아졌다(집중적인 광고활동, 전국적인 유통망, 급속한 상표 쇄신 등). 그 결과 규모가 큰 기업은 규모가 작은 기업보다 더욱 앞서게 되었고, 또 이동장벽 때문에 이들에게 도전하기 위해 뛰어드는 기업도 거의 없었다.

• 이동장벽이 낮거나 낮아지면 집중화 현상이 발생하지 않는다 | 이동장벽이 낮으면 기업이 철수하는 대신 다른 기업들이 파고들어오게 된다. 많은 기업들의 철수 사태가 경기침체와 그 밖의 일반적인 악조건 때문이라면 이때의 집중화 현상은 일시적으로 그친다. 즉 이윤율이나 판매량이 늘어날 것 같은 조짐을 보이면 또 다시 신규 진입기업들이 밀려들 것이기 때문이다. 따라서 산업이 성숙기에 이르렀을 때 나타나는 재편성 과정은 장기적으로 지속되는 통합화나 집중화가 아닐 경우도 많다.

• 철수장벽은 통합 현상을 억제한다 | 기업들은 평균 이하의 투자수익률 때문에 철수하고 싶어도 철수장벽이 높아 그대로 남아 있는 경우가 많다. 이동장벽이 비교적 높은 산업이라 하더라도 만약 철수장벽 때문에 경영성과가 빈약한 기업들이 그대로 남아 있다면, 유력 기업들은 집중화에 따른 이점을 거의 기대할 수 없을 것이다.

• 장기적인 이윤 잠재력은 미래의 산업구조에 의해 좌우된다 | 산업의 초기 도약기(특히 초기 제품이 구매자들의 인정을 받은 이후)에는 이윤율이 높은 것이 일반적이다. 예를 들어 1960년대 후반에는 스키용품 판매량이 매년 20퍼센트 이상 늘어나 모든 기업들이 큰 이윤을 얻었다. 그러나 산업 성장률이 일정 수준에 고착되면 경쟁이 격화되면서 취약한 기업들이 무너지거나 철수하는 격동기를 맞게 된다. 이러한 조정기에는 그 산업 내의 모든 기업들이 재정적인 타격을 입게 된다. 잔류하는 기업

들이 평균 이상의 이윤을 얻을 수 있는지의 여부는 이동장벽의 높이와 그 밖의 다른 구조적 특성에 의해 좌우된다. 이동장벽이 높거나, 산업이 성숙되면서 이동장벽이 높아지면 잔류 기업들은 성장률이 둔화된다 하더라도 견실한 경영성과를 얻을 수 있을 것이다. 그러나 이동장벽이 낮으면 성장률의 둔화는 곧 평균 이상의 수익이 종식됨을 의미한다. 따라서 성숙기에 접어든 산업은 구조적인 여건에 따라 성장기 수준의 이윤율을 올릴 수도 올리지 못할 수도 있는 것이다.

## 산업 경계의 변화

산업의 구조적 변화가 산업 간의 경계 획정을 변화시키는 경우도 있다. 1장에서 설명한 바와 같이 산업의 경계는 판단에 따라 주관적으로 설정한 것에 불과하다. 〈그림 8-3〉의 점선 부분이 이와 같은 특성을 나타내주고 있다.

산업의 진화는 이러한 경계를 변화시키는 강한 성향을 지니고 있다. 산업 내부의 혁신이나 대체재의 혁신 등은 많은 기업들을 직접적인 경쟁

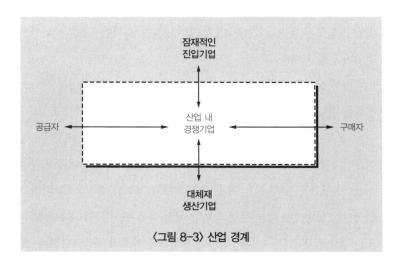

〈그림 8-3〉 산업 경계

관계에 놓이게 함으로써 산업영역을 크게 확대한다. 예를 들어 목재가격에 대한 운송비 비중이 크게 떨어지면서 목재 공급은 특정 대륙에 한정되지 않고 전 세계 시장으로 확대되었다. 여러 가지 기술 혁신으로 전자감시 장치에 대한 신뢰가 높아지고 가격이 떨어지면서 이 산업은 경비서비스 산업과 효율적인 경쟁을 벌일 수 있게 되었다. 구조적 변화가 공급자의 전방통합을 용이하게 할 경우에는 공급자들이 유력한 경쟁자로 등장할 수도 있다. 마찬가지로 대량구매를 하는 구매자들이 제조 산업의 강력한 경쟁자로 나타나기도 한다(시어스의 경우). 따라서 산업의 진화가어떤 전략적 의미를 지니는지 분석할 때에는 산업의 경계가 어떤 영향을 받는지도 감안해야 할 것이다.

## 기업이 산업구조에 미치는 영향

1장에서 간략하게 설명하고 또한 이 장에서 집중적으로 언급한 바와 같이 산업의 구조적 변화는 기업의 전략적 행위에 의해 영향을 받는다. 산업구조의 변화가 자사의 위치에 미치는 영향을 기업이 제대로 파악하고 있다면, 그 기업은 경쟁기업의 전략적 변화에 대응하거나 자사의 전략을 전환하는 형태로써 자사에 유리한 방향으로 산업구조를 변화시키려고 노력할 것이다.

기업이 산업구조 변화에 영향을 미칠 수 있는 또 다른 방법은 산업의 진화를 유발하는 외적 요인들을 주시하는 것이다. 그렇게 함으로써 기업은 그러한 요인들을 자사의 전략적 위치에 알맞은 형태로 작용하도록 이끌어나갈 수 있을 것이다. 예를 들어 특정 규제조치의 형태를 변경하는 데 영향력을 행사하고, 또 산업 외부에서 성취된 혁신은 그 기업과 라이선스 협정이나 다른 형태의 협약 체결 등을 통해 산업 내부로 확산되는 형태로 변경할 수 있을 것이다. 또한 보완제품의 공급이나 비용 개선을 위해 직접적인 지원이나 협회 결성, 또는 정부에 실정을 알릴 수도 있다. 그 밖에 구조적 변화를 유발하는 다른 중요한 요인들에도 여러 형태로 영향력을 발휘할 수 있다. 기업은 산업의 진화를 그저 단순한 기정사실로 받아들이고 대응할 것이 아니라, 하나의 호기로서 활용하는 적극성을 가져야 할 것이다.

# 02

# 본원적 산업환경
Generic Industry Environments

2부에서는 1부에서 제시한 경쟁전략 수립을 위한 분석의 기법을 근거로 삼아 몇 가지 중요한 산업환경 유형에서의 전략을 좀 더 상세하게 분석해보기로 하겠다. 산업환경은 다음과 같은 몇 가지 중요한 차원에서 논의될 수 있다.

· 산업 집중
· 산업 성숙
· 글로벌 경쟁에 대한 노출

산업환경은 그 유형별로 각각의 기본전략이 크게 다르다. 2부에서는 이러한 차원에서 몇 가지 일반적인 산업환경의 유형을 선정하여 좀 더 깊이 있게 고찰해보고자 한다. 이 과정에서 산업구조의 주요 특징, 전략의 핵심문제, 특유의 전략적 대안 및 전략적 함정들이 확인될 것이다.

2부에서는 5가지의 주요한 일반적 환경 유형이 선정된다. 9장에서는 세분화된 산업, 즉 산업 집중의 수준이 낮은 산업에서의 경쟁전략을, 그리고 10장·11장·12장에서는 성숙 정도가 근본적으로 상이한 산업에서의 경쟁전략을 논의할 것이다. 즉 10장은 신생 산업을, 11장은 도약단계에서 성숙단계로 접어든 산업을, 12장은 쇠퇴단계에 접어든 산업 특유의 여러 문제에 대해 논의한다. 마지막으로 13장은 1980년대 이후 점차 지배적인 산업환경으로 부각되고 있는 글로벌 산업에서의 전략 수립에 대해 논의할 것이다.

2부에서의 산업환경에 대한 논의는 전적으로 산업구조라는 하나의 핵심적 차원에 입각하여 진행될 것이며, 각 장의 내용을 통해 산업구조가 경쟁전략과의 관계 속에서 가지는 의미를 더욱 발전시킬 것이다. 일부 장에서 다룰 것이지만, 한 산업은 신생 산업이거나 쇠퇴 산업일 뿐

양자 모두일 수는 없는 것처럼 상호 배타적인 환경을 가지지만, 어떤 산업은 그렇지 않을 수도 있다. 일례로 글로벌 산업은 세분화된 상태에 있거나 동시에 성숙단계로의 전환기에 놓여 있을 수도 있다.

독자들은 관찰대상으로 삼은 특정한 산업의 환경을 2부에서 제시된 기준틀에 맞추어 분류하는 일부터 시작해야 할 것이다. 다만 둘 이상으로 분류되는 산업에서 경쟁전략을 수립하기 위해서는, 산업구조의 중요한 특징 하나하나에서 연유하는 전략적 요구들을 절충하는 수밖에 없다.

# 세분화된 산업에서의 경쟁전략

주요한 구조적 환경의 하나로서 다수의 기업들이 그 안에서 경쟁하는 세분화된 산업(fragmented industries)을 지적할 수 있다. 세분화된 산업에서는 어느 기업도 뚜렷한 시장점유율을 가지고 있지 않기 때문에 산업계의 추이에 강력한 영향을 미칠 수 있는 기업은 존재하지 않는다. 일반적으로 세분화된 산업에서는 개인 소유인 중소기업이 그 주종을 이룬다. 세분화된 산업에 대해서는 정확한 정량적 정의가 있을 수 없으며, 또 이 산업환경 유형의 전략적 문제들을 논의하는 데에는 그런 정의가 필요하지도 않을 것 같다. 이를 하나의 독특한 경쟁환경으로 간주하게하는 가장 큰 이유는 산업계 동향을 결정할 수 있을 만큼 강력한 영향력을 행사하는 시장 선도기업이 없다는 점을 지적할 수 있다.

세분화된 산업은 미국에서건 다른 나라에서건 수많은 경제 분야에서 찾을 수 있으며, 그중에서도 다음과 같은 산업에서 특히 두드러진다.

· 서비스업

· 소매업

· 유통업

· 목재 및 금속 가공업

· 농업 생산제품

· 창조적 사업

컴퓨터 소프트웨어 및 TV 프로그램 동기화 같은 세분화된 산업이 일부 특화된 상품 및 서비스로 특징지어진다면 유조선 해운업, 전자부품 유통업, 알루미늄 조립업 같은 산업은 비특화 상품이라 할 수 있을 것이다. 그리고 세분화된 산업은 태양열 산업 같은 고급기술 업종에서 고물상과 주류 소매업 같은 저급기술 업종에 이르기까지, 그 기술수준이 매우 다양하다. 〈표 9-1〉은 각 산업 4대 기업의 시장점유율이 40퍼센트에 미치지 못하는 미국의 제조 산업들을 나열한 것이다. 이 표에서는 제조 부문에 속하지 않거나, 단일 산업으로 간주하기에 문제가 있는 유통 및 서비스 같은 다수의 산업들은 제외했다. 그럼에도 불구하고 이 도표를 보면 세분화된 업종이 얼마나 넓게 분포되어 있는지 잘 알 수 있다.

본 장에서는 주요 산업환경 유형으로 여겨지는 세분화된 산업 내에서 경쟁전략을 수립할 때 발생하는 특수한 문제점들을 살펴볼 것이다. 2부의 다른 장들과 마찬가지로 9장 또한 세분화된 특정 산업에서의 경쟁을 위한 완전한 지침서가 되고자 하지는 않는다. 어떤 특정 산업에서의 경쟁전략에 관한 결론을 얻으려면, 이 책의 다른 장에서 제시되는 분석의 개념 및 기법들을 본 장에서 제시되는 개념들과 결합시키는 포괄적인 시각이 필요하다고 하겠다.

본 장은 다음 몇 가지 부분으로 나뉜다. 첫째, 산업이 왜 세분화되는 지에 대해 이해하는 것이 전략을 수립하는 데 필수적이기에 그 이유를 다양한 측면에서 살펴볼 것이다. 둘째, 세분화 상태를 극복하기 위해 구

| 산업 | 4대 기업의 시장점유율 합계(%) | 8대 기업의 시장점유율 합계(%) |
|---|---|---|
| 식용육 포장 | 22 | 37 |
| 소시지 및 가공 식용육 | 19 | 26 |
| 도계업 | 17 | 26 |
| 계육 및 달걀 가공 | 23 | 36 |
| 연유 | 39 | 58 |
| 아이스크림 및 냉동 간식 | 29 | 40 |
| 우유 | 18 | 26 |
| 과일 및 야채 통조림 | 20 | 31 |
| 과일 및 야채, 수프(건조) | 33 | 51 |
| 과일 및 야채(냉동) | 29 | 43 |
| 밀가루 및 제분 생산업 | 33 | 53 |
| 빵, 과자류 | 29 | 39 |
| 사탕 | 32 | 42 |
| 지방 및 식용유(육류와 어류) | 28 | 37 |
| 생선 포장 | 20 | 32 |
| 소형 직조기 | 20 | 31 |
| 편물기 | 16 | 26 |
| 탈지면 | 27 | 41 |
| 카펫 | 20 | 33 |
| 방적기(양모 방적기는 제외) | 21 | 31 |
| 직물기계 | 35 | 51 |
| 레이스 제품 | 34 | 51 |
| 가구 부속물 | 28 | 40 |
| 밧줄 및 삼실 | 36 | 56 |
| 남자용 코트 | 19 | 31 |
| 남자용 셔츠 및 잠옷 | 22 | 31 |
| 남자용 목도리 | 26 | 36 |
| 남자용 바지 | 29 | 41 |
| 여성용 바지 및 조끼 | 18 | 26 |
| 여성용 드레스 | 9 | 13 |
| 여성용 코트 | 13 | 18 |
| 여성용 및 어린이용 속내의 | 15 | 23 |
| 어린이용 드레스 및 블라우스 | 17 | 26 |
| 어린이용 코트 | 18 | 31 |
| 가죽 제품 | 7 | 12 |
| 원피스와 가운 | 24 | 39 |
| 우비 | 31 | 40 |

| | | |
|---|---|---|
| 가죽옷 | 19 | 32 |
| 장식벨트 | 21 | 32 |
| 커튼 및 휘장 | 35 | 43 |
| 캔버스 제품 | 23 | 29 |
| 제재용 톱 | 18 | 23 |
| 주방용 목재 캐비닛 | 12 | 19 |
| 가정용 목재가구 | 26 | 37 |
| 비조립식 목조건물 | 33 | 40 |
| 가정용 금속가구 | 13 | 24 |
| 매트리스 및 침대 스프링 | 24 | 31 |
| 사무용 목재가구 | 25 | 38 |
| 접는 종이상자 | 23 | 35 |
| 파이버 상자 | 18 | 32 |
| 정기간행물 | 26 | 38 |
| 출판 | 19 | 31 |
| 서적 인쇄 | 24 | 36 |
| 상업 인쇄, 서식류 | 14 | 19 |
| 상업 인쇄, 석판 인쇄류 | 4 | 8 |
| 타이프 세팅 | 5 | 8 |
| 사진 제판 | 13 | 19 |
| 페인트와 그 연관 제품들 | 22 | 34 |
| 복합 비료 | 24 | 38 |
| 접착제 | 19 | 31 |
| 벽돌 | 15 | 23 |
| 윤활유 및 그리스 | 31 | 44 |
| 가죽 염색 | 17 | 28 |
| 가죽 장갑 | 35 | 50 |
| 여성용 핸드백 및 지갑 | 14 | 23 |
| 수경(水硬) 시멘트 | 26 | 46 |
| 타일 | 17 | 26 |
| 콘크리트 벽돌 및 블록 | 5 | 8 |
| 혼합 시멘트 | 6 | 10 |
| 스틸 와이어 및 그 연관 제품들 | 18 | 30 |
| 스틸 파이프 및 튜브 | 23 | 40 |
| 동 및 놋쇠 주조 | 20 | 28 |
| 놋쇠 제품 및 연관류(鉛管類) | 26 | 42 |
| 전기 난방기구를 제외한 난방기구 | 22 | 31 |
| 조립 금속 구조물 | 10 | 14 |
| 금속 문, 새시 및 틀 | 12 | 19 |
| 조립식 금속판 제품 | 29 | 35 |

| | | |
|---|---|---|
| 판금(板金) 제품 | 9 | 15 |
| 운반 장비 | 22 | 32 |
| 주형(鑄型) 기계장비 | 18 | 33 |
| 특제 주형기(鑄型機), 연장, 지그 및 고정도구 | 7 | 10 |
| 건축용 금속제품 | 14 | 21 |
| 스크루 기계제품 | 6 | 9 |
| 볼트, 너트, 리벳, 와셔 | 16 | 25 |
| 금속 및 강철 단조물(鍛造物) | 29 | 40 |
| 도금 및 연마 | 5 | 8 |
| 금속 코팅 및 그 연관 용역 | 15 | 23 |
| 밸브 및 파이프 조립물 | 11 | 21 |
| 와이어 스프링 | 26 | 38 |
| 기계도구 부속품류 | 19 | 30 |
| 식품생산 기계 | 18 | 27 |
| 섬유 기계 | 31 | 46 |
| 제지산업 기계 | 32 | 46 |
| 펌프 및 펌프장비 | 17 | 27 |
| 송풍기 및 환풍기 | 26 | 37 |
| 산업용 용광로 및 오븐 | 30 | 43 |
| 라디오 및 TV 통신장비 | 19 | 33 |
| 트럭과 버스의 차체 | 26 | 34 |
| 소형 선박건조 및 수리 | 14 | 23 |
| 공학 및 과학 자재 | 22 | 33 |
| 보석 및 귀금속 | 21 | 26 |
| 인형 | 22 | 34 |
| 오락기구, 장난감, 아동용 탈것 | 35 | 49 |
| 운동기구, N. E. C | 28 | 37 |
| 인조 장신구 | 17 | 27 |
| 조화 | 33 | 44 |
| 단추 | 31 | 47 |
| 간판 및 광고기획 | 6 | 10 |
| 관(棺) | 25 | 34 |

* 자료: U. S. Bureau of the Census, 「Concentration Ratios in Manufacturing」, *1972 Census of Manufactures*, Table 5.

〈표 9-1〉 1972년 미국 제조업계의 세분화된 사업들

조적 변화를 일으키는 방법이 논의될 것이다. 셋째, 세분화 상태를 극복하기 어려운 산업에서는 세분화된 구조를 기정사실로서 받아들이고 생

존을 모색하는 몇 가지 기법들이 검토될 것이다. 이러한 논의와 관련해 기업이 세분화된 산업에서 경쟁하다 보면 빠지기 쉬운 몇 가지 함정들이 지적될 것이다. 마지막으로 이와 같은 논의에 근거하여 세분화된 산업에서 경쟁전략을 수립하는 데 도움이 되는 분석의 틀을 제시할 것이다.

## 무엇이 산업을 세분화하는가

산업이 세분화되는 데에는 지극히 다양한 요인이 있으며, 이러한 요인들은 각각 그 산업에서의 경쟁전략을 수립하는 데 크게 상이한 영향을 미친다. 일부 산업들은 역사적 이유로 인해(즉 과거부터 산업에 종사해온 기업의 자원이나 능력으로 인해) 세분화되어 있을 뿐, 세분화되는 데 별다른 원인이 없다. 하지만 대부분의 세분화된 산업에는 근본적으로 경제적인 요인들이 존재하며, 그중 주된 요인을 지적해보면 다음과 같다.

• 낮은 진입장벽 | 세분화된 산업은 일반적으로 진입장벽이 낮다. 진입장벽이 높으면 그처럼 많은 소규모 기업들이 몰려들 수가 없을 것이다. 하지만 낮은 진입장벽이 세분화의 필요조건일지는 몰라도, 그것을 설명해주는 충분조건이라고는 말할 수 없다. 거의 모든 경우에 세분화는 다음에 논의할 원인들 중의 하나 또는 그 이상을 동반한다.

• 규모의 경제나 경험곡선의 부재 | 제조업, 판매업, 유통업, 조사업 혹은 다른 어떤 분야에서건 대부분의 세분화된 산업은 규모의 경제 또는 학습곡선이 존재하지 않는다. 세분화된 산업은 대부분 규모의 경제나 경험곡선에 의한 원가절감의 혜택을 거의 누리지 못하는 제조과정으로 특징지어지는데, 그 이유는 제조과정이 섬유유리와 폴리우레탄 주물

처럼 단순가공 또는 조립작업이거나, 전자부품 유통업처럼 창고작업 일색이거나, 보안 감시처럼 그 성격이 노동 집약적일 수밖에 없거나, 직접적인 서비스에 의존하거나, 아니면 원래 자동화나 표준화가 어렵기 때문이다. 바다가재 잡이의 경우 생산단위가 소형 선박 하나 정도에 불과한데, 여러 척의 배를 가지고 있어도 어획비용이 거의 줄어들지 않는 것은 모든 배가 동일 해역에서 동일한 풍어의 기회를 가지고 취업하고 있기 때문이다. 따라서 동일한 정도의 생산비를 부담하는 다수의 경쟁자들이 존재하게 된다. 마찬가지로 버섯재배 역시 규모나 학습을 통한 생산비 절감을 달성하지 못했다. '비법'을 획득한 다수의 소규모 경영자들이 동굴에서 키우기 까다로운 버섯을 재배해온 것이다. 그러나 앞으로 논의하겠지만 이러한 상황에 변화가 찾아오기 시작했다.

• **과도한 수송비용** | 규모의 경제가 존재함에도 불구하고 과도한 수송비용으로 인해 효율적인 공장규모나 생산입지가 제한된다. 규모의 경제에 역작용을 하는 수송비용은 생산시설에 대한 경제적 기여도의 반경을 결정한다. 시멘트, 낙농업, 가성도 높은 화학제품 같은 산업은 특히 수송비의 부담이 크다. 대부분의 서비스 산업에서 수송비의 부담이 상당히 클 수밖에 없는 것은 소비자가 제시한 장소에서 서비스가 '제공' 되어야 하거나, 서비스가 '제공' 되는 장소까지 소비자가 이동해야 하기 때문이다.

• **과도한 재고비용 또는 불규칙적인 매출액 변동** | 생산과정에 규모의 경제가 내재한다 해도 재고비용의 부담이 크고 매출액의 변동이 심하다면, 그것이 유익한 결과를 가져다주지 못할 것이다. 이런 경우에는 생산량에 빈번한 변화가 있을 수밖에 없고, 이로 인해 대규모의 자본 집약적 생산시설을 건립하여 이를 지속적으로 가동시키기가 어려워진다.

마찬가지로 매출액이 지극히 불규칙하여 넓은 진폭으로 변동한다면 완전출하 상태에서는 대규모 시설을 가진 기업의 생산운영이 더 효율적일지 몰라도, 일반적으로는 대규모 회사가 소규모이지만 적응력이 더 강한 기업보다 불리한 입장에 놓이게 된다. 일반적으로 생산시설이 소규모이거나 유통체계가 덜 전문화된 기업일수록 전문화된 대규모 기업에 비해 생산량의 변동을 유연하게 흡수한다.

• 구매자나 공급자와의 거래에서 규모의 우위 부재 | 구매자 측 집단과 공급자 측 산업이 구조적으로 대규모 기업이라 해도 인접 기업들과의 거래에서 막강한 교섭력을 행사하지 못하는 경우가 있다. 일례로 구매자 측 규모가 대단히 크기 때문에 대규모 기업이라 해도 그 구매자와의 거래에서 소규모 기업에 비해 우위에 있을 뿐인 경우를 지적할 수 있다. 때로는 구매자나 공급자가 의도적으로 시설 확장이나 새로운 기업의 진출을 조장함으로써, 산업 내 기업들의 규모 확대를 억제할 수도 있다.

• 주요한 측면에서의 규모의 비경제 | 규모의 비경제는 여러 가지 요인으로 인해 생길 수 있다. 급속한 제품 변화나 형태 변화는 신속한 반응과 제 기능 사이의 긴밀한 조정을 필요로 한다. 빈번한 신제품 소개와 형태 변화가 경쟁에 필수적인 산업에서는 짧은 리드타임밖에 허용되지 않기 때문에, 대기업이 소기업보다 불리할 수도 있다. 이런 현상은 제품 형태가 경쟁에서 중요한 역할을 하는 여성복 제조업 등의 산업에서 두드러진다.

'낮은 간접비'의 유지가 성공에 결정적인 경우에는, 소유 경영자의 철저한 통제 하에 있는 소규모 기업이 더욱 유리하다. 이런 소규모 기업은 연금계획을 비롯한 주식회사의 약점에 구애받지 않을 뿐만 아니라 대규모 기업보다 정부의 규제를 덜 받기 때문이다.

개별 사용자들의 주문에 응해야 하므로 '생산라인이 지극히 다양할' 수밖에 없는 경우에는, 사용자와 제조업자 사이에서 소규모 직접거래가 빈번하게 이루어져야 하기 때문에 기업규모가 작을수록 유리하다. 사무용지 산업은 그러한 생산의 다양성이 세분화를 초래한 산업의 좋은 사례라 할 것이다. 북아메리카에서 상위 2위를 차지한 사무용지 생산업체가 시장의 약 35퍼센트밖에 장악하지 못했다는 사실이 이를 잘 말해준다.

예외가 없는 것은 아니지만, 규모가 큰 기업일수록 창조적 인력의 생산성 유지가 그만큼 더욱 어려워진다. 따라서 과중하게 창조력을 요구하는 산업의 경우에는 대기업 측이 더 불리할 수 있다. 이런 이유로 인해 광고 및 인테리어 디자인 같은 산업에서는 거의 대규모 기업을 찾아보기 어렵다.

사업 운영에 대한 세밀한 국지적 통제와 감독이 성공에 필수적인 경우에도 소규모 기업이 유리하다고 할 수 있다. 일부 산업, 특히 나이트클럽과 요식업소 같은 서비스 산업에서는 면밀한 직접감독이 필요하다. 일반적으로 이런 업종에서는 부재 경영자(absentee manager)가 사소한 일에까지 세심한 주의를 기울이는 소유 경영자(owner manager)에 비해 좋은 성과를 거두지 못한다.[1]

개별적인 서비스가 성공의 관건인 산업에서는 일반적으로 규모가 작은 기업일수록 보다 능률적이다. 서비스의 질도 그렇고, 친절한 서비스가 제공되고 있다는 소비자의 인식 또한 사업규모가 일단 일정한 한계를 넘어서면 규모의 확대와 함께 저하되는 경우가 많다. 이런 요인들로 인해 미용상담 같은 업종에서 세분화가 초래된다.

지역적 평판과 유대관계가 사업의 성공에 관건이 되는 경우에도 대규모 기업이 불리한 입장에 놓이게 된다. 알루미늄 조립과 주택 공급, 그리고 유통업 같은 일부 산업에서는 현지에 소재를 두는 것이 성공의 필수적 조건이다. 지역 수준에서의 사업 개발, 계약 건축, 판매활동 등이 경쟁에 필수적이다. 그러한 산업의 경우에는 현지 또는 지방 기업이 생산비에서 크게 불리하지 않다면, 대규모의 기업을 능가할 수도 있다.

• 시장의 다양한 요구 | 소비자의 기호가 다양화된 일부 산업에서 구매자들은 각각 특이한 제품을 원하기 때문에, 표준화된 제품보다는 프리미엄을 지급하더라도 특별 주문품을 찾는 경우가 있다. 즉 구매자들의 취향이 세분화되어 있는 것이다. 그 결과 어떤 특수 형태의 상품에 대한 수요가 적을 수밖에 없고, 따라서 대기업은 자사 측에 유리한 생산, 배분 혹은 판매 전략을 수립할 수 없다. 소량장비 산업에서와 같이 때로는 세분화된 구매자의 기호가 지방 또는 지역에 따른 특수성에서 기인하기도 한다. 지방의 소방서마다 소방장비에 비싼 벨이나 호각 같은 부속물을 많이 달아달라는 등의 까다로운 주문을 하는 경우가 있다. 따라서 판매되는 소방장비는 거의 모두가 독특한 것이 되고 만다. 생산은 거의 전부가 주문 조립식이며, 이에 수십 개의 소방장비 제조업체가 시장의 큰 몫을 점유하지 못한 채 존재하게 된다.

• 고도의 제품 차별, 특히 이미지 위주의 제품 차별 | 제품 차별의 정도가 아주 크고 그것이 이미지를 근거로 할 경우에는 기업규모가 제한받을 수 있으며, 나아가서는 비능률적인 기업들에도 생존을 보장해주는 여건이 형성된다. 규모가 커지게 되면 배타적인 이미지나 개인적으로만 독특한 상표를 가지고 싶어 하는 소비자의 기대와 대립된다. 이러한 상황과의 밀접한 연관 속에서, 그 산업의 주요한 공급자들의 제품이나 서비스를 제공하는 통로의 배타성이나 특별한 이미지를 중요하게 여기게 되는 경우가 생겨난다. 예를 들어 무대 예술가들은 자신이 개발하고 싶어 하는 이미지를 가진 소규모 출판업자나 레코드 회사와의 거래를 선호한다.

• **철수장벽** | 철수장벽이 존재할 경우에는 그 산업에 계속 머무르려는 소규모 기업들의 입장 때문에 통합이 억제된다. 세분화된 산업에서는 흔히 경제적 철수장벽 외에도 경영상의 철수장벽이 존재한다. 즉, 이윤 지향적이라고만은 할 수 없는 목적을 가지는 경쟁자들이 존재할 수도 있는 것이다. 어떤 산업에는 낭만적인 매력이나 흥분을 자극하는 요소가 있어 이에 매료된 경쟁자들은 이윤이 낮거나 전혀 존재하지 않음에도 불구하고, 그 산업에 계속 머물러 있기를 원할 수도 있다. 이런 요인은 낚시 안내업과 예능인 소개업 같은 산업에서 특히 강력한 영향력을 발휘한다.

• **지방법규** | 지방법규는 기업에 대해 특이한 기준을 만족시키거나 그 지방의 정치적 필요에 부응할 것을 강요한다. 이 때문에 지방법규는 다른 조건들에 의해 제약당하지 않는 산업에서도 세분화의 주요 원인으로 작용할 수 있다. 지방법규가 주류 소매업 같은 산업 또는 드라이클리닝이나 안경 판매업 같은 개인 서비스 업종에서 세분화의 원인으로 작용했을 가능성이 크다.

• **정부의 집중화 금지** | 법적 규제는 전력과 TV 및 라디오 방송국 같은 산업에서의 집중화를 금지하며, 주요 지점 간 대출을 금하는 맥파든(McFadden) 법안은 전산자금 대체시스템에서의 집중화를 막고 있다.

• **신종 산업** | 통합의 별다른 장애요인이 없다 해도, 신종 산업이기 때문에 어떤 기업도 아직까지 큰 시장점유율을 향유할 수 있을 만큼의 자원과 기술을 개발하지 못했을 경우에 산업이 세분화될 수 있다. 1979년에는 태양열 난방과 섬유광학 산업이 이런 상태에 놓여 있었다.

위의 원인 중 하나만 존재해도 산업의 통합이 이루어지기 힘들다. 세분화된 산업에서 이러한 특징들이 전혀 발견되지 않는다고 하면, 이는 다시 논의하겠지만 실로 중대한 결론이 아닐 수 없다.

# 세분화 상태의 극복

세분화 상태의 극복은 전략적으로 아주 중요한 의미를 가진다. 세분화된 산업의 진입비용은 당연히 낮고, 비교적 약소한 경쟁기업들의 보복위협 또한 심각한 것이 되지 못하기 때문에 이 산업을 통합하는 데 따르는 보상이 클 수가 있다.

앞에서 이미 한 산업을 상호 연관된 체계로 보아야 한다는 것이 강조되었으며, 이러한 사실은 세분화된 산업에도 마찬가지로 적용된다. 앞에서 열거한 요인들 중의 하나에 의해서도 한 산업은 세분화될 수 있다. 통합을 가로막는 근본적인 장애요인이 제거됨으로써 그 산업의 구조 전체를 변화시키는 경우가 흔히 있다.

육우 산업은 세분화된 산업의 구조가 어떻게 변화될 수 있는지에 대한 좋은 사례를 제공해준다. 이 산업은 역사적으로 방목지에서 소 떼를 목축해서 그 소들을 식용육 가공업자에게 운반하는 대다수의 목축업자에 의해 운영되어왔다. 소의 사육에는 전통적으로 규모의 경제가 거의 통용되지 않았다. 오히려 대단위의 소 떼를 한 장소에서 다른 장소로 이동시키는 데 따르는 규모의 비경제가 있을 수 있다. 그러나 기술 진보와 함께 소 사육의 다른 방법으로 축사가 널리 사용되기에 이르렀다. 조건만 완전하게 갖추어지면, 축사의 사용이 소를 살찌우는 데 훨씬 경제적인 방법이라는 것이 판명되었다. 축사의 건설이라는 대규모의 자본 지출을 요구하기는 해도, 획기적인 규모의 경제를 가져다준다는 사실이 판명된 것이다. 그 결과 아이오와 비프(Iowa Beef)나 몬포트(Monfort)와 같은 몇 개의 대규모 육우업체가 등장하여, 이 산업을 집중화하는 현상이 나타나게 되었다. 이 대규모 육우업체들은 후방에서는 사료 제조업을 통합하고, 전방에서는 식용육 가공 및 분배를 통합할 수 있을 만큼 크게 성장했다. 이 산업이 세분화된 근본원인은 소를 살찌우는 데 사용되는 생산기술이었다. 통합의 장애요인이 제거되자 구조적 변화의 과정이 촉진되었다. 이 과정은 축사에서부터 시작되었지만, 여기에 그치지 않고 산업구조의 많은 요소들을 변화, 확대시켰다.

## 연합에 대한 일반적인 접근법

세분화된 상태의 극복은 세분화된 구조를 초래하는 근본적인 경제적 요인들을 제거해나가는 변화가 있을 때 비로소 가능하다. 세분화 상태의 극복을 위해 일반적으로 사용되는 방법으로는 다음과 같은 것들이 있다.

• 규모의 경제나 경험곡선의 창출 | 육우 산업에서와 같이 기술 변화가 규모의 경제나 의미 있는 경험곡선을 동반하면 통합이 이루어질 수 있다. 해당 산업의 일각에서 창출된 규모의 경제가 때로는 여타 부문에서의 비경제를 압도할 수도 있다.

자동화와 자본 집약도의 제고를 초래하는 제조업에서의 기술 혁신으로 인해, 의학 실험용 동물을 공급하는 산업과 이 장의 앞부분에서 언급한 버섯재배 산업 간의 통합 현상이 일어났다. 실험용 동물사육 분야에서 찰스 리버(Charles River Breeding Laboratories)는 값비싼 대규모 사육시설을 이용하여, 동물들의 위생조건을 비롯한 모든 생활환경과 먹이를 세밀하게 통제할 수 있는 방법을 고안해냄으로써 신시대를 열었다. 그러한 시설은 보다 우수한 실험용 동물의 공급을 가능하게 해주었을 뿐만 아니라, 이 산업을 세분화시켜온 근본적 원인을 해소시켜주기도 했다. 버섯 재배에서는 몇 개의 대기업들이 이 분야에 참여하여 컨베이어와 온도 조절기 등의 장치를 사용함으로써 버섯 재배의 과정을 혁신했으며, 그 결과 인건비가 줄어들고 생산성이 높아졌다. 이러한 과정은 규모의 경제와 자본 집약화 그리고 자동화를 동반하는 것이었고, 이로써 이 산업에서 통합의 기반이 마련되었다.

마케팅에서 규모의 경제를 창출하는 혁신 또한 산업 통합을 일으킬 수 있다. 예를 들어, 완구 판매의 주된 수단으로서 TV 네트워크를 폭넓게 이용하자 완구 산업에 통합의 바람이 크게 일었다. 재정과 서비스를 함께 제공하는 전문업자의 등장은 토목장비 제조업자들 사이에서 통합 현상을 촉진시켰으며, 그 과정에서 캐터필러 트랙터가 가장 큰 혜택을 입었다. 동일한 논리가 분배와 서비스 같은 다른 분야에서 규모의 경제를 창출하는 경우에도 적용된다.

• **다양한 시장요구의 표준화** ┃ 생산이나 판매의 혁신으로 다양한 시장요구를 표준화할 수 있다. 예를 들어, 신제품의 개발은 구매자들의 취향을 통합할 수도 있다. 즉 디자인의 변화로 표준화된 종류의 생산원가를 적극적으로 낮추어놓으면, 구매자들은 표준화된 제품을 값비싼 주문품보다 더 가치 있는 것으로 판단하게 될 수도 있다. 제품을 표준화하면 부품들을 대량생산할 수 있게 될 것이고, 따라서 최종 생산업 제품의 이질성을 유지하면서도 규모의 경제를 살리거나 시험비용을 절감할 수 있게 된다. 그러한 혁신의 잠재적 가능성이 그 산업의 경제적 특성에 의해 제약당하는 것은 분명하지만, 산업들 대부분의 경우에 통합의 가장 큰 장애요인은 세분화의 원인들을 처리할 수 있는 방법들을 찾아내는 데 있어서의 독창성 결여이다.

• 세분화의 주 원인이 되는 여러 측면의 집중화 또는 분리 | 때로는 산업 세분화의 원인들이 생산에서의 규모의 비경제나 세분화된 구매자 취향과 같은 한두 개의 부문에 집중되어 있는 경우도 있다. 이때 세분화 상태의 극복을 위한 전략은 어떤 방법으로든 이 측면을 기업의 다른 측면들로부터 분리하는 것이다. 이러한 전략의 좋은 예로 야영지 임대업과 패스트푸드 사업을 들 수 있다. 이 사업에서는 강력한 국지적 통제와 양질의 서비스 유지가 사업의 성패를 좌우한다. 그 밖에도 이 사업의 영업장은 소규모로 동떨어져 위치해 있을 수밖에 없다. 그 이유는 야영시설이나 패스트푸드점 시설의 경우, 어떤 형태로 규모의 경제를 도모하는 것이 가능하다 해도 이러한 가능성은 고객 가까이 또는 고속도로와 휴양지 가까이에 위치해야 한다는 필요성에 의해 상쇄되기 때문이다. 이 사업은 전통적으로 세분화되어 있어서 수천의 소유 경영자들이 조업하고 있다.

그러나 전국적인 집중화가 이루어져 전국적인 홍보 매개체의 이용이 가능해진다면, 판매와 구매에서 의미 있는 규모의 경제 달성이 불가능한 것도 아니다. 두 사업 모두에서 소유 경영자들 각각에 체인화된 장소를 하나씩 분양해주는 방법으로 세분화 상태가 극복되었다. 소유 경영자들은 브랜드 제품을 판매하고 집중구매 등의 서비스를 제공해주는 전국적인 조직체계에서 영업하게 되었다. 규모의 경제로 인한 혜택과 함께 엄격한 통제와 서비스 유지가 보장된 이러한 착상이 야영지 임대업에서의 KOA, 패스트푸드 사업에서의 맥도날드와 피자헛 같은 대기업을 탄생시켰다. 체인화로 인해 현재의 세분화 상태를 극복하고 있는 산업의 또 다른 사례가 부동산 중개업이다.

센추리21(Century21)은, 지방 기업들이 각각의 상호를 가지고 자치적으로 영업을 하되, 전국적으로 홍보된 센추리21이라는 이름으로 영업을 하도록 하는 방법으로 지방 기업들을 체인화함으로써, 극도로 세분화되어 있는 이 산업의 통합을 급속하게 확대시켰다.

세분화의 원인이 지금까지 다룬 사례들에서 보듯이 생산이나 서비스의 전달과정을 중심으로 집결되어 있는 경우에는 세분화를 극복하기 위해 생산을 기업활동의 여타 부문으로부터 분리시킬 필요가 있다. 소비자 측의 취향이 극도로 다양하거나 구매자가 극단적인 제품 차별화 때문에 유일성을 선호하게 되었을 경우에는 여러 가지의 세심하게 개별화된 상표 및 포장 형태를 사용하여 시장점유율에 대한 제약을 극복할 수 있다. 그 밖에도 예술가 등의 고객 또는 공급자가 소규모이고 개인화되었기 때문에 특이한 이미지와 평판을 가지는 조직과 거래하고 싶어 하는 경우가 있다. 레코드 산업에서는 이러한 요구가 다수의 전통상표의 사용과 동시에 연합상표로 계약하는 방법을 통해 충족되어왔다. 나아가 연합상표는 모두가 동일한 레코드 제조·판매·프로모션·분배의 조직을 이용한다. 각 상표마다 독립성이 확립되어 있고, 예술가 고객을 위해 개인적 접촉을 유지하려고 노력한다. 하지만 모회사의 전체 시장점유율은, 각각 20퍼센트 가량의 시장을 점유하고 있는 CBS와 워너 브러더스(Warner Brothers)의 경우에서 볼 수 있듯이 상당한 정도에 이를 수 있다.

이와 같은 세분화 상태 극복의 기본전략에서는 세분화의 근원이 어쩔 수 없이 받아들일 수밖에 없는 것으로 인정된다. 이 전략은 기업활동 중에서 세분화가 불가피한 측면은 약화시키고, 다른 측면에서는 시장점유율 확대의 이점을 최대한 활용하는 것이다.

• **임계규모를 위한 매수** | 일부 산업에서는 큰 몫을 점유함으로써 궁극적으로 몇 가지 이익을 올릴 수도 있지만, 세분화의 원인들 때문에 점유율의 점진적 확대가 지극히 어렵다. 예를 들어 지방에서의 현지 접촉은 판매에 있어 중요하지만, 확장할 목적으로 다른 기업들의 영역을 침범한다는 것이 쉽지 않은 경우가 있다. 그러나 그 기업이 임계규모를 넘

어설 수만 있다면 상당한 정도의 규모의 경제로 인한 혜택을 거둘 수 있다. 이런 경우에는 다수의 지방 기업들을 합병하는 전략이 성공적일 수 있다. 단 이때에는 피합병 기업들을 완전히 통제할 수 있어야 한다.

• 산업 추세의 조기 인식 | 산업 자체가 신생 산업이어서 세분화된 경우에 이 산업은 성숙해짐에 따라 저절로 통합될 수 있다. 혹은 산업의 외적 추세가 세분화의 원인들에 변화를 줌으로써 통합이 이루어질 수도 있다. 예를 들어 컴퓨터 서비스 회사들이 미니컴퓨터와 마이크로컴퓨터 회사로부터 심한 경쟁 압력을 받은 것을 사례로 들 수 있다. 소형 컴퓨터의 등장은 중소기업들도 자체의 컴퓨터를 가질 수 있음을 의미한다. 따라서 컴퓨터 서비스 회사들은 점차 여러 지역에 위치한 대기업에 봉사하거나, 단순한 컴퓨터 타임 외에도 복잡한 프로그래밍 등의 서비스를 제공해야 비로소 성장을 지속할 수 있게 되었다. 이러한 사태의 추이가 컴퓨터 서비스 산업에서 규모의 경제를 강화시켜주었으며, 그 결과 통합이 진행되었다.

컴퓨터 서비스 산업의 예에서 대체상품의 위협이 구매자의 요구에 변화를 줌으로써 서비스에서의 변화를 촉진시켰으며, 이 변화가 점차 규모의 경제에 영향 받는 쪽으로 진행되었기 때문에 통합 현상이 일기 시작했다. 다른 산업들에서는 구매자 취향의 변화, 분배구조의 변화 등 수많은 산업 추세가 직·간접적으로 세분화의 원인들에 영향을 미친다. 정부규제의 변화 또한 중소기업들이 도달할 수 없는 정도까지 생산업 제품이나 제조과정의 수준을 높임으로써 규모의 경제를 창출할 수 있고, 이 때문에 불가피하게 통합 현상이 일어날 수도 있다. 이러한 추세의 궁극적인 결과를 인식하고 이를 이용할 수 있는 상태에 기업을 위치하게 하는 것은 세분화 상태에 있어서의 중요한 전략이 될 수 있다.

# 고착상태에 빠진 산업들

지금까지는 세분화 상태가 산업 경제적 측면에 뿌리를 두고 있는 산업과 이러한 경제적 측면의 근본적인 원인에 변화를 주는 세분화 상태 극복의 전략들이 집중적으로 논의되었다. 하지만 전략을 수립하기 위해서 반드시 인식해야 하는 중요한 측면으로는 적지 않는 산업들이 근본적인 경제적 이유 때문이 아니라, 그것들이 세분화된 상태에 '고착되어 (stuck)' 있기 때문에 세분화되어 있다는 사실이다.

• 자원이나 기술이 결여되어 있는 기존 기업들 | 때로는 세분화 상태 극복에 필요한 조치들이 분명함에도 불구하고, 필요한 전략적 투자를 할 수 있는 자원이 기존 기업들에게 결여되어 있는 경우가 있다. 예를 들면 생산에 규모의 경제가 잠재되어 있음에도 불구하고, 기업이 대규모 시설을 건설하거나 수직적 결합에 투자하는 데 필요한 자본이나 기술을 가지고 있지 않은 경우이다. 또한 자영 유통경로나 자영 서비스 조직, 또는 전문화된 물류시스템이나 소비자 상표를 기반으로 한 프랜차이즈가 산업 통합을 촉진시키리라는 것을 알면서도 그것들을 개발하는 데 필요한 자원이나 기술을 가지지 못한 경우도 있다.

• 근시안적이거나 자기만족에 빠진 기존 기업들 | 산업 통합을 추진하는 데 필요한 자원이 있음에도 불구하고, 기업이 여전히 세분화된 구조를 지속하는 전통적인 관습에 감정적으로 젖어 있거나, 변화의 기회를 감지조차 못하는 경우도 있다. 이러한 사실은 자원 부족이라는 문제점과 함께 미국 내 포도주 산업계의 역사적인 세분화 현상을 부분적으로 설명해준다. 기존 생산업자들은 오랫동안 생산 지향적이었기 때문에, 전국적 유통구조나 소비자의 상표인식을 개발하려는 노력을 전혀

보이지 않았다. 그러나 다수의 대규모 소비상품 및 주류 회사들이 1960년대 중반에 이 산업으로 뛰어들어 그와 같은 사고방식을 뒤집어놓았다.

• 외부 기업들의 관심 결여 | 일부 산업에서는 통합이 이루어지고 있음에도 불구하고, 외부 기업들의 관심이 결여되어 있기 때문에 오랜 기간 세분화 상태에서 벗어나지 못한다. 어떤 외부 기업도 통합을 촉진시킬 목적에서 새로운 안목으로 그 산업에 자원을 투입할 기회를 감지하지 못한다. 외부 기업에 진출 기회를 제공하고 있으면서도 이들의 관심을 끌지 못하는 산업은 (라벨 제조나 버섯 재배처럼) 일반적으로 세인의 관심영역을 벗어난 것이거나, (공기필터 및 기름필터 제조처럼) 매력이 결여되어 뚜렷한 흥미를 끌지 못하는 경우다. 그 산업은 또한 너무 새롭거나 소규모이기 때문에, 세분화 상태의 극복에 필요한 자원을 가지고 있는 대기업의 관심거리가 되지 못할 수도 있다.

어떤 산업의 구조가 세분화되어 있기는 하지만 그것이 기반이 되는 경쟁의 경제를 반영하는 것이 아님을 확인할 수 있다면, 이때가 바로 통합을 시도해볼 만한 절호의 기회라 할 수 있다. 기업이 그런 산업에 쉽게 진출할 수 있는 것은, 그 산업의 구조상 세분화될 필요가 없기 때문이다. 세분화의 경제적 원인이 존재하지 않는 이상, 저변의 경제구조를 바꾸기 위한 투자비용이나 혁신의 부담을 질 필요가 없다는 것이다.

# 산업 세분화에 대한 대처방안

많은 경우에 산업 세분화는 극복할 수 없는 저변의 산업 경제적 요인에 의해 초래된다. 세분화된 산업은 경쟁관계에 있는 다수의 기업들로 특징지어질 뿐만 아니라, 공급자 및 구매자와의 협상에서 전반적인 열세에 있으며, 따라서 수익성이 낮아진다. 그러한 상황에서는 전략적 위치 설정이 특히 중요한 의미를 가진다. 전략적인 도전은 그 결과가 비록 대단하지 못한 시장점유율의 획득으로 나타나더라도, 가장 성공적인 기업의 대열에 위치함으로써 세분화 상태에 대처하려는 데 목표를 두는 것이다.

산업마다 그 근본이 다르기 때문에 세분화 상태에 있는 특정 산업에서 가장 효과적인 경쟁을 보장해주는 일반적인 방법이란 존재하기 어렵다. 그러나 세분화된 구조에 대처하는 전략적 대안들은 여러 가지가 있기 때문에 어떤 특정한 상황을 검토할 때 그 대안들을 고려해보면 좋을 것이다. 세분화된 산업의 특이한 상황에서 원가절감을 추구하거나, 상품을 차별화하거나, 아니면 2장에서 논의한 일반 전략에 초점을 두는 등의 특수한 접근방법이 그러한 대안들이다. 이 접근방법은 각각 세분화된 산업 특유의 경쟁에 기업의 전략적 자세를 더욱 잘 적응시키거나, 이 산업에서 일반화되다시피 한 강력한 경쟁력을 중화시키는 데 그 목적이 있다.

• **철저한 관리 하의 분권화** | 세분화된 산업에서는 일반적으로 긴밀한 조정, 현지 지향적 경영, 강도 높은 개인적 봉사, 엄밀한 통제 등이 요구된다. 따라서 이러한 산업에서의 경쟁에 대비한 중요한 방안의 하나가 철저한 관리 하의 분권화이다. 이 전략은 한두 지역에서 영업규모를 확대하기보다는, 의도적으로라도 개별의 영업체를 소규모로 그리고 가능한 한 자치적으로 유지하는 것이다. 이 전략을 채택하여 큰 성공을 거둔 기업이 많이 있다. 그중 몇 개 기업만을 예로 들어보면, 캐나다의 알루미늄 압축 및 성형 산업의 인달(Indal)과 미국에서 지난 1970년대에 등장하여 비약적인 성장을 거듭하고 있는 중·소규모 신문사의 체인 몇 개, 그리고 식품 소매업계에서 군림하기 시작한 딜런 컴퍼니즈(Dillon

Companies)가 있다. 예를 들어 딜런 컴퍼니즈는 각 지역에 있는 여러 개의 소규모 식품점 체인을 흡수한 후에, 그 체인들이 각각 자체의 상호를 가지고 자치적으로 운영하도록 하지만 구매는 집단적으로 하는 식의 전략을 택했다. 이러한 체계는 중앙통제와 강력한 자체 판촉활동에 의해 더욱 강화되었다. 이 전략을 통해 개별 영업단위의 획일화와 그 결과인 지역 조건들에 대한 감각의 상실을 방지할 수 있었으며, 부수적인 효과로 노동조합의 결성이 억제되었다.

이런 유형의 전략에서 핵심이 되는 개념은 세분화의 원인들을 인정하고 그것에 순응하면서도, 지역 관리자들의 영업방식에 상당한 정도의 특수성을 부여하는 것이다.

• **시설의 표준화** | 또 하나의 방안은 효율적이면서도 비용이 저렴한 시설을 여러 장소에 설치하는 데에서 해당 사업의 가장 핵심적인 전략적 변수를 찾아내는 것이다. 이 전략에 따르자면 공장이건 서비스 시설물이건 표준화된 시설을 설계하고, 그 시설을 최소비용으로 건설하고 운영하는 과정을 과학에 의존하여 찾아내야 한다. 그렇게 하면 그 기업은 경쟁기업들보다 투자비를 낮출 수 있을 뿐만 아니라 더욱 매력적이거나 효율적인 영업장소를 가지게 된다. 플릿우드(Fleetwood, Inc.)와 같이 이동주택 생산업에서 가장 큰 성공을 거둔 몇몇 기업은 바로 이 전략을 따랐다.

• **부가가치의 증대** | 대부분의 세분화된 산업은 일용품이나, 차별화가 용이하지 않은 상품 또는 서비스를 생산한다. 예를 들어 대부분의 유통기업은 그들의 경쟁기업들과 동일하지는 않지만 유사한 계통의 생산물을 구입한다. 이러한 경우 가장 효과적인 전략은 판매와 함께 더 많은 서비스를 제공하거나(규격에 맞추어 절단하든지 구멍을 뚫는다든지), 제품의

최종단계 조립에 관여하거나, 아니면 소비자에게 판매하기 전에 부품들을 조립하거나 반조립하는 등의 방법으로 영업의 부가가치를 증대시키는 것이다. 그러한 활동을 통하면, 기초 생산물이나 서비스로는 획득할 수 없는 제품 차별화의 강화와 그에 따른 수익률의 제고가 가능해진다. 이러한 개념을 실천에 옮겨서 성공을 거둔 금속제품 유통업자들이 있다. 그들은 전통적으로 순수 유통업이었던 이 업계에서 간단한 조립을 하고 소비자들에게 많은 조언을 제공하면서, 스스로를 '금속제품 서비스센터'로 소개했다. 일부 전기부품 판매업자들도 별개의 부품들로 반조립하거나 키트를 조립함으로써 성공할 수 있었다.

때로는 제조업에서 유통업 또는 소매업을 전방통합함으로써 부가가치를 증대시키는 경우도 있다. 이러한 조치는 판매의 여러 조건에 대한 통제력을 강화함으로써, 구매자 측의 세력을 완화하거나 더 큰 제품 차별화를 허용해준다.


• **제품 형태나 제품 분할에 의한 전문화** | 제품라인에 수많은 품목이 존재하기 때문에 산업 세분화가 초래되거나, 산업 세분화가 그러한 결과를 동반할 때는 엄격하게 제한된 몇 가지 제품만을 전문적으로 취급하는 전략만으로도 평균 이상의 성과를 얻을 수 있다. 이러한 접근방법은 2장에서 논의한 집중화 전략의 한 종류이다. 이러한 전략을 통해 기업은 공급자 측의 생산량을 크게 늘릴 수 있고, 그 결과 공급자에 대한 교섭능력을 상당히 강화할 수 있게 된다. 그 밖에도 특정한 제품 분야에서 전문적 식견과 이미지를 뚜렷하게 부각시키면 고객을 상대함에 있어서 제품 차별화의 강도를 높일 수 있을 것이다. 이러한 집중화 전략을 택할 경우, 기업은 제품 분야에 대해 더 많은 지식을 가질 수 있을 것이며, 여력을 고객들에게 투입하여 특정 분야에 관한 교육과 서비스를 제공할 수 있는 능력을 개발할 수 있을 것이다. 이러한 전문화 전략의 약점

은, 그로 인해 기업의 성장 전망에 일정한 한계가 생겨날 수 있다는 사실이다.

에단 앨런(Ethan Allen)은 세분화된 미국의 가구 산업에 참여하여 대단한 성공을 거둔 기업으로서, 제품 전문화를 통해 부가가치의 증대를 이룬 기업의 본보기다. 에단 앨런은 초기 미국식 가구만을 취급했는데, 이 가구는 소비자가 개별 품목들을 함께 모으면 전문적으로 디자인된 것과 거의 차이가 없는 방을 꾸밀 수 있다.

> 우리는 제품을 파는 것이 아니라 당신이 이것을 통해 스스로 창조할 수 있는 공간을 판매하고 있습니다. 우리는 부유층이나 누릴 수 있었던 서비스를 중산층에게 제공해드립니다.[2]

이러한 종합적 개념 덕분에 에단 앨런은 자사 제품에 20퍼센트의 프리미엄을 붙일 수 있었으며, 이 프리미엄은 텔레비전 광고에 집중적으로 투입되었다. 그 밖에도 이 회사는 독립적인 전문 판매점들의 특이한 조직망을 통해 판매함으로써 제품 차별화를 강화할 수 있었고, 백화점이나 할인 판매점과의 힘든 협상도 피할 수 있었다. 이 회사의 시장점유율은 3퍼센트 정도밖에 되지 않았음에도 불구하고, 수익률은 산업 평균치를 훨씬 상회했다.

• 소비자 유형에 따른 전문화 | 세분화된 구조로 인해 경쟁이 치열한 경우에는 그 산업의 특정한 소비자 집단을 대상으로 삼아서 전문화하면 이익을 얻을 수 있다. 이때는 연간 소비량이 적거나 절대적인 규모가 작아서 교섭력을 거의 가지지 못하는 소비자 집단이 주로 선택된다. 아니면 가격에 가장 둔감하거나[3], 기초 상품이나 서비스에 부가가치를 많이 포함해줄 것을 요구하는 고객들을 대상으로 전문화할 수도 있다. 제품

전문화와 마찬가지로 고객 전문화 또한 높은 이윤을 보장해주는 반면에, 그 대가로 해당 기업의 성장 가능성에 한계를 가져올 수 있다.

• **주문 제조에 따른 전문화** | 세분화된 산업에서 치열한 경쟁의 압력에 대처할 목적으로, 기업은 소비자와는 관계없이 특정 형태의 주문만을 받아들일 수 있다. 그 일례로 제품을 즉각 인도해주기만 하면 가격에는 크게 관여하지 않겠다고 하는 고객의 주문만을 받아들이는 방법이 있다. 혹은 가격 탄력성이 낮거나 이전비가 높은 고객의 주문만을 받아들이는 방법도 있다. 이 경우도 그 대가로 매출액 규모에서 상당한 제약을 감수해야만 할 것이다.

• **특정 지역에 대한 집중** | 상당히 높은 시장점유율의 확보가 불가능하거나 전국적인 규모의 경제를 기대할 수 없는 경우에도(그리고 규모의 비경제가 작용하는 경우조차), 시설과 판매활동 그리고 마케팅 노력을 집중해 특정한 지역을 장악하면 상당한 정도의 경제성이 주어질 수 있다. 이러한 전략은 판매인력을 줄이고, 좀 더 효과적인 광고를 할 수 있으며, 단일한 유통센터만으로도 운영이 가능해지는 등 여러 가지 강점을 가진다. 그 반면에 소규모 영업단위들을 여러 지역에 산재해놓을 경우에는, 세분화된 산업에서의 경쟁이라는 문제가 더욱 큰 압박으로 작용할 것이다. 몇 개의 대규모 전국 체인이 없는 것은 아니지만, 세분화 상태에 있는 식품점들의 경우에는 여전히 이러한 지역장악 전략이 상당히 효과적이다.

• **철저한 구두쇠 전략** | 대부분의 세분화된 산업의 치열한 경쟁과 낮은 이윤율을 감안할 때, 노골적인 구두쇠 작전으로 경쟁에 대처하는 자세(즉 낮은 간접비, 저숙련 인력 채용, 철저한 원가 통제, 작은 일에까지 기울이

는 세심한 관심)가 단순하지만 실로 강력한 전략적 방안이 될 수 있다. 이러한 정책을 통해 기업은 가격경쟁에서 유리한 위치에 서면서도 평균 이상의 이익을 얻을 수 있다.

• **후방통합** | 비록 세분화의 원인들로 인해 높은 시장점유율을 실현할 수 없다 하더라도 선별된 후방통합은 원가를 절감해줄 것이고, 이는 통합의 여력이 없는 경쟁기업들에 압력으로 작용할 수 있다. 물론 이러한 통합에 대한 결정은 철저한 분석 후에 이루어져야 할 것이다(이때 필요한 분석은 14장에서 다시 논의될 것이다).

# 잠재되어 있는 전략상의 함정

세분화된 산업의 특이한 구조적 환경에는 수많은 전략적 함정이 잠재되어 있다. 특정의 세분화된 산업에서 전략적 방안들을 분석함에 있어 적신호로서 경계해야 할 몇 가지 공통적인 함정으로는 다음과 같은 것들이 있다.

• **지배적 우위의 추구** | 세분화된 산업의 기본구조는 그것을 근본적으로 바꿀 수 없는 한 지배적 우위의 추구를 허사로 만든다. 이런 장애요인이 있기 때문에 세분화된 산업에서 압도적인 시장점유율을 갖고자 하는 기업의 노력은 일반적으로 실패할 수밖에 없다. 세분화 상태를 가져오는 기본적인 경제적 원인들로 인해 기업은 시장점유율을 높여감에 따라 비능률과 제품 차별화의 상실, 그리고 공급자와 고객들의 횡포에 노출되고 만다. 대량생산에 의한 원가절감과 규모의 경제를 꾀할 수 있는 다른 산업에서라면 모든 것을 장악하려는 노력이 지극히 훌륭한 전

략일 수도 있겠지만, 세분화된 산업에서 이러한 전략을 택하면 일반적으로 경쟁세력들에 대한 노출만 극대화된다.

이런 노출의 사례로 프렐류드 코퍼레이션(Prelude Corporation)의 경우를 들 수 있다. 이 회사는 바다가재(lobster) 산업계의 GM이 되겠다는 목표를 공언했다.[4] 프렐류드 코퍼레이션은 고가이며 최신기술의 바다가재 잡이 선단을 대대적으로 건립했으며, 수직적으로는 트럭운수 회사와 음식점을 통합했다. 그러나 불행하게도 이 회사의 선박은 바다가재를 잡는 데 다른 어부들의 선박에 비해 크게 유리하지 못했다. 그리고 높은 간접비와 무거운 고정비로 인해 이 산업 특유의 어획고 변동 때에는 파산의 위험에 직면했다. 그 밖에도 높은 고정비를 회수하기 위한 매출액 증대 노력은, 마치 중소기업에서처럼 투자수익률 목표보다 훨씬 낮은 수익률을 가져다주는 수준의 가격으로 만족할 수밖에 없도록 하는 사태를 초래했다. 그 결과 재정적 위기가 닥쳐왔고, 결국은 조업을 중단하지 않을 수 없게 되었다. 프렐류드 코퍼레이션의 전략은 바다가재 산업의 세분화 원인에 대처하려는 노력이 전혀 없었기 때문에 실패로 끝날 수밖에 없었다 하겠다.

• **전략적 규율의 결핍** | 세분화된 산업에서 효과적인 경쟁을 하기 위해서는 철저한 전략적 규율이 요구된다. 세분화 현상의 원인을 극복할 수 없는 경우에 일반적으로 세분화된 산업의 경쟁구조는 앞에서 설명한 것과 같이 어떤 확고한 전략적 개념에 바탕을 두어야 한다. 이런 개념을 실행하기 위해 때로는 해당 산업에서 전반적으로 통용되어온 전통적인 관습에 역행하기도 하고, 일부 사업을 포기하기도 하는 용기가 필요하다. 규율이 없는 기회주의적인 전략이 단기적으로는 성과를 거둘지 몰라도, 장기적으로는 세분화된 산업에서 일상화된 치열한 경쟁에 해당 기업을 극도로 노출시키는 경우가 많아지게 된다.

• 과도한 집중화 | 대부분의 세분화된 산업에서 경쟁의 핵을 이루는 것으로는 개인적 서비스, 지역적 접촉, 영업의 엄격한 통제, 환경 변화에 대한 적응능력 등을 지적할 수 있다. 집중화된 조직구조는 반응시간을 늦추고 지역 수준에서의 창의력을 둔화시키기 때문에 대부분의 경우 비생산적이며, 그 밖에도 개별 서비스를 행함에 있어 필요한 숙련된 개인들을 소외시킬 수 있다. 집중화된 통제는 세분화된 산업에서 다수의 영업단위를 경영하는 데 유익하고 심지어는 필수적인 경우도 종종 있지만, 집중화된 구조는 파멸의 원인이 될 수도 있다.

마찬가지로 세분화된 산업의 경제구조는 흔히 집중화된 생산 혹은 마케팅 조직이 규모의 경제라는 혜택을 받지 못하도록 되어 있거나, 심지어는 규모의 비경제에 의해 지배받도록 되어 있다. 따라서 이러한 산업에서의 집중화는 기업을 강화하기는커녕 오히려 약화시킨다.

• 경쟁기업이 동일한 간접비와 목표를 가진다는 가정 | 세분화된 산업의 특이한 성격으로 인해 다수의 소규모 개인소유 기업이 존재하는 경우가 흔히 있다. 또한 비경제적인 요인으로 인해 소유 경영자가 영업을 계속할 수도 있다. 이러한 상황에서 경쟁기업이 대기업과 동일한 간접비 구조나 목적을 가진다고 가정한다면 이는 큰 잘못이다. 이 기업은 가족의 노동력을 이용하여 가정에서 일함으로써, 부대원가와 종업원에 대한 편익제공 비용을 회피한다. 이러한 경쟁기업이 '비능률적'일지는 몰라도 이러한 비능률로 인해 그 기업의 원가가 같은 산업에 종사하는 대기업의 원가에 비해 높을 것이라고 속단할 수는 없다. 마찬가지로 그런 경쟁기업은 대기업보다 훨씬 낮은 수익성에도 만족할 수 있으며, 오히려 이윤 자체보다는 피고용자들에게 일거리를 주기 위해 조업도를 유지하는 데 관심을 가질 수도 있다. 따라서 가격 변동과 같은 환경 변화에 대한 이 기업의 반응은 '정상적'인 기업과 크게 다를 수 있다.

• 신제품에 대한 과잉 반응 | 세분화된 산업에서는 거의 언제든지 다수의 경쟁기업들이 존재하기 때문에 구매자는 큰 힘을 행사하여 기업들 사이의 경쟁을 부채질하려 할 것임에 틀림없다. 그러한 상황에서는 제품주기상 초기 상품만이 치열한 경쟁상태에서 기업을 구해낼 수 있다. 수요가 급속하게 팽창하고 구매자들이 전반적으로 신제품에 익숙하지 않기 때문이다. 세분화된 산업에서는 이러한 점이 환영할 만한 돌파구가 되기 때문에, 기업들은 신제품 개발에 대대적인 투자를 하게 된다. 하지만 성숙의 첫 증후가 나타날 때쯤에는 세분화된 구조가 수요를 따라오고, 그러한 투자를 가능하게 했던 높은 수익성은 사라진다. 따라서 신제품에 대한 과잉 반응이 제조원가와 간접비를 높이고, 세분화된 산업들 대부분에서 일반화되다시피 한 가격경쟁으로 인해 기업이 불리한 입장에 놓이게 될 수 있다. 어느 산업에서든 신제품에 대한 대응이 쉬운 문제는 아니지만, 세분화된 산업에서는 특히 어렵다고 하겠다.

## 전략의 수립

세분화된 산업에서 경쟁전략을 수립함에 있어 필요한 분석의 준거틀을 개략적으로 설명하겠다.

• 1단계 | 해당 산업에서 근본적인 경쟁요인과 산업 내부의 구조, 그리고 중요한 경쟁기업의 위치를 확인하기 위해 그 산업과 경쟁기업에 대한 철저한 분석을 수행하는 단계이다.

• 2단계 | 1단계의 분석을 근거로 산업에서 작용하는 세분화의 요인을 규명하는 단계이다. 2단계에서는 이 요인의 목록이 완전하고, 해당

| | |
|---|---|
| 1단계 | • 산업구조와 경쟁기업의 입장은 어떠한가? |
| 2단계 | • 어떤 이유로 산업이 세분화되는가? |
| 3단계 | • 세분화 현상이 극복될 수 있다면 어떻게 극복될 수 있는가? |
| 4단계 | • 세분화 상태의 극복이 기업에게 유리한가? |
| | 그러한 혜택을 누리려면 기업은 어떠한 입장을 취해야 하는가? |
| 5단계 | • 세분화 현상이 불가피한 것이라면 이 현상에 대처할 수 있는 |
| | 최선의 방안은 무엇인가? |

〈표 9-2〉 세분화된 산업에서의 경쟁전략 수립을 위한 5단계

산업의 경제성에 대한 요인들의 관계가 설정되어 있어야 한다는 것이
필수적 조건이다. 세분화의 경제적 근거가 없다는 것은 이미 앞에서 언
급했듯이 중대한 의미를 갖는 결론이다.

• 3단계 | 산업 및 경쟁기업에 대한 1단계의 분석과 동일한 맥락에서
세분화 현상의 요인들을 하나씩 조사하는 단계이다. 세분화 요인 중에
서 어떤 것을 창조적 혁신이나 전략적 변화로 극복할 수 있는가? 자원의
투입이나 새로운 관점에 의한 경영만으로 모든 문제가 해결될 수 있는
가? 세분화 현상의 요인 중 어떤 것이 산업 추세에 의해 직접적 또는 간
접적으로 수정될 것인가?

• 4단계 | 이러한 질문들 중의 하나에 대한 긍정적 답변에 의해 결정
되는 단계이다. 세분화 현상이 극복될 수 있는 것이라면, 기업은 산업의
미래구조가 만족할 만한 수익을 가져다줄지의 여부를 평가해야 한다.
기업은 이 질문에 답하기 위해 일단 통합이 실현되었을 경우에 그 산업
에서 새롭게 형성될 구조적 균형을 예측하고 난 후 구조적 분석을 또다
시 적용해야 한다. 만약 통합된 산업이 만족할 만한 수익을 약속해준다
면, 산업의 통합상태를 최대한 활용함에 있어 기업이 취할 수 있는 최선

의 타당한 입장에 대해 답할 수 있어야 한다.

• 5단계 | 3단계에서 분석한 세분화 현상 극복의 가능성이 희박할 경우, 세분화된 구조에 대응하는 최선의 방안을 선택하는 단계이다. 이 단계에서는 기업이 가진 특수한 자원과 기술과의 관계에서 앞서 제시한 방안들을 비롯하여, 특정한 해당 산업에 적합하다고 생각되는 방안들을 광범위하게 고려해보는 작업이 필요하다.

이 5단계는 주기적으로 거쳐야 하는 일련의 분석과정을 제공해주는 것 외에도, 세분화된 산업을 분석하고 경쟁하는 데 절대적으로 필요한 자료에 대한 관심을 불러온다. 세분화의 요인에 대해 기술 혁신이 미치게 될 영향의 예측, 그리고 세분화의 요인을 변화시킬 수도 있는 산업 추세의 확인 등이 상황 파악과 기술적 변화에 대한 예상의 필수적 조건이 된다 하겠다.

# Chapter 10

# 신생 산업에서의 경쟁전략

 

신생 산업(emerging industries)이란 새롭게 형성되거나 재형성된 산업을 지칭한다. 그런 산업이 창출되는 원인으로는 새로운 제품 또는 서비스의 사업성을 분명히 보장해주는 기술 혁신, 상대적 원가관계에서의 변화, 새로운 수요자의 욕구, 또는 그 밖의 사회적 · 경제적 변화를 지적할 수 있다.

신생 산업은 지금도 끊임없이 성장하고 있다. 1970년대에 수많은 산업들이 새로이 등장했는데, 그중 일부는 태양열 난방, 비디오 게임, 광학 섬유, 워드프로세서(word processing), 생체 분리기, 개인용 컴퓨터, 화재경보기 등을 들 수 있다. 구산업도 앞서 말한 종류의 환경 변화가 원인이 되어서 대대적인 규모의 확장과 함께 경쟁법칙에 있어서의 근본적인 변화를 경험할 수 있으며, 전략적 시각에서 보면 이때 제기되는 문제 또한 신생 산업에서의 문제와 동일하다. 예를 들어 청량음료 산업은 오랫동안 우리 주변에 있어왔지만, 페리에(Perrier)의 부상은 근본적인 의미에서 그 산업의 성장 및 재정립을 상징하는 것이다. 그런 성장과 재정립이 있을 경우에, 해당 산업은 그 본질에 있어서 새롭게 시작되는 산업의 문제와 다름이 없는 전략적 문제에 당면하게 된다.

전략 수립의 관점에서 볼 때 신생 산업의 본질적인 특징은 게임의 법칙이 존재하지 않는다는 것이다. 신생 산업에서의 경쟁이 제기하는 문제는 기업이 실천할 수 있고, 또 실천하면 번성할 수 있는 법칙이 수립되어야 한다는 것이다. 법칙의 부재상태는 위험이자, 동시에 기회의 원천이다. 어떤 경우에든 그것은 해결되어야 하는 문제이다.

본 장에서는 1부에서 제시한 분석의 바탕 위에서 주요한 구조적 환경에서의 경쟁전략에 관한 제반 문제들을 검토할 것이다. 우선 신생 산업의 경쟁적 환경을 뚜렷이 부각시키려는 의도에서 이 산업의 구조적 특징과 경쟁기업들의 특징을 개략적으로 소개할 것이다. 다음으로 신생 산업의 발달과정에서 당면하게 되는 것으로서 그 성장을 제한하기도 하며, 경쟁기업들 사이의 우위 쟁탈에서 가장 중요하기도 한 문제들을 확인할 것이다. 그리고 신생 산업이 선보인 제품의 구매자, 구매자들 중에서도 '초기 구매자'가 될 부류를 결정하는 요인을 확인할 것이다. 이들 구매자의 확인이 경쟁전략을 수립하고 산업의 발전을 예견함에 있어 지극히 중요한 이유는 한 산업이 그 제품을 디자인하고, 생산하고, 분배하고, 판매하는 방식에 초기 구매자들의 역할이 결정적인 영향을 미치기 때문이다.

신생 산업의 환경에서 핵심이 되는 몇 가지 측면을 확인한 후에는 이 산업의 여러 기업들이 피할 수 없는 중요한 전략적 선택과 그 선택 중에서 성공을 가져다줄 수 있는 전략적 대안에 대해 생각해볼 것이다. 마지막으로는 진출 후보기업들이 낙관적인 전망을 제공해주는 신생 산업을 선택하는 데 필요한 원칙들과 함께, 신생 산업의 미래를 예견함에 있어 도움이 되는 몇 가지 분석도구가 제시될 것이다.

# 구조적 환경

신생 산업은 그 구조에 있어서 크게 상이하지만, 이 발전단계에 있는 산업들 대부분을 특징짓는 몇 가지 공통의 구조적 요소들이 있는 것 또한 사실이다. 이 산업들 대부분은 확립된 경쟁기반이 부재하거나 게임의 법칙이 부재하거나, 아니면 산업 발달의 초기에 일반적으로 그러하듯이 소규모와 참신성으로 특징지어진다.

## 공통된 구조적 특징들

• 기술적인 불확실성 | 신생 산업에서는 기술에 대한 불확실성이 일반화되어 있다. 궁극적으로 어떤 제품의 형태가 가장 훌륭한 것으로 판정될까? 어떤 생산기술이 가장 능률적인 것으로 판정될까? 예를 들면 화재경보 산업에서는 광전자식 탐지기와 이온화식 탐지기 중에서 어느 쪽이 더 큰 호평을 받게 될지 확실하게 결론이 나지 않았다. 당시로서는 2가지 모두 각각 다른 회사가 생산하고 있었다.[1] 1940년대에 TV 수상기 산업에서 여러 가지 기술방식이 서로 경쟁했듯이, 비디오 디스크의 표준 문제를 놓고도 필립스(Philips) 방식과 RCA 방식 사이에 경쟁이 일어났다. 대체적으로 생산기술의 전부가 대량소비의 기반 위에서 시험된 것은 아니지만, 여러 가지가 존재할 수 있다. 광학섬유 제조업을 일례로 들면, 이 산업에는 각각 상이한 생산업체들의 지원을 받는 적어도 5가지의 상이한 생산과정이 존재한다.

• 전략적 불확실성 | 참여 기업들에 의해 시도되고 있는 전략적 접근방법들은 매우 다양하며, 이러한 다양성은 기술적인 불확실성과 관계가 없는 것은 아니지만 그 원인은 더욱 광범위하다. 어떤 전략이 '타당한

지' 분명하게 확인되지 않았기 때문에 상이한 기업들은 제품시장의 지위 선정, 마케팅, 서비스 등에 대해 상이한 입장을 취하며 경쟁한다. 심지어는 상이한 제품형태나 상이한 생산기술에 모든 것을 거는 모험도 서슴지 않는다. 태양열 산업계를 살펴보면, 각 기업들은 부품 공급, 시장 분할, 그리고 유통경로에 대해 지극히 상이한 입장을 취한다. 이런 문제와 밀접한 관계에 있는 것으로, 신생 산업에서는 경쟁기업, 고객의 특성, 산업환경 등에 대해 기업들이 가진 정보가 빈약한 경우가 많다. 예를 들어 경쟁기업 모두를 아는 사람이 아무도 없으며, 산업 판매액과 시장점유율에 대해 신뢰할 만한 자료를 입수하기 또한 대단히 어려운 경우가 많다.

• 초기의 높은 생산원가와 대조되는 급격한 원가절감 | 일반적으로 신생 산업에서는 새로운 제품을 소규모로 생산하기 때문에, 생산원가가 앞으로 그 산업에서 현재화될 수 있는 잠재적 생산원가에 비해 높다. 학습곡선이 머지않아 평탄해질 기술의 경우조차 아주 현저한 학습곡선의 효력이 드러난다. 작업 절차와 공장 배치 등 여러 측면에서 새로운 착상이 축적됨과 동시에 급속한 개선이 실현될 수 있으며, 피고용자들의 작업 친숙도가 높아짐과 동시에 생산성이 크게 제고될 수 있다. 그리고 판매고가 늘어남에 따라 생산의 규모 및 총누적량이 크게 높아진다. 이런 현상은 일반적으로도 그러하겠지만, 최종단계보다 신생단계에서 노동집약적일 경우에 더욱 뚜렷하게 나타난다.

학습곡선의 결과 초기에는 높았던 생산원가가 급속하게 하락할 수 있다. 산업규모가 커지면서 학습으로 인한 혜택에 규모의 경제로 인한 혜택이 추가되면 원가절감은 가속도로 진행된다.

• 태동기 기업과 분리 · 신설 기업 | 한 산업의 신생 국면에서는 일반

적으로(기존 기업의 새롭게 형성된 단위들과 대조를 이루는) 신설 기업의 존재가 다른 어떤 때보다도 두드러진다. 퍼스널 컴퓨터나 태양열 같은 신생 산업에 다수의 신설 기업이 존재하며, 초기의 자동차 산업계가 다수의 신설 기업(패커드(Packard), 허드슨(Hudson), 내쉬(Nash)를 비롯한 수십 개의 기업들)으로 특징지어졌으며, 초기의 미니컴퓨터 산업 역시 예외가 아니어서 다수의 신설 기업(예를 들어 디지털 이퀴프먼트, 데이터 제너럴(Data General), 컴퓨터 오토메이션(Computer Automation))이 참여했음에 주목할 필요가 있다. 확립된 게임의 법칙이 없거나 규모의 경제가 견제요인으로 작용하지 않기 때문에 다수의 신설 기업이 신생 산업으로 진입하게 된다(이 부분에 대해서는 추후 상세한 논의가 있을 것이다).

신설 기업의 존재와 관계가 있는 것으로 다수의 분리·신설 기업들, 즉 독자적으로 새로운 기업을 창설할 목적으로 기업을 떠난 사람들이 설립한 기업의 존재가 눈에 띈다. 미니컴퓨터 산업계에서 디지털 이퀴프먼트가 다수의 분리·신설 기업(예를 들어 데이터 제너럴)을 낳았으며, 베리안 어소시에이츠(Varian Associates)와 허니웰의 경우도 마찬가지다. 그 밖에도 다수의 분리·신설 기업이 존재하는 다른 산업의 예를 얼마든지 찾아볼 수 있다. 분리·신설 현상에는 여러 가지 원인이 있을 수 있다. 첫째, 급속한 성장의 기회가 포착되는 환경에서는 동등한 참여라는 보상이 기존 회사에서 받는 봉급에 비해 훨씬 매력적으로 보일 수 있다. 둘째, 신생 산업에서는 기술과 전략이 유동적이기 때문에, 기존 회사의 피고용인들이 그 산업에 인접해 있다는 조건을 활용하면 더욱 새롭고 훌륭한 아이디어를 얻을 수 있다. 그들이 자신의 잠재적 보상을 실현하기 위해 떠나는 경우가 대부분이지만, 상급자들이 새로운 기업의 기존 투자 대부분이 무용지물이 될지도 모른다는 우려에서 새로운 아이디어를 가진 피고용인을 달갑지 않게 생각함으로써 기업의 분리·신설 현상이 일어나는 경우도 적지 않다. 에드슨 드 카스트로(Edson de Castro)를 비롯한 수 명의 디지털 이콰이프먼트 피고용인들이 큰 가능성을 가질 것으로 믿고 제안한 제품 아이디어가 받아들여지지 않자 이 회사를 떠났으며, 바로 그들이 데이터 제너럴을 창립했다는 말이 있다. 신생 산업에서는 산업 구조가 신설 기업의 진출을 막기 어렵게 되어 있기 때문에 기업 분리·신설 현상이 일반적일 수 있다.

• **최초의 구매자** | 신생 산업에서는 새롭게 소개되는 제품이나 서비스를 최초의 구매자에게 팔게 된다. 따라서 마케팅 활동은 기존 제품의 대체를 유도하거나, 구매자로 하여금 다른 것 대신에 새로운 제품 혹은 서비스를 구입하도록 하는 활동으로 나타난다. 구매자는 새로운 제품이나 서비스의 기초적인 성격과 기능에 대해 알아야 하며, 그것이 실제로 그러한 성능을 발휘하리라는 확신을 가져야 하며, 앞으로 얻게 될 혜택을 감안할 때 그것의 구입에 따르는 위험의 정도를 감당해도 결코 비합리적이지 않다는 생각을 가져야 한다. 예를 들어 태양열 난방 회사들은 주택 소유주와 주택 구매자들에게 태양열 난방으로 인한 경비절감은 현실적인 것이며, 시스템의 기능에 대해 신뢰감을 가져도 좋으며, 이 신기술을 사용하면 정부 측으로부터 반드시 조세보상을 받게 될 것이라고 설득했다(소비자를 자극하여 새로운 제품이나 서비스를 쉽게 택하도록 하는 요인들에 대해서는 추후 좀 더 상세하게 논의할 것이다).

• **단기적 시야** | 신생 산업에서는 고객 유치의 압력과 수요 충족을 위한 제품 생산의 압력이 아주 강하기 때문에, 애로 사항이나 문제들이 미래의 상황에 대한 분석의 결과에 따라서가 아니라 편의적으로 처리되는 경향이 있다. 산업 관례 또한 순전히 우연에 의해서 생기는 경우가 드물지 않다. 일례를 들면, 가격제도 설정이 필요할 때 기업의 마케팅 경영자는 예전에 몸담았던 회사에서 사용했던 이중 가격제를 주저 없이 활용할

수 있다. 동일 산업의 다른 기업들 또한 별다른 대안이 마련되지 않은 경우라면 그 방법을 그대로 모방할 가능성이 크다. 이러한 과정이 반복되면서 3장에서 논의한 '관습적 지혜'가 형성되는 것이다.

• 보조금 | 다수의 신생 산업, 특히 전혀 새로운 기술의 산업이나 사회적 관심영역에 속하는 신생 산업에서는 초기의 참여 기업들이 보조금을 지급받을 수 있다. 보조금은 정부가 지급할 수도 있고, 그 밖의 다른 단체가 지급할 수도 있다. 1980년대 초에는 태양열 산업과 화석 연료의 가스화 산업이 막대한 보조금을 지급받아 눈길을 끌었다. 보조금은 무상 원조의 형태로써 기업들에 직접 제공될 수도 있고, 조세상의 혜택이나 구매 보조금 등의 간접적인 형태로 제공될 수도 있다. 보조금 때문에 산업이 언제 번복 또는 수정될지도 모르는 정치적 결정에 의존하게 되고, 그 결과 산업에 불안상태가 크게 심화되는 경우가 빈번하다. 어떤 측면에서는 보조금이 산업 발전에 유익한 것이 분명하지만, 정부나 사회단체들이 그 산업에 깊게 개입하려 할 수도 있다. 이처럼 보조금이 순수한 축복일 수만은 없다. 하지만 대부분의 신생 산업은 초기의 난관을 극복해야 하기 때문에 보조금을 받으려고 한다. 일례로 1980년대 수경 재배업자들은 보조금을 받기 위해 적극적인 로비활동을 벌였다.

## 초기의 이동장벽

예상할 수 있겠지만, 신생단계에서의 이동장벽은 발전단계에서 이 산업을 특징짓게 될 이동장벽과 그 형태에서부터 상이한 경우가 있다. 일반적인 초기의 이동장벽으로는 다음과 같은 것들이 있다.

· 특허 기술

· 유통경로에 대한 접근성
· 합당한 가격 및 품질을 보장해주는 생산원료와 숙련된 노동 등의
  투입요소
· 기술 및 경쟁의 불확실성으로 인해 비중이 더욱 커지는 경험에 의
  한 원가절감
· 자본의 효과적인 기회비용과 그로 인해 효과적인 자본장벽이 높아
  질 위험성

8장에서 논의했듯이 이 장벽의 일부(특허 기술, 유통경로에 대한 접근성, 학습효과, 그리고 위험부담 등)는 산업의 발전과 함께 그 중요성이 약화되거나 사라지는 경향이 뚜렷하다. 예외는 있지만 상표인식은 그 상표가 소개된 지 얼마 되지 않았기 때문에, 규모의 경제는 그 산업이 지나치게 소규모라 그것을 기대할 수 없기 때문에, 그리고 자본은 오늘날의 대기업이라면 위험부담이 적은 투자에는 얼마든지 자본을 동원할 능력이 있기 때문에 모두가 초기단계에서 이동장벽의 역할을 하지 못하는 것이 일반적이다.

어떤 이유로 신생 산업에서 신설 기업들이 주종을 이루는지에 대한 답은 초기 이동장벽의 성격에서 찾을 수 있다. 초기단계의 전형적인 이동장벽은 대대적인 자원 동원의 필요성에서라기보다도, 위험을 감수하고 기술적인 측면에서 창조적이고 투입요소 공급과 유통경로에 대해 예지적인 결정을 내릴 수 있는 능력에서 생겨난다. 한 부류로 포괄될 수 있는 이동장벽은 어떤 이유로 인해 기존 기업들이 여러 가지 강점을 분명히 가지고 있음에도 불구하고 먼저 신생 산업에 뛰어들지 않고 뒤늦게야 유리한 쪽에 편승하는지 설명해준다.

기존 기업들은 일반적으로 자본에 높은 기회비용을 부과하기 때문에, 산업 발달의 초기 단계에서 반드시 거쳐야 하는 기술 및 제품상의 모험

을 감수하려 하지 않는 경향이 있다. 예를 들어 완구회사들은 고객에 대한 지식, 상표인식, 유통 등 몇 가지 측면에서 분명히 유리한 입장에 놓여 있음에도 불구하고 비교적 늦게 비디오 게임 산업에 뛰어들었다. 이는 완구회사들이 지나치게 빠른 기술 변화를 위협적으로 받아들인 것으로 보인다.

그 밖에도 전통적인 진공관 제조업체들이 뒤늦게 반도체 분야에 참여했으며, 전자식 커피추출기 제조업체들이 자동식 드립커피 제조기 부문에서 미스터 커피(Mr. Coffee) 같은 신참 기업에 참패를 당했다(뒤늦은 참여에도 몇 가지 이점이 있지만, 이에 대해서는 추후 논의하기로 한다).

# 산업 발전을 가로막는 문제들

신생 산업은 일반적으로 성장과정에서 여러 가지 한계나 문제점들에 봉착하게 된다. 이러한 한계와 문제점은 해당 산업의 참신성에서, 그 산업이 성장을 위해 외부의 경제적 실체들에 의존할 수밖에 없다는 사실에서, 그리고 소비자의 상품대체 선호를 자체 생산물 쪽으로 유도해야 하는 필요성에서 파생되는 발전의 외부 지향성에서 기인한다.

• **원료 및 부품 획득의 불가능** | 하나의 신생 산업이 발전하려면 그 산업의 욕구를 충족시키기 위해 새로운 공급자들이 생겨나거나, 기존의 공급자들이 생산을 증대시키고 원료와 부품을 양산할 필요가 있다. 그 과정에서 원료 및 부품의 심각한 부족 현상이 빈번하게 일어난다. 예를 들어, 1960년대 중반에는 칼라 영상튜브의 품귀 현상으로 인해 참여 기업들이 전략적으로 큰 타격을 입었다. 비디오 게임 칩, 특히 제너럴 인스트루먼츠에 의해 개발된 단일 칩 게임의 칩이 아주 귀해, 신참 기업들

은 그 칩이 소개된 지 일 년이 넘도록 그것을 구하지 못했다.

• **원료 가격의 폭등기** | 신생 산업의 초기단계에서는 수요 확대와 불충분한 공급 때문에 핵심이 되는 생산원료들의 가격이 폭등하는 경우가 자주 있다. 이런 상황의 원인은 단순한 수요·공급의 경제에서 찾을 수도 있고, 공급자들이 자신들의 생산물이 가지는 가치를 새삼스럽게 깨달았기 때문일 수도 있다. 그러나 공급자들의 수가 늘어남에 따라(혹은 산업 참여 기업들이 함께 병목 현상을 타개해나감에 따라) 원료의 가격은 올라갈 때와 마찬가지로 급격하게 하락할 수 있다. 원료의 공급자들이 쉽게 확대될 수 없을 때는 가격 하락이 일어나지는 않을 것이다.

• **하부구조의 결여** | 신생 산업은 충분한 하부구조가 존재하지 않음으로 인해 생기는 원료 공급의 어려움에 당면하기 쉽다. 하부구조로는 유통경로, 서비스 시설, 훈련된 인력, 보조 생산물 등이 있다.

• **제품 또는 기술에 관한 표준화 결여** | 제품 또는 기술적인 표준화를 합의할 수 없기 때문에 원료나 보조 생산물 공급에서의 제반 문제들이 더욱 심각해지며, 따라서 가격 개선은 이루어지지 않는다. 이러한 합의의 결여는 일반적으로 신생 산업이 제품 및 기술적으로 심한 불확실성에 의해 지배당하고 있기 때문에 생기는 현상이다.

• **진부화의 가능성에 대한 인식** | 만약 구매자들이 제2, 제3의 기술 혁신으로 인해 현재 생산되고 있는 제품이 머지않아 사라질 것임을 인식하고 있다면, 신종 산업의 발전이 심하게 저해될 것이며, 구매자들은 기술 발달과 원가절감의 속도가 둔화되기를 기다릴 것이다. 디지털 시계와 전자계산기 같은 산업에서 이 같은 현상이 발생했다.

• 고객에 대한 혼란 | 신생 산업이 고객의 혼란에 당면하는 경우 또한 빈번하다. 이러한 혼란의 원인으로는 제품 접근방법의 다양성, 기술의 다양성, 그리고 경쟁기업들의 상호 대립되는 주장을 지적할 수 있다. 이 원인들은 모두가 기술적인 불확실성과 그 결과인 표준화 및 전반적인 기술적 합의의 결여를 반영하는 것이다. 이러한 혼란은 새로운 구매자들이 구매에 따라 감지하는 위험의 정도를 높임으로써 판매활동에 지역적인 요인으로 작용할 수 있다. 예를 들어, 이온화 화재경보기 제조업자와 광전자 화재경보기 제조업자의 상반되는 주장으로 인해 구매자들이 결정을 미루고 있음을 일부 시장 관측자들에 의해 목격된다. 다음의 기사에서 태양열 난방 산업도 1979년에 비슷한 문제에 당면하고 있었음을 뚜렷이 알 수 있다.

〔……〕 그러나 이 산업계의 순조로운 미래 발전을 위해 해결해야 하는 또 하나의 중요한 문제가 있다면, 그것은 과연 이 산업계가 장비 성능을 고객의 기대수준에 맞추는 데 어느 정도까지 성공할 수 있을지 하는 것이다. '지나친 열광, 무지, 그리고 이기적 욕망으로 인해 거대한 에너지 자원 하나를 미국의 요구에 따라 실용화하려는 노력이 위기에 봉착해 있다' 는 것을 덴버(Denver) 태양열 회의에서 로프(Loff)가 지적했다. 로프는 조세혜택의 부재가 이 산업계를 불안하게 만드는 주된 원인임을 강조하면서도, '무식한 태양열 예찬론자들, 태양열 난방시스템의 문제점과 결함 그리고 〔……〕 공급자들의 무책임한 주장' [2]에 대한 비판을 잊지 않았다. 〔……〕

• 불량품 | 신종 산업에서는 신설된 기업들이 대부분이고, 제품 및 기술이 표준화되어 있지 않고, 기술이 안정되어 있지 않기 때문에 제품의 질이 일정하지 않은 경우가 많다. 한두 기업에서 불량품을 생산하기만

해도 전산업계의 이미지와 신뢰도는 치명적인 타격을 받게 된다. 실제로 TV 영상 튜브의 파열 같은 비디오 게임기의 결함이 초기의 급속한 성장에 찬물을 끼얹었던 적이 있었으며, 디지털 시계 역시 불량품 때문에 고객의 의심을 받았던 적이 있다.

• **금융업계에 대한 이미지와 신용도** | 새로운 산업인 데다, 불확실성의 정도가 높고, 고객의 혼란이 심하고, 제품의 질이 일정하지 않기 때문에 금융업계에 있어서 신생 산업의 이미지와 신용도는 좋지 않을 수 있다. 그 결과 재정지원을 적은 대가로 확보할 수 있는 기업들의 능력은 물론이고, 고객 측의 신용획득 능력까지도 제한을 받게 된다. 신생 산업에서 재정상의 어려움은 지극히 일반적인 상황이지만, 고기술 사업이나 아이디어 회사를 중심으로 하는 일부 산업들에서는 예외가 있을 수도 있다. 미니컴퓨터와 데이터 전송 같은 산업 분야에서는 신설 기업들까지 월스트리트에서 총아로 부상하면서 값싼 자금을 충분히 동원할 수 있었다.[3]

• **법적 승인** | 신생 산업이 현재 법의 제재로 인해 다른 방법으로 충족하고 있는 욕구에 대해 새로운 해결방법을 제시할 수도 있다. 이 경우에 해당 통제기관의 승인을 받으려면 번거로운 수속과 오랜 시간이 지연되는 과정을 견뎌야 할 필요가 있다. 예를 들면 조립식 주택 산업이 까다로운 건축법 때문에 심한 타격을 받은 적이 있으며, 새로운 의학제품은 오랜 확인실험 기간을 거치지 않으면 실용화될 수 없다. 그러나 정부의 정책에 힘입어 신생 산업이 하루아침에 유명해질 수도 있다. 화재경보기 산업이 이 경우에 속한다.

신생 산업은 원래는 법적 통제권 밖에 있었지만, 갑자기 통제법이 제정되는 바람에 그 산업의 발달이 저지되는 경우도 생겨났다. 예를 들어 미네랄워터 산업은 1970년대 중반까지만 해도 단속 대상이 아니었기 때문에 급속하게 성장할 수 있었다. 그러나 상당한 규모로 성장한 후에는, 미네랄워터 생산업자들도 상표 및 건강에 관한 법의 통제를 받게 되었다.[4] 동일한 현상이 자전거 및 체인 톱의 경우에서도 발생했다. 성장 붐을 타고 산업규모가 확대되면서 단속기관의 시선을 끌게 된 것이다.

• 높은 생산원가 | 이상의 여러 가지 구조적 조건들로 인해 신생 산업에서는 소속 기업들이 예상했던 단위당 생산원가보다 훨씬 높은 단위당 생산원가를 강요당하는 경우가 자주 발생한다. 이런 경우에는 어쩔 수 없이 기업들이 원가보다 낮은 가격을 책정하거나, 산업 발전을 엄격하게 제한하게 된다. 이와 같은 문제는 원가-판매량 사이클(주기)을 가동시킨다.

• 위협받는 경제적 실체의 반응 | 신생 산업의 등장에 위협을 느끼는 경제적 실체는 언제나 있게 마련이다. 그것은 대체상품을 생산하는 산업일 수도 있고, 노동조합일 수도 있고, 종래의 제품을 거래할 때의 안정성을 더욱 선호하는 유통경로일 수도 있다. 건설조합이 조립식 주택 산업에 대해 거센 반발을 한 경우를 예로 들 수 있다.

위협받는 실체가 신생 산업에 대해 반발하는 방법에는 여러 가지가 있다. 법적·정치적 대결이나 집단협상의 테이블이 한 방법일 수 있다. 대체상품에 의해 위협받는 산업의 경우, 가격을 낮춤으로써(또는 마케팅 경비와 같은 비용을 높임으로써) 이윤을 표기하는 형태를 취할 수도 있고, 연구개발 투자를 함으로써 위협받는 제품이나 서비스의 경쟁력을 좀 더 가능하게 만들 수도 있다. 〈그림 10-1〉은 후자의 선택을 설명해주는 경우이다.[5] 위협받는 산업이 원가를 절감하기 위해 투자하는 쪽을 택할 경우에, 신생 산업에서의 학습 및 규모와 관련된 원가절감은 움직이는 표적

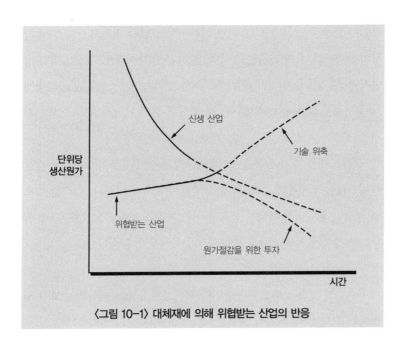

〈그림 10-1〉 대체재에 의해 위협받는 산업의 반응

을 겨냥할 수밖에 없다.

위협받는 산업에서는 가격 책정에 있어 이윤을 무시하거나, 판매량을 유지하기 위해 원가절감에 공격적으로 투자하는 경향이 있으며, 이러한 경향은 위협받는 산업 측에서 보면 철수장벽의 직접적인 작용이 될 수 있다(1장과 12장 참조). 이 철수장벽이 전문성을 띤 자산, 높이 인식된 전략적 중요성, 연대적 감정 혹은 그 밖의 어떤 원인들로 인해 아주 높을 경우에 신생 산업은 그것의 성장을 저지하려는 기존 산업의 단호하고 결사적이기까지 한 노력에 당면하게 될 것이다.

## 초기 및 후기의 시장들[6]

신생 산업에서 전략을 수립하는 데 가장 중요한 문제 중 하나는, 신생 산업이 제품을 만들었을 때 어떤 제품시장이 먼저 열리고 어떤 제품시장이 늦게 열릴지 평가하는 것이다. 흔히 초기의 시장이 한 산업의 발전 방식에 큰 영향을 미치기 때문에 그러한 평가는 제품 개발 및 마케팅에서 중시해야 할 측면을 찾아내는 데 중요할 뿐만 아니라, 구조적 변천과정을 예측하는 데도 반드시 필요하다.

시장들, 시장의 각 부분들, 그리고 심지어는 한 부분 내에서도 특정한 구매자들이 신제품에 대해 크게 상이한 수요를 보여준다. 이러한 수요를 결정함에 있어서 지극히 중요한 여러 가지 요인들이 있으며, 그중 일부는 신생 산업의 기업들도 변화시키거나 극복할 수 있다.[7]

• 수익의 성격 | 새로운 상품이나 서비스에 대한 구매자의 수요를 결정하는 요인 중에서 가장 중요한 것으로 기대수익의 성격을 지적할 수 있다. 기대수익에는 성능이 우수한 신제품에서만 얻을 수 있고 다른 제품을 통해서는 성취가 불가능한 성능상의 이득, 그리고 다른 특성은 없는 신제품이지만 값이 싸기 때문에 얻을 수 있는 비용절감의 이득에 이르기까지 여러 가지가 있을 수 있다. 이 두 극단의 사이에서 성능의 강점이 있기는 하지만, 더 높은 비용이라면 다른 수단을 통해 동일한 성능을 대체시킬 수 있는 경우를 생각해볼 수 있다.

신제품의 성능이 우수하다는 것 외에 다른 조건들은 동일하며, 신제품을 최초로 구입한 시장은 보통 신제품에서 그런 장점을 발견한 시장이다. 구매자들이 신생 산업의 생경함, 불확실성 그리고 흔히 경험하게 되는 불안정한 성능과 접하게 될 때, 비용상의 이득은 어느 정도 얻을 수 있다 해도 그것을 무시하는 경우가 자주 있기 때문이다. 그러나 신제품으로부터 얻는 수익이 비용절감의 이득이건 성능상의 이득이건 관계없이, 구매자의 수용도는 신제품에서 얻는 수익의 다른 측면에 의해 결정될 수도 있다.

− 성능의 이점

· 특정 구매자가 신제품의 우수한 성능을 통해 얼마나 큰 이득을 볼 수 있는가? 구매자들이 이러한 측면에서 상이할 수밖에 없는 것은 그들이 당면한 상황이 다르기 때문이다.

· 그러한 이득에 대한 가능성은 얼마나 뚜렷한가?

· 신제품이 제시하는 차원을 따라 개선을 꾀하고 싶은 구매자의 욕구는 얼마나 절실한가?

· 성능이 우수한 신제품으로 구매자에 대한 기업의 경쟁적 위치를 얼마나 강화할 수 있는가?

· 경쟁의 압력은 교체를 강화할 만큼 강한가? 구매기업이 위협과 맞서는 데 도움을 주거나, 그 성격이 방어적인 성능의 장점은 일반적으로 공격적인 기반에서 경쟁력을 향상시킬 수 있는 기회를 제공해주는 장점보다도 채택 욕구를 강하게 자극한다.

· 보강된 성능이 더 높은 비용을 발생시킨다면, 구매자는 가격과 비용에 얼마나 민감한가?


− 비용절감의 이득

· 특정 구매자에게 얼마나 큰 비용절감의 이득을 가져다줄 수 있는가?

· 그러한 이득이 얼마나 확실한가?

· 경비를 절감시킴으로써 지속적인 경쟁상의 우위에 있을 수 있는가?

· 교체에 대한 경쟁의 압력은 얼마나 강력한가?

· 구매 후보자의 기업전략이 얼마나 원가 지향적인가?


어떤 경우에는 구매자들이 규제 명령에 의해 강요당해(또는 보험가입 자격을 취득하려고 보험회사의 규정에 따르는 경우와 같이, 다른 경제 주체들의 규정에 의해 강요당해) 특정 기능을 하는 신제품을 구입하게 된다. 그런 경우에는 구매자들이 보통 기술적 요구조건은 충족시켜주면서 경비는 가장 적게 발생하는 방안을 강구하게 마련이다.

• **중요한 수익을 창출하는 데 요구되는 기술상태** ┃ 구매자들이 신제품의 채택을 일찍 결정하도록 하는 데 핵심이 되는 요인이 또 하나 있다면, 그것은 제품이 갖추어야 할 기술적인 성능이다. 어떤 구매자는 덜 발달된 상태의 신제품에서조차 중요한 편익을 찾아내겠지만, 다른 구매자들은 좀 더 발달된 제품을 원할 것이다. 예를 들어, 실험실의 과학자들은 비교적 경비가 많이 들면서도 스피드는 떨어지는 미니컴퓨터로 자료처리 문제를 해결하고는 만족해했다. 당시로서는 다른 대안이 존재하지 않았으니 그럴 수밖에 없었는지도 모른다. 이와는 대조적으로 회계와 통계 업무에 종사하는 사람들은 경비가 적게 들면서도 좀 더 정교한 미니컴퓨터를 원했으며, 후에 이러한 요구를 충족시켜주는 컴퓨터가 등장했다.

• **제품 실패의 대가** ┃ 제품 실패의 대가가 상대적으로 높은 구매자는 위험부담이 낮은 구매자들보다 신제품을 채택하는 데 늦는 경향이 있다. 신제품을 통합한 체제의 일부로 편입시켜 사용하게 되는 구매자의 경우와, 그 제품의 서비스가 중단될 때 아주 높은 벌과금을 내야 하는 구매자의 경우에는 일반적으로 아주 비싼 실패의 대가를 치르게 된다. 그 밖에도 실패의 대가는 구매자의 재력에 의해서도 결정된다. 예를 들어 새로 구입한 자동차가 작동하지 않거나 기대했던 수익을 제공해주지 않을 때, 그것을 구입함으로써 다른 오락 제품의 구입 가능성을 크게 제약받았던 사람이 부유한 사람의 경우보다 속상해하는 정도가 훨씬 심할 것이다.

• **도입 및 교체 비용** | 신제품을 도입하거나 기존 제품을 신제품으로 교체하는 데 드는 비용은 각각의 구매자들에 따라 다르다. 이 비용은 1장과 6장에서 논의한 전환비용과 유사한 것으로서, 다음과 같은 것들이 있다.

· 피고용자 재교육 비용
· 새로운 보조장비 구입비용
· 기존 기술의 미상각 투자로 인한 결손비용
· 교체를 위해 소요되는 자본
· 교체를 위한 기술공학 비용이나 연구개발 비용

교체비용이 아주 미묘한 형태를 띠고 나타날 수도 있다. 예를 들어 공공기관으로부터 가스를 구입하는 대신에 석탄 기화의 신기술을 채택할 경우, 구매자는 가스의 화학성분 변화에 대처해야 한다. 일부 구매자들의 경우에는, 이로 인해 하향유동식 제조과정에서 가스의 기능에 변화가 생길 수도 있으므로 그 과정의 개조에 투자를 해야 할 필요가 있다.

교체비용은 교체의 속도가 임의적일 때 그 속도에 의해, 그리고 다음과 같은 요인들에 의해 영향 받기 쉽다.

· 신제품이 새로운 성능을 제공하는가, 아니면 기존 제품의 성능을 대신하는가? 기존 제품의 성능을 대신할 경우에는 흔히 재교육 투자비용과 미상각 투자비용 등이 추가된다.
· 재설계 주기의 길이: 일반적으로 대체를 위해 계획에 없는 재설계를 하는 것보다는, 정상적인 재설계 기간 동안에 신제품으로 대체하는 것이 더 쉬울 것이다.

• 유지 서비스 | 교체비용과 밀접한 관계가 있으면서 채택의 시기에 영향을 미치는 또 하나의 요인으로는, 구매자가 신제품을 채택하고 나서 당면하게 되는 유지 서비스의 요구가 있다(설치, 보수 등의 요구). 실례로 신제품이 숙련된 운전자나 서비스 기술자를 요구한다면, 그 제품은 우선적으로 그러한 인적 자원을 이미 확보하고 있거나 그것을 다루어본 경험이 있는 구매자에 의해 채택될 가능성이 크다.

• 진부화에 따른 비용 | 신생 산업에서 기술 발달의 세대들이 연속되는 과정에서 과거의 제품에 대해 진부함을 느끼는 정도는 소비자마다 상이하다. 실제 필요로 하는 모든 혜택을 최초의 기술 세대에서 얻을 수 있는 구매자가 있는가 하면, 경쟁력을 유지하기 위해서 신제품의 후속 세대에 대한 획득을 강요받는 구매자도 있다. 교체비용에 따라서 후자는 초기에 구매할 의사를 가질 수도 있고, 그렇지 않을 수도 있다.

• 비대칭적 정부규제 장벽 또는 노동장벽 | 신제품을 채택함에 있어 규제장벽의 높이는 구매자에 따라서 상이할 수 있다. 예를 들면 식품 및 의약품 제조업자의 경우에는 제조과정에서의 모든 변화를 면밀하게 감시당하는 반면에, 여타 산업들 대부분의 경우에는 기업이 제조과정을 자유롭게 바꿀 수 있다. 동일한 비대칭적 현상은 노동협정에 의해 생기는 태만감에 의해서도 확인된다.

• 교체를 위한 자원 | 자본과 공학기술, 그리고 연구개발 인력 등 신제품으로 교체하는 데 이용할 수 있는 자원이라는 점에서도 구매자들은 상이하게 마련이다.

• 기술 변화에 대한 태도 | 구매자들은 기술 변화를 경험하고 받아들

이는 태도에서도 상이할 수 있다. 급속한 기술 발전에 의해 특징지어지고 높은 수준의 기술 정밀도를 요구하는 산업은, 낮은 기술수준에서 안정상태를 유지하고 있는 산업보다 신제품이 훨씬 덜 위협적일 수 있다. 이러한 요인과 관련해서 기술 변화를 살펴보면, 어떤 산업에서는 그것이 전략적 위치를 강화할 수 있는 기회로서 환영받는 반면에, 또 다른 산업에서는 그것이 언제나 일종의 위협으로 간주된다. 여타의 조건들이 동일하다면, 전자의 산업이 후자의 산업보다 먼저 신제품의 구매자가 될 확률이 높다.

• 의사 결정자의 개인적인 위험부담 | 신제품 채택의 결정이 타당하지 못했음이 가까운 미래에 드러나 책임 있는 의사 결정자가 심각한 위기에 봉착하게 될 것으로 판단되는 경우에는, 신제품을 채택하는 구매자의 태도가 지극히 신중할 수밖에 없다. 이러한 개인적인 위험부담은 구매자 측의 소유관계나 권력구조에 따라 크게 다를 수 있다.

## 전략적 선택

신생 산업에서 전략을 수립하려면 산업 발전의 단계에서 당면하게 되는 불안정과 위험부담이라는 문제의 해결을 고려하지 않을 수 없다. 경쟁적 게임의 규칙들이 확정되지 않고 산업의 구조가 안정되어 있지 않기 때문에, 변화의 가능성이 크고 경쟁기업들 또한 진단하기 쉽지 않다. 이러한 요인들은 또 다른 측면을 가진다. 즉 산업 발달에서 이러한 단계는 전략적 자유의 폭이 가장 클 때이고, 훌륭한 전략적 선택이 훌륭한 성과로 나타날 수 있는 가능성 또한 가장 클 때이다.

• **산업구조의 형성** | 신생 산업에서 최대의 전략적 문제는 산업구조를 형태 지을 수 있는 기업의 능력이다. 기업은 자체의 선택을 통해 생산정책, 시장 접근, 가격전략과 같은 영역에서 게임의 법칙을 수립하고자 노력한다. 기업은 산업의 기초경제와 그것의 자원에 의해 설정된 한계 내에서, 장기적으로 볼 때 자사에 가장 유리한 위치를 보장해주는 쪽으로 산업의 게임규칙을 규정하려고 노력해야 한다.

• **산업 발전의 외적 요인** | 신생 산업에서 전략의 핵심적인 문제는 기업이 산업의 번창과 협소한 자체 이익의 추구 사이에서 균형을 취하는 것이다. 미약한 산업의 이미지와 신뢰성, 그리고 구매자의 혼란 등 제반 문제들이 잠재되어 있음으로 인해 신생단계에 위치한 기업은 자체의 성공을 위해서라도 부분적으로 그 산업의 다른 기업들과 제휴하지 않을 수 없다.

그 산업에서의 급선무는 대체를 유도하고 최초의 구매자들을 유인하는 것이다. 그리고 일반적으로 이 단계에서는 표준화를 촉진하고, 표준 이하로의 품질 하락과 무책임한 생산업자를 단속하며, 공급자와 소비자 그리고 정부와 금융업계에 대해 신뢰성 있는 태도를 유지하는 것이 기업에 이익이 된다. 경쟁기업들에 대한 비방전략을 회피하는 것이 유익하듯이, 산업 내 기업들 간의 회담이나 협회가 유익한 도구가 될 수 있다.

예를 들어 1970년 이후 성장을 거듭해온 병원경영 산업의 경우에는 참여 기업들 모두가 그 산업이 가지는 전문성의 이미지와 임대자들에 대한 신뢰감에 크게 의존하고 있다. 실제로 이 산업 내의 기업들은 소득 산업과 나아가서는 경쟁기업들의 성과를 높이려고 노력해왔다.

신생단계에서는 이러한 산업 협력이 필요하기 때문에 산업 발전의 저해를 초래하면서까지 자체의 시장 위치만을 추구하는 데 열중하고 있는 기업들이 내적 모순에 부딪히게 되는 경우가 많다. 보수를 용이하게 하고 고객의 신뢰도를 높이는 데 제품의 표준화가 필요함에도 불구하고 기업이 이를 거부하기도 한다. 그 이유는 특이성을 유지하거나 자체의 특수한 제품형태가 표준으로 채택되는 데서 기업이 자체의 이익을 얻기 때문이다. 이러한 접근방법이 장기적으로 최선인지 결정해주는 좋은 판단기준이 하나 있다. 화재경보기 산업을 예로 들어보면 일부 기업이 다른 기업들에 타격을 줄 수 있는 산업표준을 주창했으며, 동시에 어떤 종류의 경보기가 가장 우수한지에 대해 구매자의 혼란이 계속되고 있다. 문제는 그런 혼란이 미래의 산업 성장에 심각한 장애가 될 만큼 그 산업이 충분히 발전했느냐 하는 것이다.

해당 산업이 괄목할 만한 성장을 이룩하기 시작함에 따라 산업 중점적 견해와 기업 중점적 견해 사이의 균형이 기업 중점적인 쪽으로 기울어야 한다는 것이 타당한 일반론일지도 모른다. 산업 대변자로 뚜렷한 두각을 나타내면서 스스로는 물론 산업계 전반에 이익을 가져다주었던 일부 기업들이, 방향 수정을 해야 한다는 사실을 인식하지 못하는 경우가 가끔 있다. 그 결과 소속 산업의 성숙과 함께 이 기업들이 낙오하게 될 수도 있다.

산업 발달의 외적 요인들이 가지는 또 하나의 의미는, 한 기업이 궁극적으로는 추구하고 싶지 않은 전략으로써 초기의 경쟁에 임할 수밖에 없으며, 장기적 계획으로는 포기해야만 하는 시장 분야에 참여할 수밖에 없을지도 모른다는 가능성이 지적된다.

이러한 '한시적' 조치가 산업을 발전시키는 데에는 필요할지 모르지만, 일단 그 산업이 발전하면 기업은 최선이라고 생각되는 입장을 자유롭게 취하게 된다. 코닝 글래스 워크(Corning Glass Works)를 일례로 들어보면, 이 기업은 장기적으로는 화이버와 전선의 공급업체가 되기를 원했지만, 연결자와 첨접기술 그리고 섬유광학 제품의 생산료인 경물질에 대한 연구에 투자할 수밖에 없었다. 그 이유는 이용 가능한 장비 및 기술의 질이 조악하여 섬유광학 전체의 발전이 지연되었기 때문이다. 장기적으로 볼 때 이상적인 입장을 벗어난 이러한 투자는 개척비용의 일부가 된다.

• 공급 산업과 유통 산업의 역할 변화 | 전략적으로 신생 산업의 기업은 그 산업의 규모가 확대되고 위치가 확고해짐에 따라 발생 가능한 공급업체와 유통경로에서의 방향 전환에 대비해야 한다. 공급업체들은 다양성, 서비스 물품 인도 등의 차원에서 산업의 요구에 기꺼이 응하게 되거나 응하지 않게 될 수 있다. 마찬가지로 유통기업들도 시설 및 광고 등에 더욱 과감한 투자를 해야 할 수 있다. 이러한 방향 전환을 일찍 감지해 이용할 경우, 기업은 전략적으로 유리한 위치에 설 수 있다.

• 이동장벽의 변천 | 본 장의 앞에서 소개했듯이, 신생 산업의 규모가 확대되고 기술이 성숙해짐에 따라 초기의 이동장벽은 급속하게 낮아지거나, 때로 전혀 상이한 것들로 대체될 수도 있다. 이러한 요인은 여러 가지 의미를 가진다. 가장 뚜렷한 의미로는, 기업이 스스로의 위치를 방어할 수 있는 새로운 방법을 발견하겠다는 결의를 굳게 가져야 한다는 사실을 지적할 수 있다. 즉 기업은 과거에 성공을 가져다주었던 특허기술이나 독특한 형태의 제품 등에만 의존하려는 태도를 지양해야 한다. 이동장벽의 변천에 대응하려면 초기 국면에서 필요로 했던 것보다 훨씬 큰 규모의 자본을 투입해야 할지도 모른다.

또 다른 의미로는 산업의 규모가 커지고 덜 위험해졌으며, 경쟁의 규모나 시장 적중과 같이 새로운 형태의 이동장벽을 근거로 하여 진행될 경우, 그 산업에 진출하는 기업들의 성격이 좀 더 확고한 기존 기업 쪽으로 바뀔 수도 있음을 말할 수 있다. 신생 산업의 기업은 현재와 미래의 장벽을, 즉 여러 가지 형태의 기업들이 그 산업에 대해 느끼게 될 매력의 정도와 함께 이동장벽을 크지 않은 대가로 넘어설 수 있는 기업들의 능력을 평가한 후, 이러한 평가를 근거로 삼아서 진출할 가능성이 있는 기업들의 성격을 예상해야 한다.

또 다른 의미로는 산업규모가 확대되고 기술이 성숙됨에 따라 소비자와 공급자가 그 산업으로 편승될지도 모른다는 사실을 지적할 수 있다. 이런 현상이 에어로졸 포장, 장난감 자동차, 전자계산기와 같은 산업에서 발생했다. 기업은 통합이 이루어질 경우에 공급과 시장을 안전하게 하여, 경쟁의 방법을 통해 통합의 움직임을 정지시킬 각오가 되어 있어야 한다.

## 시기적절한 진입

신생 산업이 기존 기업과 경쟁하는 데 결정적으로 중요한 전략적 선택은 진입의 적절한 시기이다. 조기 진입(또는 개척)은 높은 위험 부담률이 따르지만, 이 위험은 피할 수 있고 진입장벽이 낮은 경우에는 큰 보상을 기대할 수 있다. 조기 진입은 다음의 일반적인 조건이 충족될 때 적절하다.

· 기업의 이미지와 명성이 구매자에게 중요하며, 해당 기업에는 개척자가 됨으로써 명성을 높일 수 있는 능력이 있다.
· 학습곡선이 중요하고 경험은 모방하기 쉽지 않으며, 경험이 기술 세대의 연속에도 불구하고 무효화되지 않을 것으로 예상되는 산업의 경우에 조기 진입으로 학습과정을 주도할 수 있다.
· 소비자의 애착도가 높기 때문에 그로 인한 혜택이 소비자에게 최초로 판매하는 기업에 돌아갈 것이다.

· 원료 공급선과 유통경로의 조기 확보를 통해 절대적인 원가절감의 이익을 획득할 수 있다.

다음과 같은 경우에는 조기 진입이 특히 위험하다고 하겠다.

· 초기의 경쟁과 시장 분할이 산업 발달의 후기단계에서 중요하게 될 것으로 예상되는 근거와 전혀 상이한 근거 위에서 진행된다.
· 소비자 교육, 법적 인가, 기술 개척 등을 포함하는 시장 개척의 비용이 아주 크지만, 시장 개척의 이익은 그 기업이 독점할 수 없다.
· 신설된 소기업들과의 초기 경쟁에도 비싼 대가가 요구되지만, 이 기업이 후에는 좀 더 막강한 기업으로 대치되면서 경쟁이 더욱 과열될 것으로 예상된다.
· 기술 변화로 인해 초기의 투자는 낡은 것이 되는 반면에, 나중에 진입하는 기업은 최신 제품 및 과정의 유리함을 누리게 될 것으로 예상된다.

### 전략적 조치

신생 산업의 발전을 제약하는 여러 문제의 해결에는 기업의 전술적 위치를 강화시켜줄 수 있는 몇 가지 전략적 조치가 필요하다.

· 원료 공급선과의 조기 접촉은 품절기에 유리한 변수로 작용할 것이다.
· 자금 조달이 실제의 필요를 앞서는 경우라 해도 월스트리트가 해당 산업에 호감을 가진다면, 이러한 호감을 십분 활용하면서 자금 조달의 계획표를 작성할 수 있다. 이런 조치를 통해 기업은 자금비용을 낮출 수 있다.

# 경쟁기업들과의 대결

신생 산업에서 경쟁기업들의 대결은 특히 선도적 역할을 해왔거나 높은 시장점유율을 누렸던 기업의 경우 더욱 어려울 것이다. 신참 기업 또는 분리·신설 기업의 증식이 너무 많아져 기업은 앞서 설명한 외적 요인, 즉 기업으로 하여금 산업 발전을 위해 부분적으로나마 경쟁기업들과 제휴하지 않을 수 없도록 하는 요인에 부딪히게 된다.

신생 산업에서의 공통적인 문제는 선도기업이 높은 시장점유율을 방어하고, 장기적으로 보면 강력한 경쟁세력이 될 가능성이 희박한 경쟁기업의 도전에 대응하는 데 지나치게 많은 자원을 투입하게 될 수 있다는 사실이다. 이는 어떤 면에서는 감정적 반응일 수 있다. 때로는 신생단계에서 경쟁기업에 맹렬한 공격을 가하는 것도 필요할지 모르겠지만, 자체의 힘을 키우고 산업을 발전시키는 데 최선의 노력을 기울이는 것이 더욱 바람직하다 하겠다. 심지어는 특정한 경쟁기업이 특허권 취득 등의 방법을 통해 진입하도록 격려하는 것이 타당할 수도 있다. 신생단계의 제반 특징을 감안할 때, 다른 기업들이 공격적으로 동일 산업의 제품을 판매하고 기술 개발에 협력하는 것이 해당 산업에 이익인 경우도 적지 않을 것이다.

그 밖에도 이미 높은 시장점유율을 확보하고 있는 기업이라면 산업이 성숙해짐에 따라서 막강한 대기업이 진입하도록 하는 것보다는 이미 익히 알려진 기업들과의 경쟁을 원할 수도 있다. 타당한 전략에 대해 일반론을 주장하는 것은 쉬운 일이 아니다. 그러나 비록 초기에는 한 기업이 독점에 가까운 큰 시장점유율을 누렸다 하더라도, 소속 산업이 급속하게 성장하기 시작하면 그처럼 높은 시장점유율의 유지가 가능하지도 않을 뿐더러 이익이 되지 않는 경우도 많다.

# 예측에 사용되는 기법

신생 산업의 현저한 특징은 어떤 변화가 반드시 일어나리라는 확실성과 정반대되는 불확실성이 상존한다는 것이다. 산업의 구조가 어떻게 변화될지에 대한 명시적·암시적 예측 없이는 전략을 수립할 수 없는데, 불행하게도 신생 산업에서의 그러한 예상에 관여하는 변수는 엄청나게 많다. 그 결과 예상 과정의 복잡성을 축소할 수 있는 방법이 보다 유용해진다.

'시나리오'의 구상은 신생 산업에서 특히 유익하다. 시나리오란 앞으로 업계가 어떤 형태를 취하게 될지에 세분화되어 있지만 내적으로는 일관성을 가진 견해이며, 이 견해는 발생 가능한 결과에 있음직한 영역을 포괄하도록 선택되어야 한다. 시나리오는 〈그림 10-2〉에서 제시하고 있는 것과 같이 시나리오를 이용하여 신생 산업의 미래를 예측할 수 있다. 예측의 출발점은 원가, 제품형태, 그리고 성능 등에 착안하여 제품 및 기술의 발전 가능성을 평가하는 것이다. 분석가는 가능한 결과의 영역을 포괄하는 제품, 기술, 시나리오 중에서 몇 가지 내적 일관성을 가지는 것들을 선택해야 한다. 그리고 시나리오 각각에서 어떤 시장이 열리고 시장의 규모와 특징은 어떠할지에 대한 시나리오를 또다시 작성해야 한다. 여기에서 최초의 피드백 체인이 생겨나는 이유는, 처음 열리는 시장의 성격이 제품 및 기술의 발전과정을 결정지을 수 있기 때문이다. 분석가는 이러한 상호작용을 반복하는 방법으로 시나리오를 구성하려고 노력해야 한다.

다음 단계는 제품, 기술, 시장 시나리오 각각에 대한 경쟁의 의미를 타진한 후에 상이한 경쟁기업들의 성공 가능성을 예측해보는 것이다. 이 과정에는 당연히 새로운 기업의 진입에 대한 예상이 수반되어야 한다. 그리고 이 과정을 완성하는 데에는 계속적인 피드백이 있어야 하는

344

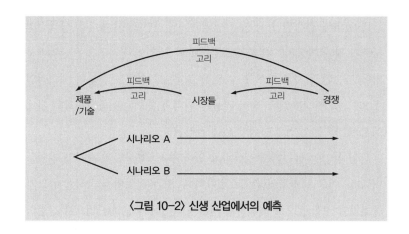

〈그림 10-2〉 신생 산업에서의 예측

데, 그 이유는 경쟁기업의 성격과 능력은 한 산업이 그 발전과정에서 취하는 방향에 영향을 미칠 수 있기 때문이다.

위에서 소개한 시나리오가 준비되면 기업은 자체의 위치를 평가할 수 있는 입장에 서게 된다. 즉 기업은 어떤 시나리오에 의해 운명을 쥐게 될 것인지, 또는 시나리오가 각각 실제로 발생할 경우에 전략적으로 어떻게 행동할 것인지 평가할 수 있게 된다. 기업은 스스로의 능력이 허용된다면, 가장 유리한 시나리오의 발생요인을 조성하려고 노력할 것이다. 또는 능력에 한계가 있거나 불확실성이 아주 크기 때문에 어쩔 수 없이 탄력적인 자세를 유지할 수도 있다. 어떤 경우이든 기업은 시나리오가 실제로 발생하고 있는지 말해주는 핵심적 사건을 확인할 수 있기 때문에, 전략계획을 수립하고 기술 변화를 탐지하는 데 유리한 위치에 서게 된다.

# 진입 산업의 선정

신생 산업으로의 진입에 대한 선택의 문제는 앞에서 설명한 예측의 결과에 의해 결정된다. 신생 산업의(초기의 산업구조가 아니라) 궁극적인 구조가 평균 이상의 수익률을 보장해주며, 기업이 장기적으로 산업에서 방어 가능한 위치를 확보할 수 있을 경우, 그 산업을 충분히 매력적인 것으로 평가할 수 있다. 방어 가능한 위치의 확보는 이동장벽과의 관계에서 평가되는 기업의 능력에 의해 결정된다.

신생 산업이 급속하게 성장하고 있다거나, 그 산업에 참여한 기업들이 높은 이윤을 거두어들이고 있다거나, 또는 산업의 궁극적인 규모가 틀림없이 커질 것으로 예상되기 때문에 기업들이 신생 산업으로 진입하는 경우가 자주 있다. 이와 같은 이유도 진입의 근거가 될 수는 있겠지만, 진입의 결정은 궁극적으로 구조적 분석을 바탕으로 내려져야 한다(3부의 16장에서 한 산업으로의 진입 결정에 대한 내용이 좀 더 상세하게 논의될 것이다).

# Chapter 11

# 산업 성숙기로의 전환

대부분의 산업은 발전과정의 일부로서 급속한 성장기를 지나 일반적으로 산업 성숙(industry maturity)기라 불리는 완만한 성장기로 접어들게 된다. 1970년대 중반 이후 이런 과정을 거친 산업은 수없이 많았지만, 그중 몇 가지 예를 들어보면 계산기, 테니스 용품, 집적회로 산업 등이 있다. 8장에서 논의되었던 것과 같이 산업 성숙기는 산업 발전의 어떤 고정된 시점에서 발생하지 않으며, 기술 혁신 등이 일어나 그 산업의 참여 기업들에 지속적인 성장의 계기를 마련해주면 지연될 수도 있다. 더욱이 획기적인 전략적 돌파구를 통해 성숙단계의 산업들도 급속한 성장을 다시 시작할 수 있으며, 이로써 성숙기로의 전환이 두 번 이상 일어날 수도 있다. 성숙단계로의 전환이 발생하고 있지만, 그러한 전환을 막을 수 있는 가능성이 고갈되어버린 경우에 대해 생각해보기로 하자.

성숙단계로의 과도기는 한 산업 내의 기업들에 있어 아주 중요한 단계이다. 이 단계는 기업들의 경쟁환경에서 어려운 전략적 대응을 요구하는, 근본적인 변화가 자주 요구되는 시기이다. 기업들이 때로는 이러한 환경상의 변화를 정확하게 감지하지 못하는 경우도 있다. 또 그런 변화를 감지했다 해도 기업들로서는 대응하기가 망설여질 정도로 전략의 변화가 크게 요구되는 경우도 있다.

더욱이 산업 성숙기로의 전환이 주는 전략적 시사점 이상으로 기업의 조직구조와 리더십에 대해서도 중대한 의미를 가진다. 이러한 경영의 시사점이, 요구되는 전략적 대응을 행하는 데 있어 가장 큰 어려움 중의 하나이다. 이 장에서는 1부에서의 분석을 기초로 하여 이 문제의 몇 가지 이슈에 대해서 이야기할 것이다. 그리고 성숙기로의 전환과정 자체에 대한 분석보다는, 그 과정에서 제기되는 전략적·경영적 문제들을 확인하는 데 초점을 맞출 것이다(산업의 발전과정 자체는 이미 8장에서 보다 심층적으로 다루었다).

# 산업 변화

성숙기로의 전환은 흔히 한 산업의 경쟁환경에서 여러 중요한 변화를 나타낸다. 그러한 변화로는 다음과 같은 것들이 있다.

• 느린 성장은 시장점유율을 위한 경쟁의 과열을 의미한다 | 시장점유율을 지키는 것만으로는 과거의 성장속도를 유지할 수 없게 되면서, 경쟁의 화살을 내부로 돌려 다른 기업들의 시장을 공격하기 시작했다. 이런 상황이 1978년에 식기 세척기 산업에서 발생했다. 당시 이 산업이 포화상태에 이르자, GE와 메이텍이 고가의 시장 부분에서 호바트(Hobart)를 맹렬히 공격하기 시작했다. 시장점유율을 높이기 위한 경쟁이 과열되면, 한 기업의 시각에서 근본적인 방향 수정이 있어야 하며, 경쟁기업이 어떻게 행동하고 반응할지에 대해서도 전혀 새로운 가정을

세울 필요가 있다. 3장과 4장에서 설명한 것과 같이 경쟁기업의 분석이 되풀이되어야 한다. 과거에 얻었던 경쟁기업의 특성과 반응에 대한 지식을 버리지는 않더라도 재평가하는 과정이 필요하다. 경쟁기업이 더욱 공격적으로 될 가능성이 클 뿐만 아니라, 오인과 비합리적인 보복의 가능성 또한 크기 때문이다. 성숙기로 이행하는 과도기에서는 가격 서비스, 마케팅 전쟁이 일반적으로 발생한다.

• **산업 내의 기업은 점차 재주문 경험이 있는 구매자들을 상대하게 된다** ㅣ 제품은 더 이상 새롭지는 않지만, 이미 잘 알려져 있고 인정을 받고 있는 품목이다. 구매자들은 이미 그 제품을 구매한 경험이 있으며, 때로는 여러 차례 구매해 제품에 대해 잘 알고 있는 경우도 일반적이다. 구매자 측의 관심의 초점은 그 제품의 구입 여부를 결정하는 것에서 상표의 선택으로 옮겨진다. 이처럼 관심의 방향이 바뀐 구매자에게 접근하려면 전략에 대한 근본적인 재평가가 있어야 한다.

• **경쟁이 원가와 서비스를 더욱 강조하는 쪽으로 변해간다** ㅣ 성장이 둔화되고, 구매자가 제품에 대해 더욱 잘 알게 되고, 일반적으로 기술 성숙도가 높아진 결과, 경쟁은 더욱 더 원가 지향적이고 서비스 지향적으로 되는 경향이 있다. 이러한 발전의 추이에 따라 그 산업에서의 성공 요건이 바뀌며, 다른 요건에서의 경쟁에 익숙해진 기업은 극적인 생존 방법의 재정립을 강요당할 수도 있다. 가중되는 원가 압력 또한 가장 현대적인 시설과 장비를 기업에 강요함으로써 자본에 대한 요구를 증대시킬 수 있다.

• **생산시설 및 인력 확대의 한계 문제가 있다** ㅣ 성장속도의 둔화에 적응하려면 그 산업에서의 생산시설 확장속도도 마찬가지로 완만해져야

한다. 그렇지 않으면 시설과잉 현상이 나타난다. 따라서 시설 및 인력의 확대에 임하는 기업들의 태도에 근본적인 변화가 있어야 한다. 만족스러웠던 과거에 대한 미련은 버려야 한다. 기업은 경쟁기업의 시설 확장을 면밀하게 살피고 자체의 시설확장 시기를 정확하게 설정할 필요가 있다. 빠른 성장률로도 초과설비로 인한 손해는 감당하기가 힘들다.

성숙기의 산업에서 이런 변화는 거의 일어나지 않지만 수요에 비해 생산설비가 과잉되는 문제는 흔한 편이다. 생산설비가 과잉되면서 생산능력도 필요 이상으로 커지게 되고, 이에 따라 가격전쟁을 불러오게 되는 경우가 많다. 산업에서 효율적인 생산시설의 크기가 점점 더 커질수록 이를 올바르게 예측하는 것은 더욱 힘들어진다. 인력 면에서도 추가해야 할 인력이 고도로 숙달된 인력이기 때문에, 이런 인력을 찾아내고 훈련하는 데 오랜 시간이 필요한 경우라면 문제는 더욱 심각해진다.

• 제조, 마케팅, 유통, 판매 그리고 리서치의 방법이 끊임없이 변화한다 | 시장점유율 확대를 위한 경쟁이 가열되고, 기술이 성숙되고, 소비자의 제품에 대한 지식이 커짐에 따라 많은 변화가 일어난다(이러한 변화는 8장에서 논의되었다). 기업은 기능적인 정책들을 근본적으로 재정립하거나, 그러한 재정립이 필요 없도록 어떤 전략적 조치를 취해야 할 필요에 직면하게 된다. 기업이 기능적인 정책의 차원에서 그런 변화에 대응해야 할 경우에는 거의 언제나 자본과 새로운 기술이 요구된다. 새로운 제조방법의 채택은 앞에서 논의한 시설과잉의 문제를 초래할 수 있다.

• 새로운 제품과 응용제품을 얻기가 더욱 힘들어진다 | 성장단계는 새로운 제품과 응용제품이 많이 만들어지는 단계 중 하나이다. 하지만 산업이 성숙되면서 제품 변화를 지속시킬 수 있는 능력에 점차 한계가 드러나기 시작하거나, 비용과 위험의 부담이 크게 늘어난다. 이런 변화

는 다른 무엇보다 연구와 신제품 개발에 대한 태도의 수정을 요구한다.

• 국제 경쟁이 가열된다 | 기술이 성숙됨에 따라 기업들은 흔히 제품의 표준화와 생산원가를 강조하게 되는데, 이런 변화는 치열한 국제 경쟁을 가열시키는 결과를 불러온다. 한 산업의 국제화를 초래하는 요인들은, 국제 경쟁의 몇 가지 중요한 의미와 함께 13장에서 상세하게 논의될 것이다. 국제적 경쟁자들은 국내 기업 또는 국내 시장 기반과는 다른 원가구조와 목표를 가지고 있는 경우가 일반적이다. 미국과 같이 큰 시장에서는 일반적으로 성숙기로의 전환에 앞서 국내 기업에 의한 해외투자나 수출증대 현상이 뚜렷하게 나타난다.

• 전환기에는 산업의 수익률이 일시적으로 하락하며, 때로는 영구히 하락하기도 한다 | 전환기에는 성장이 둔화되고, 제품에 대한 구매자들의 지식이 늘어나고, 시장점유율이 좀 더 강조되고, 불안정성이 크고 어려움이 큰 전략적 변화가 요구되는데, 이는 일반적으로 기업의 수익률이 전환기 이전의 성장단계의 수준으로부터 단기적으로 하락하는 것을 의미한다. 일부 기업들은 다른 기업들보다 더 큰 타격을 받으며, 특히 일반적으로 시장점유율이 낮은 기업들이 가장 큰 타격을 받는다. 수익률 하락으로 인해 현금이 절실하게 필요한 시기에 현금흐름이 원활하지 못하고, 그 밖에도 상장기업의 주가가 폭락하고, 부채 조달의 어려움이 심해지는 경향이 나타나기도 한다. 수익률이 다시 높아질지의 여부는 1부에서 논의된 이동장벽의 높이 및 다른 산업구조의 요소에 의해 결정된다.

• 판매자들의 한계이윤은 떨어지지만 그들의 영향력은 증가한다 | 산업의 수익률이 떨어지는 같은 이유로 인해 판매자들의 한계이윤도 줄

어든다. 그 결과, 다수의 판매자들은 주로 제조업계의 수익률 하락이 표면화되기 전에 영업을 중단한다. 이런 현상은 TV 수상기와 여가용 자동차 판매자들 사이에서 나타났다. 성장단계에서는 판매자들을 확보하는 것이 용이했지만, 성숙단계에서는 그렇지 않기 때문에 이는 산업 참여자들 사이의 판매자 확보경쟁을 가열시킨다. 따라서 판매자들의 영향력이 크게 증대된다.

## 전환기의 전략적 의미

성숙단계로의 전환기는 일반적으로 산업 기본구조의 변화를 수반한다. 산업구조의 주요한 요소들이 일제히 변화하는 것이다. 즉 전반적인 이동장벽, 여러 가지 장벽들의 상대적 중요성, 경쟁의 강도(보통 증가하는 쪽으로) 등이 변화한다.

구조적 변화는 거의 언제나 기업이 이에 대해 전략적 차원에서 대응해야 함을 의미하는데, 이는 그 산업에서 경쟁의 기본적 성격이 함께 변화한다는 의미가 내포되어 있기 때문이다.

전환기에는 흔히 몇 가지 독특한 전략적 문제가 제기된다. 이 문제는 모든 산업에 적용 가능한 일반론이라기보다는 각각 검토해보아야 할 성격의 문제이다. 왜냐하면 사람과 마찬가지로 산업도 조금씩 다른 모습으로 발전해가기 때문이다.

따라서 이 접근법 대부분은 한 산업이 성숙단계로 접어든 후에도 새로운 기업들이 그 산업에 진입하는 근거가 될 수 있다.

# 가격선도 vs. 차별화 vs. 집중화
## – 산업의 성숙으로 인해 전략적 딜레마가 심각해진다

산업이 급격하게 성장하고 있는 단계에서는 전략적 실수도 용납될 수 있고, 그 산업 내의 기업들이 전부는 아니더라도 대부분이 생존할 수 있으며, 심지어는 재정적으로 번영할 수도 있다. 또한 전략적 실험도 할 수 있으며, 지극히 다양한 전략들이 공존할 수도 있다. 하지만 산업이 성숙단계에 접어들면 전략적 약점이 노출되기 시작한다. 성숙단계에 이르면 기업들은 2장에서 설명한 3가지의 일반적인 전략 중에서 하나를 선택해야 하는 필요에 직면하게 된다. 그것은 곧 생존의 문제가 되는 것이다.

## 세밀한 가격 분석

성숙단계에서는 가격 분석이 첫째 합리적인 제품믹스, 둘째 정확한 가격 결정을 위해 더욱 필요해진다.

### 합리적인 제품믹스

성장단계에서는 생산라인의 확장과 새로운 제품형태의 빈번한 도입이 가능하며, 때로는 이런 것들이 산업 발전을 위해 필요하고 또 바람직하다. 그러나 이러한 상황은 성숙단계에서까지 계속되지는 않는다. 원가경쟁과 시장점유를 위한 경쟁이 지나치게 치열해진다. 그 결과 생산라인에서 수익성 없는 제품은 제거하고, 반면에 뚜렷한 장점을 가지고 있거나 '바람직한' 구매자를 겨냥하는 품목에 관심을 집중하기 위해 생산원가 산정에 대한 방법의 개선이 필요하다.[1] 제품군을 단위로 하는 평균원가 계산이나 원가 산정에 평균간접비를 부과하는 방법은 생산라인을, 그리고 생산라인 확대의 타당성을 평가하는 데 적합하지 못하다. 산업의 성장단계에서는 컴퓨터화된 원가계산 시스템이 그다지 중요하지 않았지만, 이제는 생산라인을 합리적으로 구성해야 하기 때문에 그러한 시스템의 도입이 필요하다. 일례로 그러한 합리적인 생산라인의 구성은 RCA의 허츠(Hertz)가 산업 내의 경쟁에서 승리를 거두는 데 결정적인 역할을 했다.

### 정확한 가격 결정

성숙단계에서는 흔히 생산라인의 합리적인 구성과 함께 가격결정 방법에서의 변화가 요구된다. 성장단계에서는 평균원가에 의한 가격 결정이나 생산라인 전체의 가격 결정으로 충분했을지 몰라도[2], 성숙단계에서는 각 항목별로 원가를 산정하고 그 결과에 따라 가격을 결정할 수 있는 능력이 요구된다. 평균원가에 의한 가격 결정을 통해 생산라인 내에서 무조건적인 횡선분할을 하다 보면, 시장가격이 실제 생산원가보다 낮게 책정되어 가격에 민감하지 않은 구매자들에게 오히려 이익을 내어주는 경우도 생긴다.

그 밖에도 일부 제품의 가격이 터무니없이 높게 책정되는 경우에는, 경쟁기업이 가격을 인하하거나 새로운 제품을 출시할 위험이 있다. 세밀한 원가계산을 통한 합리적인 가격결정 능력이 부족한 기업들은 비현실적으로 낮게 책정된 품목의 가격조정을 지연한다. 이것은 산업의 성숙단계에서 때때로 문제가 된다.

성숙단계에서는 가격전략의 다른 측면들도 변할 수 있고 또 변해야 한다. 예를 들어 마크 컨트롤스(Mark Controls)는 불리한 생산라인을 제거함과 동시에, 구매자들과의 재협상을 통해 계약에 인플레이션에 대비한 에스컬레이터 조항(escalator clauses)을 포함시킴으로써 업계(tough valve business)에서 대단한 성공을 거두었다. 이 산업에서는 전통적으로 고정가격에 입각하여 계약이 성립되었으며, 산업이 성장단계에 있을 때에는 가격인상이 어렵지 않았기 때문에 인플레이션의 반영이 그다지 중요한 변수로 인식되지 않았다. 따라서 다른 기업들은 에스컬레이터 조항에 대한 협상의 필요성을 느끼지 못했다. 그러나 성숙단계에 접어들면서 가격인상의 요구가 점점 더 어려워지자, 에스컬레이터 조항이 크게 유익한 것으로 드러났다.

요약해보면 산업의 성장단계에서는 신제품 개발과 연구 같은 분야가 중심이 되지만, 성숙단계에서는 일반적으로 다양한 차원에서의 '재무에 관한 의식수준' 의 제고가 필요하다고 할 수 있다. 재무에 관한 의식수준을 끌어올리는 것은 경영의 기본방향에 따라 더 어려울 수도 그렇지 않을 수도 있다. 예를 들어 마크 컨트롤스는 전통적으로 가족경영 기업들이 지배해온 산업에서 재정 혁신을 일으키기 위해 재무에 밝은 외부 인사를 영입했다.

## 프로세스 혁신과 제조설계

일반적으로 성숙단계에서는 프로세스 혁신의 상대적 중요성이 증대되며, 낮은 비용으로 제조 및 통제를 쉽게 하기 위한 제품 및 전달 시스템의 설계 또한 중요해진다.[3] 일본 산업은 특히 이 부분에 많은 노력을 기울였으며, 그로 인해 TV 수상기와 같은 산업에서 큰 성공을 거둘 수 있었다. 그 밖에도 캔틴 코퍼레이션(Canteen Corporation)은 제조설계 역량을 가지고 성숙단계에 접어든 식품 제조업에서 자사의 위치를 확고하게 다질 수 있었다. 캔틴 코퍼레이션은 지방마다 다른 식단을 준비하던 종전의 입장을 버리고 전국적으로 식단을 통일했다. 이러한 변화로 인해 음식의 질이 일관성을 유지할 수 있게 되었고, 요리사의 지방 간 이동이 더욱 쉬워졌고, 운영 통제가 더욱 용이해졌으며, 그 결과 원가절감과 생산성 향상이 실현되었다.[4]

## 구매영역의 확대

기존 고객에게 더 많이 파는 것이 새로운 고객을 찾는 것보다 보다 바람직할 수도 있다. 주변 장비와 서비스의 공급, 생산라인의 고급화 및 확장 등의 방법으로써 기존 고객에 대한 판매량이 증가하는 경우가 있다. 이런 전략을 따르다 보면 기업이 연관 산업 분야로 진출할 수도 있다. 이러한 전략이 새로운 고객을 찾아내는 것보다 더 경제적인 경우가 일반적이다. 성숙단계의 산업에서 새로운 고객을 확보한다는 것은 일반적으로 시장점유율의 확대를 위한 경쟁기업들과의 경쟁을 의미하기 때문에 상당히 많은 비용이 소모된다.

이러한 전략은 사우스랜드(Southland Corp.(7-Eleven Stores)), HFC, 거버 프로덕트 등의 기업들이 성공적으로 사용해왔다. 사우스랜드는 매장에 패스트푸드와 셀프서비스 주유소, 그리고 핀볼 오락기 등의 라인을 추가함으로써 고객의 주머니에서 더 많은 돈을 끌어내고, 충동구매를 부추기는 동시에, 새로운 매장을 설립하는 데 드는 비용을 절약했다. HFC도 마찬가지로 많은 기존의 고객들에게 팔 수 있는 생산라인을 확대하기 위해 세금 조정, 대출업무의 확대, 심지어는 금융업무 같은 새로운 서비스까지 제공했다. '한 아기에게서 더 많은 달러를' 이라는 말로 표현되는 거버 프로덕트의 전략도 이와 동일한 접근방법이다. 거버 프로덕트는 주력상품인 유아식에 유아복 등의 다른 유아용 제품들을 추가했다.

## 설비의 염가 구입

성숙단계로 전환하는 과정에서 초래한 기업 부도로 인해서 설비를 아주 싼 가격으로 구입할 수 있는 경우가 있다. 기술 변화의 속도만 지나치게 빠르지 않다면, 도산기업을 합병하거나 그런 기업의 처분재산을 구입하는 식의 전략으로 한계이윤을 높이고 생산원가의 절감을 꾀할 수 있다.

양조업계의 무명 기업이었던 헤일먼(Heilman)은 이 전략을 채택하여 성공을 거두었다. 양조업계의 상층부에서는 집중화 현상이 점점 심화되고 있었음에도 불구하고, 헤일먼은 지방 양조업체를 합병하고 중고설비를 싸게 구입함으로써 1972년부터 1976년까지 연평균 16퍼센트의 성장률을 기록했다(그리고 1976년에는 300만 달러의 매출을 기록했다). 반면에 양조업계의 선도기업들은 독점금지법 때문에 다른 기업들을 합병할 수 없어 어쩔 수 없이 현 시가로 대규모의 공장을 신축해야 했다.

화이트 콘솔리데이티드(White Consolidated)도 동일한 전략을 채택했다. 이 회사는 선스트랜드(Sunstrand)의 기계공구 사업과 웨스팅하우스(Westinghouse)의 가전제품 사업 같이 성과가 저조한 기업을 장부가격 이하로 구입하여 간접비를 절감했다. 많은 경우 이 전략은 기업의 수익성을 높이는 데 큰 도움이 되었다.

## 구매자의 선택

성숙단계에서 구매자들이 제품에 대해 잘 알게 되고 그에 따라 경쟁의 압력이 더욱 커짐에 따라, 구매자의 선택이 때로는 기업의 수익성 지속의 중요한 요소로 작용하기도 한다. 예전에는 자신의 교섭력을 행사하지 않았던 구매자들, 또는 제한된 제품 이용률 때문에 영향력이 약했던 구매자들도 성숙단계에서는 주저하지 않고 자신의 영향력을 행사하게 된다. 6장에서 논의했던 대로 '바람직한' 구매자들을 확인하고 그들을 놓치지 않는 것이 무엇보다 중요하다 하겠다.

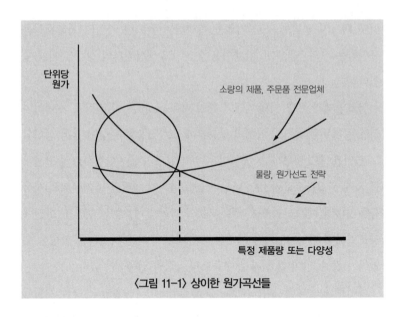

単위당
원가

소량의 제품, 주문품 전문업체

물량, 원가선도 전략

특정 제품량 또는 다양성

〈그림 11-1〉 상이한 원가곡선들

## 다른 원가곡선들

한 산업에서 원가곡선(cost curves)이 둘 이상 있는 경우는 적지 않다. 성숙단계 시장의 전반적인 원가에 있어서는 리더가 아니더라도 특정한 형태의 구매자, 제품 및 주문량에 대해서는 실제로 더 낮은 원가의 생산자가 될 수 있도록 하는 새로운 원가곡선을 발견하는 경우가 있다. 이 단계는 2장에서 논의한 일반적인 집중전략을 실행하는 데 있어 중요하다. 예를 들어 〈그림 11-1〉을 보자.

유연성을 가지며, 신속한 가동이 가능하고, 소량생산에 적합하도록 자체의 제조과정을 설계한 기업이라면 대량생산을 하는 기업에 비해서 소량주문이나 고객맞춤 주문에 있어서 생산원가의 우위를 누릴 수 있다. 그런 상황에서의 바람직한 전략은 〈그림 11-1〉에서 원으로 그려지는 범위 내에서의 주문에 생산을 집중하는 것이다. 그러한 전략의 채택을 가능하게 하는 원가곡선의 차이점은 소량주문, 고객주문, 특정한 제품형태의 소량수요 등에 근거하는 것이다. 위크햄 스키너(Wickham Skinner)는 그가 고안한 '집중화된 공장'에서 그러한 생산전략이 어떻게 실행될 수 있는지 설명했다.[5]

## 국제 경쟁

기업은 좀 더 유리한 구조의 산업에서 국제적으로 경쟁함으로써 성숙단계를 벗어날 수 있다. 금속용기 및 병마개 제조회사인 크라운 코크 앤 실과 농기구 제조회사인 매시 퍼거슨(Massey Ferguson)이 이런 직접적인 방법을 사용했다. 국내 시장에서는 이미 구식화된 장비도 해외 시장에서는 효과적으로 사용될 수 있기 때문에 해외로의 진출비용이 크게 절감될 수 있다. 또는 구매자들이 덜 까다롭고 영향력이 크지 않으며, 또 경쟁자 수가 적다는 이유 등으로 인해 해외 시장의 산업구조가 훨씬 유리할 수도 있다. 이러한 전략의 약점으로는 국제 경쟁의 위험, 그리고 다가올 시장 성숙으로 인한 문제를 근본적으로 해결하기보다는 문제의 발생을 일시적으로 지연시킬 수 있을 뿐이라는 사실을 지적할 수 있다.

## 전략 전환이 반드시 시도되어야 하는가?

새로운 형태의 자원과 기술이 새로이 요구될지도 모른다는 관점에서는 성숙단계의 산업에서 성공적으로 경쟁하기 위한 전략적 전환을 꼭 시행해야 하는 것은 아니다. 그 선택은 자원뿐만 아니라 그 산업에 계속 남아 있을 타 기업체들의 수, 성숙단계에 대한 적응이 진행되는 동안에 그 산업에서 혼란이 있을 것으로 예상되는 기간, 그리고(미래의 산업구조에 영향을 받는) 예상되는 미래의 산업 수익성 등에 의해 결정된다.

일부 기업들의 경우에는 불확실한 상황에서 재투자를 계속 하는 것보다 투자회수 전략이 보다 바람직할 수도 있다. 우유 산업에서 딘 푸드 (Dean Foods)가 이런 전략을 택했다. 딘 푸드는 시장점유율의 확대보다 도 원가절감과 이를 위해 장비에 대한 선별적인 투자를 강조했다.

산업 선도기업들이 자체 전략에 대해 너무 타성에 젖어 있거나 산업 발전의 성장단계에서 필요한 전략에 집착할 경우에는, 전환기에서 요구 되는 조정을 행할 때 그 기업들이 그다지 유리한 위치를 차지하지 못할 수도 있다. 조정에 필요한 자원을 획득할 수 있을 경우, 그 유연함으로 인해 중소기업이 보다 유리할 수도 있다. 그 밖에도 중소기업은 시장을 더 쉽게 세분화할 수 있다. 마찬가지로 전환기에 그 산업으로 진입하는 새로운 기업이 과거에 영향 받지 않는 재정적 자원 또는 그 외의 다른 자 원들을 가지고 강력한 위치를 확립할 수 있는 경우도 있다. 장기적으로 봤을 때 산업구조가 호의적일 경우에는 전환기의 혼란이 이러한 잠재적 진입기업에 새로운 진출의 기회를 제공해준다.

# 전환기의 전략적 함정

기업은 앞서 말한 전환의 전략적 시사점을 파악하지 못할 뿐만 아니 라 다음과 같은 전략적 함정에 빠져서 희생당하는 경우도 있다.

• 산업에 대한 기업의 자체 인식과 외부의 인식 | 기업은 자사 및 상 대적 능력에 대한 인식('우리는 질적 차원에서 선두주자이다' '우리는 격조 높은 서비스를 고객에게 제공한다')을 가지게 되며, 이런 인식은 기업전략 의 기초를 형성하는 데 있어서의 가정에 암묵적으로 반영된다(3장 참고). 스스로에 대한 이러한 인식은 산업 전환이 진행되고, 고객들의 우선순 위가 재조정되고, 경쟁기업들이 새로운 산업환경에 대응함에 따라 점점

더 부정확해질 수 있다. 마찬가지로 산업, 경쟁기업, 구매자, 그리고 공급자에 대한 기업의 가정이 전환기를 거치는 동안 타당성을 잃게 될 수 있다. 하지만 이러한 가정은 실제 경험을 통해 확립된 것이기 때문에 수정하기 어려운 경우가 많다.

• **분명하지 못한 입장** | 2장에서 설명한 본원적 전략 중 하나를 선택하지 못한 채 어중간한 입장을 취하고 있는 문제는 특히 성숙단계로의 전환과정에서 두드러진다. 과거에는 어중간한 전략으로도 경쟁에서 버틸 수 있었지만 전환기에는 그럴 수 없다.

• **현금함정− 성숙단계에서 점유시장의 확대를 위한 투자** | 현금은 후에 그것을 회수할 수 있을 것이라는 확신이 들 때에만 투자해야 한다. 성장속도가 둔화된 성숙단계의 산업에서는 점유시장의 확대를 위한 새로운 현금투자 행위를 정당화하는 가정이 대부분 무리인 경우가 많다. 산업의 성숙화는 유입자금의 현재가치가 유출자금을 정당화함으로써 투자자금을 회수하는 충분한 기간 동안 한계이윤을 유지 또는 증가시키는 역작용을 한다. 따라서 성숙단계에서는 기업이 현금함정에 빠지기 쉽다. 특히 강력한 시장우위를 확보하지 못한 기업이 성숙된 시장에서 시장점유율의 대대적인 확장을 꾀할 때 그런 위험이 커진다.

이와 비슷한 함정으로는 수익률보다 매출액에 지나친 관심을 쏟는 전략을 지적할 수 있다. 이러한 전략이 성장단계에서는 바람직했을지 몰라도, 성숙단계에서는 수익을 잠식하기 쉽다. 허츠는 1960년대 후반에 이러한 문제에 부딪혔지만, 1970년대 중반에 이 회사를 인수한 RCA를 통해 다시 수익률을 회복했다.

• **단기적 이익에 집착한 점유시장의 성급한 포기** | 전환기에 접어들

어 수익률 압력에 직면한 일부 기업들은 최근의 수익률을 유지하려고 노력하는 경향이 있다. 이런 노력이 시장점유율을 희생시키거나, 마케팅이나 연구개발 같이 필요한 투자를 포기하면서까지 행해지는 경우에는 이로 인해 장래의 시장우위가 약화될 수 있다. 앞으로의 성숙단계에서 규모의 경제가 크게 중요하다면, 전환기 동안의 낮은 수익성을 받아들이려 하지 않는 태도는 지극히 근시안적인 태도이다. 산업의 합리화가 이루어지는 동안에는 수익률 하락 현상이 불가피할 수도 있으며, 따라서 냉철한 사고로써 과잉반응을 피할 필요가 있다.

• 가격경쟁에 대한 비합리적 반응('우리는 가격을 놓고 경쟁하지 않을 것이다') | 예전에는 가격경쟁이 필요하지 않았기 때문에 그것을 회피하는 것이 당연했지만 그 시기는 이미 지났다. 하지만 기업이 가격경쟁의 필요성을 받아들이기란 쉬운 일이 아니다. 심지어 일부 경영인들은 가격경쟁을 수치스러운 것으로 생각하기도 한다. 가격경쟁에 적극적인 기업이 장기적인 관점에서 저원가 전략을 구축하고 시장을 점유해나간다면 그것은 상당한 위협이 될 수 있을 것이다.

• 산업활동의 변화에 대한 비합리적 반응('그런 변화가 이 산업에 해를 끼친다') | 전환기에는 마케팅 기술, 생산방법, 유통업자와 맺은 계약 등 여러 측면에서의 변화가 불가피하다. 그러한 변화는 산업의 장기적인 잠재력에 있어서 중요한 것이지만, 변화에 대한 저항은 있게 마련이다. 과거 일부의 스포츠용품 산업에서 그랬던 것처럼, 수동식 방법을 기계로 대체하고자 하면 저항이 생기며, 기업들이 적극적으로 자체 제품에 대해 마케팅하기를 꺼린다('이 업계에서는 마케팅 활동이 소용없다. 개인 판매이면 충분하다'). 이러한 거부의 자세는 기업으로 하여금 새로운 경쟁환경에 적응하게 하는 것을 한참 뒤처지게 만든다.

• 기존 제품을 개선하고 적극적으로 판매하려 하는 대신에 '창조적이고 새로운' 제품만을 강조함 | 산업 발달 초기의 성장단계에서 거두었던 성공이 연구와 신제품 개발 덕분이었는지는 모르지만, 성숙단계에 접어들면서부터는 새로운 제품과 응용품의 개발이 아주 힘들어진다. 기존의 혁신활동에 초점을 맞추는 것에서 벗어나 참신함이나 세련됨보다는 표준화를 중시하는 것이 적절한 경우가 많다. 하지만 이러한 발전이 일부 기업들을 만족하게 할 수 없을 뿐만 아니라 때로는 저항이 있을 수도 있다.

• 경쟁기업의 공격적인 가격정책이나 마케팅 활동에 대응하지 않고 '더 좋은 품질'에 집착함 | 품질의 향상이 기업의 결정적인 강점일 수 있지만, 품질의 차이는 산업이 성숙됨에 따라서 점차 사라지는 경향이 있다(8장을 참고). 차이가 남아 있다 하더라도, 성숙단계에 이르면 전에 그 제품을 구입한 적이 있고 제품에 대해 더욱 잘 알게 된 구매자들은 품질이 좋은 것보다는 가격이 싼 제품을 원할 것이다. 하지만 기업들 대부분의 경우, 최고급 품질의 제품을 가지고 있지 않다거나 제품의 질이 불필요하게 고급이라는 사실을 수긍하기란 그리 쉬운 일이 아니다.

• 시설 과잉 | 몇몇 기업들은 시설 과잉의 문제에 부딪히게 되는데, 그 이유는 수요에 비해 생산시설을 많이 확보하거나 성숙단계에서 경쟁력 제고를 위한 생산시설의 현대화로 인해 생산력이 증가되기 때문이다. 과잉시설의 존재 자체가 알게 모르게 그것을 사용해야 한다는 압력으로 작용할 수 있지만, 과잉된 설비의 사용 자체가 기업의 전략 자체를 손상시킬 수도 있다. 예를 들어 과잉된 시설 때문에 기업은 집중화 전략을 포기하고, 2장에서 보았던 것처럼 애매한 입장을 취하게 될 수 있다. 또는 그것이 경영상의 압력으로 작용하여 기업을 현금함정에 빠뜨릴 수

도 있다. 대부분의 경우 과잉시설은 보유하기보다는 처분하는 것이 보다 바람직하다. 그러나 과잉시설은 동일 산업 분야의 기업에는 판매하지 않아야 한다.

# 성숙단계의 조직적 시사점

우리는 조직 변화의 요구조건을 전략에 있어서의 중요한 변화로부터, 그리고 기업규모 및 다양성에 있어서의 발전으로부터 유래하는 것으로 생각하는 경향이 있다. 조직구조와 기업전략 사이의 조화는 산업의 성숙단계에서도 필요하다. 그리고 성숙단계로의 과도기는 조직 구조와 체계의 발달과정에서 지극히 중요한 시기의 하나이다. 특히 통제 및 동기부여 시스템의 영역에서는 회피할 수 없는 몇 가지 미묘한 문제가 있다.

전략을 세우는 단계에서 우리는 기업이 어떻게 성숙단계의 서로 다른 요구조건들에 맞추어 핵심이 되는 경쟁의 우선순위를 재조정해야 하는지 논의했다. 원가, 고객 서비스, 그리고 (판매와 대조되는) 진정한 마케팅에 더 많은 관심을 기울일 필요가 있다. 새로운 제품의 출시에 관심을 기울이기보다는 원래 있던 제품을 정교화하려는 자세가 필요하다. 즉, '창조력' 보다는 세부사항과 실용성을 고려하는 것이 바로 성숙단계에서 요구되는 덕목이다. 이 같은 전략적 초점의 이동은 조직구조 및 그것들을 지지하는 시스템의 변화를 분명하게 요구한다. 기업활동의 여러 다른 부분들을 강조하고 통제할 수 있도록 설계된 시스템이 필요하다.

성숙단계에서는 과거에 행해졌던 것보다 더욱 철저한 예산관리, 엄격한 통제, 성과 중심의 인센티브 시스템의 도입이 필요하다. 또 재고관리 및 외상을 통한 매출 같은 재무자산에 대한 통제가 더욱 중요해지는데, 이런 변화는 전환기를 겪었던 요양소, 레저용 자동차 산업들에서 중요한 성공요소가 되었다.[6] 기능의 조화, 그리고 생산시설들 사이의 더욱 긴밀한 협력이 가격경쟁에서의 우위 확보를 위해 반드시 필요한 경우가 자주 있다. 예를 들어, 산업이 성숙단계에 들어섰다는 것은 지금까지 독립적으로 운영되어왔던 현지 공장들이 더욱 밀접한 협력관계로 통합되어야 함을 의미한다. 이때는 새로운 시스템과 공정이 필요할 뿐만 아니라 매니저들의 역할도 변화되어야 한다.

때로는 이런 변화에 대해 저항이 있을 수 있다. 앞에서 말했듯이 산업의 선두주자로서 높은 품질의 제품을 통해 자부심을 느껴온 기업이라면, '혐오스러운' 가격경쟁과 공격적인 마케팅을 하는 것이 매우 어려울 것이다. 매장 직원부터 영업 사원에 이르기까지 전 조직이 이런 차원에서의 경쟁에 대해 분개하는 경우가 흔히 있다. 비용을 위해 품질을 포기하는 것과 비용을 위한 엄격한 모니터링 역시 저항에 부딪힌다. 더욱이 새로운 보고시스템의 요구, 새로운 통제시스템, 새로운 조직관계 그리고 변화 등이 때로는 개인적인 자율성의 침해 또는 위협으로 간주되기도 한다. 성숙단계로 접어들면 기업은 종업원들을 재교육하고, 그들에게 새로운 동기를 부여해야 한다.

산업이 성숙단계에 이르면 동기 부여에 관련해 미묘한 변화가 찾아오는데, 경영자는 이를 분명하게 인식해야 한다. 과도기 이전의 성장단계에서는 일반적으로 승진의 기회가 많고, 참여자들이 빠른 기업 성장속도에 대단한 흥미를 느끼며, 또한 그들이 직무에서 얻는 내적 만족이 크기 때문에 애사심을 길러주는 내부의 공식적 메커니즘에 대한 필요성을 느끼지 못한다. 하지만 성숙단계의 경쟁 분위기에서는 성장속도도 매력도 흥분도 줄어들고, 개척정신과 독창성이 사라지는 경향이 있다. 이런 발전단계는 경영자들에게 있어서 몇 가지 어려운 문제점을 안겨준다.

**• 재무적 성과에 대한 기대의 축소 |** 용납되는 성장률, 수익률에 대해

경영자가 생각하는 기준이 축소되어야 하는 경우가 있다. 기업이 그다지 대단한 시장상황에 놓여 있지 않음에도 불구하고 경영자들이 성숙단계의 시장에서 과거의 기준을 고수하려고 한다면, 장기적으로 볼 때 기업상태에 극히 좋지 않을 수 있다. 성과에 대한 기대를 줄이는 과정이 어려운 이유는 재무적 성과 달성에 대한 강한 전통이 과거의 성공을 통해 그 조직 내에 확고하게 세워져 있기 때문이다. 조직의 경영자 역시 자신의 기대를 하향 조정해야 할 때 동일한 문제에 당면하기 쉽다.

• 조직체 내부의 규율 강화 | 성숙단계에 접어들면서 발생하는 모든 일반적인 환경 변화들은 선택된 전략을 실행하기 위해 기업이 규율을 더욱 강화할 것을 요구한다. 이러한 것들은 보이거나 보이지 않는 방법으로 조직의 모든 계층에 확산된다.

• 승진에 대한 기대의 축소 | 좀 더 성숙된 산업환경에서는 과거와 같은 빠른 승진을 기대할 수 없다. 하지만 경영자는 성공을 과거의 속도에 맞는 승진으로 정의하도록 배워왔다. 많은 경영자들이 이런 이유로 과도기를 겪으며 떠날 수도 있고, 또 경영자들에게 가해지는 조직의 압력이 커질 수도 있다. 경영자는 직원들에게 동기를 부여하고 보상을 줄 수 있는 새로운 인사체계를 찾아야 한다는 도전에 직면한다. 이러한 과도기의 압력에 직면할 때 일부 기업들은 다각화를 통해 과거와 다름없는 수준의 성장 및 승진 기회를 제공한다. 그러나 단지 이러한 이유만으로 다각화를 시도하는 것은 잘못된 인식이다.

• 인간적 측면에 대한 관심의 증대 | 성숙단계 산업의 새로운 환경에 적응하는 과정에서는, 그리고 이에 수반되는 전략적 우선순위의 변화과정에서는 일반적으로 인간적 측면에 대해 내부적으로 더 많은 관심을

가질 필요가 있다. 회사와의 일체감과 충성도를 강화할 수 있는 조직의 메커니즘이 요구된다. 또 빠른 성장단계에서는 충분했는지 모르지만, 성숙단계의 산업에서는 훨씬 정교한 동기부여 방법이 개발되어야 한다. 조직환경이 변화함에 따라 더욱 힘들어진 내부 적응을 후원하기 위해 과거의 외적인 자극과 보상을 대신해 내적인 지지와 격려가 필요하다.

• 재집권화 ǀ 산업이 성숙단계에 이르면 원가를 통제하도록 하는 압력이 가해지기도 하는데, 때로는 공장 차원에서 자율적으로 수익이 나도록 하는, 즉 예전으로 돌아가고자 하는 추세를 보이기도 한다. 이런 요구는 이윤의 중심 조직체가 산업의 발달에 부응하여 신제품 개발이나 신시장 개척을 용이하게 할 목적으로 설립되었을 경우에 더욱 강하게 나타난다.

더욱 기능적인 조직으로의 후방이동은 중앙통제를 강화하고, 경비를 크게 줄여주며, 그 밖에도 사업단위들 사이의 협력 가능성을 높여준다. 성숙단계의 산업에서는 협력이 기업가 정신보다도 더 중요할 수 있다. 크라운 코크 앤 실은 이러한 전략을 택해 극적인 전환점을 마련하는 데 성공했다. 그리고 곤경에 처했던 텍스피(Texfi)가 섬유 분야에서 이 전략을 시도했으며[7], 버거킹이 이를 이용하여 맥도날드와 경쟁했다.

## 산업 전환과 최고경영자

성숙단계가 특히 위에서 설명한 전략적 적용 대부분이 요구되는 의미로서의 산업 전환은 한 기업의 새로운 '생존방식'을 의미한다. 급속한 성장과 개척의 흥분은 사라지고, 그 대신 원가를 통제하고 공격적인 마케팅 활동을 벌이고 가격경쟁을 해야 하는 등의 필요가 생겨난다. 이러한 생존방식에서의 변화는 최고경영자에게 여러 가지 중대한 의미를 가져다준다.

기업의 분위기는 최고경영자에게 있어 바람직하지 않다고 생각되는 방향으로 변화할 수도 있다. 그는 직원들에게 많은 기회와 승진을 보장해줄 수 없으면서도, 세분화되고 공식화된 시스템을 통해서 성과를 측정해야 한다. 과거의 오래된 비공식적이고 개인적 친밀감을 바탕으로 한 평가시스템을 그대로 유지하기란 쉬운 일이 아닐 것이다. 조직의 중요한 요구사항이 변화함에 따라 최고경영자에게 요구되는 능력도 변화한다. 급성장하던 산업에서의 조직에 필요했던 능력과는 다르게 엄격한 원가 통제, 기능 간의 협력, 마케팅 능력 등이 요구된다. 이러한 새로운 기술이 전략적인 동시에 관리적이기 때문에 적응의 어려움은 배가된다.[8] 마지막으로 과거에 최고경영자가 느꼈던 개척자로서의 흥분된 기분이나 감정은 사라지고, 생존에 대한 불안감과 유지에 대한 압박감만 가중된다. 일종의 초조감이 나타나는 경우도 적지 않다.

이처럼 성숙단계로의 과도기는 최고경영자, 특히 창업 경영자에게 어려운 시기인 경우가 많다. 불행하지만 최고경영자가 취하는 태도의 일반적인 결과로는 다음과 같은 몇 가지를 지적할 수 있다.

· 과도기임을 부정한다. 최고경영자는 요구되는 변화를 인식하지 못해 받아들이지 못하거나 필요한 기술을 가지고 있지 않다. 그 결과, 과거의 전략과 조직의 제도를 고집스럽게 유지하려 한다. 이러한 융통성의 결여는 과도기 동안뿐만이 아니라 그 밖의 다른 좋지 않은 기업환경에서도 전략적 어려움에 대한 반응으로 자주 나타난다.[9]

· 적극적 경영을 포기한다. 기업의 새로운 생존방식이 더 이상 만족

스럽지 않다거나, 자신의 경영기술이 새로운 환경에 적합하지 못하다는 것을 인정하고 통제를 포기한다.

산업의 전환이 최고경영자에 대해 가지는 시사점은 최고경영자 자신뿐만 아니라, 다각화된 기업의 사업부 경영자에게도 중대한 영향을 미친다는 점이다. 성숙단계로 접어들면 최고경영자의 기술이나 목표와 마찬가지로, 사업단위 경영자를 평가하는 기준도 바뀔 필요가 있다. 이런 이유로 인해 한 산업 분야가 성숙단계로 접어들면 경영자의 교체가 타당해지기도 한다. 다각화된 기업에서는 근본적으로 상이한 전략적 상황을 무시하고 동일한 기준을 사업단위 경영자에게 적용해, 한 상황에서 수완을 발휘한 경영자가 다른 상황에서도 잘 적응할 것이라고 기대하는 경향이 있다. 성숙단계의 과도기가 가지는 경영 측면에서의 시사점에 관심을 가지는 것이 이러한 어려움을 피하는 한 방법이다.

# 사양 산업에서의 경쟁전략

전략 분석을 위해 사양 산업(declining industries)을 일정한 지속 기간 동안 단위 매출액의 절대적 감소를 경험한 산업으로 규정한다.[1] 따라서 경기 순환이나 그 밖의 동맹 파업, 원료 부족 같은 단기적 불연속성으로 인한 침체를 경험하고 있는 산업은 사양 산업이라 볼 수 없다. 이러한 상황에서는 불가피하게 최종단계의 전략을 채택할 수밖에 없다.

쇠퇴하는 산업은 언제나 있게 마련이지만, 이처럼 어려운 구조적 환경은 세계 경제의 성장 둔화, 급속한 원가 상승으로 인한 제품 대체, 전자·컴퓨터·화학 같은 분야에서의 지속적인 기술 변화와 함께 점점 증가하고 있다.

쇠퇴 현상이 제품 수명주기의 한 단계라는 것은 잘 알려져 있지만, 이에 대한 연구는 그다지 이뤄지지 않고 있다. 산업의 쇠퇴단계는 제품수명주기 이론에서 한계이윤의 하락, 생산라인의 단축, 연구개발 및 광고 활동의 축소, 경쟁기업들의 수적 감소로 특징지어진다. 사양단계에서는 '수확전략(harvest)'이 보편성 있는 전략적 처방으로서 받아들여지고 있는데, 이 전략의 요지는 투자를 중지하고 사업으로부터 현금유입을 극대화하다가 결국에는 투자를 회수하는 것이다.

오늘날 계획 수립단계에서 일반적으로 사용되고 있는 제품 포트폴리오 모델도 사양 산업에 대해 동일한 처방을 한다. 즉 성장속도가 둔화 또는 감소하고 있거나 시장이 유리하지 않은 산업에는 투자를 하지 말고 현금을 회수하라는 것이다.

그러나 광범위한 사양 산업들을 심층 분석해보면, 쇠퇴단계에 대처하는 데 있어 기업이 채택할 수 있는 전략적 대안은 수확전략 한 가지뿐만이 아닌 여러 가지가 존재하고 있으며 또한 경쟁의 성격 또한 아주 복잡하다는 것을 알 수 있다. 산업 분야에 따라 쇠퇴단계에 대응하는 경쟁의 방법도 크게 다르다. 즉 어떤 산업은 쇠퇴단계에서도 품위를 유지하는가 하면, 다른 산업은 치열한 경쟁과 장기적인 시설 과잉, 그리고 과중한 영업손실 등이 나타난다.

성공적인 전략도 마찬가지로 다양하다. 일부 기업들은 사양 산업에 막중한 투자를 서슴지 않음으로써 후에 산업에서 많은 현금을 회수하는 식의 전략으로 높은 수익을 거두어왔다. 일부 기업들은 쇠퇴단계의 도래가 전반적으로 인식되기 전에 수확을 완전히 포기하고 철수함으로써 경쟁기업들에 자체의 손실을 전가하기도 했다.

이 장에서는 1부의 분석도구를 사양 산업의 특수한 환경, 특히 쇠퇴현상 자체가 소속 기업들의 통제권 밖에 있는 경우에 적용할 것이다.[2] 우선 쇠퇴단계에서의 경쟁의 성격을 결정하는 구조적 조건과 잔여 기업들이 그 산업에서 얻을 수 있는 이득을 설명할 것이다.

그 다음에는 쇠퇴단계의 기업이 채택할 수 있는 일반적인 전략대안(청산전략)을 소개할 것이다. 그리고 마지막으로 전략 선택의 몇 가지 원칙을 제시하겠다.

# 쇠퇴단계에서의 경쟁의 구조적 결정요인

1장에서 제시한 분석의 맥락에서 보면, 다수의 구조적 요인들이 쇠퇴단계에서의 경쟁의 성격을 결정하는 데 특히 중요한 역할을 한다. 산업 매출액의 감소로 인해 쇠퇴단계는 잠재적으로 불안정할 수밖에 없다. 그러나 초기의 경쟁압력이 수익성을 잠식하는 정도는 그 산업으로부터 얼마나 쉽게 생산역량을 빼낼 수 있는지, 잔류 기업들이 매출액 감소의 추세를 막기 위해 얼마나 치열한 노력을 할 것인지에 영향을 미치는 몇 가지 중요한 조건에 의해 결정된다.

## 수요의 조건

수요 감소의 과정과 세분화된 시장의 특성은 쇠퇴단계에서의 경쟁에 큰 영향을 미친다.

### 불확실성

수요가 계속하여 하락할 것인지에 대해 경쟁기업들이 감지하는 불확실성의 정도는, 그것이 합리적이건 비합리적이건 경쟁에 가장 강력한 영향을 미치는 요인의 하나이다. 수요가 다시 급증하거나 안정화된다고 판단될 경우에는, 기업들이 자사의 위치를 고수하면서 그 산업에 남아 있으려고 노력할 가능성이 커진다. 매출액 감소에도 불구하고 현재의 위치를 고수하려는 기업들의 노력으로 인해 격렬한 각축전이 벌어질 가능성이 크다. 이러한 상황은 레이온 산업에서 벌어진 적이 있다. 이 산업에 대해 기업들은 나일론과 강철에 의한 타이어 코드시장에서의 손실과 섬유로 인한 섬유시장에서의 손실을 보상받을 수 있을 것이라는 희망을 가지고 있었다. 이런 희망은 타당한 것이라고 할 수 있다. 그 반면에 모든 기업들이 산업 수요가 계속적으로 하락한다는 것에 대해 확신을 가지고 있을 경우에는 시장으로부터 질서정연하게 설비를 철수하는 과정이 시작될 것이다. 예를 들어 아세틸렌 산업의 경우에는 급등하는 천연가스의 가격으로 인해 아세틸렌을 사용하고 있는 화학공정 대부분에서 상대적으로 값싼 에틸렌이 대체물로서 사용될 것이라는 사실이 날로 뚜렷해져갔다. 따라서 가장 비능률적인 기업들부터 철수전략을 수립하기 시작했다.

미래의 수요에 대해 인지하는 정도가 기업들마다 다른 것은 당연하다. 어떤 기업은 산업의 재활성화 가능성을 좀 더 높게 평가할 수 있으며, 이런 기업일수록 그 산업에 남아 있으려는 경향이 강하다. 그 밖에도 기업들이 산업의 쇠퇴에 대해 예상할 때 산업 내에서 그 기업이 점유하고 있는 위치와 그 산업의 철수장벽에 의해 영향을 받는다는 사실이 사양 산업의 개별적인 사례를 보면 어느 정도 뚜렷해진다. 기업의 위치가 확고하면 확고할수록, 철수장벽이 높으면 높을수록 미래를 보는 시각에서의 낙관론은 더욱 강하게 작용한다.

## 쇠퇴의 속도와 형태

쇠퇴의 진행속도가 느리면 느릴수록 단기적 요인에 의해 기업이 자사의 위치를 분석하는 데 있어서의 시각이 더욱 흐려지기 때문에, 쇠퇴단계의 도래에 대한 불확실성은 그만큼 더 커진다. 불확실성은 이 단계의 변동성을 더욱 급증시킨다. 반면에 수요가 급격하게 하락하고 있으면, 기업의 미래에 대한 낙관론은 정당화되기 어렵다. 그 밖에도 매출액의 감소폭이 클 경우에는 공장 전체를 포기하거나 생산라인 일부를 해체함으로써 생산능력을 하향 조정할 가능성이 커진다. 완만한 쇠퇴속도 역시 불확실성에 영향을 미치는 한 부분이다. 레이온과 아세테이트 산업에서처럼 산업의 매출액이 원래 불규칙한 경우에는, 매출액의 하향추세와 계절적인 변동에 의해 발생하는 혼란을 구별하기가 어려워질 수도 있다.

수요 감소의 속도는 부분적으로 기업이 소속 산업에서 생산력을 철수하기로 결정하는 데 영향을 미치는 함수 중 하나이다. 그 산업의 제품이 고객에게 중요한 투입요소인 경우에는, 한두 개의 중요한 생산업체가 철수하기로 결정한다면 이로 인해 수요가 급격하게 하락할 수 있다. 고객들은 중요한 투입요소의 지속적인 취득 가능성에 대해 우려하기 때문에, 다른 경우보다도 더 쉽게 대체재로 옮겨가는 경향이 있다. 따라서 일찍 철수를 선언하는 기업들이 수요 감소의 속도에 심각한 영향을 미치게 된다. 그 속도는 또한 수요 감소가 진행됨에 따라 가속화되는 경향이 있는데, 이는 생산량의 축소가 원가와 가격을 상승시키기 때문이다.

### 잔여 수요 포켓의 구조

수요가 감소됨에 따라 잔여 수요 포켓(remaining demand pockets)의 성격이 남아 있는 경쟁기업의 수익성을 결정하는 데 중대한 역할을 한다. 1장에서 그 윤곽을 제시한 완전한 산업구조 분석을 바탕으로 이것이 어느 정도 유리한 수익의 전망을 제공해줄 수도 있다. 예를 들면, 시가 산업의 중요한 잔여 수요 포켓 중 하나가 고급시장이다. 고급시장은 대체재의 침투를 받을 염려가 전혀 없으며, 가격에 대해 무감각한 소비자를 가지고 있으며, 높은 수준의 제품 차별화를 창출하는 데 유리하다. 이 시장 부문에서 유력한 위치를 지킬 수 있는 기업이라면 시가 산업이 사양길에 접어든다 해도 평균 이상의 수익을 올릴 수 있는데, 이는 그 기업이 경쟁 세력들로부터 자사의 위치를 방어할 수 있기 때문이다.

피혁 산업에서는 실내 장식용 피혁이 생존을 보장해주는 포켓의 역할을 해왔다. 이 부문에서는 기술과 차별화가 고급 시가의 경우와 동일한 효과를 발휘했다. 반면에 아세틸렌의 경우를 보면, 에틸렌에 의한 아세틸렌의 대체가 이루어지지 않은 시장 부문이 있었 지만 이 부문 역시 다른 대체재의 위협에 당면했다. 이 부문에서는 아세틸렌의 높은 고정비 때문에 가격전쟁에서 궁지에 몰렸으며, 그 결과 잔여 수요 포켓에서 기대할 수 있는 잠재 수익성은 보잘것없었다.

전반적으로 잔여 수요 포켓이 가격에 무감각한 구매자나, 6장에서 논의한 높은 전환비용 등의 특징에 의해 교섭력이 약한 구매자를 가지고 있는 경우에는, 청산전략이 잔류 기업들에 유리할 수 있다. 일반적으로 잔여 수요는 그것이 교체 수요이고, 최초 설비의 제조업자로부터의 수요가 사라졌을 때 가격에 크게 영향을 받지 않는다.

그 밖에도 잔여 수요 포켓이 대체재와 강력한 공급자, 사라진 시장으로 인한 매출액 감소를 보충하려는 기업들의 공격으로부터 보호해줄 수 있는 이동장벽의 존재 여부에 의해 위협을 받는 정도가 청산게임의 수익성에 영향을 미친다.

## 산업 쇠퇴의 원인

산업 수요는 여러 가지 요인으로 인해 감소하며, 이 요인은 쇠퇴단계에서의 경쟁과 관계가 있다.

• 기술적 대체 | 산업 쇠퇴의 요인 중 하나는 (계산자에서 휴대용 전자계산기로 대체) 기술 혁신을 통해 창조되었거나 (가죽에서 인조 가죽으로 대체) 상대적인 생산원가와 품질에 있어서의 변화로 인해 우월해진 대체재이다. 대체재 사용의 확대는 일반적으로 판매량을 감소시키고 이윤율을 저하시키기 때문에 산업의 수익성에 위협적일 수 있다.

이러한 요인의 수익성에 대한 부정적 효과는 대체재의 위협을 받지 않거나, 그것에 대한 저항력이 강하거나, 또는 앞서 말한 것처럼 호의적인 특징을 가지는 잔여 수요 포켓이 해당 산업에 존재한다면 완화될 수 있다. 하지만 산업에 따라서는 대체 현상이 장래 수요에 대한 불확실성을 동반하지 않을 수도 있다.

- 인구 변동 | 수요가 감소하는 다른 원인으로, 그 제품을 구입하는 고객집단의 규모 축소를 들 수 있다. 인구가 감소되면서 일회용품 산업의 수요도 감소될 수 있다. 인구 변동은 수요 감소의 원인이기는 하지만 대체재의 경쟁적 압력은 동반하지 않는다.

따라서 인구 변동에 의해 영향 받는 산업에서는 생산력의 감축이 질서 있게 이루어짐으로써 살아남은 기업들은 쇠퇴단계 이전과 비슷한 수준의 수익성을 누릴 수도 있다. 그러나 인구 변동은 대부분의 경우 큰 불확실성을 가져오고, 이 불확실성은 쇠퇴단계의 경쟁에서 불안정 요인으로 작용한다.

- 요구의 변화 | 수요는 구매자의 요구나 취미를 변화시키는 사회적 또는 다른 어떤 요인으로 인해 하락할 수 있다. 예를 들어 담배 소비량이 줄어든 것은 담배가 점차 사회적으로 수용되지 못하는 현상을 이유로 들 수 있다. 인구 변동의 경우와 마찬가지로, 요구의 변화가 반드시 나머지 시장에 대한 대체재의 압박을 가중시키는 것은 아니다. 그러나 요구 변동 또한 시가 산업의 경우와 마찬가지로 불확실성이 크기 때문에, 적지 않은 기업들이 계속해서 수요 회복을 기대하게 된다. 이런 상황은 쇠퇴단계의 수익성을 크게 위협한다.

이러한 수요 감소의 요인들은 미래 수요에 대한 기업의 불확실성의 정도를 추측해보는 데 단서를 제공하며, 나아가 나머지 세분화된 시장의 수익성을 예측하는 데도 도움을 준다.

# 철수장벽

사양 산업에서의 경쟁에 가장 중요한 요소는 시장으로부터 생산력을 철수하는 방법이다. 그러나 진입장벽이 있듯이 철수장벽 또한 있기 때문에 기업들은 비정상적일 만큼 낮은 투자수익성에도 불구하고 사양 산업에 남아 경쟁을 계속할 수밖에 없다. 따라서 철수장벽이 높으면 높을수록 쇠퇴단계가 찾아왔음에도 불구하고 여전히 남아 있는 기업들은 그만큼 더 불리하다.

철수장벽은 다음과 같은 여러 가지 근본적인 원인에서 기인한다.

## 전문화된 내구성 자본

고정자본이건 운전자본(working capital)이건 간에 한 기업의 자산이 특정 산업이나 사업, 회사 등 그것의 현재 입지에 국한되어 있을 경우에는, 자산이 기업의 유동성을 감소시키면서 철수장벽이 되어버린다. 전문화된 자산은 동일 산업에서 그것을 사용하고자 하는 사람에게 매각될 수밖에 없다. 그렇게 되지 않을 경우에는 그 가치가 형편없이 하락하기 때문에 결국에는 그것을 폐기 처분하는 방법밖에 남지 않는다.

동일 산업에서 그 자산을 구입하고 싶어 하는 구매자가 대개 극소수일 수밖에 없는 이유는, 기업에 자산의 매각을 강요했던 똑같은 이유로 그 자산에 대한 잠재적 수요를 위축시키기 때문이다. 예를 들어 아세틸렌 제조 공장이나 레이온 공장은 시설이 지극히 전문화되어 있기 때문에 동일한 용도로 사용하고자 하는 다른 업체에 판매하거나, 폐기 처분할 수밖에 없다. 더욱이 아세틸렌 공장은 해체·이동시키기가 매우 어렵기 때문에, 그렇게 하는 데 드는 비용이 잔재가치와 동일하거나 그 이상일 수도 있다. 아세틸렌 산업과 레이온 산업이 사양길로 접어들자, 공장을 계속 가동할 의사가 있는 잠재 구매자들은 거의 찾아볼 수 없었다.

따라서 대부분의 공장들은 장부가격에 비해 엄청나게 싼 가격으로 투기업자나 피고용자 집단에 매각되었다. 사양 산업에서는 재고 역시 거의 가치가 없으며, 회전속도가 느린 경우라면 더욱 그렇다.

한 기업의 자산처분 가치가 낮은 경우에는, 미래에 얻어질 것으로 예상되는 현금유입의 현재가치가 낮다 하더라도 사업을 계속하는 것이 경제적으로 볼 때 최적의 방법이다. 자산에 내구성이 있는 경우에는 장부가치가 처분가치를 크게 초과할 수도 있다. 따라서 기업이 장부상의 손실을 입게 될 수 있으므로 그 산업에 남아 있는 것이 경제적으로 더 이득이라고 할 수 있다. 그 이유는 미래에 얻어질 것으로 예상되는 현금유입의 현재가치가 사업을 포기할 경우 얻게 되는 투자에 대한 자본의 기회비용을 초과할 것이기 때문이다. 그 밖에도 장부가치가 처분가치를 초과하는 상황에서 사업을 중단한다면 이로 인해 손실이 초래될 것이며, 후에 논의하겠지만 이러한 손실은 철수에 대한 견제효과를 가진다.

특정 사업에서 자산의 전문화로 인해 생기는 철수장벽을 평가하는 데 있어서 중요한 문제는 그 자산을 이용할 수 있는 시장이 존재하는지의 여부이다. 때로 어떤 자산은 국내에서는 거의 가치가 없지만, 국내와는 다른 경제발전 단계에 있는 해외 시장에서는 팔릴 수 있는 경우가 있다.

이러한 자산의 움직임은 처분가치를 높이고 철수장벽을 낮추기는 하지만, 해외 시장의 존재 여부와 관계없이 전문화된 자산의 가치는 산업이 쇠퇴단계에 접어듦에 따라 점차 하락하는 것이 일반적이다. 예를 들어, 컬러 TV 수상기로 인해 진공관의 수요가 강세였던 1960년대 초에 진공관 생산시설을 매각했던 레이시온(Raytheon)은 진공관 산업이 쇠퇴단계에 와 있다는 사실이 분명해진 1970년대 초에 진공관 생산시설을 매각하려고 했던 기업들에 비해 훨씬 높은 처분가치를 회수할 수 있었다. 1970년대 초에 이르러서는 진공관 제조시설의 구입에 뒤늦게 관심을 가진 생산업자들이 미국 내에서는 거의 눈에 띄지 않았다. 그리고 후진국에 진공관을 공급하는 외국 기업들 또한 1970년대 초에 이미 진공관 제조시설을 구입했거나, 아니면 훨씬 강력한 교섭력을 가지고 있었다.

### 철수고정비

과중한 철수고정비(fixed costs of exit)가 기업의 처분가치를 하락시킴으로써 철수장벽을 높이는 경우가 있다. 기업이 종업원들에 대한 막대한 퇴직비용을 부담해야 하는 사례도 얼마든지 있다. 실제로 이탈리아와 같은 일부 국가에서는 정부가 실업의 발생을 인정하지 않기 때문에 철수고정비가 엄청나게 크다.

기업이 투자를 회수하기 위해서는 다수의 전문 경영인, 변호사, 회계사들이 전임으로서 상당히 오랜 기간 동안 노력을 들여야 하며, 이는 많은 비용을 들게 한다. 철수 후에 과거의 고객들이 교체부품을 이용할 수 있도록 대책을 세워야 하는 경우도 없지 않다. 이러한 요구를 충족시키다 보면 상당한 손실이 발생하며, 이것 또한 철수고정비에 포함된다. 경영자나 종업원들이 재정착 혹은 재교육을 필요로 할 수도 있다. 또한 장기구매 계약이나 장기판매 계약은 파기가 가능하다 하더라도 막중한 취소 페널티를 부담해야 한다. 대부분의 경우 기업은 다른 기업으로 하여금 대신 계약을 수행하도록 하고 그 대가를 지불한다.

철수비용이 겉으로 잘 드러나지 않는 경우도 흔히 있다. 자본 회수에 대한 결정이 알려지게 되면 종업원들의 생산성이 떨어지고, 재정 사정은 악화된다. 또한 고객들과의 거래가 거의 일시에 끊기고, 공급자들은 계약 이행에 불성실한 태도를 보인다. 이런 문제점은 추후 논의하게 될 수확전략의 실행에서 발생하는 문제들과 함께, 소유권이 약화되는 몇 달 동안 손실을 가속화함으로써 철수비용을 가중하는 요인으로 작용할 수 있다.

반면에 철수의 결정이 내려졌기 때문에 (기업이 철수를 결정하지 않았더라면 할 수밖에 없었을) 고정투자를 회피하게 되는 경우도 있다. 예를 들면 환경오염 방지법을 준수하기 위한 투자를 피할 수 있으며, 그 밖에 산업에 남아 있기 위해 해야 하는 재자본 투자를 피할 수도 있다. 기업이 이런 투자요구를 충족하면서도 그것과 동일하거나 그보다 더 큰 처분가치의 증가를 실현할 수 없을 경우, 투자요구는 철수를 촉진시킨다.

## 전략적 철수장벽

특정 사업에 있어서 철수장벽이 없음에도 불구하고, 다각화된 기업의 경우 전체적인 전략의 관점에서 보면 기업에서 그 사업이 중요한 위치를 차지하고 있기 때문에 철수장벽에 부딪히게 될 수도 있다.

• 상호 관계성 | 그 사업이 어떤 사업집단 중의 하나로서 전체 전략의 일부분인 경우에는, 그것을 포기하면 전체 전략이 약화될 수도 있다. 사업단위가 기업 전체의 정체성과 이미지에 있어 중추적인 역할을 하는 경우도 있다. 그 사업의 철수로 인해 중추적인 유통경로에서 기업 전체의 관계에 손상을 입거나, 구매에서의 교섭력이 전반적으로 약화될 수도 있다. 그리고 공유하던 시설 등의 자산을 다른 목적으로 사용하거나 공개된 시장에서 거래하지 못하는 경우에는, 철수로 인해 그 자산을 더 이상 사용하지 못하게 될 수도 있다. 그 밖에도 고객과의 유일한 공급관계가 끝나게 되면서 고객에게 다른 제품을 판매할 수 있는 가능성이 사라질 뿐만 아니라, 그 사업단위에 중요한 원료나 부품의 공급을 의존하던 다른 사업들이 성공할 수 있는 기회 또한 사라지게 될 수 있다. 상호 관련성에서 기인하는 철수장벽의 높이를 결정하는 데 중요한 역할을 하는 요인의 하나로, 원래 가지고 있던 자원을 사양 산업에서 새로운 시장으로 이전시킬 수 있는 능력을 지적할 수 있다.

• 금융시장에 대한 접근성 | 철수로 인해 자본시장에서 기업의 신뢰도가 떨어지거나, 매수 지원자(또는 구매자)를 유인하는 기업의 능력이 약화될 수도 있다. 처분되는 사업이 기업 전체에서 차지하는 비중이 클 때는 사업의 처분이 금융시장에서 기업 전체의 신용도를 심하게 떨어뜨릴 수도 있다. 그 사업만을 놓고 볼 때는 사업을 처분하는 것이 경제적으로 타당한 조치일지 몰라도, 그것으로 인해 수익의 성장에 부정적인 영향을 미치거나 자본비용을 늘어나게 하는 역효과가 나타날 수도 있다.[3] 이런 관점에서 보면 사업을 계속 운영함으로써 몇 년간에 걸쳐 소액 손실을 보는 것이 단 한 번에 거액 손실을 보는 것보다 더 나을 수도 있다. 손실의 규모는 그 사업의 자산이 그것의 처분가치와 비교해 어떤 방법으로 감가상각되는지, 그리고 단 한 번의 결정을 내릴 수밖에 없는 상황을 피해가면서 점차적으로 그 사업을 처분할 수 있는 기업의 능력에 의해 결정된다.

• 수직적 통합 | 그 사업이 기업 내의 다른 사업과 수직적으로 관련되어 있을 경우에, 쇠퇴의 원인이 수직적 사슬 전체에 영향을 미치는지, 아니면 한 고리에만 영향을 미치는지에 의해 철수장벽의 높이가 결정된다. 아세틸렌 사업의 경우를 예로 들어보면, 그 사업이 점점 진부화되자 이와 함께 아세틸렌을 원료로 사용하는 후방의 화학합성 사업들도 진부화되었다. 아세틸렌 생산공정을 포함하고 있던 사업들은 아세틸렌을 생산하던 공장을 닫으면서 후방시설을 폐쇄하거나 외부에서 공급처를 찾아야 했다. 아세틸렌의 수요가 떨어지고 있기 때문에 외부 공급자와의 협상을 통해 낮은 가격으로 아세틸렌을 구입할 수는 있었지만, 그 기업은 결국 후방사업의 운영까지 포기하지 않을 수 없게 되었다. 이는 철수 결정이 사슬 전체에 영향을 미치는 경우의 예이다.

이와 대조적으로 후방사업 단위가 전방사업 단위에 대체재 때문에 진부화된 투입요소를 판매하는 경우라면, 전방사업 단위는 대체재를 판매할 외부 공급자를 찾아내 경쟁적 위치의 약화를 막으려고 노력할 것이다. 따라서 기업이 전방으로 통합되어 있다는 사실은 철수의 결정을 재촉할 수도 있는데, 그것은 전방통합으로 인해 그 사업단위의 전략적 가치가 없어지고 오히려 기업 전체에 전략적 부담을 주게 되기 때문이다.

## 정보장벽

한 사업이 기업 내의 다른 사업들과 맺고 있는 관계가 깊을수록, 특히 그 관계가 자산공유나 구매자—판매자 관계의 형태를 띠고 있을 때는, 그 사업의 실질적인 성과에 대한 분명한 정보를 얻기가 그만큼 더 어려워질 수 있다. 성과가 저조한 사업도 관련 사업들의 성공에 의해 저조한 성과가 가려질 수 있으며, 그 결과 기업은 그 사업을 철수하는 것이 경제적으로 타당함에도 불구하고 이를 고려조차 해보지 않을 수 있다.

## 관리 또는 감정상의 철수장벽

앞서 말한 철수장벽은 합리적이고 경제적인 계산에 근거하고 있지만 (또는 정보의 부족으로 인해 계산을 해볼 수 없거나), 실제로 기업을 철수하기 어렵게 만드는 요인은 이러한 경제적 문제 말고도 여러 가지가 더 있다.[4] 개별적인 사례연구에서 눈에 띄는 중요한 이유들로는 경영자의 사업에 대한 감정적 애착, 자신의 능력과 업적에 대한 자부심, 그리고 장래에 대한 두려움 등을 들 수 있다.

단일 사업을 운영하는 기업의 경우, 사업의 철수는 곧 경영자의 실직을 의미하기 때문에 경영자 개인의 관점에서 보면 다음과 같은 지극히 불쾌한 몇 가지 결과를 초래하는 것으로 인식될 수도 있다.

· 자존심의 훼손과 '포기'에 대한 수치심

· 오랫동안 경영해온 사업과의 일체감 단절
· 직장 이동의 기회를 감소시키는 외부로의 실패 노출

  기업의 역사와 전통이 깊으면 깊을수록, 그리고 최고경영자가 다른 기업과 직장으로 이동할 수 있는 가능성이 낮으면 낮을수록, 이러한 요인들은 그만큼 더욱 강력하게 철수에 제동을 걸 가능성이 크다.

  개인적이고 감정적인 철수장벽이 다각화된 기업의 최고경영자에게까지도 영향을 미칠 수 있음을 입증해주는 증거는 충분하다. 경영상태가 악화된 사업단위의 경영자는 단일 업종 기업의 경영자들과 아주 유사한 입장에 놓이게 된다. 그들로서는 철수를 제안하기가 쉽지 않기 때문에 철수 시기의 결정이라는 부담은 대개의 경우 최고경영자에게 전가된다. 하지만 특히 사업단위가 기업의 창립기에 설립된 오랜 사업이거나, 과거에 기업의 중추적인 역할을 했거나, 최고경영자의 직접 참여 하에 창립 또는 매입되었을 경우, 그 사업단위에 대해 최고경영자가 느끼는 일체감은 대단히 강할 수 있다. 예를 들어 제너럴 밀스(General Mills)는 최초의 사업인 제분업의 처분을 결정하는 일이 쉽지 않았고, 따라서 그 결정을 내리기까지 실제로 몇 년이 걸렸다.

  일체감이 다각화된 기업의 최고경영자에게 미치는 영향과 마찬가지로 외부 이미지에 대한 관심과 자존심도 영향을 미칠 수 있다. 다각화된 기업의 최고경영자가 처분대상이 된 사업단위에서 상당한 역할을 해왔다면 그런 현상은 더욱 두드러진다. 더군다나 단일 사업 경영기업과 비교해볼 때 다각화된 기업은 실적이 좋은 사업단위의 수익을 실적이 나쁜 사업단위의 자금으로 지원하는 여유를 가지며, 때로는 취약한 사업부문에서 발생한 손실의 공개를 회피할 수도 있다. 이런 능력이 있기 때문에 다각화된 기업이 처분에 대한 결정을 내리는 데에는 알게 모르게 감정적 요인들이 영향을 미치게 된다. 하지만 다각화의 혜택 중 하나가 감정에 흔들리지 않고 냉정하게 투자를 재고할 수 있는 부분임을 생각할 때 이는 역설이 아닐 수 없다.

경영상의 철수장벽이 강력하게 작용할 수 있기 때문에(앞에서 다룬 많은 투자 회수의 사례와 같이), 장기간에 걸친 실적 부진에도 불구하고 최고경영층에서 변화가 있기까지는 투자 회수가 발생하지 않는 경우가 많다.[5] 극단적인 가정일 수도 있겠지만, 경영자가 해야 하는 결정 중에서 투자 회수가 가장 힘든 것이라는 데에는 모두 동의할 것이다.[6]

과거에 철수를 경험한 적이 있는 경우에는 경영상의 철수장벽이 약화될 수 있다. 예를 들어 기술 실패와 제품의 대체가 일상화된 화학 산업이나 제품수명이 과거부터 짧은 기업들의 경우, 또는 새로운 기업들이 쇠퇴단계의 기업들을 대체할 수 있는 가능성이 큰 하이테크 산업의 경우에는 경영장벽이 그리 높지 않다.

### 정부·사회적 장벽

외국에서는 실업문제와 지역사회에 가해질 충격에 대한 정부의 관심 때문에 사업 철수가 거의 불가능하다. 또는 사업 철수의 대가로 기업 내 다른 사업단위를 양보하거나, 그 밖에 엄청나게 큰 희생을 요구할 수도 있다. 정부가 공식적으로 개입하지 않는 나라에서도 기업이 처한 상황에 따라 철수를 막는 사회 공동체의 압력과 비공식적인 정치적 압력이 아주 강할 수 있다.

많은 경영자들이 종업원들과 지역사회에 대해 느끼는 사회적인 관심은 금전적으로 환산할 수 없는 것이기는 하나 이는 분명히 실제로 존재한다. 사업 철수는 흔히 실업사태를 유발하고, 한 지역경제를 무력화할 수 있다. 그러한 것들이 일반적으로 감정적 철수장벽과 상호작용하게 된다. 퀘벡의 경우를 예로 들어보면, 캐나다의 펄프용해 산업이 사양기에 접어들자 그 지역의 펄프 공장들이 조업을 중단하려 했다. 이때는 한 기업이 한 마을의 경제를 책임지고 있는 경우가 대부분이었다. 경영자들은 지역사회에 미칠 좋지 않은 영향을 걱정했으며, 그 밖에도 그들은 공식적·비공식적인 정부 측의 압력도 감수해야 했다.[7]

이상에서 언급한 철수장벽들 전부나 일부로 인해, 기업은 산업의 수익이 평균보다 낮은 수준임에도 불구하고 그 산업에서 경쟁을 계속한다. 생산능력을 축소하기는 하지만 완전하게 처분할 수는 없는 상황에서 기업들은 살아남기 위해 치열하게 경쟁한다. 철수장벽이 높은 사양 산업에서는 기반이 가장 강한 기업도 수요 감소의 과정에서는 어쩔 수 없이 타격을 입게 된다.

## 자산 처분의 메커니즘

기업이 자산을 처분하는 방식에 따라 사양 산업의 잠재적 수익성도 큰 변화가 따른다. 캐나다의 펄프용해 산업을 예로 들어보면, 대규모 생산시설이 폐기 처분되지 않고 장부가치에 비해 크게 할인된 가격으로 다른 기업인들에게 매각되었다. 투자금이 적었기 때문에 신설 기업의 경영진은 가격 등의 여러 측면에서 자신들에게는 합리적이지만 남아 있는 다른 기업들에는 치명적인 타격이 될 수 있는 전략을 구상할 수 있었다. 종업원들에게 할인가격으로 자산을 매각하는 행위도 동일한 결과를 불러올 수 있다. 따라서 사양 산업의 자산이 폐기되지 않고 그 산업 내에서 매각되는 경우에는, 자산의 원래 소유주가 사업을 계속하는 경우보다 경쟁이 더욱 치열해진다.

정부의 보조금 덕분에 부실기업들이 사양 산업에서 생존을 계속하는 상황도 마찬가지로 좋지 않다. 생산시설이 시장을 떠나지 않게 될 뿐만 아니라, 정부 보조를 받는 기업의 결정이 일반 기업과는 다른 경제원칙에 따라 이루어지기 때문에 산업의 잠재적 수익성이 더욱 위축될 수 있다.

## 경쟁의 정도

산업의 쇠퇴단계에서는 매출액 감소로 인해 경쟁기업들 사이의 가격 경쟁이 특히 격렬해지기 쉽다. 1장에서 소개한 경쟁의 치열성을 가열시키는 조건들이 뚜렷해지면 산업 이윤이 급격히 하락한다. 남아 있는 기업들 사이의 경쟁은 다음과 같은 상황이 일어나는 쇠퇴단계에서 가장 치열하게 전개된다.

· 제품이 단순상품으로 인식된다.
· 고정비가 크다.
· 철수장벽으로 인해 다수의 기업이 그 산업에서 철수하지 못하고 있다.
· 다수의 기업이 그 산업에서 우위를 유지하는 것이 전략적으로 중요하다고 생각한다.
· 잔여 기업들의 상대적 세력이 어느 정도 균형상태를 유지하고 있기 때문에, 하나 또는 몇 개의 기업이 경쟁에서 승리하기란 쉬운 일이 아니다.
· 경쟁기업들의 상대적인 경쟁력에 대해 정확하게 알지 못하기 때문에, 많은 기업들이 실패할 수밖에 없는 위치 변화의 시도를 감행한다.

쇠퇴단계에서의 경쟁의 치열성은 공급자와 유통경로에 의해 더욱 심화될 수 있다. 어떤 산업은 쇠퇴기로 접어들면서 공급자에게 덜 중요한 고객이 되며, 이로 인해 가격 및 서비스에 변화가 생길 수도 있다.[8] 마찬가지로 유통경로가 다수의 기업을 상대로 하는 것이거나, 진열의 면적 및 위치를 통제하거나, 또는 구매자의 의사 결정에 영향을 미치는 경우에는 산업이 사양되어감에 따라 유통경로의 영향력이 더욱 커진다. 담배의 경우를 예로 들어보면 담배는 충동구매품에 속하기 때문에 진열장에서의 위치가 판매에 결정적인 영향을 미친다. 담배 산업이 쇠퇴하는 동안 유통경로의 영향력이 현저하게 커졌으며, 이에 반비례하여 판매자의 한계이윤은 크게 떨어졌다.

경쟁이라는 시각에서 볼 때 최악의 상황은 한두 기업이 산업에서의 전략적 위치가 상대적으로 약함에도 불구하고 기업이 가지고 있는 모든 자원을 동원해서 그 산업에 남아 있겠다는 강한 의지를 보일 때이다. 이 기업들은 위치가 약하기 때문에 가격인하 등을 통해 위치를 개선하려고 필사적인 노력을 한다. 이러한 노력이 산업 전체로 하여금 대응하지 않을 수 없게 만든다.

## 쇠퇴단계에서의 전략적 대안

쇠퇴단계에서의 전략은 일반적으로 투자 회수나 수확을 중심으로 논의되지만, 그 밖에도 동일한 맥락에서 파악되는 몇 가지 전략이 더 있다. 하지만 이 전략들 모두가 어떤 특정 상황에도 반드시 적용할 수 있는 것은 아니다. 이러한 전략은 쇠퇴단계에서 경쟁에 임하는 4가지 기본적인 접근방법(〈표 12-1〉)을 통해 나타낼 수 있으며, 기업은 이 접근방법 각각을 선택할 수 있고, 어떤 경우에는 연속적으로 실행해나갈 수도 있다. 실제로는 이 전략들 사이의 구별이 뚜렷하지 않은 경우가 많지만, 그 목표와 시사점에 대해 따로 논의하려 하는 것은 몇 가지 점에서 유익하기 때문이다. 이 전략들은 달성하고자 하는 목표뿐만 아니라 투자에 대한 의미에 있어서도 다른 점이 많다. 수확 및 처분 전략에 있어서는 기업 쇠퇴단계 전략의 기본적 목표인 투자 회수를 달성하려고 노력한다. 그러나 선도전략이나 틈새시장(niche) 전략에서는 기업이 사양 산업에서의 위치를 강화할 목적으로 투자를 할 수도 있다.

특정한 전략을 특정한 산업과 특정한 기업에 부합시키는 방법에 대한 논의는 뒤로 미루어두고, 여기에서는 각각의 전략적 대안을 선택하게 하는 동기와 나아가 이를 실행하는 데 있어서의 전술적 단계에 대해 알아보겠다.

| 선도전략 | 틈새시장 전략 | 수확전략 | 신속한 처분전략 |
|---|---|---|---|
| 시장 점유에서 선도자의 위치를 추구함 | 특정 부문에서 우위를 확보 또는 방어함 | 자사의 강점을 이용하여 투자 회수를 관리함 | 쇠퇴단계에서 되도록 일찍 투자를 회수함 |

〈표 12-1〉 선택적인 전략

## 선도전략

선도전략(leadership)이란 사양 산업의 구조가 남아 있는 기업들이 평균 이상의 수익을 거둘 수 있도록 되어 있고, 또한 경쟁기업들과의 관계에서 주도권 장악이 가능하도록 되어 있을 때, 이러한 이점을 이용하는 전략을 말한다. 기업은 그 산업에 남아 있는 유일하거나 몇 안 되는 기업이 되는 것을 목표로 한다. 일단 이러한 위치를 확보하고 난 후에, 기업은 이어지는 판매 패턴을 보고 그 위치에 남아 있는 전략을 택하거나 통제된 수확전략으로 전환한다.[9] 이러한 전략의 기본이 되는 전제는, 기업이 선도의 위치를 확보함으로써 그렇게 하지 않았을 경우보다(필요한 투자를 감안하더라도) 위치를 고수하거나 수확하는 전략을 택할 때 더 유리한 입장에 설 수 있다는 것이다.

선도전략을 수행하는 데 기여할 수 있는 전술적 단계로는 다음과 같은 것들이 있다.

· 점유시장을 확대하고 다른 기업들이 그 산업으로부터 철수하는 속도를 가속화하기 위해, 가격이나 마케팅 같은 분야에서 공격적인 경쟁의 태도로 투자한다.
· 경쟁기업이나 경쟁기업의 생산라인을 다른 곳에 매각했을 때 받을 수 있는 가격보다 높은 가격으로 구입함으로써 시장점유율을 높인다. 이러한 조치는 경쟁기업의 철수장벽을 낮추는 효과가 있다.
· 경쟁기업의 생산능력을 구입하여 폐기하는 조치 또한 경쟁기업의 철수장벽을 낮추는 동시에, 그 기업의 생산력이 동일 산업 내에서 매각될 수 없음을 확인시키는 효과가 있다. 기계탐지기(mechanical sensor) 산업에서 선도기업이 여러 차례 걸쳐 가장 약한 경쟁기업의 자산을 구입하겠다고 제안하는 것도 같은 이유에서다.
· 경쟁기업이 생산작업을 중단할 수 있도록 제품의 예비 부속품을 대신 생산하거나, 장기계약을 양도받거나, 대신해서 자체 브랜드 개발상품을 생산하거나 하는 등의 방법으로 경쟁기업의 철수장벽을 낮춘다.
· 공개적인 발언이나 행동을 통해 그 산업에 남아 있겠다는 강력한 의사를 표시한다.
· 경쟁적인 움직임을 통해 기업의 우수한 역량을 분명하게 보여줌으로써, 경쟁기업이 끝까지 대결하겠다는 생각을 단념하게 한다.
· 쇠퇴단계의 도래에 대한 불확실성을 줄여주는 믿을 만한 정보를 찾아내 공개함으로써, 경쟁기업이 산업의 전망을 실제 이상으로 과대평가하여 그 산업에 남아 있으려 할 가능성을 낮춘다.
· 신제품 투자나 프로세스 개선에 대한 필요성을 강조함으로써 다른 경쟁기업이 산업에 남아 있으려 할 때의 부담을 높인다.

## 틈새시장 전략

틈새시장(niche) 전략의 목표는 안정된 수요를 유지하거나 완만한 속도로 쇠퇴하는 것뿐만 아니라, 높은 수익성을 보장해주는 구조적 특성을 가지는 시장 부문(혹은 수요 포켓)을 찾아내는 것이다. 그러한 시장 부문을 찾아내면 기업은 이 부문에서의 입지를 확고히 하기 위해 투자한다. 기업은 경쟁기업들의 철수장벽을 낮추거나 이 부문에 대한 불확실성을 줄일 목적으로 선도전략의 몇 가지 행동을 취하는 것이 바람직하다는 것을 알게 된다. 그러나 궁극적으로는 수확전략이나 신속한 처분전략으로 전환해야 할 것이다.

## 수확전략

수확전략을 취함에 있어 기업은 사업활동으로부터의 현금유입을 극대화하려 한다. 기업은 신규 투자를 중단하거나 크게 감축하고, 시설 유지비를 줄이고 광고나 연구개발비를 줄이는 동시에, 가격을 인상하거나 과거에 얻은 신용으로 인한 지속적인 판매로 기업의 강점을 최대한 활용하여 현금유입을 극대화한다. 그 밖의 일반적인 수확전략의 전술로는 다음과 같은 것들이 있다.

- 모델의 수를 줄인다.
- 이용하는 유통경로의 수를 줄인다.
- 소액거래를 중단한다.
- (재고의) 운송시간, 수선속도, 판매보조 등의 서비스 시간을 점차 줄인다.

결국에는 그 사업이 팔리거나 처분될 것이다. 어떤 사업에서나 쉽게 수확전략을 펼 수 있는 것은 아니다. 수확전략을 채택하기 위해서는 기업이 살아남을 수 있는 진정한 의미의 강점을 가지고 있어야 하며, 산업환경 측면에서는 산업이 쇠퇴단계에 접어들어도 치열한 경쟁이 일어나지 않아야 한다. 그러한 강점이 없으면 심각하게 줄어든 매출액에 맞추기 위해 가격은 올라가고, 품질은 떨어지며, 광고를 중단하는 등의 전술이 실행될 것이다. 산업구조가 쇠퇴단계에서 엄청나게 치열한 경쟁을 불러오는 경우에는, 경쟁기업들이 그 기업의 투자 결핍을 이용하여 점유시장을 빼앗거나 가격을 인하하려 할 것이며, 그 결과 수확전략을 통해 얻은 경비절감의 이익이 사라져버리게 될 것이다. 그리고 일부 기업들의 경우에는 추가로 경비를 더욱 절감할 수 있는 선택의 여지가 거의 없기 때문에 수확전략을 실행하기 어려운 경우도 있다. 극단적인 예로는 공장이 꾸준히 보수되지 않으면 갑자기 가동이 멈추어버리게 될 수도 있다.

수확전략에 있어서 전술은 고객의 (가격인상이나 광고활동 중단과 같이) 눈에 띄는 조치와 (보수의 지연이나 한계 계정의 생략과 같이) 눈에 띄지 않는 조치로 나눌 수 있다. 상대적으로 강점이 없는 기업은 눈에 잘 보이지 않는 조치를 취해야 하겠지만, 이런 조치는 사업의 성격에 따라 현금유입량을 크게 늘릴 수도 줄일 수도 있다.

쇠퇴단계에 대처하는 모든 전략 중에서 수확전략이 관리적 측면에서 가장 많은 것들이 요구되는 전략일지도 모른다(하지만 이에 대한 학문적인 연구는 거의 전무하다). 실제로는 종업원들의 의욕과 유지, 공급자와 고객에 대한 신용, 경영자의 동기 부여 등 여러 가지 문제들이 얽혀 있기 때문에 통제 하의 청산은 관리하기가 극히 어렵다. 3장에서 언급했던 포트폴리오 계획기술에 근거해 어떤 사업을 수확하거나, 쓸모가 없어진 사업으로 분류하는 것은 동기 부여하기에 좋은 방법은 아니다. GE나 미드 코퍼레이션(Mead Corporation)과 같은 기업들이 수확전략에 있어서의 경영상 동기부여를 특정한 상황에 적용하려는 노력을 하기는 했지만 그러한 노력의 결과가 뚜렷이 나타나지 않았으며, 관리적 측면에서 유발되는 수확전략의 다른 문제들도 여전히 해결되지 않은 채 남아 있다.

## 신속한 처분전략

신속한 처분전략(quick divestment)은 사업을 쇠퇴단계의 초기에 매각하는 것이, 후기에 그것을 수확하고 난 다음 매각하거나 다른 전략을 시도하는 것보다 기업의 총투자회수율을 극대화할 수 있다는 전제에 근거를 둔다.

초기에 사업을 매각함으로써 실현할 수 있는 가치가 극대화되는 이유는, 사업체를 일찍 매각할수록 수요가 실제로 하락할 것인지 아닌지에 대한 불확실성이 그만큼 더 크고, 외국 시장과 같은 자산의 수요시장이 공급과잉 상태에 있지 않을 확률이 더 크기 때문이다.

어떤 경우에는 쇠퇴단계 이전이나 성숙단계에서 사업을 처분하는 것이 바람직할 수도 있다. 일단 쇠퇴할 것이 분명해지면 산업 내외의 자산 구매자들이 보다 강한 협상의 위치에 서게 된다. 그 반면에 일찍 처분하는 것은 미래에 대한 기업의 예측이 틀렸을지도 모른다는 위험이 따르게 된다.

신속한 처분이 일반적으로 어느 정도까지는 이런 요인들을 완화시켜주는 것은 사실이지만, 이미지나 상호 관련성 같은 철수장벽에 부딪히게 할 수도 있다. 그럴 경우에 이런 문제들을 부분적이나마 완화하게 할 목적에서 기업은 자사제품 상표전략을 사용할 수도 있고, 생산라인을 경쟁기업들에 판매할 수도 있다.

# 쇠퇴단계에서의 전략 선택

앞에서의 논의는 사양 산업에서 기업의 위치를 결정하기 위한 일련의
분석단계를 제시해준다.

- 산업의 구조가 1부에서의 조건들에 근거해서 볼 때 유리한(잠재적
  수익성이 있는) 쇠퇴단계를 초래하도록 되어 있는가?
- 주요 경쟁기업들이 개별적으로 직면하고 있는 철수장벽은 무엇인
  가? 어느 기업이 빨리 철수할 것이며 또 남아 있을 것인가?
- 남아 있는 기업들의 경우, 그 산업에 남게 될 수요 포켓에서 얼마나
  강한 상대적 경쟁력을 가지게 될 것인가? 철수장벽을 감안할 때, 이
  기업들은 자사의 위치가 얼마나 크게 손상되어야 철수하려 할 것인
  가?
- 기업이 직면하고 있는 철수장벽은 무엇인가?
- 잔여 수요 포켓과의 관계에서 기업의 상대적 강점은 무엇인가?

쇠퇴단계(decline)에서의 전략선택 과정은 기업의 상대적인 위치를 감
안해 그 산업에 남아 있는 것이 바람직한지 판단하는 과정이다. 기업의
상대적 위치를 결정하는 데 있어 주요한 강점과 약점이 반드시 과거 산
업의 발전단계에서 중요했던 강점과 약점은 아니다. 오히려 그것들은
남아 있게 될 시장 부문이나 수요 포켓, 또는 경쟁의 성격에 입각해서
본 쇠퇴단계의 특수한 조건들과 관계가 있다. 그 밖에도 선도전략이나
틈새시장 전략에서 가장 중요한 것은 경쟁기업들의 철수를 촉진할 수
있다는 자신감이다. 각자 처한 위치가 다르기 때문에 쇠퇴단계에서 기
업들이 택할 수 있는 최선의 전략 또한 다를 수밖에 없다.

개략적이나마 전략 선택의 틀이 〈그림 12-1〉에 제시되어 있다.

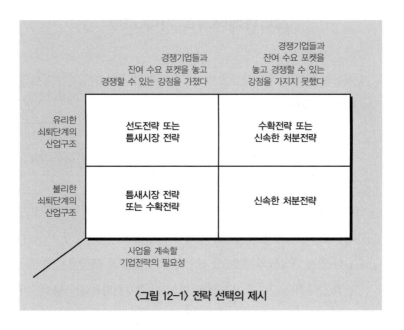

|  | 경쟁기업들과 잔여 수요 포켓을 놓고 경쟁할 수 있는 강점을 가졌다 | 경쟁기업들과 잔여 수요 포켓을 놓고 경쟁할 수 있는 강점을 가지지 못했다 |
|---|---|---|
| 유리한 쇠퇴단계의 산업구조 | 선도전략 또는 틈새시장 전략 | 수확전략 또는 신속한 처분전략 |
| 불리한 쇠퇴단계의 산업구조 | 틈새시장 전략 또는 수확전략 | 신속한 처분전략 |

사업을 계속할
기업전략의 필요성

〈그림 12-1〉 전략 선택의 제시

산업구조가 불확실성이 작고 철수장벽이 낮다는 등의 이유로 호의적인 쇠퇴단계를 초래하는 경우, 기업들은 나머지 시장 대부분이나 한두 곳의 시장에서 경쟁하기 위해 구조적으로 얼마나 바람직한지 따져본 후 선도적 위치를 추구할 수도 있고, 틈새시장을 방어하려 할 수도 있다. 강점을 가지고 있는 기업이라면 선도적 위치를 확립할 수 있는 능력을 가지고 있을 것이다. 일단 그런 위치가 확립되고 나면 산업구조가 보상을 가져다준다(반면에 패한 기업들은 철수할 수밖에 없다). 기업에 특별한 강점이 없는 경우라면 일반적으로 틈새시장에서 선도적 위치를 확보하기는 어렵지만, 유리한 산업구조를 이용하여 이익을 내면서 수확전략을 펼칠 수는 있다. 기업은 수확의 가능성과 사업 매각의 기회가 있는지의 여부에 따라 신속한 처분전략을 택할 수도 있다.

높은 불확실성, 경쟁기업들이 직면하고 있는 높은 철수장벽, 그리고 격렬한 최후의 경쟁을 불러일으키는 상황 때문에 산업의 쇠퇴단계가 호의적이지 않은 경우라면, 선도적 위치를 확보하기 위한 투자가 그 대가를 가져다주기는 어려울 것이며 이는 틈새시장 전략에 있어서도 마찬가지일 것이다. 기업이 상대적인 우위에 있다면 그러한 우위를 이용하여 안전한 틈새시장으로 물러나 있거나, 수확전략을 펴거나, 아니면 2가지를 동시에 실행하는 방법도 좋다. 기업이 특별한 우위에 있지 않은 경우라면, 철수장벽이 허용하는 한 되도록 신속하게 빠져나오는 것이 바람직하다. 그 이유는 철수장벽 때문에 산업에서 빠져나가지 못하고 있는 다른 기업들이 머지않아 그 기업의 위치를 성공적으로 공격하기 시작할 것이기 때문이다.

이 단순한 틀에 있어서 또 하나 고려해야 할 것이 있다. 그것은 사업을 계속해야 할 기업의 전략적 필요성에 관한 것이다. 예를 들어 다른 요인들이 선도전략을 지지함에도 불구하고, 현금유입이 전략적으로 필요하기 때문에 결정은 수확전략이나 신속한 처분전략 쪽으로 기우는 경우도 있다. 현실적으로는 전략적 필요성의 정도를 평가한 후 그것을 쇠퇴단계의 다른 조건들과 비교해보면서 타당한 전략을 찾아야 한다.

쇠퇴단계에 대처하는 하나의 전략을 일찍 공식적으로 선언하는 것도 유리하다. 선도전략을 공식적으로 선언함으로써 경쟁기업들의 철수를 재촉할 수 있으며, 또한 선도적 위치를 확보하는 데 필요한 시간상의 이익을 가져다줄 수도 있다(투자 회수에 대해 일찍 공식적으로 선언하는 것에 따른 이익은 앞에서도 언급하였다). 쇠퇴단계에서 전략 선택을 지연하다 보면, 양극의 전략 선택이 불가능해지고 기업은 어쩔 수 없이 틈새시장 전략이나 수확전략 쪽으로 기울게 되는 경향이 있다.

사양 산업에서 택하는 전략, 특히 공격적인 전략의 핵심이 되는 부분은 특정한 경쟁기업을 산업에서 철수하도록 유도하는 것이다(선도전략에 대해 논의하면서 그러한 방법 몇 가지가 앞에서 소개되었다). 때로는 시장점유율이 높은 경쟁기업이 철수하기 전에는 실제로 공격적인 전략을 개시할 수 없는 경우도 있다. 그럴 경우에 기업은 주요 경쟁기업이 철수 결정을 내릴 때까지 수확전략을 추구하면서 시간을 벌 수도 있다. 선도기업이 철수를 결정하면 즉시 투자를 시작할 수 있고, 만약 선도기업이 남아있으면 수확을 계속하거나 즉시 투자 회수를 시작할 수도 있다.

# 쇠퇴단계에서의 함정

〈그림 12-1〉에 입각해 한 기업의 위치를 찾아내는 데에는 상당히 세밀한 분석이 필요하다. 그런데 이 그림에서 명시되어 있는 산업구조와 전략 선택의 일치라는 기본적 원칙을 어기는 기업들이 적지 않다. 사양 산업을 관찰하다 보면 그 밖에도 여러 가지 함정이 발견된다.

• **쇠퇴에 대한 인식의 실패** | 사양 산업이 다시 활성화되리라는 기업의 전망은 지나치게 낙관적이라고 할 수 있다. 하지만 미래에 대한 불확실성이 없을 수 없음을 감안하면, 일부 기업들이 그 산업과의 오랜 인연이나 대체재를 보는 시각의 협소함 때문에 쇠퇴의 가능성을 객관적으로 보지 못하는 것도 무리는 아니다. 높은 철수장벽 또한 모르는 사이에 경영자들이 자신이 처한 환경을 인식하는 데 영향을 미칠 수 있다. 비관적인 신호가 너무나 고통스럽기 때문에 그들은 낙관적인 신호만을 보려한다. 사양 산업을 면밀히 살펴보면, 쇠퇴과정에서 가장 객관적으로 대처하고 있는 기업들은 대체재 산업에도 참여하고 있음을 볼 수 있다. 그들은 대체재의 전망과 쇠퇴의 위협에 관해 좀 더 분명하게 인식한다.

• **소모전** | 높은 철수장벽에 둘러싸인 경쟁기업과의 대결은 대개 파멸로 끝이 난다. 경쟁기업은 대개 상대 기업의 움직임에 대해 격렬한 반응을 보이며, 상당한 투자가 없으면 자사의 위치를 포기하려 하지 않는다.

• **뚜렷한 강점 없는 수확** | 쇠퇴단계의 산업구조가 지극히 유리하지 않은 경우라면, 뚜렷한 강점이 없는 기업들의 수확전략은 일반적으로 실패로 끝날 것이다. 고객들은 마케팅 활동이 약화되거나 서비스가 나빠지거나 또는 가격이 올라가면, 재빨리 거래대상을 바꾼다. 수확과정에서의 사업의 재판매 가치 또한 급격하게 감소될 수 있다. 수확전략은 경쟁 및 관리 차원에서 위험부담이 따르기 때문에 이 전략을 채택하는 데에는 분명한 합리적인 근거가 있어야 한다.

## 쇠퇴단계에 대한 준비

쇠퇴단계에서 산업의 상태를 예상할 수 있는 기업이라면, 성숙단계에서 쇠퇴단계에 대한 예비조치를 취함으로써 자사의 위치를 크게 개선할 수 있을 것이다. 때로는 성숙단계의 전략적 위치에서 드는 비용이 거의 없이도 다음과 같은 조치를 취할 수 있다.

· 철수장벽을 높일 수 있는 투자나 행동을 최소화한다.
· 쇠퇴단계의 환경에서 유리할 수 있는 시장 부문을 전략적으로 강조한다.
· 이 부문에서 전환비용을 만든다.

# 글로벌 산업에서의 경쟁

글로벌 산업이란 지리적으로 주요하거나, 주요한 국가 시장에서 경쟁 기업들이 차지하는 전략적 위치가 근본적으로 이 기업들의 세계적인 위치에 의해 영향 받는 산업이다.[1] 예를 들어 프랑스와 독일에서 컴퓨터 판매경쟁을 벌일 때 IBM의 전략적 위치는 세계적으로 협조관계에 있는 제조시스템과 여러 곳에서 개발된 기술 및 마케팅에 힘입어 크게 개선되었다. 글로벌 산업에서의 경쟁을 분석하려 할 때에는 지리적으로 다양한 시장이나 여러 국가 시장의 산업 경제와 경쟁기업들을 개별적으로 살피기보다는 총괄적으로 살펴볼 필요가 있다.

글로벌 산업은 기업이 전 세계적인 협조시스템의 바탕 위에서 경쟁할 것을 요구하며, 이런 요구가 충족되지 않았을 때 그 기업은 전략적으로 불리한 입장에 처하게 된다. 일부 산업들의 경우는 그 참여 기업들이 다국적 기업이라는 의미에서 국제적이기는 하지만, 글로벌 산업의 본질적인 특징들을 가지지는 않는다. 예를 들어 많은 가공식품의 경우에 네슬레(Nestle), 펫(Pet), CPC 같은 다국적 기업들이 여러 나라에 진출했다.

그러나 제품 개발 등의 제한된 분야를 제외하면, 자회사들은 자치적으로 운영되며 경쟁의 무대는 개별 국가이다. 기업이 반드시 국제적으로 경쟁해야 성공하는 것은 아니다. 따라서 다국적 경쟁기업들이 참여하는 산업이라고 해서 반드시 글로벌 산업이라고 말할 수는 없다. 하지만 '글로벌'이라는 의미가 정도의 차이는 있겠지만 국제적으로 경쟁하는 기업들이 불가피하게 당면하게 되는 전략적 변수라는 사실은 인정해야 한다.

1970년대에 들어서면서 이미 글로벌 산업이 되었거나 그 과정에 놓여 있는 산업들의 수가 증가했으며, 이처럼 중요한 구조의 변화는 앞으로 더욱 더 많아질 것이다. 어떤 기준에서 봐도 무역과 해외투자는 크게 증가했으며, 글로벌 산업으로의 진화에 수반되는 전략적 위치의 변화는 극적이며 신속하다. TV 수상기, 모터사이클, 재봉틀, 자동차 산업 등이 전형적이면서도 현저하게 눈에 띄는 예이다.

이러한 세계화의 움직임은 미국이 1890년에서 1930년 사이에 지역적인 경쟁에서 국가적인 경쟁으로 발전해갔을 때의 움직임과 비교해볼 수 있다. 앞으로 살펴보겠지만 근본적인 원인들은 대부분 유사하다. 더구나 글로벌 경쟁을 지향하는 움직임도 과거의 국가 산업화 움직임 못지 않게 큰 변화를 초래할 수도 있다. 거의 모든 산업의 경영자들이, 아직 현실화되어 있지는 않지만 하나의 가능성으로서의 글로벌 경쟁을 고려하지 않을 수 없는 단계에 와 있다.

국제적으로 경쟁할 때와 국가 내에서 경쟁할 때는 여러 가지 차이점들이 있으며, 일반적으로 국제적인 경쟁전략을 수립하는 과정에서는 다음과 같은 요소들이 강조된다.

· 국가들 사이의 생산 요소비 차이
· 해외 시장의 다른 환경
· 해외 정부의 다른 역할

· 목표, 자원, 그리고 해외 경쟁기업을 모니터링할 수 있는 능력의 차이

하지만 글로벌 산업에서 작용하는 구조적 요인과 시장 세력은 국내 산업에서 작용하는 것과 동일하다. 글로벌 산업의 구조적 분석에서는 해외 경쟁기업들, 좀 더 폭넓은 잠재적 진입자들과 폭넓은 범위의 대체재들, 그리고 단순히 어떤 것이 전략적으로 중요한지에 대한 인식뿐만 아니라 기업들의 목적과 기업인들의 인격 등이 고려대상으로 포함되어야 한다. 그러나 1장에서 설명한 5가지의 경쟁요인이 작용하여 기본적으로는 동일한 구조의 요인들이 글로벌 산업의 경쟁강도를 결정한다. 앞으로 살펴보겠지만, 가장 성공적이었던 국제 전략들은 (모두 조금씩은 다른 맥락에서) 모두 이 시장 세력에 대한 인식을 근거로 세워졌다.

이 장은 1부에서 확립된 개념적 기초에 의거하여 글로벌 산업에서 발생하는 특정한 경제적 · 경쟁적 문제들을 살펴볼 것이다. 고려해야 할 핵심문제는 긍정적 · 부정적 시각 2가지 관점에서 모두 고려될 것이다. 기업은 산업 내 글로벌 기반 위에서의 경쟁을 통해 전략적으로 더욱 유리한 위치를 획득하는가? 기업은 글로벌 경쟁으로 인해 어떤 위협을 받게 될 것인가? 이 문제를 검토하는 데 있어서는 우선 글로벌 경쟁을 촉진하는 구조적 조건들과 글로벌 경쟁의 장애요인들을 찾아내야 한다. 이러한 분석은 산업환경 변화와 글로벌 경쟁을 촉진하는 전략적 혁신을 포함하여, 산업이 글로벌 산업으로 진화하는 과정을 파악하는 데 반드시 필요한 기초 구성단위가 된다. 이러한 맥락에서 글로벌 산업에서 경쟁하는 데 중요한 몇 가지 전략적 문제와 그 대안이 고려될 것이다. 마지막으로 글로벌 산업 내에서 중요한 위치를 찾아가고 있는 한국과 싱가포르 같은 신생 개발국 기업들과의 경쟁을 촉진하거나 지연시키는 상황을 포함하여 글로벌 경쟁에 영향을 미치게 되는 몇 가지 트렌드를 살펴볼 것이다.

# 글로벌 경쟁의 원천과 장애요인

기업은 3가지의 기본적인 메커니즘, 즉 라이선싱·수출·해외 직접투자를 통해 국제적인 활동에 참여할 수 있다. 일반적으로 처음에는 라이선싱이나 수출을 통해 해외로 진출하고, 어느 정도 해외 시장에서의 경험을 쌓은 후에는 해외 직접투자를 고려하게 된다. 수출이나 해외 직접투자는 경쟁이 글로벌한 관점에서 일어나고 있는 산업에서 나타난다. 여러 국가들 간의 대규모 수출물량 유통은 믿을 만한 글로벌 경쟁의 신호이지만, 대규모 해외 직접투자에 있어서는 그렇지 않을 수도 있다. 이 투자는 외국에서 본질적으로 독립적 활동을 하고 있는 자회사들로 구성될 수 있는데, 이때 자회사 각각의 경쟁적 위치는 위치하고 있는 나라의 특수한 상황과 자회사 자체의 자산에 의해 결정된다. 한 산업이 글로벌 산업으로 변화하는 근본적인 이유는, 기업이 다수의 국가시장에서 상호 협조적인 방법으로 경쟁함에 따르는 경제적 이익(또는 그 밖의 다른 이익)이 있기 때문이다. 세계적으로 전략적 우위를 확보할 수 있게 해주는 여러 가지 뚜렷한 요인들이 있는 반면에, 이를 달성함에 있어 역작용을 하는 요인들도 존재한다.[2] 분석하는 이들의 과제는 '왜 그 산업이 글로벌 산업이 아닌가' '반대로 글로벌 경쟁우위(competitive advantage)의 원천이 장애요인들을 누르고 있는가'에 대한 물음을 이해하면서 특정 산업 안에서 이 요인들을 평가해보는 것이다.

## 글로벌 경쟁우위의 원천

글로벌 경쟁이 전략적 우위를 가져다주는 것은 주로 다음과 같은 요인들이 작용하기 때문이다. 즉 전통적인 비교우위, 개별적인 국가시장에서·달성 가능한 규모나 누적생산량을 상회하는 규모의 경제나 학습곡선, 제품 차별화에 의한 우위, 시장 정보 및 기술에 있어서의 공공재적 성격[3]이 그것이다.

• **비교우위** | 비교우위의 존재는 글로벌 경쟁의 고전적 결정요인이다. 한 국가가 어떤 제품을 생산하는 데 필요한 요소의 비용이나 품질에서 월등한 우위에 있을 때에는, 이 국가가 생산자가 되고 그 생산품을 세계의 다른 지역들로 수출하게 마련이다. 이런 산업에서는 비교우위를 점유하고 있는 국가에 위치하고 있는 기업만이 글로벌 전략에서 우위를 확보할 수 있다.

• **생산규모의 경제** | 주요 국가시장의 규모를 넘어서는 생산규모의 경제가 존재할 경우, 기업은 집중화된 생산과 글로벌 경쟁을 통해 원가우위에 설 수 있게 된다. 예를 들어 현대적인 고속도강 제조업체는 전 세계 수요의 40퍼센트에 해당하는 생산규모를 달성할 때 비로소 수익분기점에 이르게 된다. 때로는 수직적 통합을 통한 우위가 글로벌 생산규모의 경제를 달성함에 있어 결정적인 요인으로 작용하는데, 그 이유는 수직적으로 통합된 시스템의 효율적 규모가 국가시장의 규모보다 더 크기 때문이다. 생산규모의 경제를 달성하는 것은 국가들 간의 무역이 필요함을 의미한다.

• **국제적 경험** | 독점적 경험으로 인해 상당한 원가절감이 가능한 기술의 경우에는 유사제품을 다수의 국가시장에서 판매할 수 있는 능력이 이익을 가져다줄 수 있다. 한 모델이 다수의 국가시장에서 판매될 경우, 모델당 누적생산량이 더 커질 것이고, 그 결과 글로벌 경쟁시장에서 기업은 원가상 유리한 입장에 서게 된다. 이런 상황은 지게차 제조업계에서 나타난 적이 있으며, 그 결과 도요타가 압도적인 우위를 점하게 되었

다. 학습곡선이 개별적인 지역시장에서의 경쟁을 통해 결국에는 달성 가능한 누적생산량에서 수평이 된다 하더라도, 글로벌 경쟁은 '좀 더 빠른 학습'을 허용할 수 있다. 한 회사가 여러 공장의 기술 발전을 공유함으로써 경험을 축적할 수 있기 때문에, 비록 생산이 집중화되지 않고 개별 국가의 시장에서 이루어진다 해도 글로벌 경쟁으로부터 원가우위가 얻어질 수 있다.

• **물류규모의 경제** | 국제적인 물류시스템이 본래부터 일정한 고정비용을 요구할 경우, 글로벌 경쟁기업은 다수의 국가시장에 공급함으로써 고정비용을 분산할 수 있기 때문에 원가우위에 설 수 있다. 그 밖에도 글로벌 경쟁은 전문화된 화물선과 같이 좀 더 전문화된 시스템을 사용할 수 있는 능력이 있기 때문에 물류규모의 경제를 달성할 수 있다. 예를 들어 일본 기업들은 철강 산업과 자동차 산업의 생산원료 및 완제품을 운반하는 데 전문화된 선박을 이용함으로써 대폭적인 원가절감을 이룩할 수 있었다. 세계적 규모의 생산량을 관리하다 보면 물류시스템의 완전한 재구성을 생각해볼 수 있다.

• **마케팅 규모의 경제** | 마케팅 활동의 대부분이 원래는 국가시장을 단위로 수행되지만, 일부 산업에서는 국가시장의 규모를 넘어서는 마케팅 규모의 경제가 있는 경우도 있다. 공동의 판매인력이 전 세계에 파견되는 산업들의 경우에 특히 그럴 가능성이 크다. 예를 들어 중장비 건설이나 항공기, 그리고 터빈발전기 제조 산업 같은 분야에서는 판매업무가 매우 복잡하고 비교적 적은 수의 구매자들을 상대로 간헐적으로 이루어진다. 따라서 글로벌 기업은 아주 숙련되고 많은 비용이 드는 판매인력을 고용하는 데 드는 높은 고정비용을 다수의 국가시장으로 분산할수 있다.

그 밖에 독점적 마케팅 기술을 전 세계적으로 이용함으로써 마케팅 규모의 경제를 꾀할 수도 있다. 한 시장에서 얻은 지식을 추가비용 없이 다른 시장에서 사용할 수 있기 때문에 글로벌 기업은 원가우위에 설 수 있다. 예를 들어, 맥도날드의 '공식(formula)'이나 티맥스의 '고통시험(torture test)' 마케팅 캠페인은 전 세계적으로 사용되고 있다. 기업은 자회사의 브랜드를 지역시장 각각에 확고하게 인식하게 하기 위해 투자를 해야 하는 것이 일반적이지만, 일부 브랜드는 다른 세계시장에로의 이동이 가능하다. 일부 브랜드의 경우에는 무역통신, 기술서적, 문화적 명성 등을 통해 국제적 인정을 받기 때문에 기업의 투자가 필요하지 않다.

• **구매규모의 경제** ㅣ 개별적인 국가시장에서 경쟁하는 데 필요한 정도를 넘어서는 구매규모에 다다르게 되면 글로벌 기업이 강한 교섭력을 가지게 되고, 공급자들 또한 장기적 생산을 하게 됨으로써 공급가격을 하락시킬 수 있다. 이런 구매 측면에서의 규모의 경제를 실현하게 될 경우, 글로벌 기업은 잠재적 원가우위에 서게 된다. 예를 들어 TV 수상기의 글로벌 생산업체들은 가격을 낮추어서 트랜지스터와 다이오드를 구입할 수 있게 되었다. 다만 그러한 우위의 확보 가능성이 가장 큰 때는, 그 산업에서 구매하는 물량이 생산 원료나 부품을 생산하는 산업의 규모에 비교하여 적당할 때이다. 구매량이 지나치게 클 경우에는 교섭력이 대부분 고갈되어버릴 수 있다. 기업이 직접 생산원료의 채굴(광업)이나 생산(농업)에 종사하는 경우도 마찬가지다. 예를 들어 특정한 광물의 효율적인 채굴규모가 기업이 대규모 국내 시장에서 경쟁하기 위해 그 광물을 필요로 하는 규모보다 더 클 경우에는, 효율적인 규모에서 채굴하면서 글로벌 경쟁을 하는 기업이 원가우위에 서게 될 것이다. 하지만 이러한 우위를 확보하려는 목적에서 국제적으로 경쟁해야 한다는 필요성을 가질 때에는 기업이 효율적인 규모에서 채굴하여 초과분을 다른

기업들에 판매할 수 없다는 사실이 전제되어야 한다.

• **제품 차별화** | 일부 산업, 특히 기술의 진보가 빠른 산업에서는 글로벌 경쟁으로 인해 기업의 명성과 신용을 얻을 수 있다. 유행에 민감한 화장품 산업을 예로 들면 파리와 런던, 그리고 뉴욕에 있는 기업은 일본에서의 경쟁을 승리로 이끌기 위해 필요한 이미지를 얻는 데 있어 크게 유리한 입장에 놓여 있다.

• **독점적 생산기술** | 글로벌 경쟁은 독점적 기술을 다수의 국가시장에서 활용할 수 있기 때문에 유리하다. 이러한 능력은 연구·개발에서의 규모의 경제가 개별 국가시장에서의 매출량에 비해 클 때 특히 중요하다. 컴퓨터·반도체·항공기·터빈 산업 등은 국제적 기업들의 기술적 우위가 뚜렷한 산업들의 좋은 예이다. 어떤 기술의 경우는 그것을 개발하는 데 엄청난 비용이 들기 때문에, 이 비용을 회수하기 위해 세계적으로 판매를 하지 않을 수 없다. 그 밖에도 기업은 글로벌 경쟁을 통해 세계의 발전된 기술을 접함으로써 기술 차원의 경쟁력을 강화할 수 있다.

• **생산력의 이동성** | 제품이나 서비스의 생산의 이동이 가능할 때 규모와 독점기술 공유로 인한 경제가 실현된다. 예를 들어, 중장비 건설업에서는 기업이 종업원들을 이 나라에서 저 나라로 이동시키면서 프로젝트를 건설하며, 유조선은 석유를 세계 곳곳으로 운반하며, 지진 탐사대와 유전 탐사장비 및 고문단 또한 이동이 가능하다. 그러한 산업들에서는 조직을 설립·유지하고 독점기술을 개발하는 데 드는 간접비가 다수 국가시장에서의 활동을 통해 쉽게 분산될 수 있다. 그 밖에도 기업은 어떤 한 국가시장에서의 제품 수요만으로는 그 채용을 합리화할 수 없는 기술 인력이나 장비에 투자할 수 있다. 이 경우 또한 단일 시장의 규모

를 초과하는 규모의 경제의 좋은 예라 하겠다.

글로벌 경쟁우위 요인들이 복합적으로 나타나면서 상호작용하는 경우도 드물지 않다. 예를 들면 생산규모의 경제가 해외 시장으로의 확대 근거를 제공해주며, 이러한 확대의 결과로 보급규모의 경제나 구매규모의 경제가 실현될 수 있다.

많은 경우에 글로벌 경쟁우위의 원천은 각각이 아니라 요인들의 조화, 또는 그것들 사이의 반응에 의해서 얻어진다. 예를 들어 생산규모의 경제는 물류규모나 구매규모의 경제로 이끌 수 있는 외국시장으로의 진입에 도움을 준다.

각각의 글로벌 경쟁우위 요인들의 중요한 정도는 다음 둘 중 하나에 의해 결정된다. 첫째, 사업에서 글로벌 경쟁의 경제에 영향 받는 측면이 총원가에서 얼마나 큰 비중을 차지하는가? 둘째, 글로벌 경쟁기업이 우위에 있는 사업 측면이 경쟁에서 얼마나 중요한가? 총원가 중 아주 낮은 비율을 차지하는 측면(예를 들면 판매인력)에서의 우위라 해도 일부 산업에서는 경쟁의 승패에 결정적인 영향을 미칠 수 있다. 이 경우에는 글로벌 경쟁을 통해 얻어지는 경비나 효율성에서의 작은 개선도 중요해진다.

또한 경쟁우위 요인들이 글로벌 기업 측에서 보면 이동장벽의 존재를 의미한다는 사실을 주목해야 한다. 이 요인들은 글로벌 산업에서 경쟁의 문제를 논의하는 데 있어 중요하다.

## 글로벌 경쟁의 장애요인

글로벌 경쟁우위를 얻는 데에는 여러 가지 장애요인이 작용하며, 이 요인으로 인해 한 산업이 글로벌 산업이 되지 못하는 경우도 있다. 글로벌 경쟁우위 요인이 전반적으로 장애요인보다 우세할 경우조차 장애요인은 세계적으로 경쟁하지 않는 국내 기업들에 전략적 틈새시장을 제공한다. 장애요인의 일부는 경제적인 것으로, 글로벌 경쟁에서의 비용을 직접적으로 증가하게 한다.[5] 다른 일부 요인은 반드시 직접적으로 비용에 영향을 미치는 것은 아니지만, 경영업무의 복잡성을 증가하게 한다. 또 다른 요인은 순전히 제도적 제약조건이나 정부의 제약조건과 관계가 있는 것으로, 경제적 상황을 반영하지는 않는다. 마지막으로 일부 장애요인은 참여 기업들의 인지적 한계나 자원적 한계와 관계가 있다.[6]

## 경제적 장애요인

• 수송 및 저장 비용 | 수송비용 또는 저장비용은 집중화된 생산으로 인한 경제성을, 나아가 여러 국가들에 퍼져 있는 전문화된 공장들과 연계수송 등을 포함하는 통합시스템에서의 생산 효율성을 상쇄한다. 응축 콘크리트, 위험한 화학약품, 그리고 비료 같은 제품들의 경우에는 생산 규모가 개별적인 국가시장의 수요를 초과하는 공장으로 생산원가는 낮출 수 있겠지만, 과중한 수송비 부담 때문에 공장들은 현지 시장에 각각 세울 수밖에 없다. 경쟁은 본질적으로 개별 시장을 바탕으로 진행된다.

• 제품 차별화의 요구 | 글로벌 경쟁은 국가시장들이 서로 다른 제품 형태를 요구할 때 어려움을 겪게 된다. 문화·경제발달 상태·임금수준·기후 등에 차이가 있기 때문에, 국가시장마다 가격·품질·성능·형태 및 규격 등의 차원에서 서로 다른 제품을 요구할 수도 있다. 예를 들어 미국이나 서유럽에서는 컴퓨터화된 재봉틀이 판매되고 있지만, 아직 개발되고 있는 지역에서는 좀 더 단순한 페달 동력식 제품이 이러한 요구를 충족시킨다. 법적 제한, 건축 법규 및 기술 기준이 국가마다 다른 경우에는, 제품에 대한 기본적 요구가 동일하다 해도 국가시장마다 다른 유형의 제품을 요구할 수 있다. 이처럼 서로 다른 제품의 생산에 대한 요구로 인해 세계적 규모의 경제나 학습이 달성 불가능한 것이 되고

만다. 그 밖에도 다른 제품형태로 인해 생산 원료나 부품에 대한 요구가 제각기 다를 때에는 이러한 요구로 인해 글로벌 경쟁의 우위를 실현하는 것이 불가능해질지도 모른다.

서로 다른 제품에 대한 요구로 인해 생기는 글로벌 경쟁의 장벽은 국가시장들에 적합하도록 '제품 변형에 소요되는 비용'에 의해 그 높이가 결정된다. 만약 제품 차별화의 요구가 단순히 표면적인 것이거나 표준 생산 과정에서 대규모의 자본을 투자하지 않고도 충족될 수 있는 경우라면, 글로벌 기업은 여전히 세계적인 규모의 경제를 대부분 수확할 수 있다.

• **확립된 유통경로** | 국가시장마다의 유통경로에 접근해야 할 필요가 있을 경우에는 글로벌 경쟁이 어려워진다. 소비자의 수가 많고 개인의 구매량이 적을 때 경쟁에서 승리하려면, 기업이 기존의 독립적인 유통업자에게 접근해야 한다. 전기제품의 예를 들어보면, 로드 센터(load center)나 회로 차단기 같은 개별 품목은 판매량이 매우 적기 때문에 자체 유통이 불가능하다. 그런 상황에서는 외국 기업이 확립된 유통경로에 침투하는 것이 아주 힘들어진다. 대폭적인(금지되어 있을지도 모르는) 특권이 주어지지 않는 경우라면, 국내 유통업자들이 국내 기업의 라인을 외국 기업의 라인으로 대체하려고 할 리가 없다. 다만 그 산업이 새롭거나 성장단계에 있기 때문에 유통경로가 제대로 확립되지 않은 경우에는 이러한 병목 현상이 심각하지 않을 수도 있다. 그 밖에도 많은 물량이 소수의 유통경로를 통해 움직일 경우, 외국 기업은 다수의 소규모 경로를 설득하여 국내 기업의 라인을 자체의 라인으로 대체하도록 해야 하는 경우보다 쉽게 유통경로에 접근할 수 있을 것이다.

• **판매력** | 만약 제품이 현지 제조업자에 의한 직접판매를 요구하는

것이라면, 국제적인 경쟁자는 규모의 경제라는 장벽에 직면한다. 그리고 이 장벽은 현지 국내 경쟁기업들이 많은 종류의 제품을 판매할 경우에 더욱 높아질 것이다. 이런 장애요인은 의사들을 상대로 값비싼 판촉 활동을 해야 하는 의료제품 같은 일부 산업에서의 세계화를 막고 있다.

• **현지 수선** | 지역의 판매력에 대한 요구와 비슷한 이유로서, 지역 제조업자들의 수선에 관한 필요성 역시 국제적 경쟁기업들의 진출을 막는 요인이 된다.

• **조달기간에 대한 민감성** | 짧은 유행주기나 급속한 기업 변화 등으로 인해 조달기간에 대한 민감도가 높으면, 이것 또한 글로벌 경쟁에 대해 역작용을 하기 쉽다. 국가시장과 집중화된 생산공장 사이의 지리적 거리, 제품 개발 및 마케팅 활동 등으로 인해 시장 요구에 대응하는 데 지연이 있을 수 있지만, 패션의류 산업이나 유통업 같은 산업에서는 이러한 지연이 용납되지 않는다. 이런 문제는 제품에 대한 현지 시장마다의 요구가 서로 다른 경우 더욱 뚜렷해진다.

이와 비슷하게 상품을 전 세계로 수송하는 데 요구되는 조달기간에 따르는 문제가 있다. 조달기간의 문제는 일반적으로 비용의 문제가 되는데, 그 이유는 이론적으로는 어떤 상품이든지(엄청나게 비싼 대가를 치러야 할지 몰라도) 항공수송이 가능하기 때문이다. 값싼 운송수단이 있으므로 운송비용 때문에 제품을 전 세계로 운송할 수 없는 문제가 생기지는 않지만, 이에 따르는 조달기간의 지나친 장기화는 시장의 요구에 신속하게 적응하는 능력을 크게 약화시킨다.

• **지역시장의 복잡한 세분화** | 고객들이 국내 시장에서 대결하는 기업들의 가격 대비 성능경쟁을 가열시킨 결과 시장이 복잡하게 세분화된

다면, 이로 인해 경쟁이 더욱 어려워진다. 이러한 요인은 국내 시장마다의 제품 차별화와 그 근본에 있어서 동일한 영향을 미친다. 복잡한 시장 세분화는 제품종류의 다양화나 주문품 생산능력에 대한 필요를 더욱 절실하게 만든다. 여러 종류의 상품들을 추가 생산하는 데 드는 비용이 높은 경우에는, 시장 세분화 때문에 통합제조 시스템에 의한 생산 집중화에서 얻은 원가우위가 크게 침해당할 수 있다. 현지 시장의 세분화된 부문들을 일일이 파악하고 적응하는 데는 현지 기업이 유리하다.

• **세계적 수요의 부족** | 대부분의 주요 국가들에 수요가 존재하지 않을 경우 글로벌 경쟁은 발생할 수 없다. 이런 상황을 유발하는 원인으로는 신종 산업이거나, 그 제품이나 서비스가 극소수 국가들의 시장에만 존재하는 특별한 소비자들의 요구를 충족시키는 것에 지나지 않는다는 사실을 지적할 수 있다. 신종 산업이라는 측면이 전 세계적 수요의 결핍을 의미할 가능성이 크다는 사실은 국제무역의 제품수명주기 이론으로부터 유추된다.[7]

이 개념에서는(고임금 국가에서 노동절약의 기술 혁신이 일어나듯이) 한 제품이 최초로 소개되는 시장은 그 제품의 속성에 최대의 가치를 부여하는 시장일 수밖에 없음이 주장된다. 결국에는 제품의 모방과 확산이 다른 국가들에도 수요를 발생시키며, 그 결과 개척적인 기업들의 수출, 그리고 최종적으로 해외투자가 일어나게 된다.

그 밖에도 외국 기업들에 의한 해외생산은 해외로 수요가 확산되고 기술이 파급됨에 따라 시작될 수도 있다. 산업이 성숙단계에 접어듦과 함께 제품 표준화가 이루어지고 가격경쟁이 시작되면, 그 산업의 후발 주자인 외국 기업들도 달성 가능한 원가우위를 근거로 삼거나 비교우위의 입장을 활용하여 우세한 세력으로 부상할 수 있다. 이 주장에서 암시하고 있는 것은 일반적으로 글로벌 경쟁이 있기 위해서는, 어느 정도의 제품 성숙이 전제되어야 한다는 사실이다. 하지만 오늘날에는 글로벌 경쟁의 경험을 가지고 있을 뿐만 아니라 새로운 제품들을 단시일 내에 전 세계로 확산시킬 수 있는 다수의 다국적 경쟁기업들이 존재하기 때문에, 과거에 비해 요구되는 성숙의 정도가 훨씬 낮다.[8]

## 경영상의 장애요인

• 다른 마케팅 업무 | 전 세계적으로 판매되는 제품의 종류가 비슷하다고 해도, 지역에 따라 마케팅 업무는 모두 다를 수 있다. 유통경로의 성격과 판촉매체, 구매자에게 도달하는 가장 값싼 방법이 나라마다 크게 다르기 때문에 글로벌 경쟁기업으로서는 다른 나라에서 얻은 마케팅 지식을 활용할 수 없을 뿐만 아니라, 현지 경쟁기업만큼 마케팅 활동에서 효율적이지 못하다. 글로벌 경쟁기업이 현지에서의 마케팅 활동과 관계가 있는 생산·연구·개발을 모두 집중화할 수 있으면 좋겠지만, 실제로 그것을 관리하기란 쉬운 일이 아니다. 일부 산업에서는 여러 가지 이유로 인해 소비자들이 현지 기업과의 거래를 선호하는 경향이 있다.

• 철저한 현지 서비스 | 해당 산업에서 경쟁하기 위해 철저히 지역화된 마케팅 활동, 서비스 및 그 밖의 소비자와의 관계가 필요한 곳에서라면, 세계적으로 통합된 체계를 기반으로 현지 경쟁기업들과의 대결에서 이기기란 쉬운 일이 아니다.

글로벌 기업이 분권화된 단위조직을 통해 이러한 기능을 수행하는 것이 이론적으로는 가능할지 몰라도, 실제로는 경영상의 문제가 지나치게 복잡하기 때문에 현지 기업이 수행하는 것이 더욱 효율적이다. 집중적인 현지 마케팅 활동 및 유통이 결정적인 경우에는 글로벌 기업이 다른 집중화된 사업활동 덕분에 확보하게 된 유리한 입지도 현지 기업과의 대결에서는 위력을 발휘하지 못한다. 예를 들면 어떤 금속 가공업자가 글로벌 활동을 통해 부분적으로는 생산 및 기술상의 우위에 서게 될지는 몰라도, 집중적인 현지 마케팅 활동과 즉각적인 서비스 그리고 신속한 방향 전환이 필요한 상황이라면 현지의 기업이 글로벌 기업과 대등하거나 더 유리한 위치에 놓이게 된다.

• 급변하는 기술 | 급변하는 기술 때문에 현지의 시장에 적합하도록 제품 및 프로세스를 자주 재설계할 필요가 있는 산업에서는 글로벌 기업이 운영의 어려움에 부딪히게 될 것이다. 독립적인 현지 기업이 이러한 상황에 보다 잘 적응하는 것은 당연한 일이다.

### 제도적 장애요인

• 정부의 제약 | 글로벌 경쟁을 막는 정부의 제약은 여러 가지가 있으며, 이 제약의 대부분은 현지 기업들을 보호하거나 현지의 고용수준을 유지한다는 명목 하에 행해진다.

· 관세와 조세도 생산규모의 경제 달성을 제한함에 있어 수송비와 동일한 효과가 있다.
· (정부 관리 하에 제조·수출·수입될) 상품 할당량
· 정부나 준정부기관이 현지 기업들로부터 우선적으로 조달하는 차별제도
· 현지에서의 연구·개발을 요구하거나, 현지에서 생산된 부품을 제품에 사용하도록 요구하는 정부의 입장
· 현지의 기업들에 유리하도록 되어 있는 편파적 조세정책, 노동정책 및 그 밖의 다른 행동법규
· 국제적 행동반경의 기업들에 불리하게 작용하는 자국 정부의 뇌물수수 금지법, 세법 및 그 밖의 정책

정부의 제약은 현지 기업들을 돕거나 현지에서의 생산으로 인한 규모의 경제를 무효화할 가능성이 있다. 정부의 규제는 또한 특정 국가에만 특수한 종류의 제품 판매를 강요함으로써 마케팅 활동을 한 국가에만 국한된 특수한 것으로 만들 수도 있다.

정부의 규제는 그 국가 특유의 산업들, 고용, 지역 발전, 고유한 전략 자원, 국방, 문화와 같이 정부의 목표에 영향을 미치는 산업들에 가해질 수 있다. 예를 들면, 발전 장비와 전기통신 같은 산업들에서는 정부 규제가 극심하다.

• 인식 또는 자원의 장애요인 | 글로벌 경쟁의 장애요인으로서 마지막 범주에 속하는 것은, 해당 산업에 현존하는 기업들의 인식 또는 자원과 관계가 있는 장애요인이다. 글로벌 경쟁의 기회를 인식하는 것 '자체'가 혁신이다. 특히 글로벌 경쟁에는 국내의 활동영역을 벗어나는 국제적인 문제들이 수반된다. 현존 기업들에는 필요한 비전이 결여되어 있을 수도 있다. 비전을 확고히 하기 위해서는 막대한 정보와 연구비가 소요된다. 그 밖에도 세계적 규모의 시설 건설이나 새로운 국가시장으로의 침투를 위한 초기투자 같은 일에도 막대한 규모의 자원이 필요하다. 글로벌 경쟁에 필요한 경영적·기술적 차원의 역량이 그러하듯이, 투자 또한 현존 기업의 능력 범위 밖에 있을 수 있다.

어떤 산업에나 정도의 차이는 있지만 글로벌 경쟁의 장애요인은 존재한다. 그 결과, 경쟁의 성격이 전반적으로 세계적이라고 할 수 있는 산업에서조차 '지역적 측면'이 남게 된다. 일부 시장이나 세분화된 시장에서는 특히 글로벌 경쟁에 있어서의 장애요인이 심각한 수준이 될 수 있는데, 그런 때에는 현지 기업이 글로벌 경쟁기업들보다 우위에 있다.

# 글로벌 산업으로의 진화

글로벌 산업의 위치에서 출발하는 산업은 거의 없지만, 산업은 시간
의 경과와 함께 글로벌 산업으로 진화하는 경향이 있다. 글로벌 산업을
만드는 데 있어 가장 일반적인 유인 몇 가지를 살펴보자. 이 유인들은
글로벌 경쟁우위의 원천을 확립 또는 강화하거나, 글로벌 경쟁의 장애
요인들을 약화 또는 제거한다. 하지만 만일 전략적 우위의 원천이 존재
하지 않는다고 하면, 후자의 유인들만으로는 산업의 세계화가 이루어지
지 않는다. 경제적·구조적 변화로 인해 세계화의 가능성이 조성되었다
하더라도, 어느 산업이 세계화될 때에는 한 기업이나 몇 개 기업들의 전
략적 혁신이 필요하다.

## 세계화의 환경적 유인

• 규모의 경제 증가 | 생산, 물류, 구매 및 연구·개발의 측면에서 규
모의 경제를 증대시키는 기술 발전이 글로벌 경쟁의 유인을 제공해준다.

• 수송비용 및 저장비용의 감소 | 수송비용 또는 저장비용의 감소는
세계화의 분명한 촉진요인이다. 지난 몇십 년 동안 있었던 운송비의 장
기적 하락은 오늘날 관찰되는 글로벌 경쟁의 증가 추세를 유발하는 핵
심적 요인의 하나이다.

• 유통경로의 합리화 또는 변화 | 유통경로가 유동적일 경우에는 외
국 기업들이 접근할 때의 어려움이 완화된다. 합리화된 유통경로가 동
일한 효과를 미치는 경우도 있다. 예를 들어 한 상품의 유통경로가 다수
의 세분화된 소매업자에서 소수의 전국적 백화점과 대규모 상업 체인으

로 옮겨지면, 유통경로를 확보함에 있어 외국 기업이 당면하게 되는 문제는 급격하게 완화될 수 있다.

• **요소비용의 변화** | 요소비용의 변화가 세계화 요인을 크게 강화할 수 있다. 특히 노동비용과 에너지 비용, 그리고 원료비용의 증가로 인해 최적 생산이나 최적 유통구조가 글로벌 경쟁을 더욱 유리하게 만드는 쪽으로 변화할 수 있다.

• **국가별 경제적·사회적 환경의 유사** | 다른 종류의 제품과 다른 마케팅 활동이 필요하고, 또 현지 유통경로를 확보함에 있어서의 문제는 부분적으로 지역시장마다 경제상태에서의 차이가 있기 때문에 발생한다. 이 시장들은 경제발전 상황, 상대적 요소비용, 소득수준, 유통경로의 성격, 이용 가능한 판촉매체 등이 서로 다르다. 특정 산업에 대한 관계에서 볼 때, 지역시장들이 경제적·문화적 환경의 관점에서 점차 비슷해짐에 따라 글로벌 경쟁의 가능성은 그만큼 더 커진다. 단 이때에는 글로벌 경쟁우위의 원천이 그 산업에 존재해야 한다. 예를 들어 미국에서 연료비가 비싸지면서 해외의 연료비 수준에 더욱 가깝게 접근할 뿐만 아니라 미국과 다른 국가들 사이에서 일인당 국민소득의 격차가 전반적으로 좁아진 결과, 미국의 자동차 제조업계는 해외 판매용 소형차를 적극적으로 생산하기 시작했다. 즉, 자동차 제조 산업이 점점 더 세계화되고 있다. 극동 지역과 남아메리카의 급속한 성장 때문에 이 국가들의 소비재 시장의 환경은 미국 및 유럽과 점점 더 유사해지고 있으며, 그 결과 소비재 산업에서의 글로벌 경쟁이 점차 더욱 가열될 가능성이 크다.

• **정부규제의 약화** | 정부는 쿼터를 해제하고, 관세장벽을 낮추고, 국제적으로 기술표준을 만들기 위해 노력하는 등 정책을 변화시킨다. 이

런 노력이 글로벌 경쟁의 가능성을 높이는 역할을 한다. 유럽 경제공동
체의 형성을 계기로 유럽에 대한 미국의 직접투자가 대대적으로 증가한
것을 일례로 들 수 있다.

## 세계화를 촉진하는 전략적 혁신

환경적 유인이 없다 하더라도, 한 기업의 전략 혁신이 세계화의 과정
을 촉진할 수 있다.

• **제품의 재규정** | 국가들 사이에서 제품 차별화에 대한 요구가 약화
될 경우에는, 글로벌 경쟁의 잠재적 우위를 현실화할 수도 있다. 때때로
산업이 성숙됨에 따라 국가별 제품의 차별화가 자연스럽게 사라지고 제
품이 표준화되는 경우가 있다. 하지만 기업이 다수의 시장에서 받아들
여질 수 있도록 제품을 다시 디자인하는 경우도 있다. 예를 들어, GM과
몇몇 기업들은 '세계 차' 의 생산을 위해 이를 도모하고 있다. 어떤 경우
에는 제품의 이미지나 콘셉트를 재규정하는 마케팅 혁신이 때때로 글로
벌 경쟁의 가능성을 실현하는 데 일조한다. 예를 들어, 미국에서 모터사
이클은 가죽 옷을 입은 건달들이나 타는 기름투성이의 강력하고 위협적
인 도구라는 이미지를 가지고 있었으나, 혼다는 이를 실용적이고 타기
편하고 쾌적한 교통수단이라는 이미지로 재규정했다. 혼다는 일본의 수
요량에 미국의 새로운 수요를 추가함으로써 모터사이클 생산에서 세계
적인 규모의 경제를 실현할 수 있었다. 제품 이미지의 재규정은 그 밖에
도 유통경로의 접근에서 당면하게 되는 어려움을 완화할 수 있다.

• **세분화된 시장의 확인** | 국가마다 요구하는 제품이 다른 경우라도,
많은 국가에 공통적인 수요를 가지면서 동시에 이 국가들 대부분에서

거의 충족되지 않는 세분화된 시장의 수요가 있다. 예를 들어 일본과 유럽의 기업들이 소형 지게차와 소형 냉장고의 미국 내 판매량에서 상당한 부분을 차지할 수 있었던 것은, 미국의 제조업자들이 대규모 시장에만 주력하느라 이 시장을 소홀히 했기 때문이다. 이 시장은 국제적 규모의 경제에 의해 영향 받기 쉬우면서도 국내 기업들로서는 감당할 수 없는 특수한 기술, 시설, 그리고 마케팅을 요구했다. 그 밖에도 글로벌 경쟁의 장애요인에 덜 민감한 세분화된 시장이 있다. 인쇄 산업을 예로 들어보면 대부분의 세분화된 시장은 국내 산업으로 남아 있는 반면에, 조달기간에 덜 민감한 고급 품질을 요구하는 시장의 경우에는 세계적인 시스템에서 충족될 수 있다.

• **적용비용의 감소** | 기업이 기본제품을 변화시켜 지역별 요구를 충족하는 데 드는 비용을 낮출 수 있는 경우에는, 국가별 제품 차별화에 의해 생겨나는 글로벌 경쟁의 장애요인이 완화된다. 예를 들어 마쓰시타(Matsushita)는 타 국가들의 PAL 방식과 프랑스의 SECAM 방식을 모두 지원하는 TV 수상기를 개발했다. 통신교환 장비에 대한 요구는 나라마다 전혀 다르지만, 에릭슨(Erickson)은 공통의 하드웨어를 국가별 요구에 적용하는 데 필요한 변조 소프트웨어 패키지를 개발했다. 쉽게 적용할 수 있도록 어떤 제품을 변형하거나 제품 호환성의 범위를 확대하는 혁신은 어떤 것이든 글로벌 경쟁의 가능성을 열어준다. 특수 제품의 생산 원가를 낮추는 생산기술의 변화 또한 마찬가지다.

• **디자인의 변화** | 디자인을 변화시켜 세계적 구매규모의 경제에 영향 받도록 부품을 좀 더 표준화하거나, 그러한 경제에 영향 받는 새로운 부품을 사용할 때 글로벌 경쟁을 지향하는 추세가 일반화된다.

• **생산과정의 분리** | 일부 산업에서는 부분 또는 전체 부품의 생산은 집중적으로 하고 조립은 현지에서 하는 방법을 통해 현지 생산을 요구하는 정부규제를 피할 수 있다. 규모의 경제가 주로 몇 개의 중심적 부품에서 기인하는 경우에는 이 부품의 집중생산으로 경쟁의 세계화를 강력하게 추진할 수 있다.

• **자원이나 인식으로 인한 제약의 제거** | 새로운 기업들의 참여가 글로벌 경쟁을 가로막는 자원 부족의 제약조건을 제거할 수 있다. 그 밖에도 세계화 이전 시기에 해당 산업에서 경쟁한 경험이 있기 때문에 갖게 되는 부담을 가지지 않고, 새로운 참여 기업들은 자유로운 입장에서 새로운 전략을 시작할 수도 있다. 예를 들어 일본 기업들과 홍콩, 싱가포르 및 한국 같은 아시아 국가의 기업들이 이런 식으로 산업을 전환하는데 크게 성공했다.

때로는 외국 기업이 미국 기업보다 제품 재규정의 가능성을, 그리고 세분화된 시장의 수요를 전 세계적으로 충족할 수 있는 기회를 더 잘 포착할 수 있었던 이유는, 일반적으로 외국 기업들이 국내 시장에서 이미 그러한 경쟁을 경험했기 때문이다. 예를 들어 일본의 모터사이클 제조업계는 모터사이클을 일상적인 수송수단으로 간주하는 시장을 오랫동안 상대해왔으며, 유럽의 기업들은 미국의 주거단위에 비해 협소한 유럽의 주거단위로 인해 오래 전부터 소형 냉장고를 생산해왔다.

## 미국 시장으로의 접근

다수의 산업에서 외국 기업들이 미국 시장에 어느 정도까지 접근할 수 있었는지 하는 것이 세계화에 크게 영향을 미쳤는데, 그 이유는 미국 시장이 유독 크기 때문이다. 미국 시장의 전략적 성격을 인식한 외국 기업들은 이에 접근하기 위해 여러 차원의 혁신전략을 서둘렀다. 반면에 미국 기업들은 거대한 시장에 뿌리를 내리고 있기 때문에 글로벌 경쟁 방식을 구상해야 한다는 압박을 훨씬 덜 심각하게 느꼈다.

자국 시장으로의 자유로운 접근을 허용했다는 점에서 미국 정부의 정책은 다른 국가들의 정책과 큰 차이를 보인다. 이러한 접근 허용은 부분적으로 전쟁 후 일본 경제와 독일 경제를 도우려 했던 노력이 남긴 유산이다.

# 글로벌 산업에서의 경쟁

글로벌 산업에서의 경쟁은 국내에서의 경쟁에 비해 몇 가지 독특한 전략적 문제를 보인다. 이 문제의 해결책은 해당 산업, 그리고 그 산업에 관련된 자국과 소재국에 의해 결정되겠지만, 글로벌 경쟁기업이라면 어떤 방법으로든 다음의 문제들에 직면하게 된다.

• 산업정책과 경쟁에 임하는 태도 | 글로벌 산업은 자국을 근거지로 삼아 전 세계를 대상으로 활약하는 경쟁기업들의 존재에 의해 특징지어진다. 특히 미국 밖에서는 경쟁자 분석을 할 때 단순히 기업뿐만이 아니라 그 기업의 자국도 함께 고려되어야 한다. 기업과 그 기업의 자국은 제도, 보조금 등 여러 가지 후원의 형태를 포함하여 복잡한 관계를 맺고 있다. 자국 정부는 고용과 국제수지 같이 기업의 입장에서 보면 엄격하게 경제적이지는 않은 목적들을 흔히 가진다. 정부의 산업정책은 기업의 목표를 설정해주고 연구개발 기금을 제공해주는 등 여러 가지 방법으로 글로벌 경쟁에서의 기업의 위치에 영향을 미친다. 자국 정부는 (중장비 건설과 항공기의 경우에서와 같이) 세계시장에서 경쟁하는 기업의 교

섭력을 강화시켜주고, (농산물, 방위산업 제품, 선박의 경우에서와 같이) 중앙은행을 통해 판매보증을 서주며, 또는 그 밖의 다른 방법으로도 기업의 이익 증진을 위해 정치적 권한을 행사한다. 어떤 경우에는 자국 정부가 주식투자를 통해 기업에 직접적으로 관여하기도 한다. 이러한 자국의 도움은 공통적으로 철수장벽을 높이는 결과를 가져온다. 글로벌 산업에서는 기업과 자국 정부 사이의 관계를 살펴보지 않고서는 경쟁자 분석이 불가능하다. 자국 정부의 산업정책을 잘 파악하는 것 이외에도 주요한 세계시장의 현지 정부들과 자국 정부 사이에 맺어져 있는 정치적·경제적 관계도 파악해야 한다.

글로벌 산업에서의 경쟁은 때로 해당 경제와의 관련 여부를 떠나 정치적으로 고려되어야 하는 경우도 있다. 항공기나 방위산업 제품 및 컴퓨터 등의 구입에서는 한 기업의 제품이 다른 기업의 제품과 비교하여 우수하기 때문에 결정되는 경우 못지않게, 구매국과 판매국 사이의 정치적 관계에 의해 결정되는 경우가 많다. 이러한 요인은 글로벌 산업에서 경쟁하는 기업이라면 정치적 문제에 대한 고도의 정보를 필요로 할 뿐만 아니라, 자국 정부 및 구매국 정부에 대한 그 기업의 특수한 관계가 전략적인 중요성을 띠게 됨을 의미한다. 경쟁전략은 주요 시장에 경제적 효율성이 결여되어 있는 경우라도, 이 시장에 조립공장을 설치하는 등 정치적 기반을 마련하려는 의도에서의 행동들을 포함해야 한다.

• **주요 시장에서 맺는 현지 정부와의 관계** | 기업이 주요 시장에서 현지 정부와 맺고 있는 관계는 글로벌 경쟁에서 핵심적인 고려의 대상이 된다. 현지 정부는 글로벌 기업의 활동을 방해할 수도 있는 여러 가지 메커니즘을 가지고 있다. 일부 산업에서는 현지 정부가 중요한 구매자가 되기도 하고, 또 다른 산업에서는 현지 정부의 영향이 좀 더 간접적이기도 하지만 그 영향이 미치는 잠재력은 강력하다. 현지 정부가 자체

의 권력을 행사할 가능성이 큰 경우에는, 글로벌 경쟁을 아예 차단해버릴 수도 있고, 한 산업에서 여러 개의 다른 전략적 집단을 만들 수도 있다. 도즈(Doz)는 연구를 통해 3가지 집단을 확인했다.[9] 첫째 집단은 협력관계의 기초 위에서 세계적으로 경쟁하는 기업들로 구성된다. 둘째 집단은 (종종 적은 시장점유율을 가진) 다국적 기업들로 구성된다. 이 기업들은 통합보다는 국지적 대응의 전략을 추구한다. 이 기업들은 정부의 여러 가지 제재를 피할 수 있으며, 실제로 현지 정부의 지지를 받는 경우도 있다. 마지막으로 셋째 집단은 현지의 기업들로 구성된다. 글로벌 기업은 현지 정부의 관심에 대한 대응이 전략의 핵심이 된다(글로벌 경쟁의 대안에 대해서는 추후 상세하게 논의될 것이다).

글로벌 경쟁기업이 필요한 경제성을 확보하려면 특정한 주요 시장들에서 경쟁할 필요가 있다. 예를 들어, 기업이 글로벌 제조전략을 수행하려면 특정한 주요 시장의 수요량을 필요로 할지도 모른다. 따라서 그 기업은 글로벌 전략을 수행할 수 있는 능력 자체에 영향을 미치는 시장에서 자사의 위치를 방어하는 데 전략적 관심을 기울여야 한다. 이러한 필요 때문에 현지 정부가 교섭력을 가지게 되며, 기업은 전략 전체를 보존하기 위해 양보를 해야 한다. 예를 들어 일본의 텔레비전과 자동차 산업 분야의 기업들은 글로벌 경쟁에서 우위를 확보하는 데 핵심요소가 되는 미국에서의 판매량을 유지하기 위해 제조과정의 일부를 미국 내에서 행함으로써 미국의 정치적 관심을 충족시켰다. 또 IBM은 전체 인력의 현지 고용, 국가 간의 균형 잡힌 회사 내 상품 이동, 그리고 부분적인 현지 연구·개발 등의 정책을 실행했다.[10]

• **체계적 경쟁** | 정의상 글로벌 산업에서는 기업이 경쟁을 세계적인 것으로 보고, 이러한 시각에 입각하여 전략을 세운다. 따라서 경쟁에는 시장 위치와 시설 및 투자의 전 세계적 협력형태가 관건이 된다. 일반적

으로 경쟁기업 간의 시장 및 공장들은 일부 지역에서만 중복된다. 따라서 기업은 경쟁기업과 중복되는 특정 시장 및 공장 소재지에 방어적 투자를 함으로써, 경쟁기업이 세계전략에서 얻을 수 있는 우위를 유지할 수 없도록 해야 한다. 니커보커(Knickerbocker)는 국제적인 경쟁에 대한 연구를 통해 이와 같은 행동유형의 많은 사례를 발견했다.[11]

• 경쟁기업 분석의 어려움 | 3장에서 논의한 것과 동일한 종류의 요소들이 글로벌 경쟁기업의 분석에서 중요한 것은 사실이다. 그러나 글로벌 산업에 대한 분석이 어려운 것은 그러한 외국 기업들이 점점 많아지고 있으며, 또 외국 기업들 간의 체계적 관계가 분석되어야 하기 때문이다. 외국 기업에 대한 자료는 일반적으로 미국 기업에 대한 자료보다 적지만, 외국 기업과 미국 기업의 자료 양의 차이는 점점 작아지고 있다. 그 밖에도 외국 기업의 분석은 외부인들이 이해하기 어려운 노동관례나 경영구조 등의 여러 부문이 제도적 차원에서 고려되어야 한다.

## 글로벌 산업에서의 전략적 대안

하나의 글로벌 산업에는 여러 가지의 기본적인 전략적 대안이 존재한다. 한 기업이 판단해야 하는 가장 근본적인 문제는 그 기업이 전 세계를 대상으로 경쟁해야 하는지, 아니면 하나 또는 소수의 국가시장에서 방어적인 전략을 가지고 틈새시장을 공략하여 경쟁해야 하는지에 대한 것이다. 그 대안들로는 다음과 같은 것들이 있다.

• 광범위한 제품종류에 대한 글로벌 경쟁 | 이 전략은 해당 산업의 전 품목을 가지고 전 세계를 대상으로 경쟁하는 것이 목표이며, 글로벌 경

쟁의 우위요인을 활용하여 차별화나 전반적인 저원가의 위치를 확보하고자 하는 것이다. 이 전략을 실행하려면 대규모의 자원과 장기적인 시각이 필요하다. 기업이 대정부 관계에서 글로벌 경쟁에 대한 장애요인의 감소를 주장하는 것은 경쟁우위를 극대화하려는 목적에서다.

• **글로벌 집중화** | 이 전략은 소속 산업의 특정 부문을 선정하여 그 부문에서 글로벌 경쟁을 하는 것을 목표로 한다. 이때 선정되는 부문은 글로벌 경쟁에 대한 장애요인이 약하고, 그 산업에서 다른 전체적인 제품종류를 모두 제공하는 기업에 대해 방어할 수 있어야 한다. 이 전략은 선정된 부문에서의 저원가나 차별화를 추구한다.

• **국가적 집중화** | 이 전략은 시장 간의 차이를 이용하여, 글로벌 기업들과의 대결에서 그 기업에 승리를 가져다줄 수 있는 특정한 국가시장에만 초점을 맞추는 것이다. 이러한 형태의 집중전략은 글로벌 경쟁의 경제적 장애요인에 가장 민감한 국가시장이나, 그 시장의 한 부문의 특수한 요구들을 충족함에 있어 차별화나 저원가를 목표로 한다.

• **보호받는 틈새시장** | 이 전략은 정부가 제품의 높은 국산화율을 요구하거나 관세장벽을 높이는 등의 방법으로 글로벌 경쟁기업들을 배제하려는 국가를 찾아내는 것이다. 기업은 그러한 보호조치를 받는 특수한 국가시장에 효과적으로 대응할 수 있는 전략을 수립하는 한편, 보호조치의 효과가 계속되도록 하기 위해 소재국 정부에 최대한의 관심을 기울인다.

일부 글로벌 산업에서는 특정 국가의 시장에 초점을 맞추거나 보호받는 틈새시장을 추구하는 전략이, 글로벌 경쟁에 대한 장애요인이 없기 때문에 실행 불가능하다. 반면에 다른 일부 산업에서는 이러한 전략을 통해 글로벌 경쟁기업들을 막아낼 수 있다. 글로벌 산업 중 보다 야심적인 전략을 수행하는 방법으로 점차 일반화되고 있는 것으로는, 국적은 다르지만 동일 산업에 종사하는 기업들 사이의 초국가적 연합이나 협력 협정을 지적할 수 있다. 경쟁기업을 대상으로 기술이나 시장 접근 같은 영역에서 글로벌 전략을 수행할 때 당면하게 되는 어려움을 연합의 방법을 통해 극복할 수 있다. 항공기 산업[GE-스네크마(Snecma)], 자동차 산업[크라이슬러-미쓰비시(Mitsubishi), 볼보(Volvo)-르노(Renault)], 전자제품 산업[지멘스(Simense)-알리스-챠머, 굴드(Gould)-브라운(Brown)-보버리(Boveri)]이 일반적으로 글로벌 연합이 일어난 산업이다.

# 글로벌 경쟁에 영향을 미치는 흐름

지금까지의 논의와 같은 맥락에서 보면 기존의 글로벌 산업에서 경쟁함에 있어서, 그리고 새로운 글로벌 산업을 등장하게 하는 데 크게 중요한 역할을 하는 트렌드가 있다.

• 국가들 간 경제적 차이의 감소 | 소득, 요소비용, 에너지 비용, 마케팅 관행, 유통경로와 같은 영역에서 선진국과 신생 개발국 간의 경제적 차이가 좁혀지고 있음을 이미 여러 사람들이 지적했다.[12] 이러한 현상은 부분적으로 전 세계에 기술을 파급하는 데 적극적인 태도를 보이는 다국적 기업들에서 기인한다. 이유가 무엇이든 간에, 이러한 추세는 글로벌 경쟁의 장애요인을 감소시키는 방향으로 작용한다.

• 보다 공격적인 산업정책 | 많은 국가들의 산업정책이 변화하고 있다. 소극적이거나 방어적인 태도를 취하던 일본, 한국, 싱가포르 및 독

일과 같은 국가들의 정부가 새롭게 적극적인 태도를 취하면서, 특정 분야에서 조심스럽게 공업화를 촉진했다. 이들 정부는 또한 그다지 바람직하지 않다고 판단되는 분야는 과감하게 포기했다. 이들 국가의 기업들은 새로운 산업정책의 지지를 받으면서, 대규모 생산시설을 건설하거나 새로운 시장으로의 침투를 위해 대대적인 투자를 하는 등 산업을 세계적 지위로 전환할 수 있는 과감한 조치를 취했다. 따라서 정부 후원을 받지 못하는 분야의 기업들은 탈락하는 반면에, 글로벌 산업에서 살아남은 기업들은 행동이 달라졌다. 이처럼 살아남은 기업들은 적극적 태도를 취하는 정부로부터 강력한 후원을 받기 때문에, 경쟁에 동원될 수 있는 자원의 규모가 확대된다. 정부 개입에 의해 중요성을 띠게 된 비경제적 목표들도 점차 영향을 미치게 된다. 이러한 요인의 작용으로 글로벌 경쟁이 가열되며, 철수장벽 또한 높아진다. 그리고 높아진 철수장벽 때문에 다시 경쟁이 가열된다.

• 자국 특유의 자산에 대한 국가의 재인식 및 보호조치 | 정부가 경제적 경쟁의 관점에서 볼 때 자국의 자원 중에서 어떤 것이 자국 특유의 것인지 점차 인식하게 되며, 나아가서는 정부가 이러한 자산(석유, 구리, 주석, 고무 등)의 소유로 인한 경제혜택을 놓치지 않으려고 노력하는 경향이 점점 더 뚜렷이 나타난다. 천연자원은 정부 소유권에 의해 직접적으로 또는 정부와 생산업자의 합작투자에 의해 간접적으로 통제받아온 자원의 예이다. 조금 숙련되어 있거나 거의 숙련되어 있지 않은 노동력을 저임금으로 풍부하게 이용(한국, 대만, 홍콩 등)할 수 있다는 것은 일부 국가들이 명백하게 인정하고 있는 자산의 또 다른 예이다. 이처럼 자국 특유의 자원을 적극적으로 이용하려는 정부의 태도는, 앞서 논의했듯이 산업화 정책에 대한 철학의 변화를 반영하는 것이다.

이러한 태도는 보호받는 자산이 전략적으로 중요한 산업에서의 글로벌 경쟁에 대해 중대한 시사점을 가질 수도 있다. 외국 기업들은 핵심적인 자원에 대한 효과적인 통제력을 잃게 될 수도 있다. 석유 산업을 예로 들어보면, 정부의 방향 전환이 있었기 때문에 석유회사들은 생산단계에서 이윤을 수확하려는 의도의 행동을 포기하고, 수직적 결합의 하부단계(수송, 정유, 판매 등) 각각에서 이윤을 얻는 쪽으로 전략의 방향을 재조정했다. 다른 산업의 경우에는, 그로 인해 자국의 특정 기업이 글로벌 경쟁에서 근본적인 우위에 서게 될 수도 있다.

• 기술의 자유로운 확산 | 기술의 자유로운 확산으로 인해 신생 개발국의 경쟁기업들을 포함하여 보다 폭넓은 기업들이 세계적 규모의 현대적 생산시설에 투자할 수 있는 능력을 가지게 된다. 일부 기업, 특히 일본 기업은 자사의 기술을 해외로 판매하는 데 아주 적극적인 자세를 취했다. 그 밖에도 기술을 구입한 일부 기업이 다른 기업들에 그 기술을 염가로 재판매하는 데 주저하지 않았다. 이런 행동이 모두 글로벌 경쟁을 더욱 촉진하는 경향을 보인다.

• 대규모 신시장의 점진적 출현 | 오랫동안 미국은 시장의 엄청난 규모로 인해 글로벌 경쟁의 전략적 시장이 되어왔다. 그러나 후에는 중국과 러시아, 인도가 거대한 시장으로 부각되기 시작했다. 이러한 가능성은 여러 가지 시사점을 가진다. 첫째, 만약 중국과 러시아가 자국 시장에 대한 접근을 통제한다면, 이들 국가의 기업들은 중요한 글로벌 세력이 될 것이다. 둘째, 하나의 시장 또는 그 이상의 접근이 장래에 한 기업의 사활을 결정할 만큼 중요한 전략적 변수로 작용하게 되면, 시장이 제공해줄 것으로 예상되는 규모의 경제가 기업의 성패를 좌우할 것이다.

• 신생 개발국의 도전 | 지난 몇십 년 동안 글로벌 산업에서 두드러진

현상은 신생 개발국, 특히 대만·한국·싱가포르·브라질로부터의 도전이라 할 것이다. 전통적으로 신생 개발국은 값싼 노동력과 풍부한 천연자원, 또는 둘 중 하나를 근거로 삼아(섬유공업, 장난감과 플라스틱 제품 등의 경공업 등) 경쟁해왔다. 그러나 신생 개발국들의 경쟁은 조선업과 TV수상기, 철강, 섬유제조 산업 같은 자본 집약적인 산업에서 점차 강한 영향을 미치기 시작했다. 자동차 산업에서도 동일한 현상이 일어났다.

신생 개발국은 대부분 대규모 시설에 대대적인 투자를 하고, 적극적으로 최신 기술을 도입하고, 더 나아가 큰 위험까지도 감수할 준비가 되어 있다. 신생 개발국의 도전에 가장 큰 위협을 받고 있는 산업은 다음과 같이 진입장벽이 높지 않은 산업이다.

· 급속하게 변화하는 독점기술
· 숙련된 노동
· 조달기간에 대한 민감성
· 복잡한 유통 및 서비스
· 복잡하고 기술적인 판매업무
· 소비자 지향성이 강한 마케팅

이 요인들의 일부는 앞에서 말했던 것처럼 글로벌 경쟁의 장애요인으로 인식될 수 있다. 이러한 요인이 신생 개발국 경쟁기업들의 침투를 저지하지는 못하지만, 신생 개발국 기업들로서는 넘기 어려운 장벽이다. 왜냐하면 자원이나 기술의 획득이 불가능하거나, 경험이 부족하거나, 신용 및 확립된 관계가 결여되어 있거나, 또는 전통적인 신생 개발국 시장이 현지 시장의 상황과 크게 다름으로 인해 그 시장의 요구조건을 파악할 수 없기 때문이다.

# 03

# 전략적 의사 결정

Strategic Decisions

3부에서는 1부의 분석구조에 입각하여, 한 산업에서 발생하는 전략 결정의 다음과 같은 3가지 주요 형태를 개별적으로 검토할 것이다.

· 수직적 통합(14장)
· 주요 생산시설의 확장(15장)
· 진입(16장)

전략 결정의 다른 주요한 형태인 투자 회수에 대해서는 쇠퇴 산업에서의 경쟁문제를 분석했던 12장에서 상세하게 논의되었다.

3부의 각 장은 검토대상인 특정 전략의 결정과 관계가 있는 1부의 개념을 기초로 한다. 그 밖에도 3부는 조직 경영과 동기 부여에 대한 경제 이론 및 관리상의 고려사항을 추가로 포함한다.

3부는 단순히 기업이 전략적 의사 결정을 내리는 데 도움이 되고자 하는 것뿐만 아니라 경쟁기업과 소비자, 공급자, 그리고 잠재적 진입자들이 이에 어떻게 대응할지 통찰할 수 있는 시각을 부여하고자 한다. 따라서 3부에서는 1부와 2부에서 제시한 개념들을 강화·심화할 것이다.

# 수직적 통합의 전략적 분석

수직적 통합(vertical integration)이란 기술적으로 구분되는 생산, 유통, 판매, 그리고 그 밖의 경제적 과정을 단일 기업의 내부에 통합함을 일컫는다. 다시 말해서 그것은 시장거래보다도 내부적 또는 관리적인 거래를 이용하여 자체의 경제적 목적을 달성하고자 하는 기업의 의사 결정을 의미한다. 예를 들어 현재는 자체의 판매조직을 가지고 있는 기업도, 과거에는 시장을 통해 독자적 판매조직과 계약함으로써 필요한 판매용역을 공급받았을 수도 있다. 마찬가지로 현재 자체 가공하여 완제품으로 만들 생산원료를 채굴하고 있는 기업이 과거에는 독자적 채광조직과 계약하여 필요로 하는 것을 공급받았을 수도 있다.

이론상으로는 현재 한 기업이 수행할 것이라고 기대되는 기능 전부를 독자적 경제 주체들이 여럿 모여서 공동으로 수행할 수 있으며, 이때 경제 주체 각각은 단 한 명의 경영자와 단 하나의 책상 외에 아무것도 필요하지 않은 중앙통제 주체와 계약을 맺는다. 실제로 도서출판 산업과 레코드 산업의 기업들은 이와 비슷한 형태를 취한다. 다수의 출판업자들은 편집, 도면설계, 그래픽, 인쇄, 배포, 판매를 모두 계약에 의해 처리하고, 어떤 책을 출판하여 어떻게 마케팅하고 경비를 조달할 것인지에 대한 결정만을 스스로가 담당한다. 마찬가지로 일부 레코드 제작사는 개별 음악가, 프로듀서, 리코딩 스튜디오, 음반 생산설비, 유통 및 마케팅 조직과의 계약을 통해 레코드를 창작·제작 및 판매한다.

하지만 대부분의 경우에는 일련의 독자적 경제 주체들과 계약을 하는 것보다 제품 생산이나 서비스 제공에 필요한 관리, 생산, 유통 및 마케팅 과정의 대부분을 직접 수행하는 것이 기업에 보다 유리하다. 그들은 이 기능을 자체 내에서 수행할 때 경비가 절약되고, 덜 위험하며, 조정이 더 쉽다고 생각한다.

수직적 통합에 관한 의사 결정 대부분은 그러한 결정에 수반되는 재무상의 계산에 초점을 맞추고 '생산이냐 구입이냐'에 대한 결정에 입각하여 이루어진다.[1] 즉 통합으로 인해 절약되는 경비의 정도를 산정하고, 그것을 필요한 투자의 양과 대조하는 것이 기본적인 과제이다. 하지만 수직적 통합의 결정에는 이보다 훨씬 광범위한 문제가 따른다. 수직적 통합 결정에 있어서의 핵심은 재무상의 계산 자체가 아니라, 그러한 계산을 하는 데 기본적 자료로 쓰이는 숫자들이다. 그러한 결정을 하고자 할 때는 비용절감과 필요한 투자량에 대한 분석을 넘어서 시장거래의 이용 vs. 통합의 좀 더 광범위한 전략적 문제뿐만 아니라, 수직적으로 통합된 기업체의 성공에 영향을 미칠 수 있는 관리상의 지극히 어려운 문제들까지도 고려대상의 범위에 포함해야 한다. 이런 문제들을 계량화하기란 결코 쉬운 일이 아니다. 이 문제를 결정하는 데 핵심적인 사항은 직접적으로는 수직적 통합의 이익과 비용을 경제적 관점에서 보았을 때의 규모와 전략적 중요성에 관한 문제이고, 간접적으로는 그 이익과 비용이 조직체에 미치는 영향의 관점에서 보았을 때의 문제이다.

본 장에서는 전략적 맥락에서 수직적 통합의 합당한 정도를 결정하려는 경영자에게 도움을 주고, 수직적으로 통합 또는 해체할 것인지에 대한 결정에 근거를 제시해주고자 하는 목적에서 수직적 통합의 경제적·관리적 결과들을 검토할 것이다. 한 기업에 타당한 수직적 통합의 수준을 찾아내려면 수직적 통합의 경제적·관리적 이익을 비용과 대조해봐야 한다. 이러한 대조의 결과는 특정한 비용이나 이익 그 자체뿐 아니라, 산업과 기업의 특수한 전략적 위치에 따라서 크게 상이하게 마련이다. 그리고 기업이 (필요한 것들 중 일부를 자체에서 생산하고 나머지는 계약하는 식의) 부분통합의 전략을 택할 것인지, 아니면 완전통합의 전략을 택할 것인지에 따라서도 이익과 비용에 차이가 있을 수 있다. 그 밖의 부채나 주식투자 등을 이용하여 완전한 소유권 없이도 수직적 상관관계의 기업들 사이에서 동맹체를 형성하는 유사통합의 방법을 사용한다면, 통합의 비용 전부를 부담하지 않으면서도 통합의 이익 대부분을 얻어낼 수 있다.

여기에서 제시하는 프레임워크는 공식이라기보다는 수직적 통합의 중요한 이익과 비용을 빠짐없이 고려하고, 경영자가 빠지기 쉬운 몇 가지 고질적 함정을 지적하고, 나아가서는 완전 수직통합의 이익을 가져다줄 수 있는 몇 가지 대안을 제시하는 가이드에 지나지 않는다. 이 프레임워크는 관찰대상이 되고 있는 특수한 상황에 대한 신중한 산업 및 경쟁 분석, 그리고 의사 결정을 하는 기업에 의한 신중한 전략적 평가와 결합되어야 할 것이다.


## 수직적 통합의 전략적 이익과 비용

수직적 통합에는 몇 가지 중요한 일반적 이익과 대가가 수반되며, 이러한 이익과 비용은 어떤 결정에서도 고려될 필요가 있다. 그러나 그 중요성은 산업에 따라 달라진다. 그것들은 시각에 있어서의 변화만 필요할 뿐 전방통합과 후방통합 모두에 적용된다. 전방통합이나 후방통합 같이 특이한 몇 가지 문제는 뒷부분에서 다루기로 하고, 여기에서는 일반적인 이익과 비용에 대해서 논의할 것이다. 논의의 편의를 위해 수직통합된 체인에 있어서 후방기업(상류 부문)은 판매기업으로, 전방기업(하류 부문)은 구매기업으로 규정한다.

## 생산량 vs. 효율적 규모

수직적 통합의 이익은 다른 무엇보다도 해당 기업이 인접단계에서 구매하거나, 인접단계에서 판매하는 제품 및 서비스의 거래량과 그 단계에서의 효율적인 생산규모 사이의 관계에 의해 결정된다. 설명의 편의를 위해 후방으로 통합한 기업의 경우를 살펴보기로 한다. 후방통합을 생각하고 있는 기업의 구매량은 규모의 경제를 실현할 수 있을 만큼 충분히 큰 자체 공급시설을 유지하는 데 부족함이 없어야 한다. 그렇지 못한 경우에 기업은 딜레마에 빠지게 된다. 즉 기업은 투입요소를 자체적으로 생산함으로써 발생하는 원가상의 불이익을 받아들이든지, 아니면 후방단위의 생산량 일부를 공개시장에서 판매해야 한다. 나중에 좀 더 폭넓게 논의하겠지만, 공개시장에서 과잉생산된 물품을 판매하는 것이 쉽지 않은 이유는 그 물품을 경쟁기업에 판매할 수밖에 없는 경우가 생길 수 있기 때문이다. 기업의 필요량이 효율적인 단위의 규모를 초과하지 않을 경우에는 기업이 통합의 2가지 대가 중 하나를 부담할 수밖에 없는데, 이때 비용을 얻을 수 있는 이익과 비교해봐야 한다. 기업은 자체의 필요만을 충족하기 위해 비효율적인 소규모 생산시설을 갖추든지, 아니면 효율적인 규모의 생산시설을 갖추고 나서 공개시장에서의 판매나 구매에 따르는 위험부담을 감행해야 한다.

434

# 수직적 통합의 전략적 이익

## 통합의 경제

생산량이 규모의 경제를 수확할 수 있을 만큼 큰 경우,[2] 가장 일반적으로 거론되는 수직적 통합의 이익은 공동생산, 공동판매, 공동구매, 공동통제 등 여러 영역에서의 경제 또는 원가절감의 실현을 통해 나타난다.

• **기능통합 운영의 경제** | 기업이 기술적으로 다른 운영과정을 한데 집결시킴으로써 능률을 도모하는 경우가 있다. 예를 들어 제조 산업에서는 이러한 조치를 통해 생산과정에서 단계의 수와 취급비용 및 수송비용을 줄일 수 있으며, 한 단계(기계작업 시간, 물리적인 공간, 보수시설 등)의 분할이 불가능함으로 인해 생기는 유휴시설을 활용할 수 있다. 철강 압정의 경우를 살펴보면, 제강공정과 압연공정이 통합되어 있을 때에는 철강 봉을 재가열할 필요가 없다. 금속을 다음 단계의 공정으로 넘기기 전에 산화를 방지하기 위해 마감 처리할 필요가 없으며, 특정 기계의 작업역량 같은 유휴 투입요소들이 두 공정 모두에서 이용될 수 있다. 황산 생산에 대한 후방통합을 달성한 대규모 황산 사용업체들(비료회사, 정유회사 등)의 경우에서 보듯이, 생산시설이 서로 가깝게 위치하면 과중한 수송비를 크게 절감할 수 있다.

• **내부 통제와 조정의 경제** | 스케줄을 짜고, 운영 조정을 하고, 긴급사태에 대처하는 데 드는 비용은 기업이 통합되어 있을 경우 크게 낮아진다. 통합된 시설이 인접한 위치에 있기 때문에 조정과 통제가 용이해지는 것이다. 그 밖에도 기업 내부의 한 부문은 자매 부문의 니즈에 충실하기 마련이며, 따라서 예기치 못한 일들에 대처할 수 있게 돼 낭비가 크게 줄어들 것이다. 원료의 일관성 있는 공급이나 원활한 납품능력 덕

분에 생산계획과 납품계획, 그리고 유지보수 계획이 더욱 잘 통제된다. 이는 공급업자의 입장에서 볼 때 납품하지 못해 발생하는 수입의 감소가 생산 중단으로 인해 발생하는 비용 감소보다 작을 수 있으며, 따라서 정확하게 공급하고자 하는 그들의 동기를 확실하게 하기 어렵다. 제품 형태의 변화, 제품 재설계 및 새로운 제품의 출시 또한 내부에서라면 조정이 더욱 쉽거나 더 빨리 이루어질 수도 있다. 이러한 통제의 경제 덕분에 낭비되는 시간, 재고의 필요성, 통제기능에 필요한 인력이 줄어들 수 있다.

• 정보의 경제 | 운영의 통합으로 시장정보의 수집에 대한 필요성이 감소되며, 더욱 중요한 것은 정보 획득의 총비용이 축소될 수 있다. 통합된 기업의 경우에는 시장을 조사하고 수요와 공급 및 가격을 예측하는 데 드는 고정비가 모든 부문으로 분산되는 반면, 비통합된 기업의 경우에는 개별 주체들이 각각 부담해야 한다.[3]

예를 들어 통합된 식품가공 업체는 최종제품에 대한 판매계획을 수직적 체인의 모든 부문에서 사용할 수 있다. 마찬가지로 시장정보는 일련의 개별 주체들을 통해 흐를 때보다 단일 조직 내에서 보다 원활하게 흐른다. 따라서 통합은 기업이 시장정보를 더욱 신속하고 정확하게 얻을 수 있도록 한다.

• 시장 회피의 경제 | 통합을 통해 기업은 시장거래에서 발생하는 판매, 가격 결정, 협상, 그리고 거래비용을 잠재적으로 절약할 수 있다. 일반적으로 내부의 거래에서도 어느 정도의 협상은 있지만, 그 비용이 외부 기업들과 거래할 때 드는 비용만큼 크지 않다. 판매인력이나 마케팅, 그리고 구매부서도 필요로 하지 않는다. 더욱이 다른 마케팅 비용과 마찬가지로 광고비가 필요 없다.

• 안정된 관계의 경제 | 후방단위나 전방단위 모두는 자신들의 구매·판매 관계가 안정되어 있음을 알기 때문에, 상대방과 거래함에 있어서 좀 더 효율적이고 전문화된 절차를 개발할 수 있다. 하지만 독립적인 공급자나 구매자 사이에서는 구매자 측과 판매자 측 모두가 다른 업자에 의해 밀려나게 될지도 모른다는 경쟁자 위험이 존재하기 때문에 그것이 불가능할 수 있다.

구매자나 공급자를 상대함에 있어서의 특화된 절차에는 전문화된 물류시스템, 특별한 포장방법, 독특한 통제방법, 그리고 비용절감을 가능하게 하는 여러 방법들이 포함된다.

그 밖에도 안정된 관계는 전방단위의 요구조건에(품질이나 세부사항에 있어서) 정확하게 맞출 수 있도록 후방단위가 제품을 공급해주거나, 전방단위가 스스로 후방단위의 제품 특징에 좀 더 충실하게 적용할 수 있도록 해준다. 그러한 적응이 수직적 통합을 통해서가 아니라 독립 주체들이 서로 강하게 결속되어 이루어지는 경우에는 위험부담 비용이 요구되며, 이 비용이 원가를 상승시킨다.


• 수직적 통합으로 인한 경제의 특징 | 통합의 경제가 수직적 통합에 대한 분석의 핵심이 되는 것은 그것 자체가 중요할 뿐만 아니라, 앞으로 논의하게 될 통합에서의 몇 가지 다른 이슈들의 의미를 해석하는 데 기여할 것이기 때문이기도 하다. 분명히 그런 경제에 대한 중요성은 한 산업 내에서도 각 기업의 전략, 그리고 강점·약점에 따라 기업마다 상이하다. 예를 들어 저원가의 생산전략을 중시하는 기업의 경우에는 그것이 온갖 형태의 경제를 실현함에 큰 의미를 가진다. 마찬가지로 시장에서의 위치가 약한 기업의 경우에는 시장거래를 피함으로써 원가를 더욱 절감할 수 있다.

### 기술의 숙지

수직적 통합에서 얻을 수 있는 또 하나의 혜택으로 기술의 숙지를 지적할 수 있다. 통합을 계기로 기초 사업의 성공에 필수적인 전방 산업 또는 후방 산업의 기술과 친숙해질 수 있는 경우는 드물지 않으며, 이것 또한 별도로 논의할 가치가 있는 정보의 경제이다. 예를 들어 다수의 메인프레임 컴퓨터 및 미니컴퓨터 제조기업들이 후방통합을 통해 반도체 디자인 및 제조업계로 진출했는데, 그 의도는 핵심적인 기술을 좀 더 잘 파악하려는 것이었다. 많은 영역에서 부품 제조업자들은 전방통합을 통해 그 부품이 어떻게 사용되는지 상세하게 이해할 수 있게 되었다. 일반적이지는 않지만, 기술 숙지를 위한 통합이 대부분 부분통합인 이유는 완전통합에는 상당한 기술상의 위험이 따르기 때문이다.

### 신뢰할 수 있는 수요와 공급

수직적 통합은 공급량이 모자라는 시기에도 필요량을 공급받을 수 있거나, 전반적인 저수요의 시기에도 제품판로를 확보할 수 있게 한다. 통합은 전방단위가 후방단위의 생산물을 흡수할 수 있는 정도만큼의 수요를 보장해준다. 전방단위의 이러한 능력은 전방단위의 수요에 대한 경쟁적 환경의 영향에 의해 결정된다. 수요가 전방 산업에서 하락하면 내부 단위의 판매량 또한 하락할 것이고, 이와 함께 내부 공급단위의 생산물에 대한 필요량도 하락할 것이다. 이처럼 통합은 말 그대로 수요를 보장해준다기보다는, 기업이 고객의 자의에 스스로 내맡길 수밖에 없을 경우의 불확실성을 줄여줄 뿐이다.

수직적 통합이 수요와 공급의 불확실성을 줄여주고, 가격 변동으로부터 기업을 보호할 수 있는 것은 사실이지만, 그렇다고 해서 내부에서 거래가격이 시장 변동을 반영할 수 없다는 말은 아니다. 생산물이 시장가격을 반영하는 거래가격으로 통합기업 내의 한 단위에서 다른 단위로 이전되어야 하는 이유는, 각 단위가 자체의 사업을 합리적으로 경영해야 하기 때문이다. 가격이 시장가격에서 이탈할 경우, 그 차액만큼 한 단위가 다른 단위를 보조하고 있는 것이며, 그 결과 한 단위는 경영상태가 호전되고 다른 단위는 악화된다. 전방단위와 후방단위의 경영진이 각각 효율성을 떨어뜨리는 이런 인위적인 가격에 근거하여 의사를 결정하면 이 단위의 경쟁적 위치는 약화될 것이다. 예를 들어 후방단위가 전방단위에 공개시장 가격보다 훨씬 낮은 가격으로 공급한다면, 회사 전체가 위기를 맞게 될 가능성이 크다. 전방단위의 경우, 경영진은 인위적으로 낮춘 가격의 근거 위에서 행동하는 유리한 입장에 놓여 있기 때문에 당연히 자체의 시장점유율을 확대하고자 할 것이다. 따라서 후방기업은 더 많은 양의 가격이 할인된 생산물을 공급하게 될 것이다.

이처럼 공급과 수요의 보장은 시장 변동으로부터의 완전한 보호가 아니라 기업에 대한 시장 변동의 영향으로 인한 불확실성을 줄여주는 것으로 간주되어야 한다. 거래 중지의 위험이 적어지고, 공급 또는 수요 측에서의 변화 가능성이 사라지고, 평균시장가 이상의 가격을 지출하면서 긴급 사태에 대처할 수밖에 없는 상황에 빠지게 될 위험이 줄어들 경우에는, 전방단위와 후방단위 모두가 보다 훌륭한 계획을 세울 수 있을 것이다. 이러한 불확실성의 감소는 한 단계 또는 두 단계 모두가 자본집약적일 때 특히 중요하다. 수요와 공급의 보장이 주로 석유, 철강, 알루미늄 같은 산업들에서 통합의 동기로 작용했다.

### 교섭력과 투입요소 비용의 불리함 상쇄

한 기업이 상대하는 공급자나 고객들이 강한 교섭력을 행사하고 있거나 자본의 기회비용을 상회하는 투자수익을 수확하고 있을 경우에는, 통합에 따르는 다른 이익이 없다 해도 통합하는 것이 유리하다. 통합을 통한 교섭력 상쇄는 (후방통합의 경우) 공급가를 낮춰주거나, (전방통합의 경우) 실현가격을 높여준다. 그 밖에도 강력한 공급자나 소비자와 대항하기 위해 해야 했던 가치 없는 업무가 더 이상 필요하지 않게 되기 때문에 기업은 좀 더 능률적으로 운영할 수 있게 된다. 공급자나 소비자의 교섭력은 그 기업이 속한 산업들 각각의 구조에 의해 결정된다.

교섭력의 상쇄를 위한 후방통합에는 다른 이익이 있을 수 있다. 한 투입요소의 공급자들이 가져갔던 이윤을 회사 내부로 돌리다 보면, 그 요소의 실질원가를 알 수 있다. 그렇게 되면 기업은 통합 전 두 경제 주체의 수익성을 극대화할 수 있는 수준에서 최종제품의 가격을 결정할 수 있다. 기업이 투입요소의 실질원가를 알고 있다는 사실은 기업이 전방 단위의 생산과정에서 사용하는 여러 가지 투입요소의 믹스를 대체함으로써 능률을 증진시킬 수 있음을 의미한다.[4] 이러한 조치가 수익성을 높일 수도 있다.

기업의 입장에서 보면 투입요소의 실질 기회비용에 맞추어 가격을 적용할 수 있는 이익이 분명하게 있지만, 이전 가격정책이 이러한 이익의 획득을 방해한다는 사실에도 주목해야 한다. 한 투입요소의 외부 공급자가 교섭력을 가질 경우에는, 시장가격에서의 내부 이전이 투입요소의 실질 기회비용보다 높은 수준에서 이루어진다.

### 차별화할 수 있는 능력의 강화

수직적 통합은 경영진의 통제 하에서 좀 더 많은 몫의 부가가치를 제공함으로써 스스로를 다른 기업들과 차별시킬 수 있는 기업의 능력을 증진시켜준다. 이러한 측면은 더 나은 서비스를 제공하기 위해 유통경로를 더욱 잘 통제하도록 해주고, 독점적인 부품들의 자체 내 제작을 통한 차별화의 기회를 제공해줄 수도 있다(차별화에 대한 수직적 통합의 효과는 추후 좀 더 자세하게 논의될 것이다).

## 진입 및 이동장벽의 제고

만약 수직적 통합이 이러한 혜택 중의 어느 하나를 실현했다고 하면, 그로 인해 이동장벽이 더 높아지게 될 수 있다. 이러한 혜택은 더 높은 가격, 더 낮은 원가, 또는 더 가벼운 위험부담 등의 형태로 나타나면서, 통합된 기업으로 하여금 통합되지 않은 기업과의 경쟁에서 상당한 우위에 설 수 있게 해준다. 따라서 비통합된 기업은 통합을 하든지 불리한 위치를 감수해야 하며, 신규 진입기업 또한 통합된 기업으로 들어오든지 아니면 마찬가지로 부담을 감수해야 한다. 통합의 혜택이 크면 클수록 다른 기업들에 대한 통합의 압력은 그만큼 더욱 강해진다. 규모의 경제가 강력하게 작용하거나 통합하는 데 요구되는 자본으로 인한 장벽이 있는 경우에는, 통합에 대한 강요가 이 산업의 이동장벽을 높이는 역할을 한다. 반면에 규모의 경제가 약하고 요구되는 자본의 규모가 그다지 크지 않은 경우에는, 통합에 대한 강요가 경쟁에서 거의 의미를 가지지 않는다.

## 고수익 사업으로의 진입

기업이 수직적 통합을 통해 투자에 대한 총수익의 비율을 높이는 경우도 있다. 수직적 통합을 고려하고 있는 생산단계가 자본의 기회비용보다 더 큰 투자수익을 제공하는 구조를 가지고 있는 경우, 통합 자체로는 경제성을 도모할 수 없다고 해도 통합하는 것이 유익하다. 물론 이때 통합을 시도하는 기업은 현재 그 산업에 종사하고 있는 기업들의 투자수익을 고려하거나 비교해서는 안 된다. 기업은 그 산업에서 얻게 될 투자수익에 대한 계산에 산업의 진입장벽을 극복하는 데 드는 비용을 포함해야 한다. 16장에서 다시 논의하겠지만, 이 기업은 다른 참여 예상기업들에 비해 어느 정도 우위에 설 수 있어야 한다.

### 공급자 또는 소비자의 상실에 대한 대책

통합의 긍정적인 혜택이 전혀 없다 하더라도, 경쟁기업들이 통합하지 않을 경우 공급자나 소비자에 대한 접근이 불가능해진다면 이에 대한 대책으로서라도 통합은 필요하다. 경쟁기업들은 광범위한 통합을 통해 다수의 공급원이나 소비자 또는 소매판로의 결속을 강화할 수 있다. 이런 경우 통합되지 않은 기업들은 나머지 공급자나 소비자를 두고 다툴 수밖에 없는 사태에 직면하게 된다. 더구나 남은 소비자나 공급자는 통합된 기업들이 이미 확보한 소비자나 공급자보다 열등할 가능성이 크므로 사태는 더욱 심각해진다. 공급자나 소비자의 상실은 유통경로에 대한 접근을 막는 이동장벽을 높이거나, 좋은 조건에서 원자재를 공급해주는 공급자에 대한 접근을 막는 절대 원가장벽을 높인다.

따라서 방어의 자세로서 기업은 통합을 하지 않을 수 없다. 통합하지 않으면 그러한 상실로 인한 불리한 입장을 감수할 수밖에 없는데, 이때의 불리함은 상실한 소비자나 공급자의 비율이 높을수록 그만큼 더 심각하다. 같은 이유로 신규 진입기업도 통합된 근거 위에서 사업을 시작해야 한다. 규모의 경제가 현저하거나 소요자본이 큰 경우에, 통합에 대한 요구는 앞서 말했던 것과 동일한 방식으로 이동장벽을 높일 것이다. 미국의 경우, 시멘트와 신발 같은 산업들에서 이러한 상실의 문제가 발단이 되어 통합 현상이 폭넓게 전개되었다.

## 수직적 통합의 전략적 비용

수직적 통합의 전략적 비용에 관해서는 주로 진입비, 유연성, 균형감각의 유지, 관리능력, 그리고 시장 유인에 대비한 조직 내부유인의 사용과 같은 비용들을 다룰 수 있다.

## 이동장벽을 극복하는 데 드는 비용

수직적 통합은 전방사업이나 후방사업에서 경쟁하려 하는 기업에 이동장벽의 극복을 분명히 요구한다. 무엇보다도 통합은 새로운 사업으로의 진출을 위해 선택 가능한 일반적 전략의 옵션 중 하나의 특수한 경우에 지나지 않는다.[5] 수직적 통합에 뒤따르는 사내에서의 판매·구매 관계 덕분에 통합기업이 유통경로에 대한 접근과 제품 차별화 같은 이동장벽을 쉽게 극복하고 인접 산업으로 진출하는 경우도 흔히 있다. 하지만 독점적 기술이나 유리한 원료 공급원의 확보로 인한 원가우위의 장벽은 규모의 경제나 소요자본과 같은 이동장벽들 못지않게 극복하기가 쉽지 않다. 그 결과 수직적 통합은 관련 기술이 잘 알려져 있고 효율성을 고려해 최소한의 생산규모가 크지 않은 금속 컨테이너, 에어로졸 포장, 황산 등의 산업에서 가장 빈번하게 발생한다.

## 영업 레버리지의 증가

수직적 통합은 한 기업의 고정비 비율을 높여준다. 예를 들어 그 기업이 한 가지 투입요소를 현물시장에서 구입하고 있다면, 요소의 비용은 모두 유동비가 될 것이다. 반면에 투입요소가 자체 내에서 생산될 경우에는, 경기 침체나 다른 어떤 이유 때문에 수요가 줄어든다고 해도 기업은 투입요소의 생산으로 인해 발생하는 모든 고정비를 감당해야 한다. 후방사업 단위의 판매량이 전방사업 단위의 판매량에서 파생되기 때문에 둘 중 한 사업에서 경기변동이 일어나면 체인 전체로 파급된다. 경기변동은 경기순환이나 산업 내 경쟁, 시장 개발 등에 의해 발생하게 된다. 이처럼 통합은 한 기업의 영업 레버리지(operating leverage)를 확대하게 하며, 그 결과 기업은 더 큰 매출 변화의 위험에 노출된다. 따라서 수직적 통합에는 영업상 위험의 증대요인이 잠재한다고 볼 수 있다. 하지만 통합의 위험에 대한 순효과는 앞서 논의했듯이 다른 차원에서 영업상의 위험을 감소시키는지의 여부에 의해서도 영향을 받는다. 특정한 사업에서 통합이 영업 레버리지를 확대시키는 정도는 통합이 발생하는 사업에서의 고정비 크기에 의해 결정된다. 예를 들어 그 사업의 고정비가 낮다면 실질적인 영업 레버리지 확대는 미미한 것에 지나지 않을 수 있다.

과도한 수직적 통합에 의해 발생하는 영업상 위험의 좋은 일례가 커티스 퍼블리싱 컴퍼니(Curtis Publishing Company)의 경우이다. 커티스 퍼블리싱 컴퍼니는 비교적 적은 수의 잡지들, 주로 『새터데이 이브닝 포스트(Saturday Evening Post)』의 수요를 충족시키기 위해 거대한 수직적 통합기업을 만들었다. 그러나 1960년대 말 잡지가 경영난에 빠지자 이 회사는 치명적인 재정상태에 놓이게 되었다.

## 거래상대를 교체할 수 있는 유연성의 감소

수직적 통합은 한 사업단위의 성공 여부가 적어도 부분적으로는 성공적으로 경쟁하기 위해 사내의 공급자나 수요자의 능력과 관련되어 있음을 의미한다. 기술 변화, 부품과 관련된 제품 디자인의 변화, 전략적 실패, 또 경영상의 문제들로 인해 사내 공급자가 제공하는 물품의 원가가 높거나 품질이 떨어지거나 또는 적합하지 못한 제품 및 서비스를 제공하는 상황이 생길 수도 있고, 또 시장에서의 사내 수요자나 유통경로의 지위가 흔들리면서 고객으로서의 적합성을 상실하는 상황이 발생할 수도 있다. 수직적 통합의 경우에는 독립 주체와 계약하는 경우에 비해 다른 공급업체나 고객업체로 거래선을 바꾸는 데 드는 비용이 더 크다. 예를 들어 캐나다의 선도적 담배 생산업체인 이매스코(Imasco)는 후방통합을 통해 제조과정에 사용되는 포장재료 생산 분야에 진출했다. 하지만 기술 변화 때문에 포장형태가 다른 형태들에 비해 뒤떨어진 것이 되고 말았다. 그러나 이매스코의 공급단위에는 다른 형태를 생산할 능력이 없었다. 이 공급단위는 결국 여러 차례의 어려움을 겪은 끝에 처분되었다. 남성복 산업에서 로버트 홀(Rovert Hall)이 곤경에 빠지게 된 원인은 이 회사가 자체에서 생산되는 상품에만 전적으로 의존했다는 사실에서 찾을 수 있다.

이러한 위험의 정도는 자체의 공급단위나 수요단위가 곤경에 빠지게 될 가능성, 그리고 자매단위에 적응을 요구하게 될 내적·외적 변화의 발생 가능성에 대한 냉철한 평가를 바탕으로 추정할 수 있다.

## 높아지는 철수장벽

통합이 자산의 전문화를 촉진하거나, 전략적 상호관계 또는 한 사업에 대한 감정적 유대를 심화시킨다면 통합으로 인해 철수장벽이 전반적으로 높아질 수도 있다(12장에서 설명했다). 이러한 상황에서는 어떤 철수장벽도 영향을 받지 않을 수 없다.

## 필요 투자자본

수직적 통합은 기업 내에서의 기회비용을 가지는 자본재를 소비하며, 그 반면에 독립적인 주체와의 거래는 외부 기업의 투자자본(investment capital)을 사용한다. 수직적 통합이 긍정적인 선택이 되기 위해서는, 이 장에서 논의되는 전략적 고려사항들을 충족시키면서 동시에 기업의 자본 기회비용보다 크거나 그것과 동일한 수익을 가져다주어야 한다. 통합에 충분한 유익함이 있다 하더라도 기업이 소매업이나 유통업처럼 수익성이 낮은(낮을 수도 있는) 사업의 진출을 고려하고 있을 때에는, 그런 사실 때문에라도 통합에 의한 이익을 회사의 장애율 이상으로 높일 수 없을지도 모른다.

이와 같은 문제는 통합이 고려되고 있는 전방사업이나 후방사업의 '자본에 대한 요구'에서 명백하게 드러난다. 만약 자본요구가 기업의 자금조달 능력에 비해 큰 경우에는, 통합된 단위의 자금 재투자에 대한 요구 때문에 기업은 다른 부문에서 전략적 위기에 노출될 수 있다. 즉 통합이 이 회사의 다른 부문에서 필요한 자본을 고갈되게 할 수 있다.

통합은 또한 기업이 자사의 투자자금을 배분하는 데 있어서의 유연성을 떨어뜨리게 할 수 있다. 수직적 체인 전체의 운영이 개별 단위에 의존하고 있는 이상, 기업은 전체를 보존하기 위해서라도 임계 단위들에 투자하지 않을 수 없다. 예를 들면, 원자재를 자체 공급하는 일부 대규모 통합기업들이 다각화를 위한 자본이 결여되어 있기 때문에 저수익성의 사업에 포로로 잡혀 있는 것과 같다. 이 기업들은 자본 집약적이고 통합적인 운영으로 인한 자산가치를 보존하기 위해 투자해야 할 자금의 대부분을 소비하고 말았다.

## 공급자나 소비자 연구 또는 노하우의 접근 차단

통합을 계기로 기업이 공급업체나 고객업체로부터의 기술유입 통로를 상실하게 될 수도 있다. 통합은 한 기업이 다른 기업에 의존하기보다는, 스스로 자체의 기술 역량을 개발해야 하는 책임을 지게 됨을 의미한다. 그러나 기업이 (다른 기업들과는 달리) 통합하지 않는 쪽을 택할 경우에는, 공급업체로부터 연구와 기술보조 등의 방법을 통해 그 기업을 적극적으로 돕겠다는 후원을 얻게 될 수도 있다.

연구를 하는 다수의 독립적인 공급업체나 고객업체가 있을 때, 또는 공급업체나 고객업체가 대대적인 연구를 하고 있거나 모방하기 어려운 특수한 노하우를 가지고 있는 분야에서는 그러한 기술 유입의 차단이 심각한 위험이 될 수 있다. 이러한 위험은 통합하지 않았을 때의 위험에 의해 상쇄될지는 몰라도, 인접 사업에서의 기술과 접촉할 수 있는 기회를 가지기 위해 택하는 통합이라는 전략에 원래부터 내재해 있는 것이다. 기업이 부분적인 통합만을 하고 계속해서 공개시장에서의 일부 제품을 구입하거나 판매하는 경우에도 기술 유입이 차단될 위험은 여전히 존재한다. 왜냐하면 이 기업이 공급업체나 고객업체와 경쟁관계에 놓이게 되기 때문이다.

## 균형 유지

기업의 전방 및 후방 단위들의 생산능력은 균형상태를 유지해야 하며, 그렇지 못할 경우에는 잠재되어 있던 문제들이 표면화될 것이다. 수직적 체인의 단계 중 과잉생산 능력을 가진 단계가 있다면 생산물의 일부를 공개시장에서 판매해야 한다(또는 투입요소의 일부를 구입해야 한다). 그렇게 하지 않을 경우에는 시장의 위치가 흔들리게 된다. 그런 상황에서 이러한 조치를 취하는 것이 어려운 이유는 수직적 관계에 강요당해 기업이 경쟁기업들에 판매하거나 경쟁기업들로부터 구입해야 하기 때문이다. 이 기업들은 선도적 지위를 빼앗기게 될지도 모른다는 두려움에서, 또는 경쟁기업의 지위를 강화시키고 싶지 않기 때문에 그 기업과의 거래를 꺼릴 수도 있다. 반면에 과잉 생산량이 공개시장에서 쉽게 팔리거나 투입요소에 대한 과잉수요가 쉽게 충족될 수 있는 경우에는 불균형의 위험이 그다지 심각하지 않다.

수직적 통합관계에 있는 단계들 사이에서 균형이 깨지게 되는 데에는 여러 가지 이유가 있다. 첫째, 효율성을 위한 생산력 증가폭이 두 단계에 있어서 같지 않으며, 이로 인해 성장시장에서조차 일시적인 불균형의 시기가 찾아올 수 있다. 한 단계의 기술 변화가 다른 단계에 비해 그 단계의 생산능력을 효과적으로 향상시키는 생산방법의 변화를 요구할 수도 있다. 또는 제품 믹스 및 품질에서의 변화가 두 단계의 효율적인 생산량에 각각 다르게 영향을 미치게 될 수도 있다. 불균형에 따른 위험은 이 요인들의 발생 가능성에 입각하여 예측이 가능하다.

## 둔화된 동기

수직적 통합은 판매와 구입이 고정된 관계를 통해 이루어짐을 의미한다. 후방사업의 영업 동기는 둔화될 수도 있다. 왜냐하면 그것이 사업을 위해 경쟁하는 대신 자체 내에서 판매할 수 있기 때문이다. 반면 회사 내의 다른 단위로부터 구매하는 사업단위는 외부 기업과의 관계에서처럼 애써 협상하려 하지 않을 것이다. 이처럼 자체 내에서의 거래는 동기를 약화시킬 수 있다. 이와 관련된 문제는 시설 확장을 위한 자체 내 계획이나 구매, 판매를 위한 계약이 외부 고객업체나 공급업체와의 계약만큼 철저하게 검토되지 않을 수도 있다는 사실이다.

둔화된 동기가 수직적으로 통합된 기업에서 실제로 성과를 감소키는지의 여부는 수직적 체인에 속한 관리 단위들 사이의 관계를 지배하는 경영 구조 및 절차에 의해 결정된다. 경영자는 내부의 단위가 경쟁적이지 못할 경우 외부자원을 사용하거나 외부로 판매할 자유가 부여된다는 내용의 내부거래에 관한 정책을 흔히 접하게 된다. 하지만 단순히 이런 절차의 존재만으로는 충분하지 않다. 내부자원 대신 외부자원을 사용할 경우, 단위 경영자는 최고경영자에게 그러한 조치의 정당함을 해명해야 하는 부담을 느끼게 된다. 대부분의 경영자들이 이러한 문제를 놓고 최고경영자와 논의하기를 꺼려하는 것은 당연한 일이다. 그 밖에도 한 조직 내에는 동료의식이 있기 때문에 엄격하게 정상 시장거래 협정을 맺는 것이 힘들다. 어떤 한 단위가 아주 낮은 이윤 등의 이유로 곤경에 처해 있을 때 특히 그렇다. 하지만 정상 시장거래 관계를 유지하는 것이 가장 중요하다.

위에서 논의한 어려움은 '썩은 사과'의 문제를 발생시킨다. 전방단위나 후방단위가 미약할 경우에는(전략적으로나 다른 차원에서) 그 문제들이 건강한 파트너들에게도 파급된다. 한 단위는 마지못해 또는 자발적으로 가격이 지나치게 높거나 품질이 낮은 제품을 받아들이거나, 자체 내의 판매에서 지나치게 낮은 가격으로 제품을 공급함으로써 곤경에 처한 단위를 구하려 할 것이다. 이러한 상황에서는 건실한 부서가 전략적으로 피해를 볼 수 있다. 모회사가 곤경에 처한 부서를 도우려 할 경우에는 직접적으로 그 부서를 지원하기보다는 인근 부서를 통해 간접적으로 지원하는 것이 더 좋은 방법이다. 하지만 최고경영자가 이 점을 인정한다고 해도 인간의 본성상 건실한 부서가 취약한 부서에 대해 무관심한 태도를 취하기는 어려울 것이다. 따라서 취약한 부서가 존재하면 이로 인해 건실한 부서 또한 모르는 사이에 피해를 입게 될 수 있다.

## 상이한 경영상의 요구조건

사업단위들은 수직적 관계를 가지고 있다 해도 구조와 기술, 그리고 경영적인 측면에서 서로 다를 수 있다. 예를 들면 금속의 일차 생산단계와 조립단계는 전혀 다르다. 전자는 철저하게 자본 집약적이고, 후자는 그렇지는 않지만 세심한 생산감독을 요구하며, 분산적인 서비스 및 마케팅 활동이 강조된다. 제조와 소매 또한 근본적으로 다르다. 서로 다른 사업을 경영하는 방법을 이해하는 것이 통합에서의 중요한 과제이며, 이는 잘못 파악되면 결정에 있어서 심각한 위험요인으로 작용할 수 있다.[6] 가장 극단적인 경우에는 수직적 체인의 한 단위는 잘 경영할 수 있는 경영진도 다른 단위는 능률적으로 경영할 능력이 없을지도 모른다. 따라서 공통의 경영방법과 공통의 가정들은 수직적 통합관계에 있는 기업들에 지극히 비생산적일 수 있다.

하지만 수직적으로 결합된 기업들이 서로 거래를 할 때 경영자의 관점에서 본다면, 그것들을 비슷하게 보는 경향이 있다. 그렇기 때문에 기초 사업단위에서 사용되는 조직구조 및 통제시스템, 동기 부여, 자본예산 원칙, 그리고 그 밖의 여러 경영기법들이 무분별하게 전방사업 단위나 후방사업 단위에 적용될 수 있다. 마찬가지로 기초 사업에서의 경험을 통해 얻은 판단과 원칙들이 통합된 사업에서 적용되기도 한다. 체인의 두 단위 모두에 동일한 경영방식을 적용하는 경향은 통합의 또 다른 위험 중 하나이다.

수직적 통합의 전략적 이익과 비용을 평가함에 있어서는 현재의 환경을 토대로 검토하는 것뿐만 아니라 미래에 발생 가능한 산업구조의 변화에 대해서도 검토해야 한다. 예를 들면, 현재에는 미미해 보이는 통합의 경제가 좀 더 성숙해진 산업단계에서는 커질 수도 있다. 산업이 성장하고 그 결과 회사가 성장하게 되면, 그것은 그 기업이 머지않아 효율적인 규모의 내부단위를 지탱할 수 있게 될 것임을 의미한다. 또는 기술변화속도의 둔화가 내부 공급단위와 유착되어 있음으로 인해 발생하는 위험을 완화시킬 수도 있다.

## 전방통합의 특수한 전략적 이슈

앞서 논의한 통합의 이익과 비용 외에도 전방통합에 의해 제기되는 몇 가지 특수한 이슈들이 있다.

• 개선된 제품 차별화 능력 | 전방통합을 통해 기업이 자체의 제품을 좀 더 성공적으로 차별화할 수 있는 경우가 있다. 이는 기업이 생산 프로세스의 더 많은 요소들을 통제할 수 있거나 제품의 판매방법을 통제할 수 있게 되기 때문이다. 텍사스 인스트루먼츠의 경우 그들의 주력상품은 전자부품이었음에도 불구하고 전방통합을 통해 시계와 계산기 같은 소비재 산업으로 진출했고, 이로써 브랜드 네임을 개발할 수 있었다. 다른 예로 가축사료 제조회사인 몬포트는 육류 포장과 유통을 전방통합함으로써 적어도 소매업자들 사이에서 어느 정도까지 브랜드 네임을 확

립할 수 있었다.

기업은 제품 자체뿐만 아니라 제품에 대한 서비스를 판매할 경우, 자체의 제품이 경쟁기업들의 제품보다 우수하지 않다 하더라도 자체의 제품을 차별화할 수 있다. 전방통합을 통해 소매업에 진출함으로써 기업은 판매원의 상품소개 방법, 가게의 시설과 가게 위치에 대한 이미지, 판매원의 의욕 등 자체의 제품을 차별화하는 데 도움이 되는 소매기능의 여러 요소들을 통제할 수 있게 된다. 이 모든 경우에 있어서 기본적인 동기는 부가가치를 증대시킴으로써 비통합 단위에서라면 불가능하거나 어려웠을 차별화의 기반을 확보하려는 것이다. 기업은 제품을 차별화함으로써 동시에 이동장벽을 높일 수 있다.

• **유통경로에 대한 접근** | 전방통합은 유통경로의 접근의 문제를 해결해주고, 또 유통경로가 가지고 있는 교섭력을 약화시킨다.

• **시장정보의 접근성** | 수직적 사슬에서 상품(그리고 실질적으로 경쟁 브랜드와 제품 사이에서 결정을 내리는 의사 결정권자들)에 대한 근본적인 수요는 일반적으로 전방단계에 위치한다. 이 단계가 후방 생산단계에서의 수요의 규모와 구성을 결정한다. 예를 들어 대체 건설자재에 대한 수요는 계약자나 개발 담당자에 의해 결정된다. 그들은 이용 가능한 자재의 품질과 비용 등이 고객의 요구에 부합되도록 하는 역할을 한다. 시장에서의 핵심적인 의사 결정이 행해지는 단계를 여기에서는 수요선도 단계라고 부를 것이다.

수요선도 단계로의 전방통합을 통해 기업은 결정적인 시장정보를 얻게 되고, 이 정보는 수직적 체인 전체를 좀 더 능률적으로 기능하도록 할 것이다. 가장 단순한 차원에서 볼 때 이러한 정보가 있으면 기업은 고객들의 주문에서 간접적으로 제품 수요량을 유추할 수밖에 없는 경우보다 제품 수요량을 더 빨리 확정할 수 있다. 고객의 주문을 판단하는 것은 중간단계 각각에서 발생하는 재고량으로 인해 복잡해진다. 보다 빠른 정보가 있으면 생산수준을 더욱 잘 조정할 수 있게 해주며, 초과량 및 부족량으로 인해 발생하는 비용을 축소할 수 있다.

정보에 의한 혜택은 수요규모에 대한 정보를 때에 알맞게 얻을 수 있는 것뿐만 아니라 조금 더 미묘한 문제가 있다. 무엇보다도 기업은 수요 선도 단계에서의 경쟁을 통해 최적의 제품믹스와 구매자 취향의 흐름에 대한 정보, 그리고 궁극적으로 자사의 제품에 영향을 미치게 될 경쟁 추세에 대한 정보를 적시에 얻을 수 있다. 이러한 정보들은 후방단계에서의 제품 특징 및 믹스에 관해 빠르게 발맞춰나갈 수 있게 해주고, 또 그때 드는 비용들도 낮춰준다.

많은 기업들이 수요선도 단계로의 통합전략을 묵시적 또는 명시적으로 추진해왔다. 캐나다 기업인 젠스타(Genstar Ltd.)는 전방통합을 통해 시멘트 및 건축자재 사업에서 주택건설과 중장비건설 사업으로 진출했다. 역시 캐나다 기업인 인달 또한 금속 압정·압출·도금업에서 최종조립 산업으로 전방 진출하는 정책을 추구했다. 두 회사 모두 전방통합을 명분으로 시장정보에 큰 비중을 둔 예이다.

특정 목적을 위한 전방통합의 혜택은 많은 상황에 따라 달라진다. 수요선도 단계에서 시장상황이 불안정하거나 변화하는 정도에 의해, 생산이 재고생산인지 주문생산인지의 여부에 의해, 그리고 통합에 의존하지 않고 전방시장의 정보를 얻을 수 있는 능력이 있는지에 따라 결정된다. 건축과 금속조립 모두에 있어서 최종 수요는 지극히 주기적이고 그 구성 또한 빠른 속도로 변화한다. 주기적이고 변덕스럽게 변화하는 수요는 때에 알맞게 확보할 수 있는 시장정보의 이익을 증가시킨다. 최종 수요가 크게 안정되어 있는 경우에는 고객으로부터 얻는 시장정보만으로도 충분할 것이다.

고객들로부터 얻는 정보의 정확성은 산업에 따라 다르다. 일반화하기는 쉽지 않지만, 다수의 소규모 고객들이 존재하는 경우에는 비공식의 표본조사만으로도 전방시장의 상황에 대한 정확한 지표를 얻을 수 있다. 반면에 고객들이 대규모의 몇몇 고객일 경우에는 (특히 이들 고객이 강력할 경우에는) 정확한 정보의 획득이 쉽지 않다. 이런 상황에서 특정 고객의 가공법이나 믹스가 바뀐다면 그 결과 또한 엄청날 것이다.

• 더 높은 가격의 실현 | 기업은 동일한 상품에 대해 다른 고객들에게 서로 다른 가격을 책정할 수 있기 때문에 전방통합을 통해 전반적으로 더 높은 가격을 실현할 수 있는 경우가 많다. 이러한 행위에 있어서의 문제점은 차익거래(arbitrage)가 발생할 수 있고, 이러한 행위가 어떤 경우에는 로빈슨 패트먼(Robinson-Patman)법에 저촉될 수 있다는 사실이다. 그 수요가 탄력적인 편이기 때문에 좀 더 낮은 가격을 정해야 하는 사업으로 통합 진출하는 경우에는, 다른 고객에게 판매하는 방법으로 더 높은 가격을 실현할 수도 있다. 하지만 이 경우에는 그 제품을 판매하는 다른 기업들을 통합하거나, 아니면 자회사의 제품을 차별화함으써 고객들이 경쟁사의 제품을 완전한 대체재로 받아들이지 않도록 해야 한다. 또 다른 방법으로는 그 기업의 궁극적인 소비자의 수요 탄력성에 더욱 부합되도록 가격을 조정할 목적에서 통합하는 경우가 있다. 예를 들면 일부 소비자들은 다른 소비자들보다 한 제품을 좀 더 집중적으로 사용하기 때문에, 그 제품에 대해 더 높은 가격도 기꺼이 지불할 수가 있다. 그러나 기업이 상이한 사용률에 따라 가격을 다르게 책정하기가 쉽지 않은 이유는, 사용률의 측정이 불가능하기 때문이다. 유상으로 서비스를 제공하거나 그 제품과 꼭 함께 사용해야 하는 물품을 판매하는 경우에는, 기초 상품의 가격을 낮게 책정한 후 연관 제품의 판매이익을 통해 수요 탄력성의 이익을 거두어들일 수 있다. 이와 유사한 방법이 복사

기 및 컴퓨터 산업에서 채택되었다. 기초 상품의 구매조건으로 구매자에게 자회사의 연관 제품을 강매하지 않는 이상 이 방법은 독점금지법에 저촉되지 않는다.

# 후방통합의 특수한 전략적 이슈

전방통합에서와 마찬가지로 후방통합의 경우에도 검토되어야 하는 몇 가지 특수한 이슈들이 있다.

• **독점지식** | 기업은 필요한 것들을 자체 생산함으로써, 부품이나 생산원료를 제조하는 공급업자와의 독점적 자료의 공유를 피할 수 있다. 부품에 대해 공급업자에게 정확하게 기술함으로써 최종제품의 디자인이나 제조방법의 중요한 특징들이 노출될 수 있다. 또는 그 부품 자체가 최종제품에서 독점적인 기술이라 중요한 경우도 있다. 이런 상황에서 기업이 구성품을 자체 생산할 수 없는 경우에는, 공급업자들이 상당한 교섭력을 가지게 되고 이들 공급업자가 진입해올 위험이 생긴다. 바로 이런 이유 때문에 폴라로이드는 나머지는 외주를 주면서도 독점적 제품만은 대부분 자체 생산을 해왔다.

• **차별화** | 전방통합의 경우와는 약간 다를지 몰라도, 기업은 후방통합을 통해서도 제품 차별화를 강화할 수 있다. 기업은 핵심적인 투입요소의 생산에 대한 통제력을 가짐으로써, 실제로 자체의 제품을 더욱 차별화할 수 있거나 차별화할 수 있다고 설득력 있게 말할 수 있게 된다. 예를 들면 통합을 통해 특별한 명세서를 가진 투입요소를 받게 되는 경우에는, 기업이 자체의 최종제품을 개선하거나 적어도 경쟁기업의 제품

과 비교해 차별화할 수 있을 것이다. 가령 퍼듀 치킨이 다른 치킨과 구별될 수 없더라도, 이 회사는 프랭크 퍼듀(Frank Perdue)가 닭을 직접 키운다는 사실 때문에 자회사의 제품이 특별하다고 주장할 수 있다. 만약 그가 공개시장에서 일반적인 닭을 사서 단순하게 그것을 가공만 했더라면 퍼듀 치킨이 다른 치킨과 다르다는 그의 주장은 설득력이 없을 것이다.

## 장기계약과 통합의 경제

통합의 경제는 독립된 기업들 사이에서 올바른 형태로 맺어지는 장기계약이나 심지어는 단기계약으로 인해 얻어질 수도 있다. 예를 들어 두 독립기업의 공장을 인접한 곳에 위치하게 함으로써 프로세스 과정을 단축시킬 수 있다. 금속용기 공장을 대규모 식품가공 공장 바로 옆에 위치하게 한 후 두 공장 사이를 컨베이어 벨트로 연결함으로써 운송비를 절약하는 경우도 많다. 또는 일정한 납품계획을 정확하게 명시해놓는 독점 장기계약을 체결함으로써 판매비용 및 조정비용을 절약할 수도 있다.

하지만 계약이 일반적으로 통합의 여러 가지 경제성 모두를 달성시키지 못하는 이유는, 한쪽 당사자 또는 양쪽 모두가 속박되어 있음에도 불구하고 각각 다른 이해관계를 가지기 때문이다. 이처럼 위험과 다른 이해관계, 협상비용, 또 계약 후 가격 논쟁의 위험 때문에 독립기업들이 쉽게 계약에 합의하지 못한다. 따라서 통합이 필요하게 된다.

하지만 기업의 경영자는 통합의 경우와 동일한 혜택을 얻기 위해 독립기업과 계약하는 선택안도 염두에 두어야 한다. 특히 앞에서 논의한 통합의 위험과 대가가 큰 경우에도 마찬가지다. 수직통합의 함정의 하나는 외부 기업과 좀 더 현명하게 거래하기만 했더라면 통합의 혜택을 대부분 실현할 수 있었을 것임에도 불구하고, 통합의 비용을 지불하거나 위험에 직면하게 되는 것이다.

## 부분통합

부분통합(tapered integration)이란 기업이 부분적으로 전방통합 또는
후방통합하고, 나머지 필요한 부분은 공개시장에서 구입하는 것을 말한
다. 그러기 위해서는 기업이 효율적 규모의 자체 내 운영을 지탱해나갈
수 있으면서 동시에 시장에서는 추가적인 수요가 존재해야 한다. 기업
이 효율적인 자체 내 운영을 지탱할 만큼 규모가 크지 않은 경우에는,
소규모 운영으로 인한 불이익을 부분통합에 의해 발생하는 순이익에서
공제해야 한다.

부분통합은 통합의 비용은 부분적으로 줄여주는 반면에, 앞서 말한
통합의 이익들은 거의 전부 가져다줄 수 있다. 하지만 통합이 불완전해
서 얻지 못하는 이익 부분이, 통합이 부분적이기 때문에 얻게 되는 통합
비용의 감소 부분을 초과할 때에는 바람직하지 않다. 부분통합과 완전
통합 사이의 선택은 산업에 따라, 그리고 동일한 산업 내에서도 기업에
따라 다르다.

### 부분통합과 통합의 비용

부분통합은 완전통합만큼 높은 고정비 상승을 초래하지는 않는다. 더
구나 통합의 정도(또는 외부에서 구입하는 상품이나 서비스의 비율)를 결정
할 때 시장에서의 위험의 정도를 감안하여 조정한다. 독립 공급업체에
상황 변동에 따른 위험을 전가하고, 자체공급 단위는 일정한 생산율을
유지할 수 있다.[7] 자동차 산업에서의 통합이 그런 경우이며, 일본의 제
조 산업에서 성행한 통합 또한 그렇다. 그 밖에도 부분통합은 앞에서 설
명한 문제들 때문에 발생하는 단계들 사이의 불균형에 대한 대비책으로

사용된다. 가장 적합한 통합의 정도는 예상되는 시장 변동의 폭에 따라서, 그리고 예상되는 기술 변화 등의 사건으로 인해 단계들 사이에서 생길 수 있는 불균형의 정도에 따라서 다르다. 하지만 부분통합이란 필연적으로 경쟁기업들로부터 구입하거나, 경쟁기업들에 팔기를 요구하는 것임을 명심해야 한다. 만약 심각한 위험이 수반된다면, 부분통합을 하는 것은 현명하지 않다.

부분통합은 통합의 정도에 따라서 유착관계(lock-in)의 위험을 줄여준다. 그 밖에도 부분통합은 기업에 외부 R&D(research and development) 활동에 대한 접근을 어느 정도 허용해주며, 자체 내의 동기 부여라는 문제에 대해서도 부분적인 해결책을 제시해준다. 자체 내의 공급단위나 고객단위가 독립적인 공급업체나 고객업체와 같이 존재하기 때문에 그들 사이에서 경쟁관계가 형성되고, 이로써 그들의 작업 능률이 향상될 수 있다.

## 부분통합과 통합의 이익

기업은 부분통합을 통해 완전통합의 위협이 거짓이 아님을 입증할 수 있고, 이에 따라 공급업자나 고객업자에 대한 질서가 강화되며, 교섭력을 상쇄하기 위한 완전통합의 필요성이 없어진다. 나아가 부분통합을 통해 기업은 인접 산업에서의 운영비에 대한 상세한 지식을 얻게 되고, 긴급 시 공급받을 수 있는 공급업자를 제공받을 수도 있게 된다. 이러한 요인들은 그 밖에도 협상에서의 우위를 가져다준다. 이처럼 강력해진 협상력의 위치라는 특징을 가지고 있는 기업들로는 주요 자동차 회사들과 국제적인 석유회사들이 있다. 완전한 자체 생산에 미치지 못하는 공장을 유지하는 것이 어떤 경우에는 더 적은 투자로도 완전통합과 동일한 효과를 제공해준다.[8]

또한 부분통합은 기업이 통합으로 얻을 수 있는 여러 정보 혜택 역시 가져다준다. 하지만 앞서 논의한 수직적 통합의 다른 효과들 중 일부는 줄어든 통합 정도에 비해 더 심하게 감소된다. 외부 공급업체에서 생산되는 제품과 자체 내 단위에 의해 생산되는 제품이 정확하게 잘 맞아야 하는 상황에서는 부분통합이 실제로 조정비용을 높여준다.

## 준통합

준통합(quasi-integration)이란 수직적으로 관련된 사업들 사이에서 장기계약과 완전한 소유 사이의 어떤 관계를 설정하는 것이다. 준통합의 일반적인 형태로는 다음과 같은 것들이 있다.

· 소수 주식투자
· 대출 또는 대출보증
· 선구입 신용
· 독점거래 협정
· 특화된 물류시설
· 협력적인 R&D

어떤 경우에는 준통합이 수직적 통합의 모든 비용을 초래하지 않고도 수직적 통합의 이익 대부분이나 일부를 실현하게 한다. 단위당 원가를 낮춰주고, 수요 및 공급 중단의 위험을 줄여주며, 상대방의 교섭력을 약화시키는 등 준통합을 통해 구매자와 판매자 사이에 더 큰 이해집단을 형성할 수 있다. 이러한 이해집단은 신용, 정보의 공유, 경영인들 사이의 빈번하고 비공식적인 접촉, 상대방 회사에 대한 직접투자 등을 통해서 형성된다. 준통합은 완전통합에 부수되는 비용을 축소시키며, 인접 사업의 완전한 수요와 공급에 맞출 필요성을 제거해준다. 그 밖에도 완전통합을 할 때 요구되는 정도의 자본투자가 필요하지 않게 되며, 무엇

보다도 인접 사업을 관리할 필요가 없어진다.[9]

　준통합은 완전통합의 대안으로서 고려되어야 한다. 문제의 핵심은 준통합을 통해 생겨난 이익집단이, 완전통합의 경우에 비해 줄어든 비용과 위험을 정당화할 만큼 충분한 통합의 이익을 가져다주는지 하는 것이다. 투자수익의 증대, 제품 차별화의 강화, 또는 이동장벽의 강화와 같은 통합의 이익은 준통합으로서는 달성하기 어려울 것이다. 준통합이 하나의 전략으로서 바람직한지 평가해보기 위해서는, 하나의 대안으로서 준통합을 취하고 있는 특정 사업에서의 수직적 통합의 비용과 이익분석이 꼭 필요할 것이다.

# 수직적 통합 결정에 있어서의 환상

　수직적 통합의 이익에 대한 몇 가지 잘못된 인식이 있다. 이러한 인식에 대해 잘 살펴보아야 할 것이다.

　－ 한 단계에서의 강력한 시장우위가 자동적으로 다른 단계에까지 연장될 수 있다는 환상

　흔히들 기초 사업에서 강력한 우위에 있는 기업이라면, 통합을 통해 좀 더 경쟁적인 인접 사업으로 진출했을 때 그 인접 시장에서도 계속 우위를 누릴 수 있다고 생각한다. 소비재 산업에서 강력한 입지를 가지고 있는 기업이 전방통합을 통해 경쟁이 아주 치열한 소매업에 진출했다고 가정해보자. 통합된 소매업체가 그 제조업체의 모든 상품을 전담하게 됨으로써 시장점유율을 높일 수 있을지는 몰라도, 제조업체의 입장에서 보면 다수의 소매업체들이 자회사의 제품을 판매하기 위해 활발하게 경쟁하는 편이 보다 유리하다.[10] 제조업체가 통합된 소매업체에 더 높은

가격으로 제품을 공급할 수도 있다(비록 한 단위에서 다른 단위로 이윤을 부기상 이전하는 것에 지나지 않겠지만). 그러나 통합된 소매업체가 그 후에 가격을 조정한다면 그것의 경쟁 위치는 약화될 것이다. 이처럼 통합은 한 시장에서의 우위를 자동으로 다른 시장에까지 연장할 수 있도록 하지는 않는다. 통합 자체가 눈에 보이는 이익을 가져다줄 때에만 시장 지배력의 연장이 허용된다. 이런 상황에서는 통합이 결합된 전체의 경쟁력을 강화시켜주기 때문이다.

- 자체 내에서 일을 처리하는 것이 언제나 비용이 적게 든다는 환상

앞에서 논의했듯이 수직적 통합에는 여러 가지 숨겨진 비용과 위험이 있지만, 이것들은 외부 기업들과의 거래를 통해 피할 수도 있는 것들이다. 그 밖에도 현명한 계약을 통해 어떤 비용이나 위험 없이도 통합의 이익을 실현할 수 있는 가능성이 있다. 통합의 경제를 지나치게 좁은 시각에서 바라보다 보면 이 문제점들의 대부분을 무시하면서 통합을 결정하게 되는 경우가 많다.

- 통합하여 경쟁적인 사업으로 진출하는 것이 타당하다는 환상

통합을 통해 고도로 경쟁적인 사업으로 진출하는 것이 바람직하지 않다는 증거는 얼마든지 있다. 그런 산업에 종사하는 기업들은 낮은 수익을 얻고 있으며, 품질과 고객에 대한 서비스를 개선하기 위해 치열한 경쟁을 벌이고 있다. 판매나 구입을 위해 대상으로 선정할 기업은 얼마든지 있다. 수직적 통합이 동기를 둔화하게 하고 근무의욕을 떨어뜨릴 수도 있다.

- 수직적 통합이 전략적으로 약세에 있는 사업을 구할 수 있다는 환상

수직적 통합의 전략이 앞서 논의한 특정한 상황에서라면 한 기업의

전략적 위치를 강화할 수도 있다. 그러나 전략적으로 약한 기업에 있어서 그것이 충분한 해결책이 되지는 않는다. 특별한 경우가 아니고서는 강력한 시장우위가 수직통합을 통해 자동적으로 연장될 수는 없다. 하나의 기업 전체가 견고해지기 위해서는 수직적 체인의 '각 단계'가 전략적으로 견고해야 한다. 앞부분의 분석을 통해 밝혀졌듯이 하나의 고리의 견고성이 미약하면 그 여파가 다른 고리들에까지 파급될 위험이 크지만, 그 반대인 경우는 별로 없다.

　– 수직적 체인의 한 단위에서의 경영 경험이 자동적으로 전방단위 또는 후방단위의 경영능력을 보장해준다는 환상

앞에서 논의했듯이 수직적 연관관계에 있는 기업들이라 하더라도 각 기업이 가지는 경영상의 특징은 크게 다르다. 사업의 인접성에서 생겨나는 그릇된 안이함 때문에 과거의 경영방법을 적용하는 과정만으로도 새로운 전방사업이나 후방사업이 파괴될 수 있다.

# 생산시설의 확장

생산시설의 확장은 소요되는 자본규모와 의사 결정의 복잡성에 입각하여 볼 때, 기업들이 당면하게 되는 가장 중요한 전략적 결정 중 하나이다. 이것은 사업에서 전략의 중추적 측면이라 할 수 있다. 생산시설을 확장하는 데는 수년의 리드타임이 소모되고, 또 그렇게 확장된 생산시설은 흔히 오랜 기간 동안 지속적으로 이용된다. 그렇기 때문에 생산시설에 관련된 결정을 내려야 하는 기업은 먼 장래의 상황에 대한 예측을 근거로 삼아 자원 투입의 문제를 신중하게 고려해야 한다. 특히 2가지 유형의 예측, 즉 장래의 수요에 대한 예측과 경쟁기업들의 행동에 대한 예측이 결정적으로 중요하다. 생산시설에 관한 결정에서 전자가 가지는 중요함은 두말할 나위도 없다. 경쟁기업의 행동에 관한 정확한 예측 또한 중요한 이유는, 지나치게 많은 경쟁기업들이 생산시설을 확장할 경우에는 어떤 기업도 불운한 결과를 피할 수 없을 것이기 때문이다. 따라서 생산시설 확장은 기업들이 상호 의존하고 있는 상태인 과점의 모든 고전적 문제들을 수반한다.

생산시설 확장에서의 전략적 문제는 기업이 시설 과잉을 피하면서 자체의 경쟁적 위치나 시장점유율을 개선하고자 하는 목적을 실현시키기 위해 생산시설을 어떻게 확장할 것인지 하는 데 있다. 한 산업에서의 시설 부족이 일시적으로만 문제시되는 이유는, 일반적으로 부족 시에는 즉시 신규투자가 발생하기 때문이다. 하지만 대부분의 경우에 생산시설의 투자는 다시 되돌릴 수 없기 때문에 수요를 초과하는 생산시설 과잉은 당연히 오랜 기간 동안 지속될 수밖에 없다. 과잉시설 투자는 실제로 (제지, 조선, 제철, 알루미늄, 그리고 대부분의 화학공업계 등) 수많은 산업에서 반복적으로 일어나는 심각한 문제이다.

이 장에서는 생산시설 확장의 결정을 전략적 맥락에서 살펴볼 것이다. 첫째, 결정의 제반요소들이 개략적으로 소개될 것이다. 과잉시설 투자가 만성적인 문제인 만큼, 과잉시설 투자의 원인과 이를 예방하기 위한 몇 가지 접근방법이 검토될 것이다. 마지막으로 1960년대와 1970년대에 성행했던 생산시설 확장을 위한 시장선점 전략이 논의될 것이다.


## 생산시설 확장 결정의 요소


전통적인 자본관리의 시각에서 보면 생산시설 확장에 대한 의사 결정의 기법은 지극히 단순하고 직선적이다. 재무관리에 관한 교과서라면 어떤 것이든 상세한 부분까지 설명되어 있을 것이다. 새로운 생산시설에 의해 창출될 미래의 현금 유입을 예측하고, 이를 할인하여 투자에 소요되는 현금 유출과 비교해보면 된다. 그 결과인 순현재가치를 가지고 생산시설 확장을 그 기업이 할 수 있는 다른 투자계획들과 비교해볼 수 있다.

하지만 이러한 단순함 뒤에는 극히 미묘한 의사 결정의 문제들이 숨어 있다. 기업이 생산시설을 확장하는 데에는 일반적으로 비교해보아야 하는 여러 가지 선택안을 가진다. 그 밖에도 새로운 생산시설에 의해 발생되는 미래의 현금 유입을 결정함에 있어 기업은 장래의 이윤을 예측해야 한다. 장래의 이윤은 경쟁기업들 하나하나가 결정하는 생산시설 확장의 규모 및 시기에 의해 결정적인 영향을 받으며, 그 외에도 여러 다른 요인들이 변수로 작용한다. 장래의 수요뿐만 아니라 장래의 기술 변동 추세에 대해서도 불확실성이 있는 경우가 많다.

생산시설 확장계획에서 가장 핵심이 되는 문제는 할인된 현금 유입의 산출이 아니라 산출에 투입되어야 하는 여러 가지 요인들, 예를 들어 미래에 대한 가능성의 평가와 같은 것이다. 이러한 가능성의 평가 또한 (재무 분석이 아닌) 산업 및 경쟁기업을 분석하는 데 있어 미묘한 문제로 대두된다.

재무관리 교과서가 제시하는 단순한 계산법에는 경쟁기업들의 행동에 대한 불확실성과 상호 대체적 전제들이 고려되지 않는다. 이 요인들을 포함하는 할인현금 흐름의 산출의 복잡함을 감안할 때, 가능한 한 간단한 시설확장 결정의 모델을 설정하는 것이 유용할 것이다. 〈그림 15-1〉의 단계들은 모델링 프로세스의 요소들을 보여주고 있다.

〈그림 15-1〉의 단계들은 상호 연관된 방식 속에서 분석되어야 한다. 1단계는 생산시설을 확장함에 있어 기업이 현실적으로 선택할 수 있는 방안들을 설정하는 것이다. 일반적으로 확장의 규모는 다양하며, 새로운 시설의 수직적 통합 정도 또한 변수로 작용한다. 통합이 아닌 방법으로 생산시설을 추가하는 것이 위험을 줄이는 방법이 될 수도 있다. 시설확장의 규모에 대한 기업 자체의 결정이 경쟁기업들의 행동에 영향을 미칠 수 있기 때문에, 경쟁기업들의 행동의 연관 속에서 그 기업의 대안들을 개별적으로 분석해야 한다.

선택안을 결정한 후 기업은 미래의 수요와 투입요소 비용 및 기술에

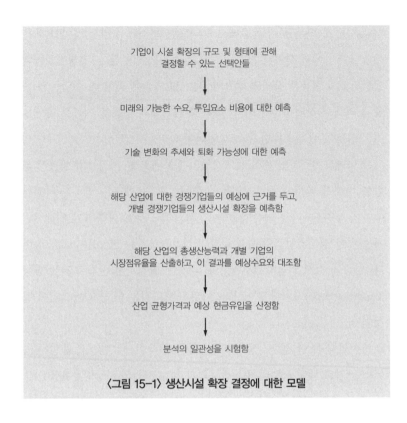

기업이 시설 확장의 규모 및 형태에 관해
결정할 수 있는 선택안들

↓

미래의 가능한 수요, 투입요소 비용에 대한 예측

↓

기술 변화의 추세와 퇴화 가능성에 대한 예측

↓

해당 산업에 대한 경쟁기업들의 예상에 근거를 두고,
개별 경쟁기업들의 생산시설 확장을 예측함

↓

해당 산업의 총생산능력과 개별 기업의
시장점유율을 산출하고, 이 결과를 예상수요와 대조함

↓

산업 균형가격과 예상 현금유입을 산정함

↓

분석의 일관성을 시험함

**〈그림 15-1〉 생산시설 확장 결정에 대한 모델**

대해 예측해야 한다. 미래의 기술에 대한 예측은 중요하다. 그 이유는 현재의 생산시설 확장이 진부화될 수도 있고, 또는 디자인 변화를 계기로 기존 시설로부터 생산력을 효율적으로 증대시킬 수 있을 것인지 그 가능성을 예측하는 데 필요한 기술이기 때문이다. 투입요소 비용을 예측할 때에는 새로운 생산시설로 인한 수요 증가가 투입요소 비용을 높여줄 수도 있다는 가능성이 고려되어야 한다. 이러한 수요, 기술 그리고 투입요소 비용에 대한 예측은 불확실성의 영향을 받으며, (10장에서의) 시나리오들을 이러한 불확실성에 대한 대비책으로 이용할 수도 있다.

다음 단계로 기업은 경쟁기업들 하나하나가 어떻게 그리고 언제 생산시설을 추가할 것인지에 대해 예측해야 한다. 이는 경쟁기업의 분석에서 부딪히게 되는 문제들 중에서도 미묘한 문제에 속하는 것이기 때문에 3, 4, 5장에서 제시된 기법들 모두가 동원되어야 한다. 경쟁기업들의 생산시설의 변동은 장래의 수요와 원가 및 기술에 대한 이 기업들의 예상에 의해 결정되게 마련이다. 따라서 기업들의 행동을 예측할 때에는 이 기업들의 예측에 대한 추측이 있어야 한다.

그 밖에도 한 기업, 특히 선도기업의 행동이 다른 기업들의 행동에 영향을 미치기 때문에 경쟁기업들의 행동에 대한 예측은 반복적 과정일 수밖에 없다. 따라서 연속행동과 그 결과인 반응을 예측하기 위해서는 가능한 한 경쟁기업들의 시설 확장이 상호작용하는 현상을 추적해야 한다. 나중에 다시 언급하겠지만 시설 확장에 있어서는 순차적 진행 현상(bandwagon process)이 일어난다. 이것은 예측하는 데 중요한 요인이 될 것이다.

분석의 다음 단계는 경쟁기업들의 행동과 자회사의 행동을 종합하고, 이를 근거로 해당 산업의 총생산능력과 개별 기업의 시장점유율을 산출한 후 산출된 결과를 예상수요와 대조해보는 것이다. 이러한 단계를 통해 기업은 산업 균형가격과 나아가서는 투자의 예상 현금유입을 산정할 수 있을 것이다.

그리고 전 과정에 혹시 모순이 있지는 않은지 철저히 검사해보아야 한다. 예를 들어 예측결과가 한 경쟁기업이 시설을 확장하지 않음으로 인해 곤경에 처해 있는 것으로 나타날 경우에는, 그 경쟁기업이 자사의 오류를 발견하고 뒤늦게나마 생산시설을 확장하는 쪽으로 분석의 방향을 재조정해야 한다. 예상되는 확장의 전 과정이 기업 대부분의 기대에 역행하는 상황을 초래하는 것으로 나타날 경우에는 그것 또한 재조정되어야 한다. 생산시설 확장과정에 대한 모델의 설정은 수많은 평가를 요구하는 극히 복잡한 과정이다. 그러나 그 과정은 기업으로 하여금 해당 산업의 확장요인과 나아가서는 그것을 스스로에게 유리하도록 이용하

는 방법들을 통찰할 수 있게 해준다.[1]

생산시설 확장 결정에 대한 모델은 '미래에 대한 불확실성의 정도' 가 그 과정의 진행에서 가장 결정적인 작용을 하는 변수 중의 하나임을 말해준다. 미래의 수요에 대한 불확실성이 일반적으로 기업들마다 상이한 위기 회피 정도와 재정능력이 질서정연한 확장과정을 초래한다. 현금이 충분히 있거나 그 산업에서 전략적 중요성을 크게 부여하기 때문에 위험을 감수할 용의가 있는 기업은 뛰어들 것이고, 반면에 대부분의 기업들은 기다리면서 미래의 결과를 관망하는 입장을 취할 것이다. 하지만 미래의 수요가 상당히 정확한 것으로 판명되는 경우에는 시설확장 과정이 '선점경쟁' 의 형태를 띠고 나타날 것이다. 미래의 수요가 알려진 상태에서라면 기업들이 시설 확장을 통해 그 수요에 대한 공급의 우위를 선점하려고 치열한 경쟁을 벌일 것이다. 일단 일부 기업들이 우위 선점의 목표를 달성하고 난 후에도 시설 확장을 멈추지 않는 기업들이 있다면, 이는 결코 합리적인 현상이 아니다. 이러한 선점경쟁은 일반적으로 시장신호를 강하게 드러내주는 현상과 함께 일어나는데, 그 목적은 다른 기업의 투자를 견제하려는 것이다. 문제는 지나치게 많은 기업들이 다른 기업의 의도를 오해하거나, 시장신호를 잘못 읽거나, 또는 다른 기업의 상대적인 강점과 지구력을 잘못 판단하는 데서 생겨난다. 이러한 상황이 바로 생산시설 과잉을 발생하게 하는 주요한 원인 중의 하나이다.


# 생산시설 과잉의 원인


특히 상품 제조업에서 생산시설 과잉이 강하게 일어나는 경향을 보이며, 이러한 경향은 선점을 노리는 잘못된 시도들이 있어서 더욱 심화된다. 시설 과잉은 시설 확장에 있어 핵심적인 문제인 만큼 그 원인들을 상당히 구체적으로 살펴볼 필요가 있다.

상품 제조업에서 시설 과잉의 위험이 심각한 데에는 다음과 같은 2가지 원인이 있다.

· 수요는 일반적으로 순환의 형태를 띤다. 순환적 수요가 침체기에는 반드시 시설 과잉을 초래하며, 상승기에는 지나치게 낙관적인 기대를 가지게 하기도 한다.

· 제품이 차별화되지 않았다. 구매자들의 선택이 철저히 가격에 의해 이루어지기 때문에 경쟁에서 생산원가가 결정적인 역할을 한다. 그 밖의 브랜드에 대한 충성의 부재는 기업의 판매량이 기업의 '생산력'과 밀접하게 연관되어 있음을 의미한다. 따라서 기업이 경쟁력을 가지기 위해서는 대규모의 현대식 공장을, 목표 시장점유율을 달성하기 위해서는 적절한 생산력을 가져야 한다는 강한 압박을 느끼게 된다.[2]

상품 제조업 또는 다른 산업들에서도 시설 과잉을 초래하는 조건은 여러 가지가 있으며, 그 조건들은 다음과 같은 범주로 분류될 수 있다. 산업에서 하나 이상의 요인이 존재하면 시설 과잉의 위험은 그만큼 더 커진다.

## 기술적 조건

• 대규모 단위의 생산시설 추가 | 대규모 단위로 시설을 추가할 필요가 있을 때에는, 시설 확장에 대한 결정이 집중되면 심각한 시설 과잉에 대한 위험이 커지게 된다. 이것이 바로 1960년대 말 컬러 수상관 산업에서 시설 과잉이 발생하게 된 주요 요인이다. 당시 TV 수상기를 생산하

는 많은 기업들이 수상관 공급량 확보의 필요성을 감지했다. 하지만 효율적인 수상관 공장의 규모는 TV 수상기 조립공장의 규모에 비해 월등하게 컸다. 수요는 일시에 대량으로 쏟아져 나오는 컬러 수상관 생산량을 흡수할 수 있을 만큼 빠른 속도로 증가하지 않았다.

• 규모의 경제 또는 중요한 학습곡선 | 이 요인은 앞서 설명한 선점경쟁의 발생 가능성을 키워준다. 최대 규모의 생산시설을 가진 기업이나 초기에 생산시설을 확장한 기업이 원가우위를 가지게 되고, 이에 따라 다른 기업들은 좀 더 빠르고 공격적으로 생산시설을 확장해야 한다는 압박을 받게 된다.

• 시설 확장에 있어서의 긴 리드타임 | 리드타임이 긴 경우 기업은 먼 미래의 수요와 경쟁에 대한 예측을 근거로 시설 확장의 결정을 내리거나, 아니면 수요가 실제로 실현되면 적시에 투자하지 않은 데 대한 불이익을 감수할 각오가 되어 있어야 한다.[3] 리드타임이 길면 길수록 시설 확장을 하지 않아 뒤처진 기업은 페널티가 더 늘어난다. 따라서 위험에 대해 회피하는 경향이 강한 기업들은, 시설 확장의 결정 자체가 위험한 것임에도 불구하고 투자를 택하는 쪽으로 기울게 된다.

• 최소 효율규모의 확대 | 최소 효율규모가 커지고 대규모의 신설공장이 훨씬 효율적인 산업의 경우에는, 수요가 급증하지 않으면 그 산업 내의 공장 수가 줄어들게 된다. 그렇지 않으면 시설과잉 현상이 불가피하게 일어난다. 기업마다 몇 개의 생산시설을 가지고 있고 그것들을 통합·정리할 수 있는 경우가 아니라면, 일부 기업들이 가장 피하고 싶어하는 점유시장 축소가 일어난다. 기업들이 저마다 더 큰 규모의 생산시설을 새롭게 설립함으로써 시설과잉 현상을 초래할 가능성이 오히려 더

크다. 유조선 산업의 경우, 과거의 선박보다 몇 배나 더 큰 초대형 유조선이 새롭게 등장하면서 이런 현상이 발생했다. 1970년대에 주문된 초대형 유조선의 선적용량은 시장 수요를 훨씬 초과했다.

• **생산기술의 변화** | 과거 기술을 사용하는 생산시설이 여전히 운영되고 있음에도 불구하고 생산기술의 변화는 새로운 기술에 대한 투자를 유도하는 효과를 가진다. 오래된 시설의 철수장벽이 높으면 높을수록, 그 시설을 시장에서 질서정연하게 철수시키기는 그만큼 더 어려워진다. 이런 상황이 화학제품 산업에서 일어났는데, 이는 주 생산원료가 천연가스에서 원유로 대체되었기 때문이다. 원유 사용 공장들이 가동되기 시작할 때에는 심각한 시설과잉 현상이 발생할 것으로 예상된다. 그러나 천연가스 가격의 상승과 함께 가스 사용 공장들이 문을 닫게 되면서 이런 현상은 서서히 사라질 것이다.

## 구조적 조건

• **높은 철수장벽** | 철수장벽이 높은 산업의 경우에는 비효율적인 초과 생산시설이 시장에서 순조롭게 철수하지 못한다. 이런 요인이 시설과잉을 심화시키고 기간을 장기화한다.

• **공급업자의 강요** | 장비 공급업자가 보조금 지급, 쉬운 자금 조달, 가격인하 등의 방법을 통해 고객 산업에서의 시설과잉 현상을 가속화할 수 있다. 치열한 주문경쟁으로 인해 정상적인 상황에서라면 그럴 엄두조차 내지 못했을 한계선상의 경쟁기업들도 공급업자들의 도움으로 시설을 확장하게 된다. 조선업자들이 고용 유지를 목적으로 집중적인 정부 보조를 받았지만 반면에 시설 확장을 강요당한 사례를 들 수 있다.

신형설비의 임대업자 또한 찾아오는 사람 누구에게나 자본을 제공함으로써 시설 과잉의 문제를 더욱 심각하게 만들었다. 예를 들어 1960년대 말과 1970년대 초에 미국 호텔 산업에서 발생했던 시설과잉 현상에 대한 책임이 부분적으로는 공격적인 부동산 투자가들에게 있다고 볼 수 있다.[4]

• 신뢰의 형성 | 신제품을 규모가 있는 구매자에게 팔려고 노력하는 산업의 경우에는 흔히 상당한 시설 과잉의 기간이 실제로 필요하다. 특히 신제품이 중요한 투입요소일 경우가 그러하다. 이 경우 구매자들은 충분한 생산시설이 가동되고 있기 때문에 소수 공급자들과의 불리한 협상을 하지 않고도 자신들의 필요가 충족될 때까지 신제품으로 전환하려 하지 않을 것이다. 고과당 옥수수 시럽 산업의 경우도 이와 같았다.

이와 관계가 있는 것으로 흔히 눈에 띄는 경우가 구매자들이 미래의 사업에 대한 암시적 약속을 함으로써 기업들로 하여금 설비투자를 하도록 강력히 장려하는 경우이다. 그들은 새로운 시설의 필요에 대한 자신들의 의사를 암시하는 발언을 통해 직접적·간접적으로 설비투자를 부추긴다. 물론 일단 시설이 확장되고 나면 구매자들이 반드시 실제로 주문해야 하는 것은 아니다. 그처럼 많은 시설을 설립하는 것이 공급자들에게 있어 아주 빈틈없는 결정은 아니라고 하더라도, 구매자들의 입장에서 보면 자신들의 가능한 최대 수요를 충족시키기에 부족함이 없을 만큼 충분한 생산시설이 존재한다는 사실은 그들에게 이익이 된다.

산업이 대체재의 등장을 눈앞에 두고 있을 때 구매자의 압력이 가장 강하게 나타난다. 이런 경우 생산시설이 부족하다면 대체재가 쉽게 그 산업으로 침투해 들어올 것이다. 따라서 기업들은 이를 예방하기 위해 행동을 취하게 된다.

• **통합된 경쟁기업들** ㅣ 산업의 경쟁기업들이 전방통합되어 있을 경우에도 시설 과잉의 압력이 가중될 수 있다. 왜냐하면 기업들은 자체의 전방사업에 대한 공급능력을 보호하고 싶어 할 것이기 때문이다. 이런 상황에서 기업이 충분한 공급능력을 확보하고 있지 않다면, 그 기업은 해당 산업에서의 시장점유율뿐만 아니라 자체 전방단위에서의 점유율까지도 상실할 수 있다(또는 투입요소의 공급량 확보에 대한 위험). 따라서 기업은 장래의 수요에 대한 불확실성이 있음에도 불구하고 충분한 생산력을 확보하는 쪽으로 기울기 쉽다. 동일한 논리가 경쟁기업들이 후방으로 통합하는 경우에도 적용된다.

• **시설의 점유율이 수요에 영향을 미친다** ㅣ 항공 산업 같은 경우는 최대의 시설을 갖춘 기업이 시설의 점유율에 비해 더 큰 수요의 점유율을 가지게 된다. 이는 구매자들이 처음 접근하는 기업이 바로 그 기업이기 때문이다. 이러한 특징 때문에 몇 개의 기업이 시설에서의 선도적 위치를 차지하려고 경쟁하게 되고, 그 결과 시설 과잉의 압력은 가중된다.[5]

• **시설의 유형이 수요에 영향을 미친다** ㅣ 대부분의 서비스 산업과 같은 산업에서는 시설이 구매자에게 직접 판매된다. 예를 들어 가장 현대적으로 잘 꾸며진 패스트푸드 음식점 출입구는 경쟁에서의 우위를 가져다준다. 구매자들이 여러 기업들 중에서 하나를 선택하는 기준이 시설의 유형일 때, 이 또한 시설 과잉의 요인으로 작용한다.

## 경쟁적 조건

• **다수의 기업이 존재한다** ㅣ 다수의 기업이 시장에 대규모의 생산시설을 추가할 수 있는 강점과 자원을 가지고 있고, 이 기업들 모두가 시

장우위를 확보하고 있으며, 가능하다면 시장우위를 선점하려고 노력하고 있을 때 시설 과잉의 경향이 가장 심하게 나타난다. 제지, 비료, 선박 등의 산업이 바로 다수의 기업들이 존재하기 때문에 시설 과잉이 심각한 문제로 대두하게 된 산업의 좋은 예이다.

• 확실한 시장 선도기업(들)의 부재 | 다수의 기업이 시장에서의 선도적 위치를 놓고 경쟁하고 있고, 그중 어떤 기업도 질서 있는 확장과정을 강행할 수 있는 능력을 가지지 못한다고 할 때 그 과정의 불안정성은 더욱 심화된다. 반면에 하나의 강력한 시장 선도기업이 있다면 그 기업은 필요하다면 산업 수요의 대부분을 충족시킬 수 있는 능력을 충분히 가지고 있을 것이며, 나아가 다른 기업들의 지나치게 공격적인 시설 확장에 대해 보복을 가할 수도 있을 것이다. 이런 경우에는 강력한 선도기업 또는 선도기업들의 그룹이 자신들의 의사 표시와 행동을 통해 질서정연한 확장을 시도할 수 있을 것이다(이러한 확실성과 사용되는 메커니즘을 위한 조건들은 5장에서 논의되었다).

• 새로운 진입 | 산업의 새로운 진입기업들이 시설 과잉의 문제를 발생시키거나 악화시키는 경우가 자주 있다. 이 기업들은 해당 산업에서의 강력한 지위를 추구하지만, 기존 기업들은 이를 완강하게 거부한다. 비료, 석고, 니켈 같은 산업에서는 신규 진입기업들의 진출이 시설 과잉이 주된 원인이었다. 또한 진입장벽이 낮은 산업에서 시설 과잉이 나타나기 쉬운 이유는, 산업의 호황기에 수많은 기업이 그 분야로 몰려들기 때문이다.

• 시장 선점우위 | 생산시설을 일찍 주문·설립하는 것이 이점이 있을 경우, 대부분의 기업들은 일단 미래의 전망이 호의적이라고 판단되

면 되도록 일찍 시설 확장에 착수하려 한다. 이른 착수에서 얻을 수 있는 이점으로는 장비를 주문할 때의 짧은 리드타임, 저렴한 장비가격, 수요와 공급 사이의 불균형을 이용할 수 있는 기회 등이다.

## 정보 유입

• 미래에 대한 지나친 기대 ┃ 경쟁기업이 상대 기업을 의식한 공적인 발언과 안전한 분석에 지나치게 귀 기울이다 보면 미래에 대한 기대감이 터무니없이 팽창되는 경향이 있다. 예를 들어 에틸렌 산업과 에틸렌 글리콜 산업에서 이런 현상이 나타났다. 이러한 사실을 통해서 볼 때 경영자들은 아무 행동도 취하지 않거나 부정적인 태도를 취하는 것보다, 적극적인 행동을 취하는 것을 더 선호하는 낙관론자인 경우가 많다는 것을 알 수 있다.

• 다른 가정이나 인식 ┃ 기업들이 서로 상대 기업의 강점과 자원 및 지구력에 대한 인식이 다른 경우에는 시설확장 과정이 불안정하게 되는 경향이 있다. 기업들이 경쟁기업의 투자 가능성을 낮거나 높게 잘못 평가하고, 그 결과 현명하지 못하게 투자하거나 아니면 초기에 전혀 투자하지 않을 수도 있다. 전자의 경우에는 곧바로 시설 과잉이 초래될 것이고, 후자의 경우에는 뒤처진 기업이 다른 기업들을 따라잡으려고 절망적인 노력을 계속하다 보면 초과투자가 연속적으로 초래될 것이다.

• 시장신호의 와해 ┃ 신규 진입기업, 변화된 환경조건, 전쟁 발발 등으로 인해 기업들이 시장신호를 더 이상 신뢰할 수 없는 경우에는 시설 확장 과정의 불안정이 심화된다. 반면에 신뢰할 수 있는 시장신호가 확립되어 있으면 기업이 다른 기업들에 대해 계획된 조치를 경고할 수 있

으며, 예상되는 시설 확장의 시작과 완료에 대비해 계획을 세울 수 있기 때문에 질서 있는 확장을 기대할 수 있다.

• **구조상의 변화** | 산업구조의 변화 또한 시설 과잉을 유발할 수 있다. 왜냐하면 그로 인해 기업이 새로운 유형의 시설에 투자해야 하거나, 아니면 산업구조 변화의 혼란 속에서 기업이 자체의 상대적 강점에 대해 잘못 평가하기 쉽기 때문이다.

• **금융업계의 압력** | 때로는 금융업계가 안정화 요인으로 작용할 수도 있지만, 보통은 안전분석가들이 다른 기업들의 투자 완료에도 불구하고 투자하지 않았음에 대해 경영진을 문책함으로써 생산시설 과잉에 대한 압력을 가중시킨다. 그 밖에도 경영진은 주가를 높일 목적으로 금융업계에 긍정적인 발언을 해야 하는 경우도 있다. 이 경우 그 발언이 경쟁기업들에 의해 공격적인 것으로 해석되어 보복이 일어날 수도 있다.

## 경영상의 조건

• **경영진의 생산 지향성** | 경영진의 주된 관심이 마케팅이나 재무가 아니라 생산에 집중되어 있을 때, 시설 과잉의 발생 가능성이 특히 커진다. 이런 사업에서는 최신 시설을 소유하고 있다는 것에 대한 자부심이 크고, 높은 효율성을 가지는 최신 시설을 뒤늦게 추가할 때에는 심각한 위험에 당면하게 될 것이라고 생각하기 쉽다. 이 경우 시설 과잉의 압력이 강력해진다.

• **위험에 대한 비대칭적 기피** | 강세 시장에서는 유일하게 생산시설이 불충분한 기업으로 남게 되는 것이, 예상 수요가 실현되지 않아서 다

른 모든 경쟁기업들과 함께 과잉시설을 가지게 되는 것보다 더 큰 손실을 입게 되는 경우가 많다. 후자의 경우, 경영진은 수량 면에서 안전한 위치에 놓이게 되고 상대적 지위를 상실하지도 않는다. 하지만 전자의 경우에는 회사의 전략적 위치뿐만 아니라 경영자의 지위까지도 흔들릴 가능성이 크다.

시설 확장을 했을 때의 결과와 하지 않았을 때의 결과 사이에서 이러한 불균형이 발견될 때에는, 한 기업이 시설 확장을 시작하면 뒤이어 다른 기업들도 시설 확장을 할 수밖에 없을 것이다.

## 정부 정책적 조건

• 부당한 세금으로 인한 동기 ㅣ 때로는 조세구조 또는 투자세액 공제가 과잉투자를 유발할 수도 있다. 스칸디나비아 국가들의 조세법은 시설의 재투자는 보호해주는 반면, 재투자되지 않은 이윤에 대해서는 세금을 부과했다. 조세법은 이 지역 선박업계에 심각한 문제를 일으켰다. 이러한 조세법이 동기가 되어 모든 선박업자들은 산업이 호황을 누릴 때 시설에 재투자를 했다. 해외로 진출한 미국계 자회사들의 경우에도 소득세 면제의 혜택을 누릴 수 있었기 때문에 과잉시설 투자를 하게 되었다.

• 토착 산업에 대한 욕구 ㅣ 국가적으로 열정을 가진 토착 산업이 존재할 경우에는 세계적으로 시설 과잉의 문제가 발생하기 쉽다. 많은 국가들은 이러한 산업을 국내에서 육성하여 국내 수요 초과분을 세계시장에 판매하려고 하지만, 생산의 최소효율 규모가 세계 수요에 비해 상대적으로 큰 경우에는 시설 과잉을 초래하기 쉽다.

· 고용의 유지 또는 증대에 대한 압력 | 정부가 고용의 유지 또는 증대라는 사회적 목표를 달성하기 위해 기업에 강력한 투자 압력을 가하는 경우가 있다. 이 요인 또한 시설 과잉의 문제를 초래한다.

## 생산시설 확장 제한요인

앞서 논의한 조건들 일부가 존재함에도 불구하고 과잉시설 투자의 경향을 견제하는 몇 가지 요인들이 존재한다. 가장 일반적인 요인으로는 다음과 같은 것들이 있다.

· 자금력의 한계
· 기업의 다각화로 인해 자본의 기회비용이 높아질 수 있고, 또는 그로 인해 생산 지향적이었거나 전통적인 산업에서 자사의 위치를 보호할 목적에서 과잉시설 투자를 시도할 수도 있었던 경영진의 시야가 넓어질 수 있다.
· 최고경영자의 마케팅 또는 생산 중심의 사고가 재무 중심의 사고로 전환된다.
· 새로운 시설의 오염방지 비용과 그 밖의 부대비용
· 일반적으로 공감되는 미래에 대한 심각한 불확실성
· 과거의 과잉시설 때문에 발생하는 심각한 문제들

이 조건들 중 몇 가지 실례가 1979년 알루미늄 산업에 존재했고, 그 결과 이 산업이 생산시설 이용에 있어서 벼락경기로부터 탈피할 수 있었다. 1960년대 말에는 시설 과잉으로 인해 수익성이 저하되었으며, 수요가 높았던 해에는 임금 및 가격 통제로 인해 이윤이 제한되었다. 그 결과 이 산업은 몇 년 동안의 호경기를 거치면서 재원이 풍부해질 때까지는 대규모의 투자를 생각할 수 없는 지경에 이르게 되었다. 1968년 이후 생산시설 건설비는 4배로 뛰었다.[6]

한 기업이 자체의 행동을 통해 예측이나 계획을 경쟁기업에 전달하거나, 경쟁기업의 예측에 영향을 미치려고 노력하는 등의 여러 가지 방법으로 시설 확장의 과정에 영향을 미치는 경우가 많다. 예를 들어 다음의 조치들은 경쟁기업에 의한 시설 확장을 경계하려는 것이다.

- 자회사에 의한 시설 확장을 확대·발표
- 장래의 수요에 대한 비관적 메시지를 담은 보도자료나 정보
- 현재 사용되고 있는 생산시설의 기술적 진부 가능성에 대한 인식을 제고하게 하는 보도자료나 정보

# 선점전략

성장시장에서의 시설확장 방법의 하나가 선점전략(preemptive strategies)이다. 이 전략은 기업이 경쟁기업의 시장 확대와 새로운 기업의 진입을 견제할 목적에서 시장의 큰 부분을 선점하는 것이다. 예를 들어 미래의 수요가 확실하게 알려져 있고, 그 수요의 전량을 공급하기에 충분한 생산시설을 갖출 수 있는 능력을 어떤 기업이 가지고 있다면, 다른 기업들이 선뜻 시설투자에 나서지 못할 것이다. 일반적으로 선점전략은 시설투자를 요구할 뿐만 아니라, 단기적으로 이익이 없거나 손해를 감수하면서도 투자할 것을 요구한다. 미래의 수요를 기대하면서 시설이 확장되고, 미래의 원가 하락을 기대하면서 가격이 설정된다.

선점전략이 위험한 전략일 수밖에 없는 이유는 시장 결과가 알려지기 전에 일찍 대규모 자원을 시장에 투입해야 하기 때문이다. 그 밖에도 선

점전략으로 경쟁을 억제하는 데 실패할 경우에는 파국을 맞게 되는 수가 있는데, 왜냐하면 산업 전반적으로 대대적인 시설 과잉이 초래되고 역시 선점전략을 시도하는 다른 기업들이 시장에 대규모의 전략적 투자를 한 후라서 철수하기가 어렵기 때문이다.

이처럼 선점전략은 비용과 위험을 수반하기 때문에 성공을 위해 필요한 조건들을 규명해보는 것이 중요하다. 선점전략이 부분적으로 위험한 이유는 이 조건들 모두가 충족되어야 하기 때문인지도 모른다.

• **예상 시장규모에 비해 확장된 생산시설** | 확장된 생산시설 규모가 예상 시장규모에 비해 크지 않을 때에는 시장이 선점되지 않는다. 따라서 그것의 미래수요가 알려져 있는 시장을 선점하기 위해 확장할 때 그 시설규모에는 명확한 조건들이 붙게 된다. 하지만 가장 중요한 문제는 '경쟁기업과 잠재적 경쟁기업 모두가' 미래의 수요에 대해 가지는 예측이다. 어떤 경쟁기업이나 잠재적 경쟁기업이 미래의 수요가 선점을 위해 확장된 시설을 흡수하고도 남을 것이라고 믿는다면, 뒤따라 투자하는 쪽을 택할 것이다. 따라서 선점을 시도하는 기업은 경쟁기업의 예측치를 확실하게 파악하고 있거나, 아니면 자체의 조치가 선점적인 것임을 분명히 밝히는 식의 방법으로 그 기업의 예측치에 영향을 미치려고 노력해야 한다.[7] 만약 경쟁기업들이 잠재수요를 비현실적으로 높게 보고, 미래의 수요가 처음에 기대했던 것보다 높다는 것이 판명될 경우, 선점기업은 즉각적으로 시설을 확장하겠다는 내용의 신뢰할 만한 언질을 주어야 한다.

• **총시장수요에 비해 큰 규모의 경제 또는 중요한 학습곡선** | 규모의 경제가 총시장수요에 비해 상대적으로 큰 경우, 선점적 시설 확장을 일찍 시도하면 경쟁기업들에는 효율을 기할 수 있을 만큼의 수요가 남아 있지

게 된다(〈그림 15-2〉 참고). 이런 경우에 투자하는 경쟁기업들이 있다면, 이 기업들은 대대적으로 투자를 하고 시설의 용량을 채우기 위해 피나는 투쟁을 해야 할 것이다. 아니면 소규모의 투자를 함으로써 높은 원가를 감수해야 한다. 즉 이 기업들은 견제를 받고 전혀 투자하지 못하게 되거나, 소규모의 투자로 인해 영원히 원가의 불이익을 감당해야 한다.

• 선점기업의 신뢰성 ǀ 선점을 노리는 기업은 선점전략을 선언하고 그 전략을 수행할 때 그들의 발표나 행동에 있어서 신뢰성을 가져야 한다. 신뢰성에는 필요한 자원 및 기술능력의 보유, 계획된 투자에 대한 과거의 언급이 포함된다.[8] 신뢰성이 없으면 경쟁기업들은 그 조치를 선점적인 것으로 보지 않거나, 어떤 식으로든 선점기업을 좇으려고 할 것이다.

• 경쟁기업들이 행동하기 전에 선점동기를 전달할 수 있는 능력 ǀ 기업은 경쟁기업들이 투자를 시작하기 전에 시장을 선점하고 있음을 알릴

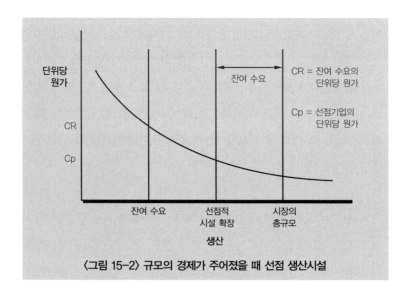

〈그림 15-2〉 규모의 경제가 주어졌을 때 선점 생산시설

수 있는 능력을 갖추어야 한다. 따라서 경쟁기업들이 시설 확장에 대한 결정을 고려하기도 전에 선점에 부족함이 없는 규모의 생산시설을 갖추고 있거나, 자사의 의도를 공고하는 등의 방법으로 믿을 수 있도록 전달해야 한다. 기업은 앞서 논의했던 것과 같이 선점전략을 실행으로 옮기는 데 신뢰성을 가져야 하며, 그 밖에도 선점이 목적임을 알릴 수 있는 믿을 만한 방법을 가져야 한다.

• **경쟁기업들의 후퇴 의지** | 선점전략은 경쟁기업들이 선점기업과 대결한 데 대한 잠재적인 무거운 대가를 숙고하고, 그 결과 위험부담을 정당화하지 못한다고 결론짓는 것을 전제로 한다. 그러나 여러 조건이 그러한 결정을 방해할 수도 있는데, 이 조건들의 공통분모는 경쟁의 대상인 특정 산업에서 상당한 위치를 확보하거나 유지함에 있어서의 중대한 이해관계이다. 선점전략은 다음과 같은 유형의 경쟁기업들을 상대로 할 때 위태로워진다.

· 순전히 경제적인 목적이 아닌 다른 어떤 목적을 가진 경쟁기업들: 그 산업에 참여하는 것에 큰 의미를 두고 있는 이유가 오랜 역사나 그 밖의 어떤 감정적 애착인 경우, 앞서 논의했듯이 선점의 기회가 존재함에도 불구하고 선점기업에 대항해 자사의 위치를 지키려고 노력할 수도 있다.
· 그 사업을 전략의 중추로 생각하고 있는 경쟁기업들: 해당 사업을 분리해서 생각해보면 선점기업과 경쟁하지 않는 것이 보다 합리적일 수 있다. 그럼에도 불구하고 기업이 그 사업의 존재 자체를 중요하게 생각하는 경우에는 성공적으로 선점하는 것이 거의 불가능해진다.
· 동일하거나 더 강한 지구력을 지녔거나, 더 장기적인 시야를 가지

고 있거나, 또는 시장우위를 위해 이윤을 포기할 의지가 더 큰 경쟁기업들: 사업에서의 성공을 장기적인 시각에서 보려 하거나, 장기적인 기간 동안의 대결을 통해서라도 이를 얻어낼 결심을 가진 경쟁기업들이 있다. 이런 상황에서는 선점전략을 택하는 것이 좋다고 볼 수만은 없다.

# 새로운 사업으로의 진입

이 장에서는 새로운 사업으로 진입하는 전략적 결정에 대해 검토해볼 것이다. 내적 발전을 통해 진입하는 기업의 경우뿐만 아니라 인수를 진입의 전략으로 삼는 기업의 경우도 관찰할 것이다.[1] 2가지 형태의 진입 모두를 살펴볼 때 사용할 수 있는 분석기법이 제시될 것이며, 주된 목적은 기업들이 적합한 진입의 표적이 되는 산업과 최선의 진입전략을 선택하는 데 도움이 되고자 하는 것이다.

인수와 내적 발전에 의해 새롭게 진입할 사업을 찾아내고 협상·통합·조직하고 동기를 부여하고 관리하는 활동 중에는 여러 가지 복잡한 일들이 수반되지만, 이 장에서 설명하고자 하는 부분은 상당히 제한된 부분이다. 이 책의 다른 장에서 논의된 산업 및 경쟁기업의 분석도구가 진입에 대한 결정에서 어떻게 경영인들에게 도움이 될 수 있는지에 대한 것이 강조될 것이다. 그리고 진입의 매력적인 표적이 될 수 있는 사업을 찾아내고, 어떤 자산과 기술이 있어야 진입이 유익할 것인지 판단하는 데 도움이 될 수 있는 몇 가지 중요한 경제원칙이 제시될 것이며,

나아가 실제로 적용된 부분이 관찰될 것이다. 특정한 진입의 성공이나 실패에 있어서 역시 중요한 인간적·조직적·재무적·법적·관리적 측면의 요인들에 관심을 기울이다 보면 경제원칙을 잊게 되는 경우도 있다. 하지만 경제원칙이 진입의 성패에 거의 결정적인 작용을 한다는 사실에는 변함이 없다. 진입의 경제는 진입이 발생할 때마다 작용하는 몇 가지 근본적인 시장요인에 의해 크게 영향을 받는다.

경제학자의 관점에서 보았을 때 시장요인이 완전하게 작용하고 있는 경우에는, 어떠한 진입 결정으로도 평균 이상의 투자수익을 기대할 수 없다. 이처럼 놀라운 사실이 바로 진입의 경제를 분석하는 데 있어서의 핵심이다(즉 시장요인이 완벽하게 작용하지 못하고 있는 상황의 산업을 찾아내는 것). 이러한 분석에서 얻어지는 우선적인 결론은 새로운 사업을 통합하고 경영하는 데 있어서 발생하는 모든 문제는 제쳐놓는다 하더라도, 좋은 조건의 산업환경 속에서 잘 운영되고 있는 건전한 사업을 인수하거나, 내적 발전을 통해 그 사업으로 진입하는 것만으로는 결코 진입의 성공을 충분히 보장받을 수 없다는 것이다. 그러나 앞으로 논의하겠지만, 성공적인 진입 가능성의 요인은 여러 가지가 있다.


# 내적 발전을 통한 진입


내적 발전을 통한 진입은 하나의 산업에서 새로운 생산시설, 새로운 유통관계, 새로운 판매능력 등을 포괄하는 새로운 사업체를 창조하는 일이다. 합작투자 업체들은 본질적으로 동일한 경제적 문제를 발생시키는데, 그 이유는 이 업체들 역시 새롭게 시작하는 사업체이기 때문이다. 차이가 있다면 이 업체들의 경우에는 파트너들 사이의 역할분담 문제와 누가 강력한 통제력을 가질 것인지에 대한 복잡한 문제가 별도로 제기

된다는 사실이다.[2]

내적 발전을 분석함에 있어 가장 중요한 문제는 그것이 기업에 2가지 진입 장애요인(구조적 진입장벽과 기존 기업들의 예상되는 보복조치)의 극복을 요구한다는 점이다. 내적 발전을 통한 진입기업(내적 진입기업이라 부르기로 한다)은 구조적 진입장벽의 극복이라는 대가를 치러야 하며, 기존 기업들이 보복하려 들지도 모른다는 위험을 부담해야 한다. 전자의 대가로는 일반적으로 사전투자와 영업개시 손실을 지적할 수 있으며, 이것들은 새로운 사업을 위한 기본투자의 일부를 이룬다. 기존 기업들에 의한 보복의 위험이 진입의 추가비용으로 간주될 수 있다. 이 비용은 보복 역작용(예를 들면 가격 하락과 마케팅 비용 상승)의 크기에 보복 발생의 가능성을 곱한 결과와 동일하다.

1장에서 진입장벽의 구조적 요인과 보복의 가능성을 결정하는 요인이 논의되었다. 진입 결정에 대한 분석이 타당한 것이 되려면 다음과 같은 비용과 이익을 충분히 검토해보아야 한다.

- 제조시설 등의 제반시설 같이 새로운 사업을 시작하는 데 필요한 투자비용(이 비용 중 일부는 구조적 진입장벽에 의해 높아질 수도 있다.)
- 브랜드 정체성과 독점기술 같은 구조적 진입장벽을 극복하기 위해 필요한 추가투자[3]
- 진입에 대한 기존 기업들의 보복조치로 인해 발생할 것으로 예상되는 비용
- 그 산업에 진입함으로써 발생할 것으로 예상되는 현금유입

진입결정 시의 자본예산 편성에서 이 요인들 중의 일부가 소홀히 다루어지는 경우가 흔히 있다. 예를 들어 재무 분석에서는 진입 이전에 일반적인 산업 가격 및 원가가 당연한 것으로 여겨지며, 제조시설의 건설

과 판매인력의 모집처럼 분명히 가시적인 투자만이 고려된다. 반면에 다음과 같이 구조적인 진입장벽을 극복하는 데 있어서 잘 고려되지 않는 요소들이 있다. 확립된 브랜드 프랜차이즈, 경쟁기업들과 결속된 유통경로, 가장 유리한 조건으로 원자재에 접근할 수 있는 경쟁기업의 능력, 또는 독점기술 개발의 필요성 같은 것들이다. 이 요인들은 장비 또는 노동력의 가격을 높일 수 있으며, 이로 인해 공급이 부족해질 수도 있다. 이는 진입기업이 더 높은 원가를 감당할 수밖에 없음을 의미한다.

흔히 간과되는 또 하나의 요인으로 '진입기업의 새로운 생산시설'이 해당 산업의 수요·공급 균형에 미치게 될 영향을 지적할 수 있다. 내적 진입기업으로 인해 추가된 산업시설의 규모가 큰 경우, 자체의 시설을 완전 가동하려는 그 기업의 노력은 적어도 다른 기업들 일부가 과잉 생산시설을 가지게 될 것임을 의미한다. 높은 고정비는 가격인하 등을 통해 완전가동을 목표로 삼고, 이런 노력은 다른 기업이 그 사업에서 철수할 때까지 또는 산업 성장이나 시설의 철거에 의해 시설과잉 현상이 해소될 때까지 지속될 것이다.

진입 결정에서 자주 무시되는 것으로는 '기존 기업들의 반발로 인한 영향'이다. 다음과 같은 조건에서라면 기존 기업들이 여러 방법으로 진입에 대해 반발할 것이다. 가장 일반적인 형태의 반발이 가격인하이며, 이는 진입의 타당성을 검토하기 위한 사전계산에서 전제되는 산업가격이 진입 이전의 일반적인 가격보다 낮아야 함을 의미한다. 한 기업이 진입한 결과 몇 년 동안 가격이 하락상태에서 벗어나지 못하는 경우도 종종 있다. 카길(Cargill)과 ADM(Archer–Daniels–Midland)의 진입이 있은 후 옥수수 제분업에서 동일한 현상이 발생했다. 조지아 퍼시픽(Georgia-Pacific)의 진입 또한 석고 산업에서 가격교란의 요인으로 작용했다.[4]

기존 기업들이 보여주는 반응의 다른 형태들로는 마케팅 활동의 강화, 특별판촉, 보증기간의 연장, 쉬운 외상판매, 상품 품질의 개선 등 여러 가지가 있다.

진입이 해당 산업에서 대대적인 과잉시설 확대현상을 불러올 수 있음이 또 하나의 가능성으로 지적된다. 특히 신규 진입기업이 일부 기존 기업들의 시설보다 더 현대적인 시설을 가지고 진입할 경우에 이러한 가능성은 더욱 커진다. 산업마다 생산시설 과잉으로 인한 불안정성은 차이가 있다(한 산업을 불안정한 상태로 몰아넣는 요인에 대해서는 15장에서 논의되었다). 반응의 정도와 가능한 지속시간을 예측해야 하며, 진입에 대한 사전검토에 투입된 가격이나 비용이 그 예측의 결과에 따라 재조정되어야 한다.

## 보복이 있을 것인가?

기존 기업들은 경제적·비경제적 고려사항에 근거를 두고 볼 때 그렇게 할 만한 가치가 있다고 판단되면 진입에 대해 보복을 하려 할 것이다. 강한 보복을 유발하기가 특히 쉬운 것이 내적 진입이다. 다음과 같은 종류의 산업에서는 보복이 미래에 대한 전망을 흐리게 할 수도 있다(따라서 이러한 산업들은 진입의 표적으로는 위험하다).

• 느린 성장속도 | 경쟁기업의 내적 진입이 있으면 기존 기업들은 점유시장의 일부를 빼앗기게 된다. 하지만 기존 기업들이 성장속도가 둔한 시장에서 이런 방식의 진입을 특히 싫어하는 이유는, 그들의 절대판매액의 하락이 초래되기 때문이다. 그렇게 될 경우 대개 격렬한 반발이 예상된다. 반면에 시장이 급속하게 성장하고 있는 경우에는, 기존 기업들이 진입기업에 일부의 점유시장을 빼앗기더라도 여전히 건전한 재무상태를 유지할 수 있다. 그리고 진입기업에 의해 추가된 생산시설이 가격교란을 초래하지 않고도 더 빨리 가동될 수 있다.

• **생활 필수품류의 제품** | 이와 같은 사업에서는 신규 진입기업의 영향력으로부터 기존 기업들을 분리하는 브랜드 충성도나 분할시장이 존재하지 않는다. 이런 상황에서는 진입이 산업 전체를 동요하게 할 것이며, 특히 진입으로 인해 가격 하락이 발생할 가능성이 크다.

• **높은 고정비** | 고정비의 비율이 높고, 신규 진입기업의 생산시설 추가로 인해 자사의 시설 가동률이 크게 떨어질 경우에는 경쟁기업들의 보복행위가 쉽게 유발될 것이다.

• **고도의 산업 집중화** | 이런 산업에서는 신규 진입기업이 특히 눈에 잘 띄며, 일부 기존 기업의 시장지위에 심각한 타격을 줄 수도 있다. 고도로 세분화된 산업에서라면 한 기업의 진입이 여러 기업들에 영향을 미치겠지만, 그 영향은 극히 미미할 것이다. 어떤 기업도 크게 충격을 받지 않기 때문에 맹렬하게 보복하려고 하지 않는다. 그리고 어떤 기업도 새로운 진입기업에 제재를 가할 수 있는 능력을 가지지 못한다. 보복의 가능성을 평가할 때 무엇보다 중요한 것은 각각의 기존 기업들이 얼마나 영향을 받을 것인지 면밀히 확인해야 한다. 기존 기업들이 느끼는 영향이 서로 다르면 다를수록 가장 심하게 영향을 받은 기업이 보복하려 할 가능성은 그만큼 더 커진다. 한 기업의 진입으로 인한 충격이 모든 기존 기업들에 고르게 파급된다면, 그것은 신규 진입기업에 덜 위협이 될 것이다.

• **사업에서의 자사의 지위에 큰 전략적 의미를 부여하는 기존 기업들** | 기존 기업들이 전략적으로 큰 의미를 부여하는 사업에 신규 진입기업이 영향을 미칠 때, 진입이 격렬한 보복조치를 불러올 수 있다. 그 사업이 전략적으로 중요한 이유는 기존 기업이 현금 유입이나 미래의 성장을 위

해 그 사업에 크게 의존하고 있거나, 그 사업이 회사의 대표 역할을 하고 있거나, 회사 내에서 그 사업이 다른 사업들과 밀접한 상호관계를 맺고 있기 때문이다(한 기업과의 관계에서 전략적 중요성을 부여하는 요인들이 있으며 이 요인에 대해서는 3장에서, 그리고 12장에서 철수장벽에 대해 논의하는 과정에서 설명되었다).

• 기존 기업 경영진의 태도 | 설립된 지 오래된 기업들이 존재할 때, 특히 그 기업들이 단일 사업으로 영위되는 회사일 경우에 진입에 대한 반발이 격렬해질 가능성이 높다. 그런 산업에서는 진입이 일종의 공격 행위나 권리 침해로 받아들여지는 경우가 흔히 있으며, 따라서 보복이 매우 격렬한 형태로 나타나게 된다. 좀 더 일반적인 것으로, 기존 기업 경영진의 태도와 성장배경이 보복에서 중요한 요인으로 작용할 수도 있다. 일부 경영진은 기업의 역사나 사고방식 때문에 진입에 대해 더 큰 위협을 느끼거나 더욱 격렬하게 반발하기 쉽다.[5]

과거에 기존 기업이 진입의 위협에 대해 어떤 행동을 보였는지 알고 있으면, 이 기업이 새로운 진입기업에 대해 어떻게 반응할지에 대해 어느 정도까지는 유추할 수 있다. 과거의 진입기업이나 기존 기업들에 대한 전략적 그룹을 이동하게 하는 태도가 특히 유용한 단서가 된다.

## 내적 진입을 위한 목표 산업의 확인

잠재적 진입기업이 앞서 논의한 결정의 여러 요소를 적절하게 분석한다고 가정할 때, 어떤 산업에서 내적 진입이 가장 매력적일 수 있을까? 이 질문에 대한 답은 구조적 분석의 기본 분석틀에서 도출된다. 한 산업에서 기업이 기대할 수 있는 수익성은 5가지 요인 즉 경쟁, 대체재, 공급자 및 구매자의 교섭력, 진입의 강도에 의해 결정된다. 진입은 산업의 수익률을 결정하는 데 균형인자로 작용한다. 한 산업이 안정되어 있거나 균형상태에 있을 때, 진입기업의 기대수익은 진입에 대한 구조적 장벽의 높이와 보복에 대한 진입기업의 타당한 예상을 반영하는 것에 지나지 않는다.

기존 기업의 수익성이 클 수도 있지만, 잠재적 진입기업이 수익성의 기대치를 계산해볼 때 수익성이 정상적이거나 평균수준임을 확인하는 것으로 만족해야 한다. 진입기업은 구조적 진입장벽을 극복해야 하며, 기존 기업들로부터의 반발위험을 감당해야 하기 때문에 해당 산업에서 성공을 거둔 기업들의 경우보다 더 큰 비용을 부담하며, 이런 비용이 평균 이상의 수익성을 잠식하게 된다.

진입의 비용이 평균 이상의 수익을 상쇄하지 않는다면, 이미 다른 기업들이 진입하여 진입비용과 진입 수익성을 상쇄하는 수준으로 수익을 하락시킬 것이다. 따라서 기업이 특별히 비교우위의 위치에 있지 않을 경우에는 균형상태에 있는 산업으로의 진입이 그 대가를 가져다줄 것이라고 기대하기 어렵다.

그렇다면 어떤 경우에 기업이 진입을 통해 평균 이상의 수익을 얻을 것으로 기대할 수 있을까? 해답은 앞서 설명한 시장 메커니즘이 완전하게 작용하고 있지 않은 상황에 있음을 확인하는 데 있다. 내적 진입의 주된 표적은 다음과 같은 범주들 중의 하나에 해당한다.

· 산업이 불균형 상태에 있다.
· 기존 기업들의 보복이 느리거나 효과적이지 못할 것으로 예상된다.
· 다른 기업들의 경우에 비해 그 기업의 진입비용이 낮다.
· 그 기업은 산업구조에 영향을 미칠 수 있는 뚜렷한 능력이 있다.
· 사업에 대한 그 기업의 긍정적 효과를 기대할 수 있다.

## 불균형 상태의 산업

모든 산업이 균형상태에 있는 것은 아니다.

• 신종 산업 │ 급속하게 성장하고 있는 신종 산업에서는 일반적으로 경쟁구조가 완전하게 확립되어 있지 않으며, 진입비용 또한 후에 진입하게 될 기업들의 경우에 비해 훨씬 낮을 수도 있다. 아마 어떤 기업도 생산원료의 공급자들을 독점하지 못했거나, 영향력 있는 브랜드 정체성을 만들어내지 못했거나, 또는 진입에 대해 보복하고자 하는 성향이 그리 강하지 않을 것이다. 기존의 기업들이 성장속도의 한계에 부딪히게 될 수도 있다. 그러나 진입하려는 산업이 새로운 산업이라는 이유만으로 진입을 결정할 수는 없다. 완전한 산업구조 분석(1장)의 결과 투자를 정당화할 만큼 충분히 오랜 기간 동안의 높은 수익성을 기대해도 좋다는 결론에 도달하기 전에는 진입이 정당화될 수 없다.

그 밖에도 일부 산업에서는 개척자의 입장에 있는 기업의 진입비용이 처음 그 산업을 개척하는 비용 때문에 후에 진입하게 될 기업들의 경우에 비해 클 수밖에 없다는 사실에 주목해야 한다(일찍 진입하는 것과 늦게 진입하는 것 중 어느 쪽이 유리한지 판단하기 위한 분석의 기법이 10장에서 논의되었다). 마지막으로 다른 기업들도 신종 산업으로 진입할 수 있다. 따라서 높은 수준의 수익성이 유지되기를 기대하려면, 후에 진입하는 기업은 더 높은 진입비용을 감당하게 될 것임을 확신하게 하는 경제적 근거가 있어야 한다.

• 높아지는 진입장벽 │ 높아지는 진입장벽은 미래의 수익수준이 현재의 진입비용을 상쇄하고도 남음을 의미한다.[6] 최초의 진입기업이 되거나 초기 진입기업의 하나가 되면, 진입비용이 극소화될 수 있을 뿐만 아니라 때로는 제품 차별화에서 유리한 입장에 서게 될 수도 있다. 하지

만 다수의 다른 기업들 역시 일찍 진입하게 되면 이런 기회는 없어질 것이다. 따라서 이 산업들에 있어서는 일찍 행동을 개시하고 난 후 높아진 진입장벽으로 후의 진입기업들을 봉쇄하는 것이 유리하다.

• 빈약한 정보 | 일부 산업의 경우에 진입비용과 기대되는 수익 사이의 불균형이 장기화될 수도 있다. 왜냐하면 이런 사실을 잠재적 진입기업이 인식하지 못하기 때문이다. 이러한 상황은 침체상태에 있거나 아직은 미미한 존재이기 때문에 많은 기존 기업들의 관심을 끌지 못하는 산업에서 발생하기 쉽다.

시장에는 진입기업의 성공을 어느 정도 방해하는 요인들이 존재함을 뚜렷하게 인식하는 것이 중요하다. 불균형 때문에 진입의 전망이 좋은 산업의 경우에는 시장이 동일한 시장신호를 다른 기업들에도 보내고 있을 것이며, 이에 다른 기업들도 진입할 가능성은 커진다. 따라서 진입의 결정에서, 그 진입기업이 불균형의 혜택을 거두어들이는 것은 가능한 반면에 다른 기업들은 그렇게 할 수 없을 것임을 말해주는 분명한 이유가 파악되어야 한다. 이를 예측할 수 있는 능력을 가지면 불균형을 최초로 목격하고 일찍 진입함으로써 유리한 위치에 설 수 있다. 그러나 진입기업이 다른 기업들의 모방을 막을 몇 가지 장벽을 세울 수 없는 경우에는 일찍 진입함으로써 얻은 유리함이 시간이 지남에 따라 없어질 수 있다. 진입전략에는 이러한 문제들에 대한 고려와 이에 대해 대처할 수 있는 계획이 포함되어야 한다.

느리거나 비효과적인 보복

어떤 산업의 경우에는 기대하는 수익수준과 진입비용이 바람직한 불균형 상태에 있다. 이런 산업에서는 산업 내의 기업들이 높은 수익성을 누리고 있으면서도, 활기가 없거나 정보에 어둡거나 하는 등의 이유 때문에 시기적절하고 강력한 보복을 하지 못하는 경우도 있다. 어떤 기업이 이 산업을 최초로 발견하는 부류에 속한다면, 그 기업은 평균 이상의 수익을 획득할 수 있을 것이다.

산업이 진입의 좋은 표적이 되려면 격렬한 보복을 불러오는 특징을 가지지 않아야 하며, 그 밖의 다른 어떤 독특한 요소도 가지면 안 된다.

• 강력한 보복을 위해 치러야 하는 대가가 그 이익을 초과한다 | 진입을 고려하고 있는 기업이라면 기존의 대기업들이 보복의 강도를 결정하는 데 어떤 계산을 하는지 알아야 한다. 그 기업은 기존 기업들이 진입에 대해 보복하려 할 경우 감당하게 될 수익의 축소폭을 예측해야 한다. 기존 기업들은 진입기업을 격퇴하고 나서도 자사가 살아남을 확률이 얼마나 크다고 생각하는가? 기존 기업들이 달성하고자 하는 수익보다도 보복의 대가가 크면 클수록, 그 기업들이 보복할 가능성은 그만큼 줄어든다.

진입기업이 할 수 있는 일이 기존 기업들이 보복하지 않을 것으로 예상되는 산업을 선정하는 것만은 아니다. 진입기업이 보복의 가능성에 영향을 미칠 수도 있다. 예를 들어, 진입기업이 그 산업에서 생존을 보장해주는 지위의 추구를 절대로 포기하지 않을 것임을 기존 기업들이 확인할 수 있다면, 막대한 돈을 낭비하면서까지 그 기업을 완전히 제거해버리려고 하는 기업은 없을 것이다.[7]

• 가부장제 지배기업이나 오랜 기간 동안 지도적 위치를 지켜온 기업 집단 | 소속 산업에 대해 가부장적 견해를 가지는 지배기업은 과거에 경쟁할 필요성을 느낀 적이 없었을 것이며, 따라서 학습하는 데 걸리는 시간이 느릴 수도 있다. 선도기업(또는 선도기업들)은 자사를 소속 산업의 보호자 또는 대변인으로 생각할지도 모른다. 그 기업은 (가격수준을 유지

하고, 품질을 보존하고, 높은 수준의 고객서비스나 기술적 도움을 지속하는 등) 산업에 가장 유익하다고 생각하는 방법으로 행동할 수도 있다. 선도기업이 한 기업의 진입을 도발로 받아들여 이에 대한 조치를 취하지 않는 한, 진입기업은 그 산업에서 큰 비중을 차지하도록 성장할 수 있다. 이런 상황이 니켈과 옥수수 제분 산업에서 발생해 INCO와 CPC는 진입기업에 지배적 위치를 내주어야 했다. 물론 이런 전략은 잠자던 거인이 깨어날지도 모른다는 위험을 가지고 있다. 바로 이런 이유 때문에 대기업 경영진의 성격을 파악하는 일이 중요하다.

• 현재의 사업을 보호해야 한다는 필요성을 감안할 때 보복행위를 위해 기존 기업들이 지불해야 하는 대가가 너무 크다 | 이런 상황은 3장에서 논의한 혼합동기 전략의 사용 가능성을 제시해준다. 예를 들면, 새로운 유통경로를 사용하고 있는 진입기업에 대응하다 보면 기존 유통업자들이 소외감을 느끼게 될 것이다. 그리고 신규 진입기업에 대한 기존 기업들의 반응이 기존 기업에 기초전략 상품이 되는 상품의 매출을 하락시키거나, 진입기업의 전략을 정당화하는 데 도움이 되거나, 또는 시장에서 기존 기업이 가지는 이미지와 일치하지 않을 때 역시 기회는 존재한다.

• 진입기업에 전통적으로 사용되어온 지혜를 이용할 수 있다 | 만약 기존 기업들이 소속 산업에서 경쟁하는 방법에 대한 전통적인 지혜나 몇 가지 핵심이 되는 가정에 심취되어 있을 때는, 어떤 고정관념도 가지지 않은 기업이라면 전통적인 지혜를 적용하기에 부적합한 경우나 진부한 것일 수 있는 상황을 쉽게 찾아낸다. 전통적인 지혜는 생산라인, 서비스, 공장 위치, 그리고 그 밖에도 경쟁전략의 거의 모든 측면에 포함될 수 있다. 기존 기업들은 과거에 그러한 전통적인 지혜가 아주 잘 작

용했다는 이유만으로 그것에 완강하게 집착할 수도 있다.

## 낮은 진입비용

좀 더 일반적이고 덜 위험한 상황으로, 그 안에서 작용하는 시장요인들이 내적 진입의 매력을 부인하지 않는 상황은 모든 기업들이 일률적으로 동일한 진입비용을 부담하지 않아도 되는 산업에서 찾을 수 있다. 어떤 기업이 다른 대부분의 잠재적 진입기업보다 더 값싸게 구조적 진입장벽을 극복할 수 있는 경우나 그 기업에 대한 보복의 가능성이 그리 크지 않을 것이라고 예상되는 경우에, 그 기업은 진입을 통해 평균 이상의 수익을 얻을 수 있을 것이다. 그 밖에도 그 기업은 소속 산업에서 경쟁할 때 특별히 유리한 입장에 서게 될 것이며, 유리한 입장이 가지는 가치는 진입장벽의 극복에서 요구되는 대가를 넘어선다.

진입장벽을 다른 잠재적 진입기업들보다 더 값싸게 극복할 수 있는 능력은 일반적으로 진입기업이 현재 운영하고 있는 사업에서 얻어낼 수 있는 자산이나 기술, 또는 진입에 전략적 개념을 제공해주는 혁신적인 요소가 있음으로써 생겨난다.

어떤 산업에서 한 기업은 독점기술, 확립된 유통경로, 널리 인식된 브랜드 이미지 등을 가지고 있기 때문에 진입장벽을 쉽게 극복할 수 있게 된다. 하지만 다수의 다른 잠재적 진입기업들도 동일한 장점을 가지고 있을 경우에는 이러한 장점이 이미 진입비용과 진입에 따른 수익성 사이의 균형에 반영되어 있을 것이다. 반면에 구조적 진입장벽을 극복할 수 있는 기업의 능력이 그 기업만이 가지는 특수한 것이거나, 수익성이 현저하게 두드러지는 것일 경우에는 진입이 훨씬 이로울 수 있다. 그 예로서 GM은 자동차 산업을 통해 얻은 차체와 엔진 그리고 판매망을 이용하여 레저용 자동차 산업에 진입할 수 있었고, 존 디어는 농업장비 산업을 통해 얻은 제조기술과 제품 디자인 및 서비스에서의 경험을 이용하여 건설장비 산업에 진입할 수 있었다. 그 밖에도 기업은 경쟁기업으로서 크게 존경을 받고 있거나 그 기업의 진입이 위협적이지 않은 것으로 평가받음으로써 다른 잠재적 진입기업보다 기존 기업들로부터 보복을 덜 받는 경우도 있다. 이 경우 그 기업은 자사가 가진 사업규모나 재력 또는 공정한 경쟁자로서의 명성 때문에 존경을 받는다. 그 기업은 과거에 작은 틈새시장으로 자사의 활동영역을 국한했거나 가격을 깎지 않았기 때문에, 그 기업의 진입이 덜 위협적으로 느껴지는 경우도 있다.

그 기업이 어떤 이유로 인해 보복이 덜 심하리라고 기대할 수 있는 유리한 입장에 있다면 감당하게 될 보복의 비용은 다른 잠재적 진입기업들의 경우보다 낮을 것이며, 따라서 진입을 통해 평균 이상의 수익을 얻게 될 가능성은 커진다.

## 산업구조에 영향을 미칠 수 있는 능력

진입기업이 목표 산업에서의 구조적 균형을 변화시킬 수 있는 능력이 뚜렷할 경우에는, 시장요인들의 역작용에도 불구하고 내적 진입이 보다 높은 수익을 가져다준다. 예를 들어 그 기업이 뒤따르는 진입기업들을 저지할 수 있을 만큼 이동장벽을 높일 수 있다면, 그 산업의 구조적 평균은 흔들리게 된다. 이런 경우라면 그 기업이 진입을 통해 평균 이상의 수익을 거두어들일 수 있는 입장에 서게 될 것이다. 그 밖에도 세분화된 시장으로의 진입은(9장에서 논의했던 것과 같이) 이동장벽을 크게 높여주고, 결국은 통합하게 되는 하나의 과정을 유발한다.

## 기존 사업에 대한 긍정적 효과

내적 진입이 진입기업의 기존 사업에 긍정적인 영향을 줄 수 있다면, 앞서 제시한 조건들이 존재하지 않는다 해도 진입은 이익이 될 수 있다. 이러한 영향은 기업 이미지 및 유통경로의 개선, 위협에 대한 방어 등 여러 가지 형태를 띠고 나타날 수 있다. 따라서 새로운 사업에서 평균 수준의 수익을 올린다고 해도 회사는 전체적으로 긍정적인 효과를 가져올 것이다.

이러한 근거에서 취해진 진입 결정의 좋은 일례로 디지털 데이터 전국전송 네트워크 사업으로의 진입을 선언한 제록스(Xerox)의 경우를 들 수 있다.[8] 제록스는 '미래의 사무실'에서 광범위한 기반을 구축하려고 노력하고 있는 것과 같다. 전통적인 복사뿐만 아니라 컴퓨터, 전자우편, 그리고 회사 내의 복잡한 연락망 사이에서 이루어지는 자료 전송이 미래에는 사무실 업무의 일부가 될 것이다. 따라서 제록스가 자료전송 네트워크 사업에서 특별히 유리한 입지에 놓여 있지는 않아도, 현재의 강력한 기반을 보호하려고 노력하는 것은 당연한 일이다. 최초로 자동차 수리업에 진출한 이톤 코퍼레이션(Eaton Corporation)의 경우도 예로 들 수 있다. 자동차 제조회사의 전속 서비스 부서가 자회사의 부품만을 사용하겠다는 배타적 입장을 취하고 있는 이상, 자동차 수리부품 제조업계의 선도기업인 이톤 코퍼레이션은 그 시장을 공개하고 전속 서비스 부서를 배척하는 데 사활을 걸지 않을 수 없었다. 이톤 코퍼레이션이 자동차 수리업에서 평균 이상의 수익을 올릴 수 있을 것이라고 기대할 수 있는 근거는 전혀 없다. 그러나 그러한 진입은 그 회사의 수익을 전반적으로 높여줄 것이다.

## 진입의 본원적 개념

다른 기업들보다 진입장벽을 더 낮은 비용으로 극복하도록 해주는 여러 개념에 근거를 둔, 진입의 일반적인 방법들로는 다음과 같은 몇 가지가 있다.

• **제품원가를 낮춘다** | 기존 기업들보다 낮은 원가로 제품을 생산하는 방법을 말한다. 가능한 방법으로는 ① 전혀 새로운 프로세스 기술, ② 더 큰 규모의 경제를 가져다주는 더 큰 규모의 공장, ③ 기술 진보를 반영하는 보다 현대적인 시설, ④ 원가우위를 가져다주는 기존 사업들과의 활동제휴 등이 있다.

• **적은 비용으로 시장에 참여한다** | 경쟁기업들로부터 점유시장을 양보 받을 목적에서 단기적으로 수익을 포기하면서 시장에 참여한다. 이러한 방법은 경쟁기업들이 진입기업의 독특한 장점 앞에서 보복을 회피하거나 보복을 할 수 없을 때 성공적이다.

• **우수한 제품을 선보인다** | 혁신적인 제품이나 서비스를 제공함으로써 진입기업은 제품 차별화의 장벽을 극복할 수 있을 것이다.

• **새로운 틈새시장을 발견한다** | 기업이 충족시킬 수 있는 조건을 뚜렷이 요구하고 있는 틈새시장을 시장 안에서 찾아낸다. 이런 틈새시장을 찾아내기만 하면 진입기업은 제품 차별화를 통해 기존 진입장벽을 어렵지 않게 극복할 수 있을 것이다.

• **마케팅 혁신을 도모한다** | 제품 차별화의 진입장벽은 그 밖에도 기존 유통업자들의 영향력을 극복할 수 있는 새로운 제품판매의 방법을 요구한다.

• **편승유통 전략을 사용한다** | 다른 사업을 통해 확립된 유통관계를 기반으로 삼아 진입전략을 세운다.

# 인수를 통한 진입

인수(acquisition)를 통한 진입이 내적 진입에 적용되었던 것과 전혀 다른 분석틀을 적용해야 하는 이유는 인수로 인해 해당 산업에 새로운 기업이 직접 추가되지는 않기 때문이다. 그러나 내적 진입의 매력을 결정하는 동일한 요인들 중의 일부가 인수 지원자에게 영향을 미친다.

가장 중요한 점은 인수가격이 회사매매 시장에서 결정된다는 사실의 인식이다. 회사매매 시장은 회사의 소유주가 판매자이고 인수회사가 매입자가 되는 시장이다. 대부분의 산업화된 국가, 특히 미국의 회사매매 시장은 매년 수많은 기업들을 거래하는 활기찬 시장이다. 조직구성이 아주 잘 된 이 시장에는 파인더(finders), 브로커(brokers), 투자 금융업자(investment bankers)들이 모여 있다. 이들은 모두 판매자와 매입자를 결합시키려고 노력하며, 그 대가로 거액의 중개료를 벌어들인다. 중개인이나 참여자들 모두 더욱 다양화됨에 따라 시장의 조직 또한 더욱 복잡해졌다.[9] 중개업자들이 기업매매에서 복수경매를 발생시키려고 적극적으로 노력함에 따라 복수경매가 점점 보편화되었다. 또한 회사매매 시장은 언론을 통해 가장 빈번하게 언급되는 시장의 하나이며, 시장에 대한 많은 통계가 누적되어 있다. 이런 사실들은 이 시장이 비교적 효율적으로 운영되고 있음을 암시해준다.

이처럼 효율적인 회사매매 시장은 인수를 통해 얻어지는 평균 이상의 수익성을 제거하는 쪽으로 작용한다. 어떤 기업이 건전한 경영상태에 있고 매력적인 장래의 전망을 가지고 있다면, 그 기업의 시장가격은 경매를 통해 높아질 것이다. 반면 장래가 어둡거나 자본의 대량투입이 요구되는 기업의 경우에는 판매가격이 기준가격 이하로 떨어진다. 회사매매 시장의 기능이 효율적이면 효율적일수록 그만큼 더 철저하게 매입자 측에서 얻을 수 있는 수익을 제거하는 선에서 인수가격이 결정될 것이다.

회사매매 시장의 효율성 제고에 기여하는 요인으로, 판매자 측이 일반적으로 사업의 유지 및 운영에 대한 선택권을 가진다는 사실을 지적할 수 있다. 판매해야만 하는 이유가 있기 때문에 판매자로서는 회사매매 시장이 어떤 가격을 정하든 이를 받아들이게 되는 경우도 있다. 그러나 일반적으로는 판매자에게 기업 운영에 대한 결정권이 있기 때문에, 판매자는 판매가가 계속적인 기업 운영의 예상 현재가치를 초과하지 않는다면 그것을 판매하려 하지 않을 것이다. 이러한 예상 현재가치가 기업 판매가의 최저선을 설정한다. 시장에서 경매과정을 통해 결정되는 가격은 최저선을 초과해야 한다. 그렇지 않을 경우에는 거래가 이루어지지 않는다. 현실적으로 인수가격은 소유주들에게 판매이익을 줄 수 있도록 최저선을 크게 초과하는 것이어야 한다. 오늘날의 회사매매 시장에서는 시장가치에 거액의 프리미엄이 추가되는 것이 오히려 하나의 원칙이 되었다.

위의 분석은 인수게임에서 승리한다는 것이 얼마나 힘든 일인지에 대해 시사한다. 회사매매 시장과 계속적인 사업 운영에 대한 판매자의 선택권 모두 매수에서 평균 이상의 이윤을 얻지 못하도록 견제작용을 한다. 바로 이런 이유로 인해 일반적으로 인수가 경영인의 기대를 충족시키지 못하는 것으로 나타난다. 경제학자들의 연구는 대부분의 매입자가 아니라 판매자가 매매에서 생기는 이득의 거의 전부를 차지하는 것이 일반적이라는 결론에 도달했다. 이러한 결론은 우리의 분석과 일치하는 것이다.

하지만 이러한 분석의 실질적인 힘은 특정한 인수행위가 평균 이상의 소득을 가져다줄 가능성의 크기를 결정하는 조건들을 확인하는 데서 찾을 수 있다. 다음의 조건들이 충족되면 인수를 통해 이득을 얻을 가능성이 높아진다.

· 사업 운영에 대한 매출자의 선택권에 의해 결정된 최저가격이 낮다.

· 회사매매 시장이 불완전하기 때문에 경매과정을 통해 평균 이상의 이윤이 제거되지 않는다.

· 매입자에게도 인수한 사업을 운영할 수 있는 탁월한 능력이 있다.

최저가격이 낮은 경우에도 경매과정을 통해 인수의 수익성이 사라질 수 있음에 주목해야 한다. 따라서 적어도 2가지 분야에서 호의적인 조건이 갖추어져 있어야 성공할 수 있다고 하겠다.

## 최저가격의 수준

인수의 최저가격은 사업 운영에 대한 매출자의 선택권에 의해 설정된다. 그것이 매입자 측이나 회사매매 시장의 인식뿐만 아니라 판매자 측의 인식에 의해 결정된다는 사실은 의심할 여지가 없다. 대개 판매자가 판매에 대한 충동을 가장 강하게 느낄 때 최저가격이 가장 낮다. 강한 충동을 느끼게 되는 경우는 다음과 같다.

· 판매자에게 자산상의 문제가 있다.

· 판매자에게 자본이 급히 필요하다.

· 판매자가 경영의 핵심인물을 잃었거나 기존 경영진의 후계자들을 찾지 못했다.

그 밖에도 설사 판매자가 사업을 계속해서 운영하려 한다 해도, 사업 전망에 대해 낙관적이지 못하면 최저가격은 낮게 책정될 것이다. 다음과 같은 경우에 판매자는 자신의 사업 운영능력이 매입자의 능력만큼 못하다고 생각할 것이다.

· 판매자가 자본의 압박 때문에 성장이 한계에 부딪혔다고 생각한다.

· 판매자가 경영상의 무능력을 인식한다.

## 회사매매 시장의 결함

회사매매 시장은 높은 수준의 조직임에도 불구하고 여러 가지 결함을 가지고 있기 때문에 경매과정에서 인수 이윤이 완전히 사라지지 않을 수도 있다. 이러한 결함은 그 시장에서 거래되는 상품이 특이하고, 정보가 불완전하고, 매입자와 판매자가 일반적으로 복잡한 동기를 가지고 있기 때문에 발생한다. 성공적인 인수를 이끌어내는 시장의 결함은 다음과 같은 상황에서 일어난다.

• 매입자의 정보수집 능력이 우수하다 | 어떤 매입자가 다른 매입자들보다 미래의 전망을 잘 예측할 수 있는 유리한 입장에 있는 경우이다. 그 매입자는 다른 잠재 경매자들보다 그 산업이나 기술 추세에 대해 잘 알고 있으며, 다른 잠재 경매자들이 가지지 못한 통찰력을 가지고 있을 수도 있다. 이런 경우에도 경매가 평균 이상의 수익성을 완전히 제거하지 않는 선에서 멈출 것이다.

• 매수 신청인의 수가 적다 | 매수 신청인의 수가 적을수록 경매과정을 거치는 동안 매입을 통한 이익이 전부 제거되지 않을 가능성이 커진다. 경매에 붙여진 사업체가 특이한 사업을 하는 사업체이기 때문에 그것을 이해하는 사람들이 소수일 경우, 또는 그 사업체가 아주 큰 규모이기 때문에 그것을 살 수 있는 능력을 가지고 있는 사람들이 소수일 경우에 매수 신청인들의 수가 적을 수 있다. 매입자가 협상을 진행하는 방법을 보고 위축된 판매자가 다른 경매자를 찾는 것을 포기할 수도 있다('우

리는 경매전쟁에 참여하지 않을 것이다').

• **경제조건이 나쁘다** | 경제상태가 매입자들의 수뿐만 아니라 그들의 진출 의욕에도 영향을 미칠 수 있다. 경기 침체기에 다른 기업들보다 고통을 적게 받고 있는 회사라면 거래에 나서는 대신 용기를 가지고 평균 이상의 수익을 얻을 수 있을 것이다.

• **판매자 회사의 경영상태가 좋지 않다** | 매입자라면 누구나 양호한 경영상태의 건실한 회사를 찾을 것이다. 그 때문에 경영상태가 좋지 않은 회사들은 실제 기대가치보다 훨씬 싼 가격으로 거래된다. 따라서 이러한 회사의 매입을 신청하는 사람들은 수가 적을 뿐만 아니라 싼 가격이 아니면 그 회사를 매입할 의사가 없을 것이다. 화이트 콘솔리데이티드는 이러한 상황을 잘 이용하여 성공할 수 있었다. 즉 화이트 콘솔리데이티드는 이러한 회사나 생산단위를 장부가격 이하로 사들인 후 그 회사의 수익성을 크게 개선하는 방법을 취했다.

• **판매자 측이 사업체 가격을 극대화하는 것 외에도 다른 목적을 가지고 있다** | 매입자의 입장에서 볼 때 다행인 점은 모든 판매자가 사업체 판매의 대가로 받는 가격을 극대화하려고 노력하는 것은 아니라는 사실이다. 일반적으로 회사의 판매가가 소유주에게 경제적인 풍요로움을 충분히 보장하고도 남음이 있기 때문에 판매자는 다른 것들에 가치를 부여하게 된다. 가장 흔한 예로는 판매자의 명성 및 평판, 판매자의 고용자들에 대한 처우, 판매자의 경영진이 유임될 것인지에 대한 문제, 소유주의 계획이 지속될 경우 매입자가 사업 운영에 어느 정도까지 개입할 것인지에 대한 문제 등이 있다. 소유주나 소유 경영인이 회사 전체를 팔려고 하는 경우보다는 회사의 일부 생산단위를 매각하려고 하는

경우에 이런 비경제적인 목적을 가질 확률이 더 높다.

이상의 분석은 인수자가 비경제적인 목적을 가진 기업을 찾아내 이러한 목적을 인수에 이용해야 함을 시사한다. 그 밖에도 어떤 인수자는 그가 판매자에게 말해줄 수 있는 과거의 이야기로 인해 유리한 입장에 서는 경우도 있다.

예를 들어 과거에 피고용자들을 우대하고, 인수한 기업을 훌륭하게 경영했던 사실을 입증할 수 있다면 그는 더 큰 신뢰감을 얻게 될 것이다. 소유주라면 대부분이 일생을 통해 이룩한 자신의 업적을 장래가 촉망되는 조직체와 결합시키고 싶어 할 것이기 때문에 명성이 높고 규모가 있는 인수자가 유리한 입장에 서게 된다.

## 인수기업을 운영함에 있어서의 탁월한 능력

다음의 조건이 갖추어져 있을 때 매입자는 다른 매입자들보다 더 높은 가격에 입찰하고도 평균 이상의 수익을 올릴 수 있을 것이다.

• 매입자에게 인수후보 사업체의 운영을 개선할 수 있는 특출한 능력이 갖추어져 있다 | 인수후보 사업체의 전략적 위치를 크게 개선할 수 있는 기능이나 재력을 갖춘 매입자라면 인수에서 평균 이상의 수익을 거둘 수 있다. 다른 경매자들은 더 작은 폭의 운영 개선을 계산하고 있기 때문에 수익성이 사라지기 전에 입찰을 포기할 것이다. 이러한 인수의 잘 알려진 예로는 캠벨(Campbell)의 블라직(Vlasic) 인수와 굴드의 ITE 인수이다.

그러나 인수후보 사업체를 개선할 수 있는 능력을 가지는 것 자체만으로는 충분하지 않다. 이러한 능력이 어느 정도 특출해야 하는 이유는, 그렇지 않을 경우 다른 기업들도 동일한 가능성을 보고 몰려들 것이기 때문이다. 이 기업들은 운영 개선으로 얻게 될 수익이 가격에 의해 완전히 잠식당할 때까지 경매에서 물러서려고 하지 않을 것이다.

이러한 측면에서 볼 때 인수를 통한 진입과 내적 진입은 아주 유사하다. 두 경우 모두 매입자는 새로운 사업의 경쟁에서 어느 정도 두각을 나타낼 수 있는 능력을 가져야 한다. 인수의 경우에 기업은 높은 가격으로 다른 경매자들을 물리치고도 평균 이상의 수익을 실현할 수 있어야 한다. 내적 진입의 경우에 기업은 다른 기업들보다 값싸게 진입장벽을 극복할 수 있어야 한다.

• 기업은 인수를 통해 내적 발전의 기본조건을 충족하는 산업으로 진입한다 | 내적 진입의 맥락에서 제시된 좋은 조건의 산업에 대한 지적 대부분을 여기에도 적용할 수 있다. 인수자가 인수사업을 기반으로 삼아 산업구조를 변화시키거나, 전래의 지혜를 이용하거나, 전략 변화에 대한 기존 기업들의 반응이 느리거나 비효과적인 점을 역이용할 수 있으면 그 산업에서 평균 이상의 수익을 얻을 수 있는 가능성은 커진다.

• 인수를 통해 인수기업이 기존의 사업계에서 위치를 더욱 확고히 할 수 있다 | 기존의 사업계에서 매입자가 위치를 더욱 확고히 하는 데 인수 행위가 보탬이 된다면 인수의 수익성은 경매과정에서 제거되지 않을 것이다. 이러한 논리를 입증해주는 좋은 예가 델몬트를 매수한 알 제이 레이놀즈의 경우이다. 알 제이 레이놀즈는 하와이언 펀치(Hawaiian Punch), 천 킹(Chun King), 버몬트 메이드(Vermont Maid) 등 여러 가지 식품 브랜드를 가지고 있었지만, 시장 침투에 있어 괄목할 만한 성공을 거두지 못했다.

델몬트의 인수는 식품 중개업자들을 충분히 확보하고 있는 유통시스템을 제공해주었으며, 기존의 브랜드로서는 국제시장에서 약세를 면하지 못했던 알 제이 레이놀즈에 새로운 활로를 열어주었다. 델몬트가 평균 정도의 수익을 가져다준다 해도 그것이 알 제이 레이놀즈의 전반적인 식품전략에 미치게 될 긍정적인 파급효과는 거래에서 얻은 평균 이상의 수익과 다를 바 없다.

## 비합리적인 경매자들

인수후보 사업체를 놓고 경매할 때 다른 경매자들의 동기와 입장을 살펴보는 일은 매우 중요하다. 일반적으로 평균 이상의 수익성이 소멸되고 나면 경매가 중단된다. 하지만 어떤 기업의 시각에서 보면 수익성이 사라진 지 이미 오래인데도 일부 경매자들이 남아서 여전히 경쟁을 계속할 수도 있다. 이런 현상을 일으키는 요인들은 다음과 같은 것들이 있다.

- · 인수후보 사업체를 개선할 수 있는 독특한 방법을 아는 경매자가 있다.
- · 그 사업의 인수가 경매자의 기존 사업에 도움이 된다.
- · 경매자가 이윤 극대화 말고도 다른 동기나 목적을 가지고 있다(성장이 일차적인 목표일 수도 있고, 경매자가 일확적인 금전적 이득의 가능성을 볼 수도 있고, 경쟁자가 경영상의 특이성 때문에 인수후보 사업체와 같은 형태의 기업을 원할 수도 있다).

이러한 경우에는 가격을 올리는 데 나타나는 경매자의 과감성을 인수의 가치에 대한 단적인 증거로 받아들일 수 없다는 사실에 주목해야 한다. 따라서 경매자의 적립가격에 내포되어 있는 요인들에 대한 신중한 분석이 요구된다.

# 연쇄적 진입

한 산업으로의 진입 결정에는 그것이 어떤 것이든 목표 전략집단을 포함해야 한다. 그러나 7장에서의 논의는 이 장의 앞부분에서 했던 분석과 함께 한 기업이 연쇄적 진입전략을 채택할 수 있음을 암시해준다. 즉 처음에는 특정 전략집단으로 진입하고, 뒤이어 다른 전략집단으로 이동하는 식의 전략을 채택할 수 있다. 예를 들어 프록터 앤 갬블은 소규모 생산시설을 가지고 고급 화장지를 생산하는 차민을 매수했다. 그러나 차민은 브랜드가 거의 알려져 있지 않았고 유통지역도 지역에 국한되어 있었다. 전략집단에서 마련한 근거를 출발지점으로 삼은 프록터 앤 갬블은 브랜드를 널리 알리고, 전국적인 유통시스템을 확립하고, 제품과 생산시설을 개선하는 데 대대적인 투자를 단행했다. 이렇게 해서 차민은 새로운 전략집단으로 이동할 수 있었다.

이러한 형태의 연쇄적 진입전략은 궁극적인 목표로 삼는 전략집단으로 이동함에 있어 부딪히게 되는 장벽을 적은 비용으로도 극복할 수 있게 해줄 뿐만 아니라 위험부담도 줄여준다. 초기 전략집단으로의 진입을 통해 그 산업에서 지식을 축적하고 브랜드를 확립하는 방법으로 비용을 줄일 수 있으며, 후에 초기집단을 이용하면 전혀 비용을 들이지 않고도 궁극적인 목표집단으로 이동할 수 있다. 이런 방식을 채택하면 경영능력이 보다 체계적으로 개발될 수 있다. 그 밖에도 진입에 대한 기존 기업들의 반발을 무마할 수 있다.

연쇄적 진입전략이 진입에 따르는 위험을 줄여주는 경우가 자주 있는데, 이는 기업이 위험을 분할할 수 있기 때문이다. 기업이 초기단계의 진입에서 실패한다 해도, 그 이상 진행했을 경우의 비용은 절약된다. 만약 기업이 궁극적인 목표집단에 곧바로 뛰어들려고 한다면 가지고 있는 자본을 전부 투자해야 할 것이다. 그 밖에도 연쇄적 진입전략은 후속되는 위치 변동에 대비하여 자본을 축적할 수 있도록 해준다. 또한 기업은 이동장벽의 극복에서(매각할 수 있는 생산시설에 대한 투자와 같이) 어느 정도까지는 가능한 투자가 요구되는 전략집단으로 첫발을 내딛는 방법을 택할 수 있다. 예를 들면 초기단계의 진입이 자체 브랜드 제품 생산에 대한 진입일 수 있다. 일단 이 단계에서 성공한 후에야 기업은 다른 전략집단으로의 진입을 시도할 수 있을 것이다. 새로운 전략집단으로의 이동장벽을 극복하는 데는 광고나 연구개발과 같이 투자 회수가 불가능한 분야의 집중적인 투자가 요구된다.

연쇄적 진입전략을 그 산업에 현존하는 기업들과의 관계를 통해 생각해보는 것도 의미가 있다. 안전한 연쇄적 진입전략의 여부가 확인될 경우에는 그것을 사전에 봉쇄하기 위해 집중적인 투자로 이동장벽을 높이면 분명히 그 대가를 얻을 것이다.

부록

A

# 경쟁기업 분석을
# 위한 포트폴리오 기법

　1960년대 말 이후 다각화된 기업의 운영을 사업들의 '포트폴리오'로
표현하는 기법이 여러 가지 개발되었다. 이 기법들은 상이한 사업들을
한 기업의 포트폴리오로 분류하고, 자원 배분에 대한 그것의 의미를 결
정할 수 있도록 하는 단순한 틀을 제시해준다. 포트폴리오 분석의 기법
은 개별 산업에서 경쟁전략을 개발할 때보다는 주식회사 수준에서 전략
을 개발하고 사업단위들을 검토할 때 그 효용이 가장 두드러진다. 하지
만 그 한계를 파악하고 있을 경우에는 이 기법이 3장에서 제기된 경쟁기
업 분석상의 문제점에 대해 답을 하는 데 긍정적인 역할을 할 수 있다.
특히 한 기업이 경쟁하고 있는 상대 기업과 전략계획에서 그 기법을 사
용하는 다각화된 기업일 때 그 효용성은 높아진다.
　포트폴리오 분석을 위해 널리 사용되고 있는 기법에 대해 많은 논의
가 있었지만, 여기에서는 그처럼 광범위한 논의를 소개하지는 않을 것
이다.[1] 대신 가장 일반적으로 사용되고 있는 2가지 기법, 즉 보스턴 컨설
팅 그룹이 창안해낸 성장·점유율 모형 그리고 GE와 맥킨지(McKinsey)

가 창안해낸 기업위치·산업의 매력도 스크린에 초점이 맞추어질 것이다. 그리고 난 후 경쟁기업 분석에서 그것들의 유용성이 논의될 것이다.

## 성장-점유율 모형

성장-점유율 모형(the growth-share matrix)은 ① 한 기업의 사업단위가 소속 산업에서 차지하는 경쟁적 위치와 ② 그 사업단위를 운영함에 있어 필요한 현금 유입량을 대신하여 상대적 시장점유율[2]과 산업 성장을 각각 사용함에 근거를 둔다. 이러한 공식에는 1장에서 논의한 경험곡선이 작용하며, 따라서 가장 큰 상대적 시장점유율을 가지는 기업이 최저원가 생산자일 것이라는 기본전제를 반영한다.

위의 전제를 통해 〈그림 A-1〉의 포트폴리오 도표가 그려지는데, 이 도표에 입각하여 한 기업의 사업단위가 각각 구분될 수 있다. 성장과 상

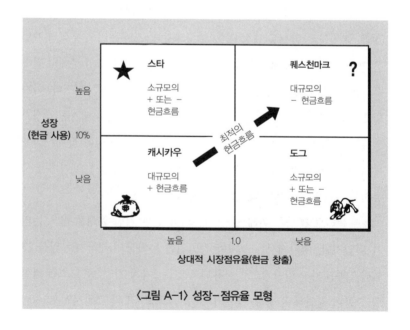

〈그림 A-1〉 성장-점유율 모형

510

대적 시장점유율에 입각한 구분이 자의적이라 하더라도, 성장-점유율 모형은 일반적으로 4가지 구획으로 나뉜다. 4가지 구획 각각에 위치한 사업단위는 근본적으로 상이한 현금흐름의 위치에 있기 때문에 상이한 방법으로 경영되어야 한다. 이러한 생각은 기업이 어떤 방법으로 전반적인 포트폴리오를 수립하려고 노력해야 할지에 대해 결정하는 데 상당한 도움을 줄 것이다.

- 캐시카우(cash cows): 낮은 성장속도의 시장에서 높은 상대적 시장점유율을 가지는 사업단위는 풍족한 현금유입을 발생시킬 것이고, 이렇게 얻은 현금은 다른 성장 사업에서 자금으로 사용될 수 있다.
- 도그(dogs): 낮은 성장속도의 시장에서 낮은 상대적 시장점유율을 가지는 사업단위는 일반적으로 소규모의 현금 사용자일 것이다. 이런 사업단위는 허약한 경쟁위치 때문에 현금함정이 된다.
- 스타(stars): 높은 성장속도의 시장에서 높은 상대적 시장점유율을 가지는 사업단위는 일반적으로 성장을 유지하기 위해 다량의 현금을 필요로 하지만, 높은 이윤을 가져다줄 강력한 시장위치에 있다. 이 단위는 현금균형 상태 가까이에 있다.
- 퀘스천마크(question marks) 〔와일드캣(wildcats)이라고도 한다〕: 급속하게 성장하는 시장에서 낮은 상대적 시장점유율을 가진 사업단위는 성장을 재정 지원하기 위해 대규모의 현금유입을 필요로 한다. 반면에 이 단위는 불리한 경쟁적 위치 때문에 현금 창출력이 약하다.

성장-점유율 모형의 논리에 따르면, 캐시카우가 기업 내 다른 성장사업의 재정 지원자 역할을 한다. 캐시카우를 이용하여 퀘스천마크를 스타로 전환하는 것이 가장 이상적이다. 그렇게 하려면 대량의 자본투입으로 급속한 성장을 따라감과 동시에 점유시장을 확대해야 하기 때문에 어떤 퀘스천마크를 스타로 성장시킬지에 대한 결정이 전략상의 핵심적인 문제가 된다.

일단 스타가 된 사업단위는 소속된 시장의 성장속도가 둔화되면서 캐시카우가 된다. 투자를 위해 채택된 퀘스천마크는 도그가 될 때까지 수확할 수 있도록(현금을 창출해내도록) 경영되어야 한다. 도그는 수확되거나 포트폴리오에서 탈락되어야 한다. 기업은 이처럼 바람직한 연속성이 보장되도록, 그리고 포트폴리오가 현금균형 상태에 있도록 포트폴리오를 관리해야 한다.

## 한계점

성장-점유율 모형의 적용 가능성은 여러 가지 조건에 의해 결정되며, 그중 가장 중요한 것을 요약해보면 다음과 같다.

- 시장이 중요한 공통의 경험과 다른 시장들과의 상호의존 관계를 설명할 수 있도록 적절하게 규명되어 있다. 이는 폭넓은 분석을 요구하는 복잡한 문제이다.
- 산업의 구조(1장)와 산업 내에서의 구조(7장)는 상대적 시장점유율이 경쟁적 위치와 상대적 원가를 훌륭하게 대변해줄 수 있도록 되어 있다. 그러나 그렇지 못한 경우가 흔히 있다.
- 시장 성장이 소요되는 현금투자의 훌륭한 대변자 역할을 한다. 하지만 수익(과 현금흐름)을 결정하는 요인은 그 밖에도 여러 가지가 있다.

# 경쟁기업 분석에서의 용도

위 조건에 비추어볼 때, 성장-점유율 모형은 그것 자체가 특정 사업에서의 전략을 결정함에 있어 크게 유익하지는 못하다. 한 사업단위의 경쟁적 위치를 결정하고, 경쟁적 위치를 구체적 전략으로 전환하기 위해서는 이 책에서 제시된 거의 모든 분석이 필요하다.[3] 이와 같은 분석이 있고 난 후면 포트폴리오 계획 자체의 부가가치는 낮아진다.

하지만 성장-점유율 모형은 3장에서 제시된 다른 종류의 분석과 결합되면 경쟁분석의 한 요소가 될 수 있다. 기업은 중요한 경쟁기업들 각각에 관한 총체적인 포트폴리오를 이상적으로 몇 개의 시점으로 나누어 구상해볼 수 있다.

경쟁대상인 사업단위의 포트폴리오 위치는 3장에서 제기된 문제에 대해, 그리고 경쟁단위의 모회사가 충족시키리라 기대하는 목적과 여러 가지 형태의 전략적 움직임에 노출될 수 있는 가능성에 대해 말해줄 것이다.

예를 들어 수확되고 있는 사업은 점유시장에 대한 공격에 노출될 수 있다. 경쟁기업의 시차에 따른 포트폴리오들을 비교해보면 한 사업단위가 회사 내 다른 사업단위와의 관계 속에서 어떻게 위치변동을 할 것인지에 대해 예상할 수 있을 것이다. 그리고 그러한 비교는 경쟁기업이 택할 수 있는 전략에 대한 단서도 제공해줄 것이다. 경쟁기업이 성장-점유율 모형 접근법을 계획에 이용하는 것으로 알려주었을 경우에는 포트폴리오 분석의 예언적 힘이 더욱 커진다. 그러나 경쟁기업이 공식적으로 그 기법을 사용하지 않는다 해도, 자원의 광범위한 분배에 대한 요구가 있다는 사실은 포트폴리오에서 유익한 단서를 찾아낼 수 있음을 의미한다.

# 기업 위치-산업의 매력도 스크린

또 하나의 기법으로는 GE, 맥킨지, 그리고 쉘(Shell) 등 여러 기업이 창안해낸 3×3모형이 있다. 이러한 기법의 전형적인 형태가 〈그림 A-2〉에 제시되어 있다. 이 기법에서는 해당 산업의 매력 정도와 해당 사업단위의 세력이나 경쟁적 위치가 2개의 축을 이룬다. 특정한 사업단위가 양대 축의 어느 곳에 위치하는지는 〈그림 A-2〉에서 열거한 것과 같은 기준을 사용하여 특정한 단위와 소속 산업을 분석함으로써 결정된다. 한 단위가 모형의 어느 지점에 위치하게 되는지에 따라서 전반적인 전략은 위치를 강화하기 위한 자본투자일 수도 있고, 현금창출과 선별적인 현금이용 사이에서 균형을 고수하는 것일 수도 있으며, 아니면 수확하거나 투자를 회수하는 것일 수도 있다. 산업의 매력도나 회사위치에서 변동이 예상되면 그러한 전략을 재평가해야 할 것이다. 이러한 모형을 토대로 사업단위의 포트폴리오를 구상할 때 기업은 적절한 자원분배를 보장받을 수 있게 된다. 그 밖에도 기업은 성장단계 산업과 성장완료 산업의 적절한 배합, 그리고 현금창출과 현금사용 사이의 내적 일관성에 입각하여 포트폴리오의 균형 상태를 유지하려고 노력한다.

기업 위치-산업의 매력도 스크린은 필연적으로 특정 사업단위의 위치에 대한 주관적 판단을 요구하기 때문에 성장-점유율 모형에서처럼 명쾌한 계량화가 불가능하다. 이 스크린은 조작에 의해 쉽게 흔들릴 수 있다는 이유로 자주 비판받아왔다. 그 결과 이 분석을 좀 더 객관적인 것으로 만들 목적에서, 산업의 매력 정도나 소속 산업에서의 기업 위치를 제시하도록 하는 기준을 사용하여 계량적 도표를 작성하는 방법이 자주 사용되고 있다. 이러한 스크린 기법은 모든 사업단위가 상이하기 때문에 그것들의 경쟁적 위치와 소속 산업의 매력 정도를 개별적으로 분석할 필요가 있다는 가정을 반영한다. 앞서 살펴본 바와 같이 실제로 성장-점유율 모형을 작성하는 데 있어서도 마찬가지로 사업단위 각각에 대한 특수한 분석이 필요하다. 따라서 그것의 실질적인 객관성 또한 기업 위치-산업의 매력도 스크린의 객관성을 크게 뛰어넘지 못한다.

성장-점유율 모형과 마찬가지로 기업 위치와 산업의 매력도에 관한 스크린도 특정한 산업에서의 경쟁전략을 수립함에 있어 기초적인 일관성이 흔들리지 않고 있는지 점검하는 데 도움이 되는 정도의 역할밖에 하지 못한다. 실질적인 문제들로는 3×3모형의 어느 위치에 해당 사업단위를 위치시켜야 하는지 결정하고, 그 모형에서의 위치가 제시된 전략과 일치하는지의 여부를 판정하며, 세력구축·세력고수·투자회수에 따라서 각각 구체적인 전략개념을 생각해내는 일들을 지적할 수 있다. 이러한 문제를 해결하는 데 이 책에서 제시된 바와 같이 상세한 분석이 필요한 이유는 〈그림 A-2〉에서 열거한 기준들만으로는 결코 산업의 매력 정도, 기업의 위치 혹은 적절한 전략을 결정할 수 없기 때문이다. 예

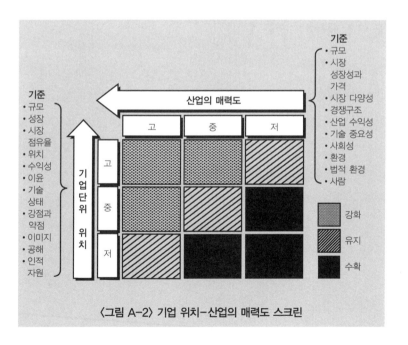

〈그림 A-2〉 기업 위치-산업의 매력도 스크린

를 들면 사양 산업에 투자를 권유(12장에서 논의한 바와 같이)하는 것이 어떤 경우에는 건전한 충고일 수도 있지만, 이 스크린만으로는 그런 권유를 하기 어렵다.

하지만 성장-점유율 모형이 그러하듯이 이 스크린도 경쟁기업 분석에서 일정한 역할을 하고 있다. 상이한 시점에서의 경쟁기업들의 포트폴리오를 작성할 수 있고, 경쟁기업의 한 사업단위가 모회사로부터 받게 될 전략상의 지시를 통찰할 수도 있다. 성장-점유율 모형기법과 기업 위치-산업의 매력도 스크린 기법 중 어느 쪽을 택할 것인지 하는 문제는, 경쟁기업이 둘 중 어느 것을 사용하고 있는지 알려져 있지 않다면 주로 취향에 의해 결정될 문제이다. 후자의 경우에도 최상의 예상능력은 경쟁기업 자체가 사용하는 기법을 통해 얻어진다. 또한 성장-점유율 모형기법이 경험곡선 개념과 불가분의 관계에 있음을 주목할 필요가 있다. 따라서 경쟁기업이 경험곡선 개념에 의해 크게 영향 받는 것으로 알려져 있는 경우에는 성장-점유율 모형 접근방법을 통해 그 목적과 형태를 더 잘 예측할 수 있을 것이다.

# 산업 분석을
# 어떻게 실시할 것인가

어떻게 한 산업과 경쟁기업을 분석할 수 있을 것인가? 어떤 유형의 자료를 찾아 어떻게 그것들을 조직할 수 있을 것인가? 부록B에서는 이러한 문제들과 나아가 한 산업을 분석하는 과정에서 발생할 수 있는 몇 가지 현실적인 문제들이 다루어질 것이다. 산업에 관한 자료는 근본적으로 2가지 유형, 즉 공개된 자료와 산업 참여자 및 관찰자를 상대로 한 인터뷰에서 얻은 자료(현장자료)로 나뉜다. 본 부록에서의 논의는 주로 공개자료와 현장자료의 중요한 출처, 이 자료들의 장점과 단점, 가장 효과적으로 그리고 올바른 순서에 따라서 문제에 접근할 수 있는 전략에 집중될 것이다.

완전한 산업 분석이란 원점에서부터 출발하면 몇 달이 걸릴 수도 있는 엄청난 일이다. 한 산업에 대한 분석을 시작할 때, 정보를 짜 맞추는 일반적인 기준틀이나 접근방법은 무시하고 무조건 뛰어들어 다량의 세세한 정보만을 수집하는 경향이 있다. 이처럼 접근방법을 무시하다 보면 좌절에서 끝나기 쉽고, 최악의 경우에는 혼란과 노력의 낭비만 초래할 수 있다. 따라서 특정한 정보출처를 생각하기 전에, 산업조사를 수행하기 위한 전체적인 전략과 그것을 시작함에 있어 내디딜 첫발에 대해 생각해보는 것이 중요하다.

# 산업 분석의 전략

한 산업을 분석하기 위한 전략의 수립에는 2가지 중요한 측면이 있다. 첫째는 찾고 있는 것이 무엇인지 정확하게 결정하는 일이다. '이 산업에 관한 것이라면 무엇이든' 이라는 입장은 너무나 막연해서 효과적인 분석의 원칙이 될 수 없다. 산업의 분석에서 필요한 특수한 문제들은 산업에 따라 다르지만, 연구자라면 마땅히 찾아야 하는 중요한 정보와 자료에 대해 일반론을 세우는 것도 불가능하지만은 않다.

이 책에서는 산업의 핵심적인 구조적 특징, 그것에 변화를 초래하는 중요한 요인들, 그리고 경쟁기업에 대해 필요한 전략적 정보가 검토되었다. 이러한 것들이 산업 분석의 표적이 되는 요소이며, 이 요소를 확인하는 데 필요한 기준이 1, 3, 7장에서 제시되었고 나머지 장에서도 기회가 있을 때마다 거론되었다. 그러나 산업구조 및 경쟁기업의 특징은 일반적으로 자료가 아니라 자료를 분석한 결과이기 때문에, 체계적으로 자료를 수집하기 위한 틀을 가지는 것이 유익할 것이다. 〈표 B-1〉에서는 정보수집의 영역이 간단하지만 빠짐없이 제시된다. 이 영역을 개별적으로 완전하게 설명할 수 있는 연구자라면 산업구조와 경쟁기업들을 포괄적으로 설명할 수 있는 입장에 서게 될 것이다.

자료수집을 위한 틀을 갖춘 후의 중요한 전략적 문제는 각 영역에서 어떤 방법으로 순서에 입각하여 자료를 개발할 것인지 하는 것이다. 한 번에 한 항목씩 처리하는 방법에서부터 임의로 처리하는 방법에 이르기

| 자료의 범주 | 축적 |
|---|---|
| • 생산라인<br>• 구매자들과 그들의 형태<br>• 보조생산품<br>• 대체생산품<br>• 성장<br>  – 성장속도<br>  – 성장유형(계절별, 경기변동별)<br>  – 결정요인<br>• 생산기술 및 유통<br>  – 원가구조<br>  – 규모의 경제<br>  – 부가가치<br>  – 보관<br>  – 노동<br>• 판촉과 판매<br>  – 시장분할<br>  – 판매관례<br>• 공급자들<br>• 유통경로(간접적인 경우)<br>• 혁신<br>  – 유형<br>  – 근원<br>  – 속도<br>  – 규모의 경제<br>• 경쟁기업들– 전략, 목표, 장점과 단점, 가정적 판단<br>• 사회적·정치적·법률적 환경<br>• 거시 경제적 환경 | • 회사별<br>• 연도별<br>• 기능 분야별 |

〈표 B-1〉 산업 분석을 위한 자료의 범주

까지 여러 가지 방법이 있다. 그러나 앞서 암시했던 것과 같이 우선 산업 전반을 조감한 후에 특수한 영역들로 초점을 이동시키는 방법이 크게 유익하다. 경험으로 미루어볼 때 광범위한 이해는 출처를 조사할 때 자료의 중요한 항목을 좀 더 효과적으로 조직할 수 있도록 도와준다.

이러한 광범위한 이해력을 가지는 데 유익한 사항으로는 다음과 같은 것들이 있다.

• 누가 해당 산업에 있는가 | 산업의 참여기업들 특히 주도기업들의 개략적인 목록을 즉시 작성하는 것이 현명하다. 주요한 경쟁기업들의 목록이 다른 사항과 회사관계 문서를 발견하는 데 도움이 된다.

• 산업조사 자료 | 운이 좋으면 비교적 포괄적인 산업조사나 여러 가지 폭넓은 자료를 이용할 수도 있다. 이 자료를 읽고 나면 쉽게 해당 산업 전반에 대해 파악할 수 있을 것이다.

• 연차보고서 | 해당 산업에 주식공개 기업들이 있는 경우에는 연차보고서를 맨 먼저 살펴보아야 한다. 단, 하나의 연차보고서에는 그렇게 많은 공개사실이 포함되어 있지는 않다. 하지만 10년 혹은 15년에 걸친 다수 주요 회사들의 연차보고서를 살펴보는 것은 그 산업을 이해하는 데 유용한 첫걸음이 된다. 적어도 한 번은 그 사업의 여러 측면에 대한 내용이 언급될 것이다. 연구자는 좋고 나쁜 재정적 결과 모두를 해명하는 근거를 찾아야 한다. 이 근거가 해당 산업에서의 성공에 필수적인 요인을 일부나마 노출해줄 것이다. 또한 연차보고서에서 회사가 자랑하고 있는 것이 무엇인지, 우려하고 있는 것이 무엇인지, 어떤 중대한 변화가 있었는지에 대해서도 살펴보는 것이 중요하다. 그 밖에도 일련의 연차보고서들 행간을 읽음으로써 사회조직과 생산변동 등 여러 가지 많은 요인을 파악할 수 있다.

일반적으로 연구자는 후에 연례보고서와 여타의 문서들을 다시 검토하게 될 것이다. 일단 산업 및 경쟁기업에 대한 지식이 더욱 완전해지면, 최초의 일별에서 찾지 못했던 여러 가지 미묘한 의미들이 명확하게 드러날 것이다.

## 현장으로의 조기 진출

산업분석을 진행하다 보면 일상적으로 부딪히게 되는 문제로, 연구자들이 현장자료를 찾아 나서기 전에 공개출처와 문서를 살펴보는 데 지나치게 많은 시간을 보내는 경향이 있다는 사실을 지적할 수 있다. 후에 논의하겠지만 공개출처에는 시간, 집계 수준, 깊이 등 여러 가지 차원에서 한계가 있다. 현장 인터뷰의 가치를 극대화하려면 산업을 어느 정도까지는 근본적으로 파악하는 것이 반드시 필요하지만, 현장으로 들어가기 전에 공개된 자료출처 전부를 샅샅이 섭렵할 필요는 없다. 오히려 현장조사와 문서조사를 동시에 진행하는 것이 좋다. 이 양자는 일반적으로 상부상조의 관계에 있으며, 특히 연구자가 산업에 대한 공개자료의 연관 속에서 현장출처를 낱낱이 살펴보는 적극적 자세를 취한다면 그런 경향은 더욱 두드러진다. 쓸데없는 문서를 뒤적이면서 시간을 낭비하지 않고 현장출처를 문제의 쟁점과 직접 연결하게 되기 때문에 현장조사가 더욱 효율적으로 진행된다. 그 밖에 인터뷰가 쟁점을 찾아내는 데 도움이 되는 경우 또한 적지 않다. 하지만 이런 도움의 대가로 객관성을 어느 정도 희생하게 될 수도 있다.

## 난관의 극복

경험에 비추어볼 때 어떤 산업에 대해 관찰하는 연구자의 사기는 연구가 진행됨에 따라서 U자 형태의 주기를 통과하게 되는 경우가 많다. 초기에는 희열을 느끼다가도, 산업의 복잡성이 뚜렷해지고 정보의 분량이 커지다 보면 혼란과 심지어는 당혹감까지 느끼게 된다.

연구가 후반부에 접어들면서 일시에 이런 현상이 몰려드는 경우 또한 드물지 않다. 이런 유형이 아주 일반적인 것이니만큼 이를 기억해두면 연구자에게 도움이 될 것이다.

# 산업과 경쟁기업 분석에
# 있어서의 공개된 자료출처

이용 가능한 공개정보의 양은 산업에 따라서 크게 상이하다. 해당 산업이 규모가 크고 오래된 산업일수록, 그리고 기술변화의 속도가 느릴수록 이용 가능한 공개자료의 가치는 그만큼 더 커진다. 그러나 불행하게도 흥미로운 산업의 대부분은 이러한 기준을 충족시키지 않으며, 이용 가능한 공개정보를 거의 가지고 있지 않은 경우도 있다. 하지만 공개된 출처를 통해 한 산업에 대한 중요한 정보를 얻는 것이 언제나 가능한 만큼 이 출처를 적극적인 자세로 추적할 필요가 있다. 경제적으로 의미가 있는 산업을 분석할 목적에서 공개된 자료를 사용할 때, 흔히 당면하게 되는 문제는 자료가 지나치게 광범위하거나 지나치게 많이 축적되어 있기 때문에 해당 산업에 적합하지 않다는 사실이다. 연구자가 이러한 사실을 명심하고 자료를 추적하면, 광범위한 자료의 유용성을 더 잘 인식하게 되고, 너무 쉽게 포기하는 경향도 피할 수 있을 것이다.

2가지 중요한 원칙이 공개자료에 관한 참고문헌 목록을 작성하는 데 크게 도움이 될 것이다. 첫 번째 원칙은 공개된 출처를 낱낱이 주의 깊게 살펴가면서 거기에서 언급된 다른 출처를 찾아내는 것이다. 이때의 다른 출처는 공개적인 것일 수도 있고 현장 인터뷰를 위한 것일 수도 있다. 우연에 의해서는 좀처럼 나타나지 않는 개인(즉 산업계 중역, 안전 분석가 등)이 공개된 문서를 통해 소개되는 경우가 종종 있으며, 연구자는 이들을 훌륭한 안내역으로 삼을 수 있다.

두 번째 원칙은 발견된 모든 사실의 철저한 목록을 작성하는 것이다.

작성하는 당시로서는 그 과정이 고통스럽겠지만, 출처를 완벽하게 기록해두면 연구가 끝날 무렵 참고문헌 목록을 작성하는 데 시간이 절약될 뿐만 아니라 연구진 구성원들의 노력이 중복되는 낭비를 막고, 어떤 중요한 정보의 출처를 기억하지 못하는 데서 생기는 고통을 덜 수 있다. 그 밖에도 출처에 대한 요약·메모나 유익한 출처의 제록스 복사가 도움이 된다. 다시 읽어야 할 필요를 극소화하고, 연구진 내부에서의 의사전달을 용이하게 해준다.

공개출처의 유형은 여러 가지가 있지만, 몇 가지 일반적인 범주로 분류할 수 있다.

## 산업에 관한 연구

일부 산업 전반에 대한 조감을 제공하는 연구는 대략 다음의 2가지 형태로 나뉜다. 첫째는(전적으로 그렇지는 않지만) 흔히 경제학자들에 의해 쓰인 책 크기의 산업연구가 있다. 이 연구결과는 도서카드 목록에서, 그리고 다른 출처에서 나타난 참고문헌을 교차 점검함으로써 가장 쉽게 찾아낼 수 있다. 한 산업의 참여자나 관찰자들이 존재할 경우, 그들은 산업연구에 대해 거의 언제나 알고 있으므로, 연구를 하는 중에 그들에게 문의해보는 것도 좋겠다.

두 번째 일반적인 유형으로는 프로스트 앤 설리반(Frost and Sullivan), 아서 디 리틀(Arthur D. Little), 스탠포드 연구소(Stanford Research Institute) 같은 자문기업이나 월스트리트의 연구기관에 의해 이룩된 연구업적이 짧게 압축된 형태로 소개되는 것들이 있다. 스키 산업에서의 SMART나 컴퓨터 산업에서의 IDC와 같이, 전문적인 자문기업들이 특정한 산업에 대한 자료를 수집하는 경우도 드물지 않다. 이와 같은 연구자료에 접근하려면 흔히 요금을 지불해야 한다. 시장조사 연구의 공개된 목록이 여러 가지 있는 것은 사실이지만, 불행하게도 그것들이 집대성되어 있는 곳은 존재하지 않는다. 따라서 이와 관련해서 알 수 있는 가장 좋은 방법은 산업 참여자나 관찰자를 통하는 방법이다.

## 동업자 협회

대부분의 산업마다 동업자 협회가 조직되어 있어서 이 협회가 산업자료의 집결지 역할을 하고, 때로는 상세한 산업통계 자료를 공개하기도 한다. 동업자 협회에 따라서 연구자에게 선뜻 자료를 제공해주기도 하고 그렇지 않기도 한다. 그러나 회원의 소개가 있으면 협회 임원에게서 자료를 얻는 데 큰 도움이 될 것이다.

협회에 자료가 비치되어 있지 않은 경우라도 협회 임원이 크게 도움이 될 수 있다. 협회 임원이라면 산업에 대한 공개정보의 소재를 알려줄 수 있고, 중요한 참여자들을 소개해줄 수도 있으며, 산업이 어떻게 기능하는지, 해당 산업에서의 성공의 필수적 조건이 무엇인지, 중요한 산업 추세로는 어떠한 것이 있는지에 대해 자신이 느낀 전반적인 인상을 말해줄 수 있기 때문이다. 일단 협회 임원과 접촉할 수 있으면 그들을 통해 산업 참여자를 알게 될 수도 있고, 일정한 견해를 대변하는 참여자를 확인할 수도 있다.

## 직업 전문지

대부분의 산업은 정기적으로(때로는 매일) 해당 산업에서 있었던 사건들을 알려주는 전문지를 하나 또는 여러 개 가지고 있다. 산업의 규모가 작을 경우에는 그 산업에 대한 소식이 좀 더 광범위한 기초의 전문 출판물 일부에서 소개될 수도 있다.

오랜 기간에 걸친 전문지들의 일별은 그것의 일상적인 규범과 태도를 진단하고, 나아가 그 산업에서의 경쟁역학과 중요한 변화를 파악하는 데 극히 유익한 방법이 된다.

## 사업 간행물

여러 가지의 다양한 사업 간행물이 비정기적으로 회사 및 사업에 관한 소식을 전해준다. 참고로 몇 가지 대표적인 예를 소개하면 『비즈니스 정기간행물 지수(Business Periodicals Index)』, 『월스트리트 지수(The Wall Street Journal Index)』, 『F&S 지수(F&S Index)』 등이 있다.

## 회사목록과 통계자료

여러 가지 미국 기업 목록이 있으며, 이 목록 중 일부는 제한된 양의 자료를 제공한다. 대부분의 기업목록은 SIC 코드로 기업들을 열거하기 때문에 산업 참여기업들의 완벽한 목록을 작성할 수 있도록 해준다. 포괄적인 목록으로는 '미국 제조기업의 토마스 등록목록(Thomas Register of American Manufacturers)', '던 앤 브래드스트리트(the Dun and Bradstreet)', '밀리언 달러 명부(Million Dollar Directory)'와 '미들 마켓 명부(Middle Market Directory)', '스탠더드 앤 푸어 등록기업(Standard and Poor's Register of Corporations)', '디렉터 앤 이그제큐티브(Directors and Executives)', 그리고 각종 무디(Moody)의 간행물 등이 있다. 산업별로 분류된 또 하나의 포괄적인 기업목록으로는 '뉴스프론트 30,000 미국 상위기업(Newsfront 30,000 Leading U. S. Corporations)'이 있으며, 이 목록은 그 밖에도 제한된 것이나마 재정에 관한 정보를 제공해준다. 이상의 포괄적인 목록 외에도 광범위한 기업목록의 다른 출처로서 『포춘

(Fortune)』, 『포브스(Forbes)』 등의 재정잡지와 구매 안내서가 있다.

던 앤 브래드스트리트는 미국 내 모든 대기업들의 신용보고서를 수집한다. 이 보고서는 어떤 도서관에서도 입수할 수 없으며, 고액의 서비스 고정비 외에도 보고서마다 소액의 수수료를 지불해야 얻을 수 있다. 던 앤 브래드스트리트 보고서가 가치 있는 자료인 것은 사실이지만, 회사들이 제공하는 자료들은 회계감사를 거친 것이 아니기 때문에 조심스럽게 이용되어야 한다. 그 정보에서 잘못을 찾아낸 사용자들이 적지 않기 때문이다.

그 밖에도 광고비 지출과 증권거래 같은 여러 가지 통계 자료원이 존재한다.

## 회사문서

대부분의 기업들이 자사에 대한 여러 가지 문서를 공개한다. 연례보고서 외에도 미국 증권거래소의 10-K 보고서(SEC form 10-K' s), 대리인 성명, 설립 취지문 등과 정부 서류들이 도움이 된다. 그 밖에 기업 중역들의 발언이나 증언, 대언론 공개, 제품 소개서, 공개된 회사의 내력, 연례회의 기록문서, 사원모집 광고, 특허, 심지어는 광고까지도 유익한 자료가 된다.

## 주요한 정부자료

내무성 예산국(IRS)은 '소득통계에 대한 기업 원전(IRS Corporation Source Book of Statistics of Income)' 을 통해 산업들에 관해 폭넓은 연도별 재정정보를 제공해준다. 같은 자료의 조금 덜 상세한 프린트 판이 IRS의 '소득통계(Statistics of Income)' 에 수록된다. 이 자료의 큰 결함은 한 회사 전체의 재무자료가 그 회사의 핵심 산업에 의해 대표되기 때문에 대부분의 참여기업들이 고도로 다각화된 산업에서는 편견이 초래될 수 있다는 사실이다. 하지만 IRS 자료는 연도별로 1940년대까지 거슬러 올라가는 것이고, 산업별로 모든 기업을 총괄하는 재무자료를 제공해주는 출처로서는 유일한 것이다.

정부통계의 또 다른 출처는 조사통계국이다. 가장 빈번하게 이용되는 자료집으로는 '제조기업 통계조사(Census of Manufacturers)', '소매업 통계조사(Census of Retail Trade)', '광물업 통계조사(Census of the Mineral Industries)' 등이 있으며, 이 자료집 또한 상당한 과거 데이터의 이용이 가능하다. IRS 자료와 마찬가지로 이 통계도 특정 기업을 언급하지 않고 통계를 SIC 코드에 의해 분해한다.

그 밖에도 조사통계국은 산업에 대한 지역별 자료도 상당히 많이 가지고 있다. IRS 자료와 달리 조사통계국 자료는 기업 전체라기보다 공장 부지와 창고 같은 기업 내 시설에 관한 자료의 집적에 근거를 둔다. 따라서 조사통계국 자료는 회사 다각화에 의해 왜곡되지 않는다. 특히 유익한 제조기업 통계조사의 특집으로는 '특별보고서', '제조산업의 집중도(Concentration Ratios in Manufacturing Industry)'가 있다. 산업별 가격 수준 변동에 관한 정부 측 자료로는 노동통계국의 '도매가격지수(Wholesale Price Index)'가 있다.

그 이상의 정부 측 정보에 대한 안내를 받으려면 여러 가지 정부 간행물의 색인을 참고하거나 미(美)통상성과 그 밖의 정부기관 도서관을 찾아가는 것이 좋다.

## 그 밖의 자료출처

그 밖에도 유익한 공개자료로는 다음과 같은 것들이 있다.

· 독점금지 기록
· 경쟁기업의 생산시설이나 본부가 위치하고 있는 곳의 지방신문
· 지방 세무기록

# 산업 분석을 위한 현장자료의 수집

현장자료를 수집함에 있어서는 가능한 한 자료출처를 찾아내고, 연구원의 태도를 결정하고, 분석 접근방법을 개발하기 위한 준거틀을 마련하는 일이 중요하다. 〈그림 B-1〉은 현장자료의 중요한 출처 대부분을 도표로 나타낸 것이다. 그 출처로는 산업의 참여기업들, 인접 사업에 종사하는 기업 및 개인(공급자, 유통업자, 고객), 그 산업과 연결되어 있는 서비스 조직(동업자 협회), 산업 관련자(금융업계) 등이 있다. 이 정보출처는 상당히 상이한 특성을 가지고 있는 만큼 그 특성을 분명히 인지하고 있어야 할 것이다.

## 현장정보 출처의 특성

동일 산업 내 경쟁기업들이 연구원에 대해 가장 비협조적일 가능성이 크다. 그 이유는 기업이 스스로 방출한 자료로 인해 경제적 손실을 입게 될 수도 있기 때문이다. 산업 내의 정보출처에 접근할 때에는 특히 신중해야 한다(몇 가지 지도적 원칙이 후에 소개될 것이다).

다음으로 민감한 정보출처는 고문기관, 회계감사 기관, 은행, 동업자 협회와 같은 서비스 조직의 임원들이다. 일반적으로 산업 전반의 배경 정보에 대해서는 그렇지 않지만, 개별적인 고객에 대해서는 신의를 지키려고 하는 노력이 그들에게는 전통이다. 다른 정보출처 대부분은 산

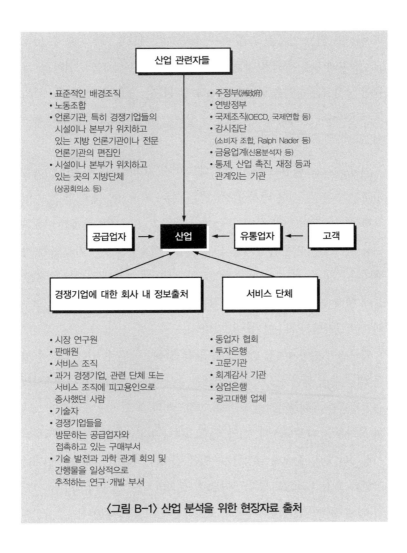

산업 관련자들

- 표준적인 배경조직
- 노동조합
- 언론기관, 특히 경쟁기업들의 시설이나 본부가 위치하고 있는 지방 언론기관이나 전문 언론기관의 편집인
- 시설이나 본부가 위치하고 있는 곳의 지방단체 (상공회의소 등)

- 주정부(洲政府)
- 연방정부
- 국제조직(OECD, 국제연합 등)
- 감시집단 (소비자 조합, Ralph Nader 등)
- 금융업계(신용분석자 등)
- 통제, 산업 촉진, 재정 등과 관계있는 기관

공급업자 → 산업 ← 유통업자 ← 고객

경쟁기업에 대한 회사 내 정보출처

서비스 단체

- 시장 연구원
- 판매원
- 서비스 조직
- 과거 경쟁기업, 관련 단체 또는 서비스 조직에 피고용인으로 종사했던 사람
- 기술자
- 경쟁기업들을 방문하는 공급업자와 접촉하고 있는 구매부서
- 기술 발전과 과학 관계 회의 및 간행물을 일상적으로 추적하는 연구·개발 부서

- 동업자 협회
- 투자은행
- 고문기관
- 회계감사 기관
- 상업은행
- 광고대행 업체

〈그림 B-1〉 산업 분석을 위한 현장자료 출처

업 연구에 대해 직접적인 위협을 느끼지 않으며, 그것을 도움으로 생각하는 실례도 흔히 있다. 가장 긍정적인 입장을 취하는 산업 외부 관련자들은 오랜 시간 동안에 걸쳐 산업 참여기업들 전체에 대해 적극적인 관심을 가져온 공급업체나 고객업체의 중역들이다. 소매업자와 도매업자또한 훌륭한 정보원인 경우가 흔히 있다.

연구원이 주요한 집단에 소속되어 있는 개인과의 대화를 절대로 포기해서는 안 되는 이유는, 그들 누구나 중요한 자료를 제공해줄 수 있고 교차점검에 도움이 되기 때문이다. 그들의 상이한 입장을 감안하면, 그들이 상치되는 발언을 한다고 해서 놀랄 필요는 없을 것이다. 인터뷰의 기능 중 하나가 교차점검을 하면서 상이한 출처의 정보들을 확인하는 것이다.

연구원은 〈그림 B-1〉에서 제시되는 어떤 지점에서도 최초의 접촉을 시도할 수 있다. 처음 배경정보를 얻는 데는 그 산업에 대해 잘 알고 있으면서도 경쟁적 입장에 있거나, 그 산업과의 직접적인 경제적 이해관계로 묶여 있지 않은 누군가를 찾아서 그와 접촉하는 것이 가장 좋은 방법이다. 그러한 제3자는 일반적으로 공개적이기 때문에 산업과 그 주역들에 대해 편견 없는 견해를 제공해줄 것이며, 이러한 견해야말로 연구의 초기단계에서 필수불가결한 것이다.

연구원이 받아들여질 만한 질문을 분별하여 물을 수 있는 입장에 있을 때는 산업 참여자를 직접 공략해볼 수도 있다. 하지만 인터뷰에서의 성공기회를 극대화하려면, 아무리 간접적이라 해도 일단 개인적인 소개를 통하는 것이 중요하다. 이와 같은 고려가 있고 난 후면 어디에서부터 시작해야 할지에 대해 결정할 수 있을 것이다. 현장조사에서는 언제나 우연의 요소가 개입되게 마련이므로, 분석의 어떤 방법에 충실을 기하기 위해 훌륭한 안내자의 추종을 포기하는 일이 없어야 한다.

산업 참여자들이나 관련자들 대부분이 개인적으로 서로 알고 있다는 사실을 명심해야 한다. 산업도 사람들로 구성되어 있기 때문에 알음알이 식의 관계가 많다. 따라서 연구원이 일을 능숙하게 처리하기만 하면 하나의 정보원이 또 다른 정보원으로 이어질 것이다. 특히 현장 인터뷰에 호의적인 사람들은 흔히 논문에서 자주 인용되어온 사람들이다. 인터뷰의 기회를 얻을 수 있는 다른 좋은 방법으로는 산업회의에 참가하여 사람들을 비공식적으로 만나고, 그 후 접촉을 유지하는 방법이 있다.

# 현장 인터뷰

효과적인 현장 인터뷰는 시간 소모가 많은 미묘한 과정이지만, 산업 연구에 중요한 자료를 대량으로 가져다주는 매우 유익한 것이기도 하다. 인터뷰하는 사람마다 나름대로의 독특한 스타일을 가지고 있지만, 몇 가지 간단한 지적을 통해 도움을 받을 수 있을 것이다.

• **접촉** | 일반적으로 편지보다는 전화로 잠재 정보원과 접촉하는 것이 훨씬 생산적이다. 사람들에게는 협력할지의 여부에 대해 결정을 피하려고 하는 경향이 있다. 전화 연락은 그 즉시 문제점이 강하게 표현된다. 그리고 편지로 접했을 때보다 뚜렷한 의사 전달이 가능한 구두요청을 받았을 때 사람들이 협조적인 자세로 나올 가능성이 커진다.

• **계획에서 실현까지의 기간** | 연구원은 가능하다면 빨리 인터뷰를 준비하기 시작해야 한다. 실현까지의 기간이 길 수도 있고, 계획을 맞추기가 쉽지 않을 수도 있기 때문이다. 인터뷰를 준비하고 시행하는 데 몇 달이 걸릴 수도 있다. 대부분의 경우 인터뷰를 하게 되기까지는 적어도 일주일 정도의 기간이 필요하지만, 사람들의 스케줄은 그때그때 바뀔 수 있으므로 즉시 인터뷰하게 될 수도 있다. 인터뷰를 시작하기 전에 여러 가지 정보원을 확인해두는 것도 바람직하다. 그들에게 시간 여유가 있으면 연락하는 즉시 만남이 이뤄질 수도 있을 것이다.

• **인터뷰의 주제** | 인터뷰를 약속할 때는 시간을 할애해준 대가로 대담 상대자에게 줄 무엇인가를 가지고 있어야 한다. 그것은 연구원이 관찰한 사실들 일부(물론 선발된 일부)에 대해 논의하자는 제안일 수도 있고, 대담자의 논평에 대한 사려 깊은 반추일 수도 있고, 가능한 경우에

는 연구 자체의 결과나 발췌일 수도 있다.

• **결연관계** | 연구가 다른 조직을 위해 행해지고 있는 경우라면 대담자는 자신의 결연관계를 밝히고, 적어도 의뢰조직의 정체나 성격에 대해 어느 정도까지는 언급하겠다는 각오가 되어 있어야 한다. 정보가 대담 상대자에게 불리하게 이용될 수도 있는 경우, 이에 대해 그에게 경고하는 행위는 일종의 도덕적 의무라 할 수 있다. 대담자의 소속기업이나 그에게 연구를 의뢰한 기업을 밝힐 수 없는 경우라도, 그의 소속기업이나 의뢰기업이 연구대상인 사업과 맺고 있는 경제적 이해관계를 일반화해서 어느 정도까지는 언급해야 한다. 그렇지 않으면 대담 상대자가 인터뷰에 응하는 것이 어려워질 것이다. 소속기업이나 의뢰기업의 정체를 공개하지 못할 때에는 인터뷰의 효용성이 반감된다.

• **인내** | 연구원이 아무리 노력한다 해도 인터뷰 기회의 실행은 힘든 일일 수밖에 없다. 여러 차례 인터뷰를 거절당할 수도 있고, 대담 상대자가 노골적으로 무관심을 표명할 수도 있다. 하지만 원래 인터뷰가 그런 부분을 가지고 있는 만큼 연구원은 포기하지 말아야 한다. 일단 대면이 시작되면 대담 상대자가 대단한 흥미를 보일 수도 있고, 연구원과 대담 상대자 사이의 관계가 좀 더 친밀해질 수도 있다.

• **신뢰도** | 연구원이 사업에 대해 어느 정도의 지식이 있으면, 인터뷰를 준비하고 수행하는 과정에서 신뢰감을 크게 높일 수 있다. 이러한 지식은 초기의 접촉에서는 물론 인터뷰 자체를 통해서도 표출되어야 한다. 그렇게 함으로써 인터뷰가 더욱 흥미롭고 유익해진다.

• **협동** | 인터뷰란 힘든 일이기 때문에 여건이 된다면 2명이 한 조가

되어서 하는 것이 이상적이다. 한 사람이 질문을 하는 동안, 다른 사람은 기록을 해나가면서 다음의 질문을 생각할 수 있다. 그 밖에도 한 사람이 대담 상대자와 시선을 맞대고 있는 동안 다른 한 사람이 기록을 할 수도 있다. 또한 2명이 서로 협력할 경우에는 인터뷰가 끝난 직후 또는 하루의 일과가 끝날 때 인터뷰의 결과를 검토하는 일이 가능해진다. 이러한 결과의 검토는 기록을 분명히 하고, 일관된 인상을 점검하고, 인터뷰를 분석하고, 새로운 발견을 종합하는 데 지극히 유용하다. 산업 연구의 창조적인 업적이 이러한 과정에서 이루어지는 경우가 흔히 있다. 단독 인터뷰를 할 때도 이러한 검토를 위한 시간적 여유가 충분히 있어야 한다.

• 질문 | 정확한 자료를 수집하기 위해서는 질문에 대한 답을 미리 단정하거나 제한하지 않도록 하고, 연구원 자신의 경향을 폭로하지 않도록 편견 없는 질문을 해야 한다. 그 밖에도 연구원은 자신의 태도나 음성 혹은 표정으로 '원하는' 답변이 무엇인지 나타내지 않도록 세심한 주의를 기울여야 한다. 대부분의 사람들이 협조 또는 동조하기를 좋아하는데, 이런 의사 표시 역시 답변을 왜곡시킬 수 있다.

• 기록 | 인터뷰의 내용을 기록해두는 것 외에도 인터뷰 자체에 대한 관찰을 기록해두면 큰 도움이 될 수 있다. 대담 상대자가 어떤 간행물을 이용하는가? 서가에는 어떤 책들이 꽂혀 있는가? 사무실은 어떻게 장식되어 있는가? 호화로운가, 검소한가? 대담 상대자가 사무실에 제품견본을 가지고 있는가? 이러한 정보는 인터뷰에서 얻은 구두상의 자료를 해석하는 데 유익한 단서가 되며, 그 밖에 추가의 정보원을 찾아내는 데도 도움을 준다.

• 대담 상대자와의 관계 | 대담 상대자는 이전에 연구원을 만난 적이 없는 사람으로, 자기 나름의 독특한 성격을 가지고 있고, 무엇을 말하고 무엇을 말하지 않아야 할지에 대해 확실한 생각을 가지고 있지 않을 수도 있다. 이때에는 상대방의 어휘와 어조, 태도, 몸짓 등이 중요한 단서를 제공하는 만큼 이러한 단서를 통해 진단해야 한다. 훌륭한 연구원은 일반적으로 상대방과 친근한 관계를 맺는 데 익숙하다. 연구원은 상대방의 스타일에 적응하고, 불확실성의 수준을 낮추고, 추상적인 사업차원의 상호관계를 개인적인 차원의 상호관계로 전환하려고 노력해야 한다. 이러한 노력의 대가는 얻게 될 정보의 질적 수준과 솔직함에서 나타날 것이다.

• 공식적 인터뷰 vs. 비공식적 인터뷰 | 흥미로운 정보는 공식적인 인터뷰를 끝냈을 때 얻게 되는 경우가 자주 있다. 예를 들어 연구원과 대담 상대자가 함께 비행기 여행을 할 경우에는 사무실의 딱딱한 분위기를 벗어나 대담 상대자가 좀 더 솔직한 태도를 보이게 될 수도 있다. 연구원은 딱딱한 분위기를 극복하도록 인터뷰를 이끌어나가야 한다. 이는 제3의 장소에서 만나거나, 여행을 하거나, 식사를 하거나 혹은 해당 산업 외에도 다른 공통의 관심사를 찾아내 논의하는 등의 방법을 통해 실현될 수 있다.

• 민감한 자료 | 특정한 수나 그 밖의 민감한 자료를 묻기보다는 위험시되지 않는 일반적인 질문으로 인터뷰를 시작하는 것이 보다 생산적이다. 민감한 자료에 대한 우려가 있는 상황에서는 인터뷰를 시작하면서 연구원이 독점적인 자료를 원하는 것이 아니라 산업에 대해 느낀 바를 원한다고 분명히 말해두는 것이 좋다. 흔히 대담 상대자는 어떤 범위나 근사치로써 자료를 제공해주는데, 이런 자료가 연구원에게는 크게 유익

할 수 있다. 질문은 '당신 휘하에 있는 판매원의 수가 대략 100명인가요, 500명인가요?'라는 식으로 구성되어야 한다.

• **계속적인 정보출처의 추구** | 연구원은 인터뷰에서 항상 다음과 같은 질문을 해야 한다. '그 밖에도 누구와 상의해보는 것이 좋겠습니까?' '반드시 봐야 하는 간행물로는 어떤 것이 있습니까?' '지금 개최되고 있는 회의 중 참가하면 유익할 회의가 있습니까?' 인터뷰를 통해 더 많은 정보원을 찾아낼 수 있어야 인터뷰의 효용성이 극대화된다. 대담 상대자가 다른 정보원을 소개해주겠다고 하면 반드시 그 제안을 받아들여야 한다. 이런 소개가 있으면 다음의 인터뷰를 시행하는 데 훨씬 편리할 것이다.

• **전화 인터뷰** | 연구가 본격화되면서 질문들을 응축할 수 있게 되었을 때에는 전화 인터뷰가 보다 생산적일 수 있다. 전화 인터뷰는 공급자, 고객, 유통업자 등 제3의 정보원을 상대할 때 가장 큰 효능이 발휘된다.

# 주석

**개정판을 내며**

1. 유명한 사례로는 S. Oster, *Modern Competitive Analysis*(Second Edition, Oxford University Press, 1994), A. Dixit and B. Nalebuff, *Thinking Strategically: The Competitive Edge in Business Politics, and Everyday Life*(New York, W. W. Norton & Company, 1991), 그리고 D. Besanko, D. Dranove, and M. Shanley, *The Economics of Strategy*(Northwestern University, 1996) 등이 있다.

2. 관련한 중요한 저서로는 A. Brandenburger and B. Nalebuff, *Co-opetition*(New York, Currency/Doubleday, 1996)가 있다.

3. M. E. Porter, 「What is Strategy?」, *Harvard Business Review*(November–December, 1996).

4. SIC 코드에 의한 광의의 산업분류, 재무보고서의 광의의 사업 분야 정의, 그리고 산업의 공헌에 대해 조작적으로 측정하는 기업의 차이는 산업의 수익성을 설명하는 데 왜곡을 일으킬 수 있다는 점을 지적하는 것 또한 중요하다. A. McGahan and M. E. Porter, 「What Do We Know About Variance in Accounting Profitability?」(Harvard Business School manuscript, August, 1997)을 참조할 것.

5. A. McGahan and M. E. Porter, 「How Much Does Industry Matter, Really?」, *Strategic Management Journal*(July, 1997, pp. 15~30), A. McGahan and M. E. Porter, 「The Persistence of Shocks to Profitability」(Harvard Business School working paper, January, 1997), A. McGahan and M. E. Porter, 「The Emergence and Sustainability of Abnormal Profits」(Harvard Business School working paper, May, 1997), 그리고 J. W. Rivkin, 「Reconcilable Differences: The Relationship Between Industry Conditions and Firm Effects」(unpublished working paper, Harvard Business School, 1997)을 참조할 것.

**들어가며**

1. 전략수립에 관한 전통적인 접근방식에 대한 내용은 하버드경영대학원의 경영정책 분야에 속한 Andrews 교수, Christensen 교수, 그 밖의 다른 몇 명의 저서에 크게 의존했다. 전략의 개념에 대한 보다 명확하고 충실한 설명을 듣고자 한다면 Andrews 교수의 저서를(1971), 그리고 보다 최근의 저서를 원한다면 Christensen, Andrews, Bower 교수의 공저(1977)를 참고하기 바란다. 전략수립에 대한 전통적인 설명에서

는 명시적인 형태의 전략수립이 기업에 중요하다는 점과 아울러 전략수립과 경영 일반의 보다 폭넓은 역할 및 기능 간의 관계를 언급하고 있다. 기획업무가 전반적인 경영활동이 감당이거나 감당해야 할 유일한 대상이라고 생각한다면 이는 터무니없는 생각이다.

2. 제시된 질문들은 Andrews(1971) 연구결과를 수정하였다.

3. 경영관리자가 경영성과를 최적화하려고 노력한다는 전제 하에서 기업이 따르고 있는 지금의 전략은 활동하고 있는 산업과 산업 내에서 차지하고 있는 그 기업의 상대적인 입장에 대한 모든 가정을 충실하게 반영해야 한다. 이와 같은 묵시적인 가정의 파악과 접근은 전략적인 자문을 제공하는 데 중요한 역할을 한다. 이와 같은 가정을 수정하려면 수정의 타당성을 뒷받침하는 확실한 자료들이 수집되어야 하며, 또한 상당한 주의와 관심이 기울여져야 한다. 전략적 선택이란 순수한 논리만으로는 부족하다. 그와 같은 선택이 경영관리상의 가정을 도외시한다면 설득력을 지니지 못할 것이다.

## 1장

1. 글로벌 산업의 경쟁과 관련된 일부 특수한 문제는 13장에서 다루겠다.

2. 이러한 진입장벽이 의미를 지니기 위해서는 활동이나 기능의 공유가 특정 시장의 규모를 넘어설 만한 규모의 경제를 이룩해야 한다. 그렇지 않을 경우 공동활용을 통한 비용절감은 환상에 불과할 것이다. 기업의 총경비가 여러 분야에 걸치면 개별 분야는 원가를 줄일 수 있지만 이는 활동상이나 기능상의 잉여능력이 있느냐의 여부에 따라 좌우된다. 이러한 것은 단기적 경제효과로서 일단 능력이 완전히 사용, 확대되면 공유된 활동의 실제원가가 산출될 것이다.

3. 일부 산업에서는 공급회사들이 판매량 증대를 위해 신규 진입에 대한 재원조달을 기꺼이 지원하고 있다(유조선이나 벌목장비). 이런 경우에는 진입을 억제하는 자본장벽의 효율성이 감소하게 된다.

4. 교체비용은 판매자에게도 있을 수 있다. 교체비용과 또 이와 관련된 일부 문제는 6장에서 자세하게 다루겠다.

5. 역자 주— 1950년대 Timex는 고가시계를 생산하여 보석상을 통해 판매하는 기존 회사의 유통전략과는 달리, 저가시계를 대량생산하여 잡화점에서 대량판매를 함으로써 시계시장에 성공적으로 진입할 수 있었다.

6. 여기서 또 한 가지 전제가 되는 것은 대규모 기업이 제품라인의 다각화를 통해 본래 누리고 있던 원가우위를 무력하게 만들지 않는다는 것이다.

7. 자동차 산업의 역사에서 엿볼 수 있는 이러한 현상은 Abernathy와 Wayne의 저서 (1974) p. 109에서 자세한 내용을 참고할 수 있다.

8. 이 문제는 12장에서 자세히 다룰 것이다. 12장에서는 철수장벽을 진단하는 방법이 사양 산업에서의 전략개발에 매우 중요하다는 점을 자세히 설명할 것이다.

9. 대체재의 영향은 그 산업의 전반적인 수요 탄력성으로 요약적인 설명이 가능할 것이다.

10. 구매자들의 통합동기가 안정적 공급이나 그 밖의 비가격적 요인들에 더 크게 기인되고 있다면, 그러한 통합을 저지하기 위해서는 보다 큰 가격상의 양보를 하지 않으면 안 될 것이다.

11. 부록B에서 이 같은 요인들에 관한 자료원을 많이 제시했다.

### 2장

1. 「Harnischfeger's Dramatic Pick up in Cranes」, *Business Week*(August 3, 1979).

2. Wertheim 참조(1977).

### 3장

1. 흔히 미래목표는 전략의 일부로서 취급하는 것이 보통이지만, 경쟁기업 분석에서는 장래 목표와 현재 전략을 구분하는 것이 분석적인 측면에서 더 낫다.

2. 경영자의 경력과 경험에 대해서는 뒤에서 더 자세하게 언급하겠다.

3. 예를 들어 종업원의 일시해고를 회피하려는 방침은 경기 침체기의 재고누적과 때에 따라서는 경제상승 국면에서 일부 상실을 감수하겠다는 것을 시사해주는 것이다. 미국의 대기업들 중 이런 방침을 실시하고 있는 회사는 상당히 많다.

4. 철수장벽 문제는 1장과 12장에서 다룰 것이다.

5. 부록A에 기업들이 사업영역을 분류하는 데 사용되는 통상적인 방법이 일부 소개되어 있다.

6. 경쟁기업의 강점·약점이나 능력평가를 위한 다른 참고자료로는 다음과 같은 것이 있다. Robert Buchele, 「How to Evaluate a Firm」, *California Management Review*(Fall, 1962, pp. 5~16), Ansoff, *Corporate Strategy*(New York, McGraw-Hill, 1965, pp. 98~99), W. H. Newman and J. P. Logan, *Strategy, Policy, and Central Management*(6th ed) (Cincinnati: South-Western Publishing, 1971), W. E. Rothschild, *Putting It All Together*(New York, AMACOM, 1979).

7. 지속 가능한 성장 = (자산 회전율) × (세후매출 수익율) × (자산 / 부채) × (부채 / 순자산) × (유보된 수익분)

### 4장

1. 시장신호가 나타나는 사례는 일반적인 경쟁행위 속에서도 찾아볼 수 있을 뿐만 아니라 과점상황에 관한 연구에서도 많이 찾아볼 수 있다. 시장신호의 중요성을 입증한

연구서로는 Fouraker와 Siegel의 연구논문(1960)을 참고하기 바란다.

2. Brock 논문(1975) 참조.

3. 경쟁기업들은 인터뷰 등의 형태를 통해 그들의 만족이나 불만을 직접 표현할 수 있다. 그러나 다른 기업의 조치에 대응하여 어떤 행동을 취하겠다고 공표하는 것은 단순한 만족이나 불만표시 행위보다 훨씬 구속력 있는 언약이 된다. 왜냐하면 일단 공표를 해놓고 이를 취소하거나 이행하지 않으면, 이것은 인터뷰나 연설 등에서 밝힌 내용을 실행하지 않는 경우보다 그 기업의 신뢰성에 더 큰 상처를 입히기 때문이다. 보통 인터뷰나 연설 등의 형태로써 불만을 표시해 다른 기업의 의지를 바꾸어보려고 시도했다가 그것이 성과를 거두지 못하면, 앞으로 취할 행동을 사전 공표하는 단계로 나아가는 경우가 많다.

4. 이런 형태의 사전공표가 본래의 의도대로 이루어지는 일은 드물다. 15장을 참고하기 바란다.

5. 이러한 결과를 얻기 위해서는 Texas Instruments가 충분한 신뢰감을 얻고 있어야 한다. 즉 앞서의 다른 행적으로 미루어 보아 Texas Instruments가 한 번 약속하면 반드시 이행한다는 믿음이 뒤따라야 한다. 만약 절반가격으로 판매하겠다는 공약을 이행하지 않는다면 포기했던 다른 경쟁기업들이 다시 뛰어들 것이다.

6. 선점전략을 뒷받침하는 여러 가지 여건에 대해서는 15장에서 자세히 다룰 것이다.

7. 경쟁적인 상황에서 결의규명이 어떤 의미를 지니고 있고, 또 그것이 어떤 형태로 경쟁기업의 행동을 억제하는가에 대해서는 5장에서 자세히 다룰 것이다.

8. 이런 행위는 기존 시설의 용량을 정확하게 발표하는 것이나, 장래의 시설확장 계획을 동시에 발표하는 것과는 뚜렷이 구별되는 것이다.

9. Sherwin-williams Coating 그룹의 사장이 페인트 사업에 대해 밝힌 의견이다. *Business Week*(August, 14, 1977).

10. 어느 유력한 생산업체 중역이 증권 분석가들에게 밝힌 내용이다.

11. 실제 행동과 마찬가지로 무성한 소문도 우회전략의 한 수단으로 활용된다.


## 5장

1. 과점상황이란, 어느 한 기업이 시장을 장악하고 있는 독점상황과 자유경쟁 상황 간의 중간 상태를 말한다. 자유경쟁은 특정 산업에 많은 기업이 활동하고 있고, 또 그 산업에의 진입이 매우 용이해서 모든 기업들이 상호 간에 아무런 영향을 미치지 못하고 전반적인 시장상황에만 대응하는 상황을 말한다.

2. 이런 상황을 게임이론의 전문용어로는 'side payment' 라 부른다.

3. Timex의 진출배경에 대해서는 「Note on the Watch Industries in Switzerland, Japan and the United States」와 「Timex」(Intercollegiate Case Clearing house)를

참고하기 바란다.

4. Bic의 조치에 대해서는 「Gillette: After the Diversification That Failed」, *Business Week*(February 28, 1977) 참조.

5. 대결상표의 실례는 4장에서 참고하기 바란다.

6. 여기에서 'communication' 이란 말은 의사전달이라는 일반적인 의미로 사용되는 것이 아니다. 그럼에도 미국 반독점 관장당국은 일부 신호표시 및 결의표명 형태가 산업 내부의 은밀한 공모를 유도하는 데 효과적인 수단이 될 수 있다고 판단, 그런 행위를 감지의 대상으로 삼고 있다. 당국의 이런 판단이 입증된 경우는 없으나 경영관리자들은 그런 사실을 인지할 필요가 있다.

7. 이런 견해를 뒷받침하는 실증적인 사례로는 Deutsch(1960)를 참고하기 바란다.

8. 과잉 생산설비가 진출억제 요인이 될 수 있다는 점은 Spence(1977)의 저서를 참고하는 것이 도움이 될 것이다.

9. 「A Miracle of Sorts」, *Forbes*(November 15, 1977) 참조.

10. Sultan(1974) 1권.

11. Schelling(1960).

## 6장

1. 이 점에 대해서는 Corey(1976)의 저서를 참고하기 바란다.

2. Theodore Levitt는 구매자에 대한 이와 같은 판매를 'augmented' 제품이라고 불렀다.

3. 이러한 인식은 Mckinsey and Company가 면밀하게 개발한 것으로서 고객에게 경제적 가치를 부가하게 한다는 것이었다. Forbus와 Mehta의 공저(1979년)를 참고하기 바란다.

## 7장

1. IBM이 1970~1975년 사이에 거둔 투하자본수익률은 19.4퍼센트나 되었다. 이에 비해 Burrough는 13.7퍼센트, Honey well은 9.3퍼센트, Control Data는 4.7퍼센트였다(*Forbes* Jan. 참조).

2. 아래 설명할 개념들에 유의하면 극히 중요한 전략차원을 선택하는 데 도움이 될 것이다.

3. 「Mushrooming Business」, *Forbes*(July 15, 1977).

4. 기술적 변화나 구매자 변화 요인들은 제품의 대체성을 증감시키고, 그에 따라 관련 산업의 경계선을 바꿀 수도 있다.

5. Hunt(1972), Newman(1978), Porter(1976) 등의 저서를 참고하기 바란다.

6. Buzzell et al.(1975) 참조.

## 8장

1. 제품수명주기 이론을 개별 제품에만 적용해야 할지, 아니면 전체 산업에도 적용할 수 있는지에 대해서는 논란이 있다. 산업에 적용할 수 있다는 견해는 이 책에서 간략하게 소개될 것이다.
2. Kotler(1972), 그리고 Polli와 Cook의 공저(1969)를 참고하기 바란다.
3. 이 문제에 대해서는 Levitt(1965)을 참고하기 바란다.
4. *Dun's* (February 2, 1977) 참조.
5. 정부정책은 안전기준이나 보조금 지급과 같은 분야에서 대체재에 대한 특정 제품의 위치에 영향을 미칠 수 있다.
6. *Business Week*(December 13, 1976)
7. 일부 기업들은 방어적인 혁신과 특허출원을 통해 성공을 거두고 있다. 만약 어느 기업이 기존 기술과 최선의 대체기술을 발견해 특허출원을 할 수 있다면 신규 진입기업들은 훨씬 큰 난관에 봉착하게 될 것이다. 블로바의 애큐트런 시계나 제록스 건조사진술 개발이 그러한 전략의 산물이다.
8. 산업규모의 축소는 이와 정반대의 영향을 미친다.
9. 새로운 산업에의 진입 결정은 16장에서 자세하게 다루겠다.
10. 세계 다른 지역의 산업에서 활동하고 있던 외국기업이 국내시장에 진입하는 경우도 그 산업의 구조적 변화에 큰 영향을 미칠 수 있다. 외국시장의 경쟁기준은 국내시장과 전혀 다를 수 있는데, 그런 판이한 상황에 익숙한 외국기업은 전략적인 접근방식 면에서도 전혀 다른 모습을 보일 수 있다.
11. 유일한 예외가 Gallo인데, Gallo는 그 이후에도 포도주 산업에서 유력한 기업으로 계속 활동할 수 있었다.
12. 산업진화 과정을 분석해보면 그 산업에 진입할 수 있는 최적기를 알 수 있다. 이에 대해서는 10장에서 자세히 설명되었다.

## 9장

1. 이와 관련된 것으로 사업이 오랜 시간 동안의 격심한 노동을 요구하게 되는 상황이 있다. 예를 들어 농업생산 요소 거래업자는 비료와 종자 같은 상품의 연간 매출량 대부분을 몇 주 동안의 성수기에 판매한다. 소유경영인을 제외하고는 필요한 노동력을 희생할 사람이 없을 것이다.
2. 「Nat Ancell's Unique Selling Proposition」, *Forbes*(December 25, 1978).
3. 구매자의 교섭력과 가격에 대한 민감도에 영향을 미치는 특징에 관한 논의는 1장과

6장을 참고하기 바란다.

4. Prelude에 대해 더 상세하게 알고 싶으면 *Prelude Corporation*(Harvard Business school, ICCH4-373-052, 1968)을 참고하기 바란다.

## 10장

1. Abernathy는 이를 제품이나 서비스에서의 '지배적 디자인'의 부재라고 칭했다. Abernathy(1978) 참조.

2. 「The Coming Boom in Solar Energy」, *Business Week*(October 9, 1978).

3. Fruhan(1979)에서 다른 예들을 참고하기 바란다.

4. 「Mineral Water Could Drown in Regulation」, *Business Week*(June 11, 1979).

5. 이 도표를 제시한 것은 Mckinsey & Company의 John Forbus다.

6. 이 착상을 저술하는 데는 당시 Harvard Business School, Business Policy에서 보조 연구원으로 있던 Margaret O. Lawrence의 연구가 큰 도움이 되었다.

7. 이 기준은 기존 산업에서 신제품의 초기시장을 예측하는 데도 적용될 수 있다.

## 11장

1. 6장을 참고하기 바란다.

2. 완전한 제품라인을 마련하고 시장위치를 확립하는 데는 평균원가에 입각한 가격책 정이 바람직할 수도 있다.

3. Abernathy(1978)을 참고하기 바란다.

4. 간단한 설명을 위해서는 *Business Week*(August 15, 1977)를 참고하기 바란다.

5. Skinner(1974).

6. 창업주에 의해 경영되는 단계에서 전문 경영인에 의해 경영되는 단계로 전환되는 과 정에 있어서 조직과 시스템이 좀 더 합리화되고 공식화되고 탈 인격적이 되어야 한 다. 비록 이런 전환은 그 자체로 힘들지만, 산업 성숙에 맞서기 위해 요구되는 조직 의 전환은 산업의 성숙에 의해 진행된 경쟁환경 변화의 결과로서, 중요한 경영시스 템을 위한 다른 구조와 다른 초점을 포함하게 될 수도 있다.

7. *Business Week*(August 15, 1977).

8. 창업주 경영에서 전문 경영으로의 전환 과정에서 일반 경영인에게 요구되는 기술자 원의 적응은 주로 조직라인과 관리라인에서만 있게 된다.

9. Porter(1976 b).

## 12장

1. 이 장을 쓰는 데는 Kathryn Rudie Harrigan의 연구에서 큰 도움을 받았다.

2. 쇠퇴 과정이 때로는 기술혁신, 생산비 절감 등의 환경 변화를 통해 역전될 수도 있다. 쇠퇴를 막는 몇 가지 방법이 8장에서 논의되었다. 이 장에서는 가능한 모든 방법을 다 소모한 후이므로 전략적인 문제가 쇠퇴와의 대결로 된 종류의 산업들에 우리의 초점을 고정시킨다.

3. 다각화된 기업은 평가 절하로부터의 세금손실을 활용할 수 있을지도 모르며, 평가 절하는 철수 결정의 현금유출 충격을 완화한다. 하지만 평가 절하는 여전히 금융시장에 영향을 미치게 될 수 있다.

4. 이러한 표현은 경영진이 어느 정도 강한 통제력을 가지고 있어서 주주들에게 최상의 이익이 되지 않는 방향으로도 행동할 수 있다는 사실을 전제로 한다. 경영자가 주주인 극단적인 경우에는 감정적 철수장벽의 존재 가능성이 가장 커질 것이다.

5. Gilmour(1973)을 참고하기 바란다.

6. 경영상의 장벽에 대응하는 방법에 대한 논의를 위해서는 Porter(1976)를 참고하기 바란다.

7. 사양 산업에 있어서의 정부의 역할에 대한 심층적 논의를 위해서는 Metha(1978)를 참고하기 바란다.

8. 그러나 만약 그 산업이 공급업체의 가장 중요한 고객일 경우에는 공급업체들이 쇠퇴 현상을 퇴치하려는 그 산업의 노력에 도움을 주려고 할 수도 있다.

9. 성장이 둔하거나 역성장을 하고 있는 시장에의 투자는 일반적으로 위험하다. 왜냐하면 자금이 동결되면 수익이나 처분을 통한 투자회수에 저항적이 될 수도 있기 때문이다. 선도전략에 재투자가 산업 발전의 후기에서 행해진다 해도, 한 기업의 위치와 산업구조가 재투자의 재개를 감당하고도 남음이 있다는 전제에서 수립된다.

## 13장

1. 이 장을 쓰는 데는 Boston Consulting Group의 Thomas Hout, Eileen Rudden, Eric Vogt로부터 도움을 받았다.

2. 산업 세분화의 원인과 그것을 극복하는 방법에 대해서는 9장에서 논의되었다.

3. 기술혁신과 같은 공공재산은 일단 초기투자가 이루어지고 난 후 반복해서 무료로 사용할 수 있는 성격을 띤다.

4. 그 지식을 특정한 지리적 시장에 적용하는 데 비용이 들 수도 있다. 이 장의 뒷부분을 참고하기 바란다.

5. 첨예화된 형태로 이러한 장애가 존재함은 산업이 실제로는 전국적이라기보다 지역적임을 의미하는 것일 수 있다.

6. 이 논의는 글로벌 경쟁에의 특수한 장애요인들에 초점이 맞추어져 있다. 국제시장으로의 진입을 노리는 기업이라면 이 책의 다른 곳에서 논의된 진입장벽 전부를 극복

해야 한다.

7. 이 개념에 대한 더욱 상세한 논의를 위해서는 Vernon(1966)과 Wells(1972)를 참고하기 바란다.

8. 이 이론을 입증하는 증거자료를 위해서는 Vernon(1979)를 참고하기 바란다.

9. Doz(1979) 참조.

10. IBM에 관한 논의를 위해서는 Doz 참조.

11. Knickerbocker(1973).

12. 예를 들면 Vernon(1979).

## 14장

1. 여기에서는 생산이냐 구입이냐에 대해 계산을 해보는 기술이 검토되지는 않을 것이다. 그런 기술에 대해서는 Buffa(1973)과 Moore(1973)을 참고하기 바란다.

2. 혹은 부담되는 비용이 앞으로 논의될 통합의 다른 이익들로 상쇄될 수 있을 만큼 소규모인 경우도 포함된다.

3. 제품이 실제로는 그 기업 내에서 수직적으로 연결된 단위 사이를 이동하지 않고, 단위마다 외부기업과 거래하는 경우에도 정보의 경제와 같은 수직적 통합의 이익이 부분적으로 실현될 수 있다.

4. 물론 이러한 결정은 투입요소들의 혼합에 변화를 줄 수 있는 전방단위의 능력에 영향 받는다.

5. 진입 결정에서 발생하는 경제적·전략적 문제들의 검토를 위해서는 16장을 참고하기 바란다.

6. 원료공급 업체들 대부분의 경우에서와 같이 수직적 통합관계에 있는 사업단위가 반드시 해외에서 운영되어야 한다면, 경영상의 요구에서 이처럼 차이가 있을 수 있는 가능성은 더욱 뚜렷해진다. 해외소재는 지금까지 논의된 바와 같이 수직적으로 관련되어 있는 사업에서 요구되는 경영방법의 상이성에 추가의 상이성을 덧붙인다. 그 밖에도 특정한 상황에서는 소재국 정부의 정책 때문에 외국기업이 현지기업에 비해 불리한 입장에 놓이게 될 수도 있다.

7. 이러한 전략은 변동이 심한 상황을 견뎌낼 수 있으면서도 위험부담에 상응하는 대가를 요구하지 않을 의사가 있는 공급업체를 확보할 수 있을 것을 전제로 한다. 공급 산업이 세분화되어 있거나 혹은 극도로 경쟁적일 때 그러한 전제를 충족시킬 수 있는 가능성이 커진다.

8. Cannon(1968), p. 447을 참고하기 바란다.

9. 특정한 원료생산 사업과 관련된 유사통합에 대한 논의를 위해서는 D' Cruz(1979)를 참고하기 바란다.

10. 진입의 고려대상인 인접 산업이 극히 경쟁적임에도 불구하고 단 하나의 고객단위 혹은 공급단위에 모든 생산을 집중시킨다면 그 기업이 곤경에 빠질 수도 있다. 단 하나의 동반자 기업과 결속함에 따르는 위험이 가장 커지는 것은 경쟁적 산업에서 이다.

## 15장

1. 단지 산업에서의 시설확장의 상세한 컴퓨터 모델이 Porter and Spence(1978)에서 제 시된다.
2. 수요가 상품제조 산업에서 극히 비탄력적인 경우를 자주 목격할 수 있다. 비탄력적 수요가 시설과잉의 시기를 장기화하는 이유는 기업이 가격 인하만으로는 수요를 자 극해서 시설을 완전 가동할 수 없기 때문이다.
3. 공장을 단계적으로 세울 수 있거나 취소비용이 크지 않을 경우에는 이 문제가 축소 된다.
4. *Business Week*(July 17, 1978).
5. Fruhan(1972)을 참고하기 바란다.
6. *New York Times*(February 11, 1979, p. D1).
7. 장래의 수요 및 기술에 대한 확신의 표시 같은 것이다.
8. 신뢰할 만한 공약을 가능하게 하는 요인에 대한 논의를 위해서는 5장을 참고하기 바 란다.

## 16장

1. 여기에서의 준거틀은 진입기업의 능력 향상이다. 주주가 진입을 통해 어떤 이득을 보게 될지에 관한 문제는 명백하게 논의되지 않을 것이다. 이 문제를 상세하게 다룬 흥미로운 저서로는 Slater and Weinhold(1979)가 있다.
2. 합작투자는 내적 진입과 동일한 방식으로 분석되어야 한다. 합작투자가 이러한 장애 요인을 통과했을 경우에는, 투자가 관련한 파트너의 목적이나 기대 혹은 경영적 경 향이 해당 기업의 그것과 상이함을 말해주는 단서는 없는지, 파트너에 대한 면밀한 검토를 해야 한다. 그러한 차이가 존재한다면 건전한 사업 제안조차 실효를 거두지 못하게 될 수 있다.
3. 내적 발전을 통한 어떤 산업으로의 진입에서 요구되는 투자가, 후에 논의하게 될 인 수시장의 상태에 따라서는 인수비용보다 상대적으로 높게 보일 수도 있다. 내적 진 입의 높은 비용 때문에 수많은 기업이 인수시장으로 몰리고 있다.
4. *Forbes*(September 18, 1979)를 참고하기 바란다.
5. 이 점에 관한 논의를 위해서는 3장을 참고하기 바란다.

6. 신종 사업에서 진입장벽이 높아지는 경우가 흔히 있다.

7. 진입기업을 포함하는 기업이 그러한 공약을 전달하는 방법에 관한 논의를 위해서는 4장을 참고하기 바란다.

8. 이러한 계획적 행동에 관한 간단한 논의를 위해서는 *Business Week*(November 27, 1978)를 참고하기 바란다.

9. 과거에는 회사매매 시장이 훨씬 덜 공식적으로, 그리고 주로 개인적 접촉을 통해 가능했다.

**부록A**

1. 이 기법에 관한 광범위한 논의를 위해서는 Abell and Hammond(1979)의 4·5장, Day(1977), Salter and Weinhold(1979)의 4장을 참고하기 바란다.

2. 상대적 시장점유율이란 그 산업 내 최대기업의 점유시장에 대한 해당 기업의 점유시장 비율을 말한다.

3. '수확' 혹은 '스타(star)로의 성장'이라는 충고만으로는 경영상의 행동을 지도하기에 충분하지 못하다.

# 참고문헌

ABELL, D. F., and HAMMOND, J. S. *Strategic Market Planning: Problems and Analytical Approaches.* Englewood Cliffs, N.J.: Prentice－Hall, 1979.

ABERNATHY, W. J., and WAYNE, K. 「The Limits of the Learning Curve」, *Harvard Business Review*, September/October 1974.

ABERNATHY, W. J. *The Productivity Dilemma: Roadblock to Innovation in the Automobile Industry.* Baltimore, Md.: Johns Hopkins Press, 1978.

ANDREWS, K. R. *The Concept of Corporate Strategy.* New York: Dow－Jones－Irwin, 1971.

ANSOFF, H. I. 「Checklist for Competitive and Competence Profiles」, *Corporate Strategy*, pp. 98-99. New York: McGraw－Hill, 1965.

BROCK, G. *The U.S. Computer Industry.* Cambridge, Mass.: Ballinger Press, 1975.

BUCHELE, R. 「How to Evaluate a Firm」, *California Management Review*, Fall 1962, pp. 5－16.

BUFFA, E. S. *Modern Production Management.* 4th ed. New York: Wiley, 1973.

BUZZELL, R. D. 「Competitive Behavior and Product Life Cycles」, *In New Ideas for Successful Marketing*, edited by John Wright and J. L. Goldstucker, pp. 46－68. Chicago: American Marketing Association, 1966.

BUZZELL, R. D., GALE, B. T., and SULTAN, R. G. M. 「Market Share－A Key to Profitability」, *Harvard Business Review*, January-February 1975, pp. 97－106.

BUZZELL, R. D., NOURSE, R. M., MATTHEWS, J. B. JR., and LEVITT, T. *Marketing: A Contemporary Analysis.* New York: McGraw-Hill, 1972.

CANNON, J. T. *Business Strategy and Policy.* New York: Harcourt, Brace and World, 1968.

CATRY, B, and CHEVALIER, M. 「Marketing Share Strategy and the Product Life Cycle」, *Journal of Marketing*, Vol. 38, October 1974, pp. 29－34.

CHRISTENSEN, C. R., ANDREWS, K. R., and BOWER, J. L. *Business Policy: Text and Cases.* Homewood, Ill.: Richard D. Irwin, 1973.

CLIFFORD D. R., JR. 「Leverage in the Product Life Cycle」, *Dun's Review*, May 1965.

COREY, R. *Industrial Marketing.* 2nd ed. Englewood Cliffs, N.J.: Prentice–Hall, 1976.

COX, W. E., JR. 「Product Life Cycles as Marketing Models」, *Journal of Business,* October 1967, pp. 375-384.

DANIELS, L. *Business Information Sources.* Berkeley: University of California Press, 1976.

DAY, G. S. 「Diagnosing the Product Portfolio」, *Journal of Marketing,* April 1977, pp. 29–38.

D'CRUZ, J. 「Quasi–Integration in Raw Material Markets」, DBA Dissertation, Harvard Graduate School of Business Administration, 1979.

DEAN, J. 「Pricing Policies for New Products」, *Harvard Business Review,* Vol. 28, No. 6, November 1950.

DEUTSCH, M. 「The Effect of Motivational Orientation Upon Threat and Suspicion」, *Human Relations,* 1960, pp. 123–139.

DOZ, Y. L. *Government Control and Multinational Strategic Management.* New York: Praeger, 1979.

DOZ, Y. L. 「Strategic Management in Multinational Companies」, *Sloan Management Review,* in press, 1980.

FORBUS, J. L., and MEHTA, N. T. 「Economic Value to the Customer」, Staff paper, McKinsey and Company, February 1979.

FORRESTER, J. W. 「Advertising: A Problem in Industrial Dynamics」, *Harvard Business Review,* Vol. 37, No. 2, March/April 1959, pp. 100–110.

FOURAKER, L. F., and SIEGEL, S. *Bargaining and Group Decision Making: Experiments in Bilateral Monopoly.* New York: McGraw–Hill, 1960.

FRUHAN, W. E., JR. *The Fight for Competitive Advantage.* Cambridge, Mass.: Division of Research, Harvard Graduate School of Business Administration, 1972.

FRUHAN, W. E., JR. *Financial Strategy.* Homewood, Ill.: Richard D. Irwin, 1979.

GILMOUR, S. C. 「The Divestment Decision Process」, DBA Dissertation, Harvard Graduate School of Business Administration, 1973.

HARRIGAN, K. R. 「Strategies for Declining Industries」, DBA Dissertation, Harvard Graduate School of Business Administration, 1979.

HUNT, M. S. 「Competition in the Major Home Appliance Industry」, Ph.D.

Dissertation, Harvard University, 1972.

KNICKERBOCKER, F. T. *Oligopolistic Reaction and Multinational Enterprise.* Cambridge, Mass.: Division of Research, Harvard Graduate School of Business Administration, 1973.

KOTLER, P. *Marketing Management.* 2nd ed. Englewood Cliffs, N.J.: Prentice−Hall, 1972.

LEVITT, T. 「Exploit the Product Life Cycle」, *Harvard Business Review,* November/December 1965, pp. 81−94.

LEVITT, T. 「The Augmented Product Concept」, In *The Marketing Mode: Pathways to Corporate Growth.* New York: McGraw−Hill, 1969.

MEHTA, N. T. 「Policy Formulation in a Declining Industry: The Case of the Canadian Dissolving Pulp Industry」, DBA Dissertation, Harvard Graduate School of Business Administration, 1978.

MOORE, F. G., *Production Management.* 6th ed. Homewood, Ill.: Richard D. Irwin, 1973.

NEWMAN, H. H. 「Strategic Groups and the Structure−Performance Relationship」, *Review of Economics and Statistics,* Vol. LX, August 1978, pp. 417−427.

NEWMAN, W. H., and Logan, J. P., *Strategy, Policy and Central Management.* Chapter 2. Cincinnati, Ohio: South Western Publishing, 1971.

PATTON, ARCH. 「Stretch Your Product's Earning Years」, *Management Review,* Vol. XLVII, No. 6, June 1959.

POLLY R., and COOK, V. 「Validity of the Product Life Cycle」, *Journal of Business,* October 1969, pp. 385−400.

PORTER, M. E. *Interbrand Choice, Strategy and Bilateral Market Power.* Cambridge, Mass.: Harvard University Press, 1976a.

PORTER, M. E. 「Strategy Under Conditions of Adversity」, Discussion paper, Harvard Graduate School of Business Administration, 1976b.

PORTER, M. E. 「Please Note Location of Nearest Exit: Exit Barriers and Planning」, *California Management Review,* Vol. XIX, Winter 1976c, pp. 21−33.

PORTER, M. E. 「The Structure Within Industries and Companies' Performance」, *Review of Economics and Statistics,* LXI, May 1979, pp. 214−227.

PORTER, M. E., and SPENCE, M. 「Capacity Expansion in a Growing Oligopoly:

The Case of Corn Wet Milling⌋, Discussion paper, Harvard Graduate School of Business Administration, 1978.

QUAIN, MITCHELL. *Lift— Truck Industry: Near Term Outlook.* New York: Wertheim & Company, June 22, 1977.

ROTHSCHILD, W. E. *Putting It All Together.* New York: AMACOM, 1979.

SALTER, M., and WEINHOLD, W. *Diversification Through Aquisition.* New York: Free Press, 1979.

SCHELLING, T. *The Strategy of Conflict.* Cambridge, Mass.: Harvard University Press, 1960.

SCHOEFFLER, S., BUZZELL, R. D., HEANY, D. F. ⌈Impact of Strategic Planning on Profit Performance⌋, *Harvard Business Review*, March/April 1974, pp. 137 – 145.

SKINNER, W. ⌈The Focused Factory⌋, *Harvard Business Review*, May/June 1974, pp. 113 – 121.

SMALLWOOD, J. E. ⌈The Product of Life Cycle: A Key to Strategic Market Planning⌋, *MSU Business Topics*, Vol. 21, No. 1, Winter 1973, pp. 29 – 36.

SPENCE, A. M. ⌈Entry, Capacity, Investment and Oligopolistic Pricing⌋, *Bell Journal of Economics*, Vol. 8, Autumn 1977, pp. 534 – 544.

STAUDT, T. A., TAYLOR, D., and BOWERSOX, D. *A Managerial Introduction to Marketing*, 3rd ed. Englewood Cliffs, N.J.: Prentice – Hall, 1976.

SULTAN, R. *Pricing in the Electrical Oligopoly. Vols. I and II.* Cambridge, Mass.: Division of Research, Harvard Graduate School of Business Administration, 1974.

VERNON, R. ⌈International Investment and International Trade in the Product Cycle⌋, *Quarterly Journal of Economics*, Vol. LXXX, May 1966, pp. 190 – 207.

VERNON, R. ⌈The Waning Power of the Product Cycle Hypothesis⌋, Discussion paper, Harvard Graduate School of Business Administration, May 1979.

WELLS, L. T., JR. ⌈International Trade: The Product Life Cycle Approach⌋, In *The Product Life Cycle in International Trade*, edited by L. T. Wells, Jr. Cambridge, Mass.: Division of Research, Harvard Graduate School of Business Administration, 1972.

## Case Studies

*Note on the Watch Industries in Switzerland, Japan and the United States.*

Intercollegiate Case Clearinghouse, 9 − 373 − 090.

 *Prelude Corporation.* Intercollegiate Case Clearinghouse, 4 − 373 − 052, 1968.

 *Timex(A).* Intercollegiate Case Clearinghouse, 6 − 373 − 080.

## Periodicals

 *BusinessWeek,* August 13, 1979; June 11, 1979; November 27, 1978; October 9, 1978; July 17, 1978; August 15, 1977; February 28, 1977; December 13, 1976, November 18, 1976.

 *Dun's,* February 1977.

 *Forbes,* December 25, 1978; September 18, 1978; July 15, 1977; November 15, 1977.

 *New York Times,* February 11, 1979.